¿Qué Cocinar?

¿Qué Cocinar?

Mil y una nuevas maneras de darle variedad a su cocina de todos los días y crear menús para toda ocasión.

Concepto
Communiplex Marketing Inc.

Director de Proyectos
Chef Yvan Bélisle

Coordinadora de Proyectos
Martine Lamarche

Estandarización
Marie-Rose Poudrier
Lavergne and Associates Inc. ①
Communiplex Marketing Inc.

Texto Acompañante
Chantal Racine, dietista
Lavergne and Associates Inc.
Ron Kalenuik y Creative Edge Graphic Design

Fotografía
Studio Michel Bodson Inc.

Estilista
Muriel Bodson

Pinturas de Fondo
Luc Normandin

Preparación de Recetas
Chef Stéphane Drouin

Asistente de Cocina
Isabelle Gagnon

Concepción Gráfica
Communiplex Marketing Inc.
Lavergne and Associates Inc. ②

Gráficos de Computadora
Lavergne and Associates Inc. ③
Communiplex Marketing Inc.

Tratamiento de las Fotos
Lavergne and Associates Inc. ④
Communiplex Marketing Inc.

Revisión Final
Communiplex Marketing Inc.

Película/Impresión de la Edición en Francés
Groupe 5 Litho Inc.

Edición en Inglés
Película Creative Edge Graphic Design
Printed in the U.S.A. by Courier Companies. Hecho en U.S.A.

Consejero Legal del Quebec Farmers' Group
Robert Brunet, c.r.
Brunet and Brunet, Lawyers.

IMPORTADOR POR:
GRUPO MERYDEM S.A. DE C.V.
Calz. De Los Fresnos, #70
CD. Granja, Zapopan, Jalisco
R.F.C. GME961023M91

EXPORTADO POR:
DS-MAX U.S.A. #16-1241510
IRVINE, CA 92718

IMPORTADOR EN ARGENTINA
DICSUR S.A.
AV. CRAMER 3226
(CP 1429) BUENOS AIRES

① *excepto*   *Cordero, Pescado y Mariscos, Caza, Alternativas, Platos Complementarios, Ensaladas, Queso, Menús, Glosario*
② *para*   *Páginas Preliminares, Tabla de Contenido, Menús, Indice*
③ *excepto*   *Glosario, Platos Complementarios, Quesos, Páginas de Sección y Capítulos*
④ *excepto*   *Páginas de Sección y Capítulos*

El editor agradece la colaboración excepcional de las siguientes tiendas y proveedores:
Pier 1 Imports, La Baie Centre-Ville, Stokes Ltd, y Pastry and Bakery Afroditi Inc.
Derechos de Autor © Quebec Farmers' Group

Depósito Legal, primer trimestre 1993

Biblioteca Provincial de Quebec

Biblioteca Nacional del Canadá

Publicado por Communiplex Marketing inc. para Quebec Farmers' Group

Esta edición es exclusiva de
(714) 587-9207

ISBN: 1-55185-935-1

INTRODUCCIÓN

¿Qué hay de comida? Esta pregunta se hace en hogares alrededor del mundo, día tras día, y siempre recibe la misma respuesta. ¿Es de sorprenderse que la comida casera sea algo menos que una reunión familiar y algo más que una tarea para quien cocina cuando la respuesta es tan rutinaria como el menú? Este libro ofrece una fuente de creatividad para nuevas ideas de menú, desde bocadillos hasta postres. Hagamos que esta pregunta se conteste con nuevos y excitantes platos como los que se encuentran en *¿Qué Cocinar?*

La clave para eliminar la rutina aburrida de la selección semanal del menú es creatividad. Esto es exactamente lo que usted va a encontrar en las páginas de esta segunda edición de una serie de libros de cocina muy popular. Usted va a encontrar platos extraordinarios como el Cerdo Asado con Glacé de Miel, la Langosta Newburg, el Chile con Ternera en Hojaldre, y el Fetuccini de Mariscos Verde, como también postres exóticos como un Pastel de Queso con Avellanas o la Crema Bávara Charlotte. También hay una fantástica selección de galletas, cuadrados y bombones para satisfacer los deseos por algo dulce en todos nosotros.

Esta colección de delicias culinarias, probadas en la cocina, fue preparada para usted por el Quebec Farmer's Group (Grupo de Granjeros de Quebec, Canadá). Tiene el sabor campechano de las comidas caseras, pero sin embargo, proporciona un enfoque excitante e innovador en la preparacion de alimentos que puede ser apreciado aun por el gourmet más exigente. Sin ser complicado, no es algo sin clase. *¿Qué Cocinar?* le proporcionará al lector años de disfrute al cocinar. Este libro con toda certeza se convertirá en uno de los estándares de su cocina a los que usted acudirá desde el almuerzo hasta la cena, día tras día.

Disfrute las maravillosas delicias que le esperan. ¡Bon appétit!

Ron Kalenuik
Presidente
North American Institute
of Modern Cuisine (Instituto
Norteamericano de Cocina Moderna)

¿POR QUÉ ESTE LIBRO?

El primer volumen en inglés de What's Cooking? cautivó los corazones de la gente, en todas partes.

Ahora tenemos el gusto de presentarles ¿Qué Cocinar? la nueva versión en español de What's Cooking?. Al igual que el libro anterior, fue escrito para ustedes, ¡para los cocineros y cocineras que les gusta cocinar y comer bien!

¿Ha triunfado la monotonía sobre el placer de cocinar para usted misma "algo un poco diferente"? ¿La pone nerviosa la idea de tener compañia en la mesa? Si es así, *¿Qué Cocinar?* es un recurso indispensable para usted.

Desde el plato refinado, preparado con rapidez, hasta la comida de todos los días, o hasta para una recepción grande, *¿Qué Cocinar?* es su principal ayuda. Usted encontrará una sección muy completa de bocadillos y además muchas sugerencias para entremeses calientes y fríos que despertarán el apetito de sus invitados. Una sección completa habla de hornear: !no hay razón para tener miedo de poner las manos en la masa! En cuanto a pasteles y dulces deliciosos, para finalizar bellamente su comida, aquí también ocupan un lugar de honor.

Las muchas fotografías que hacen que este libro sea algo para disfrutar, no solamente le harán agua a la boca. Su propósito también es ayudarla en la preparación y presentación de los platos, y para facilitarle la comprensión de ciertas técnicas de cocina.

Apoyadas por un texto claro y completo, las muchas fotografías de las técnicas explican las recetas en forma sencilla, y le permiten que usted tenga éxito en la preparación de platos deliciosos.

Los autores de este libro son miembros del Quebec Farmers' Group, los que han cultivado el arte de comer bien.

Por generaciones, los miembros del Quebec Farmers' Group han mantenido, en una forma práctica y eficiente, el "arte de la buena mesa". Por décadas, han venido aceptando las influencias exóticas y los cambiantes valores nutricionales, han refinado los platos tradicionales, y han creado una cocina original y moderna.

¿QUÉ PODEMOS APRENDER?

¿Qué Cocinar? está organizado como una comida completa. Siguiendo un orden, los capítulos le presentan desde bocadillos hasta postres, pasando por entremeses, refrescos ligeros, platos principales, platos complementarios, ensaladas y quesos. Uno de los objetivos de este nuevo libro es hacer que la creación de sus propios menús sea una experiencia placentera.

¿La hace titubear servir ciertos platos en la misma comida? ¿Está buscando el plato complementario ideal para su receta favorita?*¿Qué Cocinar?* le ofrece muchas sugerencias en el capítulo de los Menús, al final de este libro: menús para todos los días, menús para recepciones, y menús saludables. La diversidad de las recetas de cada capítulo le permitirá crear menús originales, ya sean elaborados o muy sencillos.

Para que sirva como una fuente de referencia fácil *¿Qué Cocinar?* ha organizado las recetas en dos índices diferentes. El Indice Principal clasifica las recetas por capítulo y orden alfabético. El Indice Suplementario agrupa ciertas recetas que tienen ingredientes comunes. Este índice puede ser muy útil cuando usted desea, por ejemplo, aprovechar las rebajas semanales en su tienda de comestibles.

Finalmente, las recetas reservadas para cocinar a microondas se identifican por la figura del horno microondas. También se le enseñan algunos trucos para ayudarle a que adapte su receta a diferentes tipos de cocina.

TABLA DE CONTENIDO

COMIDAS SALUDABLES

¿Qué Cocinar? nos motiva para que rompamos la monotonía de nuestra manera de cocinar. Comer en forma apropiada a pesar de nuestro horario tan ajustado es un reto. ¿Qué Cocinar? nos ayuda a superar esta dificultad.

Si seguimos los consejos que se dan al comienzo de cada sección, podremos tomar decisiones apropiadas y lograr el balance nutricional que proponen los dietistas. Cada vez más y más estudios relacionan la nutrición con la salud, y reconocen la importancia de una buena nutrición para la prevención de enfermedades como hipertensión, obstrucción de las coronarias, obesidad y cáncer.

En marzo de 1990, Health and Welfare Canada (Ministerio de la Salud y Bienestar del Canadá) publicó nuevas recomendaciones nutricionales para los Canadienses, las cuales son:

- haga que su nutrición sea más placentera, con más variedad;

- obtenga la mayor parte de su nutrición de cereales, pan y otros productos de grano, y también de verduras y frutas;

- escoja más productos lácteos, carnes y más alimentos, de poca grasa;

- trate de lograr y mantener un peso saludable, siendo activo/a en forma regular y comiendo alimentos saludables;

- consuma con moderación sal, bebidas alcohólicas y cafeína.

Con un poco de imaginación, es posible mejorar nuestra nutrición y variar nuestros menús diarios. Para sentirnos en buena forma física y obtener la nutrición necesaria para una buena salud, el secreto de una dieta balanceada es la variedad. Todos los días deberíamos consumir los elementos nutritivos de todos los grupos de la Guía Alimenticia Canadiense:

- **Productos de Granos,** incluyen toda clase de pan, cereales, arroz y pastas; proporcionan principalmente vitaminas del Complejo B y fibra.

- **Frutas y Verduras** son una fuente de fibra para la dieta, Vitamina A y Vitamina C;

- **Productos Lácteos** son importantes para el desarrollo de los huesos en los adolescentes y para el mantenimiento de la estructura ósea de los adultos; contienen mayormente calcio y proteína;

- **Carne y Sustitutos de la Carne** son una fuente excelente de hierro y proteína; todas las carnes, pescado, tofu, legumbres y nueces.

Por supuesto, no necesita eliminar completamente de su dieta los alimentos que no sean parte de la Guía Alimenticia Canadiense. Las grasas y el azúcar refinada se puede consumir con moderación.

En el último capítulo de *¿Que Cocinar?* presentamos algunos ejemplos de menús saludables, balanceados de acuerdo a la Guía Alimenticia Canadiense. También proponemos formas de convertir los llamados menús "estándar" en menús más apropiados para la salud.

Nuestra filosofía es que el placer de comer bien no tiene que ser complicado.

Chantal Racine,
Dietista

GLOSARIO

AL DENTE término culinario italiano usado para describir una pasta que está cocida pero que se mantiene un poco resistente.

ALMENDRAS, TOSTADAS almendras enteras o picadas ligeramente doradas al horno.

APELMAZAR desinflar la masa crecida empujándola hacia abajo con el puño.

ARREGLAR (1) colocar un alimento en forma decorativa en una fuente o plato de servir; (2) colocar las partes más densas o gruesas de un alimento hacia el exterior de un plato, con las partes más delgadas hacia el centro, para que se cocine uniformemente.

AU GRATIN término culinario francés para definir platos con salsa, espolvoreados con miga de pan o queso rallado, y luego por lo general, dorados en un horno caliente.

BAÑAR echar un líquido (jugos de carnes, vino, aceite, etc.) a una carne u otro alimento, para evitar que se seque al cocinarse y para darle más sabor.

BOLEADOR DE MELÓN utensilio diseñado para hacer bolitas decorativas de verduras y frutas.

CARAMELIZAR (1) cubrir el interior de una cacerola con caramelo; (2) cubrir los alimentos con caramelo derretido; (3) cocer una mezcla de mantequilla y azúcar hasta que se derrita y tome un color dorado-marrón.

CHALOTES de la familia de los chalotes aquí nos referimos a 2 variedades: (1) la cebolla verde, una cebolla joven o primaveral con un bulbo pequeño blanco y un tallo verde largo, y (2) el chalote francés (seco), una cebolla pequeña seca con piel rojiza-marrón que tiene un ligero sabor a ajo. En las recetas que solamente especifican "chalote", use cualquier variedad de acuerdo a su gusto.

COCER A FUEGO LENTO calentar un líquido hasta casi el punto de ebullición, de forma tal que la superficie tiemble pero que no burbujee.

COCER LENTO cocinar los alimentos, previamente dorados o no, a baja temperatura, con un poco de líquido en una cacerola con tapa.

COMBINACIÓN mezcla de verduras y/o frutas picadas fino.

CORTAR EN CUBOS cortar cubos de 1 pulg (2,5 cm).

CORTAR EN DADOS cortar cubos de $\frac{1}{8}$ a $\frac{1}{4}$ pulg (0,25 a 0,5 cm).

CROTÓN (1) un cubito de pan tostado o frito, o (2) una rodaja de pan, untada con sazonadores y luego tostada (a menudo cortada en formas decorativas).

CUBRIR sumergir alimentos o rociarlos con crema, salsa, glacé, etc., hasta que el alimento esté totalmente cubierto.

DAR VUELTA (1) mezclar ligeramente los alimentos, usando cucharas o tenedores con un movimiento ascendente; (2) voltear un alimento en una sartén lanzándolo en el aire.

DESEMILLAR sacar las semillas.

DESENGRASAR quitar la grasa, en parte o totalmente, de la superficie de líquidos (jugos de cocción o caldo), ya sea con cuchara, o absorbiendo con una toalla de papel o jeringa de cocina.

DESGLACEAR poner un líquido en una cacerola usada para freír verduras o carne, luego raspar el fondo de la cacerola para mezclar el líquido con los jugos. Esto produce una base para la salsa.

DESHUESAR quitar los huesos a la carne, pescado y aves.

DESMENUZAR cortar un alimento en trocitos muy pequeños.

DESNATAR quitar la grasa o resíduos de la superficie de un líquido usando una cuchara.

DESOLLAR quitarle la piel a las aves o pescados antes de cocinarlos.

DILUIR mezclar un sólido con un líquido, o mezclar dos líquidos, para reducir la consistencia o el sabor de un alimento.

DISOLVER desintegrar totalmente un alimento sólido mezclándolo con un líquido.

DORAR cocinar los alimentos con grasa, a temperatura alta, hasta que lleguen al color deseado.

EMBEBER sumergir alimentos en un líquido; término generalmente reservado para fruta sumergida en alguna bebida alcohólica o licor.

ENFRIAR refrigerar o dejar reposar un alimento a temperatura ambiente, hasta que no se sienta caliente al tocarlo.

ESCALDAR cocinar un alimento en agua hirviendo ligeramente salada, por algunos minutos, para ablandarlo, quitarle algún sabor amargo o fuerte, o para que se pele más fácil.

ESCURRIR eliminar todo el líquido de un alimento, y si es necesario secarlo a golpecitos.

ESPESAR darle más cuerpo a un líquido mezclándole huevo batido, mantequilla amasada o maicena; revolviéndolo constantemente para mantenerlo homogéneo.

ESPOLVOREAR cubrir los alimentos con un ingrediente seco tal como harina sazonada, poniendo el alimento en un tazón o una bolsa.

FLAMEAR agregar una bebida alcohólica a un plato para encenderlo; las llamas se apagan después de 30 segundos cubriendo el recipiente, o dejando que se apaguen solas, si no se especifica en la receta. Esta técnica se usa para añadirle un sabor sutil al plato o para una presentación espectacular

FREÍR A FONDO cocinar un alimento en aceite lo suficientemente caliente para que el alimento flote en él.

FREÍR VOLTEANDO cocinar alimentos en una sartén o wok, revolviéndolos y moviéndolos contínuamente.

GLACEAR (1) cubrir con una mezcla brillante; (2) **Glacé** mezcla derretida de jalea o mermelada con sabor, usada para cubrir reposterías y darles un acabado brillante.

HACER CREMA ablandar y homogenizar un alimento batiéndolo con un batidor, cuchara, o con un mezclador.

HACER PURÉ machacar alimentos sólidos con una licuadora, procesador de alimentos, colador u otro utensilio de cocina, hasta tener una mezcla homogénea.

INCORPORAR mezclar con cuidado un alimento frágil con una mezcla más fuerte, sin romperlo ni machacarlo.

LICUADORA utensilio eléctrico diseñado para picar o hacer puré los alimentos. Generalmente no se recomienda para alimentos secos.

LÍQUIDOS DE COCCIÓN la grasa y los jugos producidos por la carne o las aves durante la cocción; son usados a menudo como base para la salsa.

LISTONES decoraciones de papel usadas para cubrir la punta de los huesos de una pierna de cordero o muslo de ave.

MANTEQUILLA AMASADA partes iguales de mantequilla fría y harina, mezclados haciendo una crema.

MANTEQUILLA CLARIFICADA mantequilla derretida lentamente sin revolverla, desnatada con cuchara, y luego pasada con cuidado a otro plato, dejando un residuo lechoso.

MEZCLADOR utensilio diseñado para batir, amasar, o mezclar ingredientes y darles una consistencia homogénea.

MEZCLAR revolver, batir, o combinar de alguna otra forma los ingredientes para producir un compuesto homogéneo.

PICAR cortar un alimento en trozos pequeños usando un cuchillo, licuadora o procesador de alimentos.

POCITO cavidad que se hace en la harina para ponerle ingredientes líquidos.

PREPARAR quitar toda la grasa, los cartílagos, y otras partes innecesarias de las carnes, aves o pescados antes de cocinarlos.

PROCESADOR DE ALIMENTOS utensilio eléctrico de uso múltiple con una variedad de aditamentos que pueden picar, hacer rodajas, mezclar, desmenuzar, etc.

RALLAR reducir un alimento sólidos a polvo fino o rodajas delgadas.

RAMEQUIN platillo para hornear — llamado algunas veces taza para mostaza — en el cual se pueden cocinar raciones individuales.

RAMITO DE HIERBAS una combinación de perejil, tomillo, y hoja de laurel, usada para darle sabor a sopas, guisos, y otros platos. Cuando están frescas, las hierbas se atan juntas con un cordel, y se sacan cuando se termina de cocinar. Los ramitos secos se envuelven en tela de gasa para sacarlos con facilidad. En el comercio también se pueden conseguir otras combinaciones de hierbas.

REDUCIR hervir un líquido a alta temperatura en una cacerola sin tapar, para espesarlo y concentrarle el sabor.

ROUX término culinario francés que define una mezcla de harina y mantequilla, dorada a calor moderado, y usada para espesar salsas.

SALSA DE MARINAR mezcla líquida de un elemento grasoso, un elemento ácido y condimentos, en la cual se pone a remojar un alimento para absorber sabor, ablandarse o conservarse por más tiempo.

SEMICRUJIENTES estado de cocción de las verduras que están lo suficientemente cocidas para estar blandas en la superficie, pero crujientes en el centro.

SOFREÍR dorar un alimento en aceite, mantequilla, o una mezcla de los dos, para sellar los jugos.

SUJETAR asegurar las aves con cordel o con pinchitos, ya sea para que mantengan la forma mientras se cocinan, o para sellar el relleno.

TIRAS FINAS alimentos cortados en tiras de 2-4 pulg (5-10 cm) de largo por $1/8$ pulg (0,25 cm) de grueso.

SOPAS Y ENTREMESES

as sopas y los entremeses dan las pautas para el balance de la comida. Por esta razón es importante escoger platos que complementen a los platos que siguen.

Ya sea que usted desee una sopa fina y cremosa o una que sea clara pero sustanciosa, en estas páginas hay varias sopas deliciosas apropiadas para la ocasión y para su paladar.

La sección de entremeses presenta una variedad de selecciones tanto frías como calientes. Estos platillos se pueden servir como platos únicos en almuerzos o tés de la tarde, o como aperitivos en ocasiones más formales. Cualquiera que sean sus requerimientos, con toda seguridad usted encontrará muchos platos maravillosos para realzar cualquier evento.

Se dice que la idea de los bocadillos empezó en Rusia, cuando se servían porciones pequeñas de comida antes de que empezara la cena formal. Hoy en día, los bocadillos forman una parte importante del menú de fiestas. ¡Uno puede planear un menú completo usando solamente bocadillos!

Ya sea que usted vaya a servir antojitos para una fiesta informal o delicias de gourmet para una noche festiva formal, con seguridad usted encontrará lo que desea en este capítulo.

BOCADILLOS

Tomates Tapados

24 BOCADILLOS	
24	tomatitos cereza
¹/₄ taza	(40 g) aceitunas negras
1	filete de anchoas
1	diente de ajo, picado fino
1 cdta	(5 ml) aceite de oliva
2 cdtas	(10 ml) perejil, picado
¹/₄ cdta	(1 g) sal de cebolla
	chorrito de salsa inglesa
	pimienta recién triturada

- Cortar una rodaja de ¹/₄ pulg (0,5 cm) de la parte de arriba de cada tomate; guardar las tapas cortadas. Con una cuchara o cuchillo pequeño, sacar la pulpa suficiente para hacer un relleno. Ponerla aparte.

- Picar fino las aceitunas, las anchoas y el ajo. Mezclar bien. Añadir los ingredientes restantes.

- Rellenar cada tomate con 1 cdta (5 ml) del relleno de aceituna. Poner encima las tapas que se guardaron. Servir.

La receta se muestra arriba

VARIACION
- Usar aceitunas rellenas con pimiento dulce. Agregar 1 cda (15 ml) de queso Parmesano rallado al relleno.

Chouxs de Queso

36 BOCADILLOS	
¹/₂ taza	(125 g) mantequilla
¹/₂	cebolla, en rodajas
¹/₂ taza	(57 g) harina
2 ¹/₂ tazas	(625 mL) leche
2 tazas	(320 g) queso Gruyère, rallado
1 cdta	(5 g) sal
¹/₂ cdta	(2 g) pimienta
36	chouxs (p. 356)

- En una sartén, derretir la mantequilla. Cocer la cebolla a fuego bajo, por 3 minutos, sin dorarla. Tirar la cebolla.

- Espolvorear la mantequilla con harina; mezclar hasta que la harina se absorba. Cocer por 1 minuto. Agregar la leche. Seguir cociendo; remover constantemente, hasta que la salsa se espese.

- Añadir removiendo el queso y los condimentos. Cuando el queso se derrita completamente, quitar del fuego. Dejar reposar hasta que se asiente la mezcla.

- Hacer un agujerito al lado de cada choux. Usar una bolsa de pastelería con boquilla corriente y rellenar los chouxs con la mezcla de queso. Refrigerar por 1 hora.

- Mientras tanto, precalentar el horno a 350 °F (175 °C).

- Pasar los chouxs a una lata de hornear. Cubrirlos con papel de aluminio. Hornear por 20 minutos, y quitar el papel de aluminio a los 15 minutos. Servir los chouxs muy calientes.

Bolitas de Atún

24 BOCADILLOS		
8 oz	(225 g)	queso crema, ablandado
$^{1}/_{2}$ taza	(125 ml)	atún enlatado, escurrido
$^{1}/_{4}$ taza	(60 ml)	mayonesa
1 cdta	(5 ml)	estragón
		pizca de pimienta
$^{1}/_{4}$ taza	(40 g)	almendras tostadas

■ En un tazón, combinar los 5 primeros ingredientes. Mezclarlos y hacer una pasta firme.

■ Formar 24 bolitas. Agregar las almendras tostadas. Refrigerar por una hora. Servir.

Bolitas de Huevo

24 BOCADILLOS		
6		huevos cocidos, duros
1 cdta	(5 ml)	perejil, picado
1 cda	(15 g)	cebolla, picada
$^{1}/_{2}$ taza	(125 g)	jamón, picado fino
$^{1}/_{4}$ taza	(60 ml)	mayonesa
		sal y pimienta
		nueces, picadas

■ Desmenuzar o picar fino los huevos duros. Agregar el perejil, la cebolla, el jamón y la mayonesa. Sazonar al gusto.

■ Formar 24 bolitas. Rodarlas en las nueces picadas. Refrigerar por 1 hora. Servir.

Aderezo de Frambuesa y Queso con Fruta Fresca

	Unas 2 tazas (500 ml)
6 oz	(165 g) queso crema, ablandado
1 cda	(10 g) azúcar morena
1/2 cda	(2 g) jengibre molido
1 cda	(15 ml) vinagre de vino tinto
1 taza	(160 g) frambuesas, machacadas
	fruta fresca, en tamaños pequeños

- En un tazón, mezclar los 4 primeros ingredientes. Agregar las frambuesas. Refrigerar por 30 minutos.

- Servir la salsa con la fruta fresca pinchada en palillos largos.

good

Ensalada de Pollo en Mini Panes de Pita

	24 BOCADILLOS
12	mini panes de pita
1 taza	(250 g) pollo cocido, en cubitos
1	cebolla verde, picada
1	diente de ajo, picado
1/4 taza	(40 g) tomates, en cubitos
2 cdas	(30 ml) mayonesa
1 cda	(15 ml) jugo de naranja
	sal y pimienta

- Cortar en media luna cada pan de pita. Poner aparte.

- Mezclar los ingredientes restantes. Sazonar al gusto.

- Rellenar cada media luna con ensalada de pollo. Servir.

Galletitas con Ostras

	20 BOCADILLOS
3 1/2 oz	(104 g) ostras ahumadas, de lata
3 cdas	(45 ml) mayonesa
1 cda	(15 ml) salsa de chile
4	gotas de Tabasco
2	hojas de lechuga
20	galletitas
3	rodajas finas de limón

- Escurrir las ostras en toallas de papel. Poner aparte.

- Mezclar la mayonesa con las salsas de chile y de Tabasco.

- Cortar la lechuga en 20 piezas del tamaño de las galletitas. Poner aparte.

- Cortar las rodajas de limón en triángulos.

- Rociar cada galletita con 3/4 cdta (3 ml) de salsa. Cubrir con lechuga. Poner encima una ostra. Adornar con limón. Servir.

Palitos de Prosciutto

 good

	24 BOCADILLOS
24	rodajas muy finas de jamón Prosciutto
2 cdas	(30 ml) mostaza de Dijon
24	palitos de ajonjolí

- Untar cada rodaja de Prosciutto con una capa fina de mostaza.

- Por el lado de la mostaza, enrollar las rodajas de jamón en los palitos, así no se afloja el jamón. Servir.

Sorpresa de Caracoles

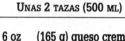

	12 BOCADILLOS
36	caracoles
3 cdas	(45 g) mantequilla, derretida
1	diente de ajo, picado
1 cdta	(5 ml) perejil, picado
	pizca de pimienta
36	hojas de espinaca, sin tallos

- En un platillo para microondas, combinar los caracoles, la mantequilla, el ajo, el perejil y la pimienta. Cocer por 1 minuto, en ALTO. Dejar reposar por 2 minutos.

- Mientras tanto, en una cacerola con agua ligeramente salada, cocer las hojas de espinaca unos 30 segundos. Sacar las espinacas. Sumergirlas en un tazón de agua muy fría. Escurrirlas bien. Secarlas a golpecitos.

- Enrollar cada caracol en una hoja de espinaca. Ensartarlas en palillos largos o pinchos pequeños de madera, 3 caracoles por pincho.

- Cocer en el horno microondas por 45 segundos, en ALTO. Dejar reposar 1 minuto. Servir.

Brochetas de Verduras con Salsa de Queso Azul

good

	12 BOCADILLOS
6	rodetes de calabacita
12	flores de brócoli
12	flores de coliflor
12	tomatitos cereza
12	champiñones de cabecita

Salsa

1/2 taza	(125 ml) yogurt sin sabor, firme
1 cda	(10 g) queso azul, desmenuzado
1 cdta	(5 ml) jugo de limón
	chorrito de salsa inglesa
	sal y pimienta

- Cortar en media luna los rodetes de calabacita.

- En una cacerola con agua ligeramente salada, cocer las flores de brócoli y coliflor por 1 minuto. Agregar la calabacita. Continuar cociendo por unos 30 segundos.

- Sacar las verduras de la cacerola. Sumergirlas en un tazón de agua muy fría. Cuando se enfríen, escurrirlas bien. Secarlas a golpecitos.

- Ensartar cada verdura en un pincho pequeño. Poner aparte.

- En un procesador de alimentos, mezclar los ingredientes de la salsa.

- Servir las brochetas con la salsa al lado.

Con las manecillas del reloj, de arriba a la izquierda :
Brochetas de Verduras con Salsa de Queso Azul, Sorpresa de Caracoles, Galletitas con Ostras, Ensalada de Pollo en Mini Panes de Pita

Champiñones Rellenos con Paté

	24 BOCADILLOS
24	champiñones grandes
4 oz	(115 g) paté de hígado, ablandado
1	chalote, picado fino
2 cdas	(15 g) miga de pan
1/2 taza	(80 g) queso ladrillo, rallado

- Precalentar el horno a 400 °F (205 °C).
- Quitarle los tallos a los champiñones y guardar las cabecitas. Picar grueso los tallos.
- En un tazón, mezclar los tallos con el paté, el chalote y la miga de pan.
- Rellenar las cabecitas de los champiñones con la mezcla de paté. Espolvorear con el queso. Cocinar en el horno por 5 minutos. Servir.

Albóndigas de Jamón con Glacé de Albaricoque

	24 BOCADILLOS
1 lb	(450 g) jamón molido
2	huevos
1 taza	(250 ml) hojuelas de maíz, desmenuzadas
2 cdas	(30 g) cebolla, picada fino
1 cdta	(5 ml) perejil
	pizca de sal sazonada
3/4 cdta	(3 ml) mostaza
1/2 taza	(125 ml) salsa de barbacoa comercial
1 taza	(250 ml) mermelada de albaricoque

- Precalentar el horno a 350 °F (175 °C)
- En un tazón, mezclar los primeros 7 ingredientes. Hacer bolitas de 1 pulgada (2,5 cm).
- Pasarlas a una lata de hornear enmantequillada. Dorarlas ligeramente en el horno por 15 minutos.
- Mientras tanto, mezclar la salsa de barbacoa con la mermelada de albaricoque. Poner aparte.
- Sacar las albóndigas del horno. Bañarlas con la salsa. Seguir cocinado por 5 minutos. Servir las albóndigas en palillos de dientes individuales.

Remolinos de Queso

48 BOCADILLOS	
2 tazas	(320 g) queso, rallado
2 tazas	(230 g) harina de todo uso
6 cdas	(90 ml) aceite de maíz
¼ cdta	(1 g) sal
	pizca de pimienta de Cayena
1 taza	(250 ml) agua fría
1	yema de huevo
1 cda	(15 ml) leche
	paprika

■ Precalentar el horno a 375 °F (190 ° C).

■ En un tazón, mezclar los primeros 5 ingredientes. Mezclar el agua gradualmente, revolviendo hasta formar una masa suave.

■ Pasar un rodillo sobre la masa y formar un rectángulo, ⅛ pulg (0,25 cm) de grueso. Cortar en bandas, 6 pulg (15 cm) de largo por ½ pulg (1,25 cm) de ancho. Torcerlas.

■ En un tazón pequeño, batir juntos el huevo y la leche.

■ Pasar los remolinos de queso a una lata de hornear engrasada. Con una brochita, untar la mezcla de huevo. Espolvorear con la paprika. Dorar ligeramente en el horno por 15-20 minutos. Servir los remolinos calientes o fríos.

Tostadas de Queso Dorado

12 BOCADILLOS	
1 taza	(160 g) queso Cheddar, rallado
2	huevos, batidos
1 cdta	(5 ml) salsa inglesa
¼ cdta	(1 g) sal
½ cdta	(2 g) mostaza en polvo
12	rodajas de pan
6	rodajas de tocineta

■ Precalentar el horno a 475 °F (245 ° C).

■ En un tazón, mezclar los primeros 5 ingredientes. Poner aparte.

■ Con un vaso o cortador de pastelería, cortar el pan en rodetes de 3 pulg (7.5 cm). Untarlos con la mezcla de queso.

■ Cortar por la mitad las rodajas de tocineta. Poner media rodaja de tocineta sobre cada rodete de pan. Cocinar en el horno por 15 minutos o hasta que la tocineta se dore. Servir.

Haciendo los Canapés

- Precalentar el horno en ASAR.
- Untar ligeramente con mantequilla las rebanadas de pan. Tostar en el horno por unos 2 minutos por cada lado.
- Ponerles encima el relleno. Cortar las orillas, para tener lados derechos y regulares.
- Cortar cada rodaja tostada en 4 triángulos pequeños, iguales.

Canapés de Verduras

24 BOCADILLOS

3 cdas	(45 g)	zanahoria, rallada
3 cdas	(45 g)	pimiento dulce verde, picado
3 cdas	(45 g)	tomate, en cubitos pequeños
1/4 taza	(60 g)	queso crema, ablandado
2		chorritos de salsa inglesa
		sal y pimienta
6		rodajas de pan, tostadas
24		rodajas de apio, cortadas en diagonal
4-6		champiñones, picados fino

- Mezclar los primeros 5 ingredientes. Sazonar al gusto con sal y pimienta. Untar las tostadas con la mezcla. Cortarlas en forma de canapés.
- Adornar cada canapé con una rodaja de apio y una rodaja de champiñón. Servir.

Canapés de Camarones

24 BOCADILLOS

1/2 taza	(125 g)	camarones, picados
3 cdas	(45 g)	queso crema, ablandado
1 cda	(15 ml)	salsa de chile
1 cdta	(5 ml)	rábano picante en vinagre
		sal y pimienta
6		rodajas de pan, tostadas
24		camarones miniatura
24		ramitas de perejil fresco

- Mezclar los primeros 4 ingredientes. Sazonar al gusto con sal y pimienta. Untar las tostadas con la mezcla. Cortarlas en forma de canapés.
- Adornar los canapés con camarones y perejil. Servir.

Canapés de Paté de Hígado

24 BOCADILLOS

1 1/2 taza	(375 g)	paté de hígado
6		rodajas de pan, tostadas
12		pepinillos pequeños

- Untar las tostadas con el paté. Cortarlas en forma de canapés.
- Cortar los pepinillos a lo largo, en mitades. Cortar cada mitad en forma decorativa de abanico. Ponérselas a los canapés. Servir.

Canapés de Queso y Espinaca

24 BOCADILLOS

3/4 taza	(180 g)	queso crema, ablandado
1/4 taza	(60 g)	queso de cabra, ablandado
1/3 taza	(57 g)	espinaca, desmenuzada fino
2		chorritos de salsa inglesa
		sal y pimienta
6		rodajas de pan, tostadas
6		tomatitos cereza

- Mezclar los primeros 4 ingredientes. Sazonar al gusto con sal y pimienta. Untar las tostadas con la mezcla. Cortarlas en forma de canapés.
- Adornar cada canapé con una cuñita de tomate. Servir.

Canapés de Salchicha

24 BOCADILLOS

1/4 taza	(60 ml)	mostaza
6		rodajas de pan, tostadas
6-12		rodajas de salami
1/3 taza	(80 ml)	mayonesa
24		aceitunas negras, en rodajas

- Untar las tostadas con la mostaza. Cubrirlas con el salami. Cortarlas en canapés.
- Usando una bolsa de pastelería, poner líneas de mayonesa en los canapés. Adornarlos con 4 rodajas de aceituna. Servir.

VARIACIÓN

- Usar mostaza picante, jamón, y aceitunas rellenas con pimiento dulce, cortadas por la mitad.

Canapés de Pepino

24 BOCADILLOS

1/2		pepino
1/2 taza	(125 g)	queso crema, ablandado
2		chorritos de salsa inglesa
3/4 cdta	(3 g)	cebollines
		sal y pimienta
6		rodajas de pan, tostadas
24		tallitos de eneldo fresco

- Poner aparte 12 rodajas finas de pepino. Pelar el resto. Sacarles las semillas. Machacarlos. Mezclarlos con el queso y los condimentos. Untar las tostadas con la mezcla. Cortarlas en forma de canapés.
- Adornar cada canapé con una mitad de pepino y una ramita de eneldo. Servir.

Canapés de Salmón Ahumado

24 BOCADILLOS

1/4 taza	(60 ml)	mayonesa
6		rodajas de pan, tostadas
6		rodajas de salmón ahumado
1/4 taza	(60 g)	cebolla, picada
3 cdas	(45 g)	alcaparras
1 cda	(15 ml)	jugo de limón

- Untar las tostadas con mayonesa. Cubrirlas con salmón. Cortarlas en forma de canapés.
- Adornar cada canapé con cebolla picada y 3-4 alcaparras. Rociar ligeramente con jugo de limón. Servir.

No hay nada más reconfortante que un humeante plato de sopa en un día frío de invierno.

Las sopas se pueden servir en el verano o en el invierno. De hecho, todas las sopas cremosas que se encuentran en esta sección se pueden servir frías. La Sopa de Puerro (p. 30) es un buen ejemplo de esta versatilidad.

Las sopas son ideales para usar los sobrantes de carnes, fideos, arroz, y verduras cocidas. Se pueden congelar con facilidad y se pueden preparar con anticipación.

Para reducir el contenido de sodio y de grasa en las sopas, use una base para sopa hecha en casa, a la que usted le haya sacado la grasa.

SOPAS

Sopa Para Buena Salud

	4 PORCIONES
2	calabacitas, en cubitos
2	papas medianas, peladas, en cubitos
2	cebollas medianas, en cubitos
2	zanahorias peladas, en cubitos
	agua
2 tazas	(500 ml) caldo de pollo
	sal y pimienta
	ramitas de perejil fresco

■ En una cacerola grande, cubrir las verduras con agua. Hervirlas. Tapar. A poca temperatura, cocer a fuego lento por 10 minutos. Quitar del fuego. Dejar reposar para que se enfríen un poco.

■ En un procesador de alimentos, hacer puré con la mezcla. Agegar el caldo de pollo. Sazonar al gusto con sal y pimienta.

■ Regresar la sopa a la cacerola. Recalentarla. Servirla adornada con una ramita de perejil.

Sopa de Puerro

	6 PORCIONES
2 cdtas	(10 g) mantequilla
3	puerros, picados
1	cebolla pequeña, picada fino
2	papas, picadas, en cubitos
1	tallo de apio, picado
2 tazas	(500 ml) caldo de pollo
	sal y pimienta
2 tazas	(500 ml) leche
	perejil, cebollines o albahaca, frescos, picados

■ En una cacerola, derretir la mantequilla. Cocer ligeramente las verduras.

■ Agregar el caldo de pollo. Sazonar al gusto con sal y pimienta. Hervir. Cubrir. Con poca temperatura, cocer a fuego lento por 15 minutos o hasta que las verduras se ablanden.

■ Mientras tanto, en una cacerola pequeña, calentar la leche sin hervirla. Ponerla aparte.

■ Con un mortero, machacar las verduras. Ponerles leche tibia. Cocer a fuego lento de 10 a 15 minutos. Espolvorear con el perejil picado. Servir.

La receta se muestra arriba

VARIACIÓN

• Reemplazar la leche con jugo de tomate.

Sopa Verde

6-8 PORCIONES	
6 tazas	(1,5 L) caldo de pollo
4	zanahorias, peladas, picadas grueso
	blancos de 3 puerros, lavados, picados
1	cebolla, picada
2 tazas	(320 g) espinaca fresca, picada
1	lechuga, picada
4	papas, peladas, en cubitos
2	nabos, pelados, picados
1	chirivía, pelada, picada
	sal y pimienta recién triturada
1 taza	(250 ml) leche descremada
2	chalotes, picados (opcional)

- En una cacerola, calentar el caldo. Agregar las verduras. Hervir. Tapar. A poca temperatura, cocer a fuego lento por 20 minutos o hasta que las verduras se ablanden. Dejar reposar para que se enfríen un poco.

- En una licuadora, hacer un puré con la mezcla. Sazonar al gusto con sal y pimienta. Regresar la sopa a la cacerola. Recalentar.

- Echar la sopa en una fuente sopera. Revolver la leche en la mezcla. Espolvorear con los chalotes picados, si se desea. Servir.

Sopa de Hinojo

6 PORCIONES	
$^1/_2$ taza	(125 g) cebollas
1 taza	(160 g) zanahorias
1 taza	(160 g) bulbos de hinojo
2	papas, peladas
$^1/_4$ taza	(60 g) mantequilla
4 tazas	(1 L) caldo de pollo o carne
	sal y pimienta
	leche
2 cdas	(18 g) cebollines, picados

- Picar grueso las verduras. Ponerlas aparte, dejando las papas por separado.

- En una cacerola, derretir la mantequilla. Agregar las verduras, menos las papas. A poca temperatura, cocinar por 15-20 minutos hasta que se ablanden, pero sin dorarse.

- Añadir el caldo y las papas. Sazonar al gusto con sal y pimienta. Hervir. Tapar. A poca temperatura, cocer a fuego lento hasta que las papas se ablanden.

- En una licuadora, hacer un puré con la mezcla. Agregar leche suficiente para hacer una sopa espesa y cremosa. Regresarla a la cacerola. Recalentar sin hervir. Espolvorear con cebollines picados. Servir.

Sopa Cremosa de Verduras

6-8 PORCIONES	
1 cda	(15 g) mantequilla
¹⁄₂ taza	(80 g) zanahorias, en cubitos
¹⁄₂ taza	(125 g) nabo, en cubitos
¹⁄₂ taza	(80 g) papas, peladas, en cubitos
¹⁄₂ taza	(80 g) apio, en cubitos
¹⁄₂ taza	(125 ml) caldo de pollo
1 ¹⁄₂ taza	(375 ml) leche
¹⁄₄ cdta	(1 ml) nuez moscada
	sal y pimienta
1 cda	(15 g) azúcar
1	yema de huevo
	perifollo, picado

■ En una cacerola, derretir la mantequilla. Moviendo frecuentemente, cocer las verduras por 4-5 minutos.

■ Agregar el caldo de pollo, la leche, la nuez moscada, sal, pimienta y azúcar. Hervir. Tapar. A poca temperatura, cocer a fuego lento por 20 minutos, revolviendo ocasionalmente.

■ En una licuadora, hacer un puré con la mezcla. Regresarla a la cacerola. Recalentar.

■ En un tazón, batir la yema de huevo. Echarla en la sopa. Espolvorear con perifollo. Servir.

Sopa de Zanahoria y Chirivía

6-8 PORCIONES	
¹⁄₄ taza	(60 g) mantequilla
1	cebolla mediana, en rodajas
1	diente de ajo pequeño, picado
5 tazas	(1,25 L) agua
1 ¹⁄₂ taza	(240 g) zanahorias, en rodajas
1 taza	(80 g) chirivía, picada fino
¹⁄₄ taza	(40 g) arroz de grano largo
2 cdas	(30 ml) concentrado de caldo de pollo
	sal y pimienta
	perejil, picado

■ En una cacerola, derretir la mantequilla. Sofreír la cebolla y el ajo.

■ Agregar los demás ingredientes, menos el perejil. Hervir. Tapar. A poca temperatura, cocer a fuego lento por 20-30 minutos.

■ En una licuadora, hacer un puré con la mezcla. Espolvorear con el perejil picado. Servir.

Sopa de Crema de Lechuga

6 PORCIONES	
3 cdas	(45 g) mantequilla
2	cebollas, picadas
3 tazas	(480 g) lechuga despintada, partida a mano
3 cdas	(45 ml) arroz, cocido
10 oz	(280 g) chícharos verdes congelados
4 tazas	(1 L) caldo de pollo
1 cda	(15 g) eneldo, picado
	sal y pimienta
	pizca de nuez moscada
	ralladura de $\frac{1}{2}$ limón
1 taza	(250 ml) crema espesa
1	limón, rodajas finas
	ramita de eneldo fresco

■ En una cacerola, derretir la mantequilla. Sofreír las cebollas. Revolviendo, agregar la lechuga. Continuar cocinando hasta que la lechuga se marchite.

■ Agregar el arroz, los chícharos y el caldo. Sazonar con eneldo, sal, pimienta, nuez moscada y ralladura de limón. Hervir. Tapar. A poca temperatura, cocer a fuego lento por 20 minutos.

■ En una licuadora, hacer un puré con la mezcla. Regresarla a la cacerola. Recalentar. Echar la crema. Adornar con rodajas finas de limón y ramitas de eneldo. Servir.

VARIACIÓN
• Sin recalentar, refrigerar las verduras hechas puré por 1 hora. Agregar crema y adornar. Servirlas frías.

Sopa de Coliflor y Chalote

8 PORCIONES	
2 cdas	(30 g) mantequilla
1	cebolla pequeña, picada fino
3	papas, peladas, picadas fino
1	coliflor pequeña, en flores
	sal y pimienta
6 tazas	(1,5 L) caldo de pollo, calentado
$\frac{1}{2}$ cdta	(2 ml) albahaca
$\frac{1}{2}$ cdta	(2 ml) tomillo
1	hoja de laurel
$\frac{1}{4}$ taza	(60 g) chalotes, picados

■ En una cacerola, a fuego moderado, derretir la mantequilla. Agregar la cebolla. Tapar. Cocinar por 3-4 minutos hasta que se ablande, pero sin dorarse.

■ Agregar las papas y la coliflor. Continuar cocinando por 1-2 minutos. Sazonar con sal y pimienta.

■ Echar el caldo. Agregar las hierbas mixtas. Hervir. Tapar. A poca temperatura, cocer a fuego lento por 40 minutos.

■ En una licuadora, hacer un puré con la mezcla. Ajustar los condimentos. Espolvorear con los chalotes picados. Servir.

VARIACIÓN
• Reemplazar la coliflor con brócoli, y los chalotes con perejil picado.

Sopa de Crema de Remolacha (Betabel)

4-6 PORCIONES

3 cdas	(45 g) mantequilla
¹⁄₄ taza	(60 g) chalotes, picados
8 oz	(225 g) hojas de remolacha (betabel)
8 oz	(225 g) berro
2 cdas	(15 g) harina
2 tazas	(500 ml) leche
1 cda	(15 ml) perejil fresco, picado
¹⁄₂ cdta	(2 g) sal
¹⁄₄ cdta	(1 ml) tomillo
¹⁄₄ cdta	(1 ml) mejorana
	pimienta recién triturada

- En una cacerola grande para microondas, poner la mantequilla. Espolvorear con los chalotes. Cubrir con las hojas de remolacha y el berro. Cubrir la cacerola con papel plástico. Cocinar por 4 minutos, en ALTO.

- Sacar del horno. Revolver. Continuar cocinando por 1-2 minutos o hasta que las verduras se ablanden.

- En una licuadora, hacer un puré con la mezcla. Regresarla a la cacerola. Revolviendo constantemente, mezclar la harina. Agregar el resto de los ingredientes.

- Cocer a fuego lento por 8 minutos, en MEDIO. Revolver una vez durante la cocción. Servir.

La receta se muestra arriba

Sopa de Crema de Nabo

4-6 PORCIONES

1 ¹⁄₂ taza	(375 g) nabos, en cubitos
1 taza	(160 g) papas, peladas, en cubitos
2 tazas	(500 ml) agua
1	hoja de laurel
	sal y pimienta
1	yema de huevo
¹⁄₄ taza	(60 ml) crema ligera
	ramitas de perejil fresco

- En una cacerola, cubrir las verduras con agua. Hacer que hierva bien. Sazonar con la hoja de laurel, sal y pimienta. Reducir la temperatura. Cocer a fuego lento por 10 minutos. Sacar la hoja de laurel.

- En una licuadora, hacer un puré con la mezcla. Regresarla a la cacerola. Poner aparte.

- En un tazón, batir la yema de huevo con la crema. Poner las verduras. A poca temperatura, revolviendo, recalentar sin hervir. Adornar con ramitas de perejil. Servir.

Sopa Casera de Crema de Tomate

4 PORCIONES	
6	tomates, pelados, picados o
12 oz	(375 ml) tomates de lata, escurridos
1 cda	(15 g) mantequilla
1	cebolla, picada fino
1	diente de ajo, picado fino
2 cdas	(30 ml) pasta de tomate
¹/₂ cdta	(2,5 g) azúcar
	sal y pimienta
¹/₄ cdta	(1 ml) tomillo
¹/₂ taza	(125 ml) caldo de verduras o de pollo
¹/₂ taza	(125 ml) crema ligera
	tomate en rodajas
	albahaca y perejil, frescos, picados

▪ Para pelar los tomates frescos, ponerlos en un tazón para microondas. Cubrirlos con agua caliente. Sellar el tazón con papel plástico. Hervir, en ALTO. Sacarlos. Pelar los tomates bajo agua fría corriente.

▪ En un segundo tazón, mezclar la mantequilla, la cebolla y el ajo. Cocinar en el horno por 1 minuto, en ALTO.

▪ Sacar del horno. Agregar los tomates, la pasta de tomate, el azúcar y los condimentos. Continuar cocinando por 7 minutos, en ALTO. Revolver una vez.

▪ En una licuadora, hacer un puré con la mezcla. Echar el caldo y la crema. Servir la sopa caliente o fría, adornada con una rodaja de tomate, la albahaca y el perejil.

Sopa de Crema de Papa

4-6 PORCIONES	
3 tazas	(750 ml) agua
3 tazas	(480 g) papas, peladas, en cubitos
2	rodajas de cebolla
2 cdas	(30 g) mantequilla
3 cdas	(21 g) harina
2 tazas	(500 ml) leche evaporada
¹/₂ cdta	(2 g) sal de apio
	sal y pimienta
1 cda	(15 ml) perejil, picado

▪ En una cacerola grande, combinar el agua, las papas y la cebolla. Cocer hasta que las verduras se ablanden.

▪ Escurrir las verduras, guardar 2 tazas (500 ml) del líquido. Pasar las verduras por un colador para obtener 2 tazas (500 ml) de pulpa. Poner aparte.

▪ En una cacerola doble, derretir la mantequilla. Espolvorear con harina. Mezclar hasta que esté bien combinado. Incorporar lentamente la leche y el líquido que se reservó. Cocer a fuego lento hasta que la mezcla se espese.

▪ Agregar la pulpa de las verduras, revolviendo constantemente. Sazonar al gusto con sal y pimienta. Espolvorear con perejil. Servir muy caliente.

Sopa de Espinaca con Masitas

6 PORCIONES

1	trozo de mantequilla
1	cebolla, picada fino
10 oz	(280 g) espinaca fresca o congelada
3/4 taza	(84 g) harina de todo uso o de trigo
1	huevo
4 tazas	(1 L) leche
	sal de apio
	pimienta

■ En una cacerola, derretir la mantequilla. Sofreír la cebolla. Agregar la espinaca. Tapar. A fuego moderado, continuar cocinando hasta que la espinaca se ablande. Revolver ocasionalmente.

■ Mientras tanto, poner la harina en un tazón de mezclar. Hacerle un agujero en el centro. Poner el huevo en el agujero. Con un tenedor, mezclar el huevo y la harina. Formar las masitas.

■ Agregar la leche a la espinaca cocida. Revolviendo constantemente, hacer que la leche se espume. Sazonar.

■ Agregar las masitas una por una. Tapar. Quitar del fuego. Dejar reposar por 5 minutos. Servir.

Sopa de Pesto

6 PORCIONES

3 tazas	(750 ml) caldo de verduras
1 taza	(250 ml) caldo de pollo
1/2 taza	(125 g) vermicelli
1/2 taza	(80 g) hojas de albahaca fresca
3 cdas	(30 g) piñones
3	dientes de ajo
1 cda	(10 g) queso Parmesano, rallado
2 cdtas	(10 ml) aceite de oliva
	chorrito de salsa inglesa
	sal y pimienta

■ En una cacerola, llevar a ebullición los dos caldos. Agregar el vermicelli. Cocer a fuego lento por 10 minutos.

■ Reservar 2 hojas de albahaca y 2 cdtas (10 ml) de piñones para decorar.

■ En un procesador de alimentos, combinar el resto de las hojas de albahaca y los piñones con el ajo, el queso Parmesano y el aceite. Procesar. Mezclar el caldo. Cocer a fuego lento por 5 minutos.

■ Mientras tanto, desmenuzar finamente las hojas de albahaca que se reservaron. En un tazón, mezclarlas con los piñones. Poner aparte.

■ Sazonar la sopa con la salsa inglesa, sal y pimienta. Espolvorear con albahaca y adornar con piñones. Servir.

Sopa de Hígado de Pollo

6 PORCIONES

3 tazas	(750 ml) caldo de pollo
1 taza	(250 ml) caldo de carne
3 cdas	(30 g) arroz moreno
4 oz	(115 g) hígado de pollo
2 cdtas	(10 ml) aceite de oliva
1	diente de ajo, picado
2 cdas	(30 g) cebolla, picada
1/2 cdta	(2 ml) cilantro, picado
	chorrito de salsa inglesa
	sal de mar
	pimienta recién triturada

■ En una cacerola, llevar a ebullición los dos caldos. Agregar el arroz. Cocer a fuego lento por unos 10 minutos.

■ Mientras tanto, quitar toda la grasa de los hígados de pollo. Cortar los hígados en 4 pedazos. Poner aparte.

■ En una sartén, calentar el aceite. Poner los hígados de pollo por 4 minutos. Echar el ajo, la cebolla y el cilantro. Continuar cocinado por unos 3 minutos.

■ Agregar la mezcla del hígado al caldo. Cocer a fuego lento por 10 minutos. Sazonar con salsa inglesa, sal y pimienta. Servir.

Sopa Cremosa de Repollo

6 PORCIONES

1	repollo pequeño
1	cebolla mediana
1 1/2 taza	(375 ml) agua fría
1/2 cdta	(2 g) azúcar
1/2 cdta	(2 g) sal
3 cdas	(45 g) mantequilla
1/4 taza	(28 g) harina
2 1/2 tazas	(625 ml) leche
	pimienta, al gusto

■ Picar el repollo y la cebolla. En una cacerola, mezclar las verduras con el agua, el azúcar y la sal. Hervir. Dejar que se reduzca por 30 minutos o hasta que el líquido esté casi evaporado. Quitar del fuego. Poner aparte.

■ En una segunda cacerola, derretir la mantequilla. Mezclar la harina. A poca temperatura, mezclar la leche, revolviendo constantemente. Cocer hasta que la mezcla se espese un poco. Sazonar.

■ Echar la sopa de leche sobre el repollo, mezclando despacio. Servir caliente.

De arriba hacia abajo :
Sopa Cremosa de Repollo,
Sopa de Hígado de Pollo,
Sopa de Pesto

Velouté de Cabecitas de Violín con Crotones

6 PORCIONES	
1 lb	(450 g) verduras de cabecitas de violín
3 cdas	(45 g) mantequilla
¹/₂ taza	(125 g) cebollas, picadas fino
¹/₂ taza	(125 g) blancos de puerro, en tiras finas
5 tazas	(1,25 L) caldo de pollo, calentado
	sal y pimienta
¹/₂	baguette de pan francés
2	dientes de ajo
¹/₄ taza	(60 ml) crema ligera

■ Limpiar las verduras de cabecita de violín y reservar unas cuantas para decorar.

■ En una cacerola, derretir la mantequilla. Cocer las verduras por 2-3 minutos. Cubrir con el caldo de pollo caliente. Sazonar un poco. Hervir. Tapar la cacerola. A poca temperatura, cocer a fuego lento por 20 minutos.

■ Mientras tanto, cortar la baguette en rodetes. Tostar en el horno. Frotar los crotones con ajo. En una cacerola con agua ligeramente salada, cocer las verduras reservadas por 1 minuto.

■ Echar la crema en el caldo de verduras. Mezclar hasta que se combinen bien. Ajustar los condimentos. Adornar con cabecitas de violín. Servir el velouté con los crotones al lado.

La receta se muestra arriba

Sopa de Crema de Zanahoria

6 PORCIONES	
6 cdas	(90 g) mantequilla sin sal
2 tazas	(320 g) zanahorias, en cubitos
¹/₂ taza	(125 g) puerros, picados fino
¹/₄ taza	(60 g) cebollas, picadas fino
10 tazas	(2,5 L) caldo de pollo
¹/₄ taza	(28 g) harina de arroz o harina de papa
	sal, al gusto
¹/₂ cdta	(2 g) pimienta

■ En una cacerola, derretir la mitad de la mantequilla. Cocer las verduras hasta que se ablanden, pero sin dorarse. Agregar el caldo de pollo. Hervir. Tapar. A poca temperatura, cocer a fuego lento por 1 hora.

■ En un tazón, echar 1 taza (250 ml) de caldo caliente. Mezclar la harina de arroz. Dejarla reposar para que se enfríe. Echarla lentamente en la sopa, revolviendo constantemente.

■ En una licuadora, hacer puré la sopa. Regresarla a la cacerola. Ajustar los condimentos. Cocer a fuego lento por 1-2 minutos hasta que esté cremosa y homogénea. Ponerle encima trocitos de la mantequilla restante. Servir caliente.

Crema de Vegetales

4-6 PORCIONES		
2		cubos de caldo de pollo
2 ¹/₂ tazas	(625 ml)	agua hirviendo
3 tazas	(480 g)	nabos, picados fino
2		papas, peladas, en cubitos
¹/₄ taza	(60 g)	mantequilla
1		cebolla, picada
2		chalotes, picados
3 cdas	(21 g)	harina
3 tazas	(750 ml)	leche
		sal y pimienta

■ Diluir los cubos de caldo en el agua. Agregar el nabo y las papas. Hervir. Tapar. A poca temperatura, cocer a fuego lento por 15 minutos.

■ En una cacerola, derretir la mantequilla. Sofreír la cebolla y los chalotes por 4 minutos. Espolvorear con la harina. Mezclar hasta que esté bien combinado. Echar lentamente la leche, revolviendo constantemente. Cocer a fuego lento por 10 minutos hasta que la mezcla se espese.

■ Poner las verduras; revolver hasta que el caldo esté homogéneo. Sazonar. Servir.

Sopa de Garbanzo

6-8 PORCIONES		
1 cda	(15 ml)	aceite vegetal
¹/₃ taza	(53 g)	apio, picado fino
¹/₃ taza	(53 g)	zanahorias, picadas fino
¹/₃ taza	(80 g)	cebollas, picadas fino
2		dientes de ajo, picados fino
4 tazas	(1 L)	caldo de verduras
2 tazas	(500 ml)	garbanzos enlatados, escurridos
1 cda	(15 ml)	salsa de chile
1 cda	(15 ml)	jugo de limón
1 cdta	(5 ml)	curry
¹/₂ cdta	(2 g)	sal
¹/₂ taza	(80 g)	queso, rallado

■ En una cacerola, calentar el aceite. Dorar un poco las verduras y el ajo. Poner aparte.

■ En una segunda cacerola, mezclar el caldo y los garbanzos. Hervir. Tapar. A poca temperatura, cocer a fuego lento por unos 15 minutos.

■ Agregar las verduras y los condimentos. Continuar cociendo a baja temperatura, por 30 minutos.

■ Poner la sopa junto con el queso rallado, en tazones de sopa. Servir.

Sopa de Chícharos

8 PORCIONES	
¹/₄ taza	(60 g) mantequilla
4 tazas	(640 g) lechuga, desmenuzada a mano
1	cebolla mediana, picada fino
1 cda	(7 g) harina
1 cdta	(5 g) azúcar
¹/₄ cdta	(1 ml) perejil, picado
¹/₄ cdta	(1 ml) cilantro molido
42 oz	(1,3 L) caldo de pollo
2 ¹/₄ tazas	(360 g) chícharos congelados
1 taza	(250 ml) leche
	hojas de menta frescas

- En una cacerola, derretir la mantequilla. Revolverla constantemente; dorar ligeramente la lechuga y la cebolla.

- Poner el resto de los ingrediente, menos la leche y las hojas de menta. Hervir. Tapar. A poca temperatura, cocer a fuego lento por 15 minutos. Reservar unos cuantos chícharos para decorar.

- En una licuadora, hacer un puré con la mezcla, 1 taza (250 ml) cada vez. Regresarla a la cacerola. Mezclar la leche. Recalentar sin hervir. Servir la sopa, adornada con unos cuantos chícharos y hojas de menta.

Sopa Espesa de Chícharos Partidos

6-8 PORCIONES	
2 cdas	(30 ml) aceite de maíz
2	cebollas medianas, picadas fino
1 cdta	(5 g) semillas de apio
1	hoja de laurel
1 taza	(160 g) chícharos partidos, secos
¹/₂ taza	(80 g) cebada en grano o sin cáscara
10 tazas	(2,5 L) caldo de pollo
3	zanahorias, picadas fino
1	papa, pelada, en cubitos
¹/₂ cdta	(2 ml) albahaca
	sal y pimienta
2 cdas	(30 ml) perejil, picado (opcional)

- En una cacerola, calentar el aceite. Dorar ligeramente las cebollas. Agregar las semillas de apio, la hoja de laurel, los chícharos partidos y la cebada.

- Echar el caldo en la mezcla. Hervir. Tapar. A poca temperatura, cocer a fuego lento por 75 minutos.

- Agregar las zanahorias, la papa y la albahaca. Continuar cociendo por 15-20 minutos. Sazonar con sal y pimienta. Espolvorear con el perejil picado, si se desea. Servir.

VARIACIÓN
- Reemplazar el caldo de pollo con cualquier líquido para cocinar o caldo hecho en casa.

Sopa de Lentejas Rojas

8 PORCIONES	
1 taza	(250 ml) lentejas rojas, de lata
4	rodajas de tocineta, en cubitos
1	cebolla, picada fino
1	diente de ajo, picado fino
1	pimiento dulce rojo, en cubitos
1	tallo de apio , en rodajas finas
6 tazas	(1,5 L) caldo de pollo, desgrasado
1	hoja de laurel
	pizca de cúrcuma
	pizca de tomillo
	sal y pimienta

Adorno (opcional)

pepinillos dulces, picados muy fino

perejil, picado

huevo duro, picado

cebolla, picada fino

- Enjuagar las lentejas. Escurrirlas bien. Ponerlas aparte.

- En una cacerola, dorar los cubitos de tocineta, hasta que estén crujientes. Sacarlos de la cacerola. Escurrirlos en una toalla de papel para absorber la grasa lo más que se pueda. Ponerlos aparte.

- Sacar la grasa de la tocineta de la cacerola, menos 1 cda (15 ml). Revolviendo, freír la cebolla, el ajo, el pimiento dulce rojo y el apio por 2 minutos. Agregar el caldo de pollo. Hervir. Agregar las lentejas y los condimentos. Tapar. A poca temperatura, cocer a fuego lento por 1 hora, revolviendo ocasionalmente. Agregar los cubitos de tocineta.

- Si se desea, mezclar los ingredientes para adornar en un tazón pequeño. Ponerlos sobre la sopa. Servir muy caliente.

La receta se muestra arriba

VARIACIÓN
- Para una sopa cremosa, en una licuadora hacer puré la mezcla, antes de agregarle los cubitos de tocineta. Regresarla a la cacerola. Calentarla bien. Agregar los cubitos y adornar, si se desea.

Sopa Agridulce

6 PORCIONES	
3 tazas	(750 ml) caldo de pollo
1 taza	(250 ml) caldo de verduras
2 cdtas	(10 ml) aceite de cacahuate
$\frac{1}{2}$ cdta	(2 ml) aceite de ajonjolí
$\frac{1}{4}$ taza	(40 g) zanahorias, en tiras finas
$\frac{1}{4}$ taza	(60 g) nabo, en tiras finas
$\frac{1}{4}$ taza	(40 g) flores de brócoli
$\frac{1}{4}$ taza	(40 g) champiñones chinos
1	diente de ajo, picado
1 cda	(15 ml) vinagre de arroz
1 cda	(15 ml) salsa de soya
$\frac{1}{4}$ taza	(40 g) tofu, en cubitos
3 cdas	(45 g) pepinillos en vinagre, en tiras finas
	sal y pimienta

- En una cacerola, llevar a ebullición los dos caldos. Bajar la temperatura. Cocer a fuego lento por 10 minutos.

- Mientras tanto, en una sartén, calentar los dos aceites. Sofreír las verduras y el ajo por unos 2 minutos, hasta que las verduras estén blandas en la superficie y crujientes por dentro. Poner aparte.

- Poner el vinagre de arroz y la salsa de soya en la mezcla del caldo. Cocer a fuego lento por 5 minutos.

- Agregar las verduras sofritas, el tofu y los pepinillos. Sazonar al gusto. Servir.

La receta se muestra arriba

VARIACIONES

- Reemplazar el caldo de verduras con jugo de tomate, como se muestra al lado.

- Reemplazar los champiñones chinos con champiñones de ostra en cuartos, como se muestra abajo a la derecha.

Minestrone

8 PORCIONES

Albóndigas

8 oz	(225 g) carne de res y ternera molidas
2 cdas	(30 g) cebolla, picada
1	diente de ajo, picado
2 cdas	(14 g) miga de pan italiano
1	yema de huevo pequeña
	pizca de albahaca
	pizca de orégano
	pizca de perejil
	sal y pimienta

Sopa

2 cdas	(30 ml) aceite de oliva
¼ taza	(60 ml) frijoles rojos, de lata
¼ taza	(40 g) apio, en rodajas diagonales
¼ taza	(40 g) repollo, desmenuzado
¼ taza	(60 g) nabo, en cubitos pequeños
3 cdas	(45 g) cebolla, picada
1	diente de ajo, picado
2 tazas	(500 ml) caldo de carne
14 oz	(398 ml) tomates italianos, de lata
1	hoja de laurel
1	clavo de olor
	sal y pimienta
3 cdas	(30 g) queso Parmesano, rallado

- En un tazón, mezclar los ingredientes de las albóndigas y hacer una pasta firme. Formar bolitas del tamaño de aceitunas.

- En una cacerola, calentar el aceite. Dorar las albóndigas. Sacar las albóndigas cocidas de la cacerola. Ponerlas aparte.

- Enjuagar los frijoles. Escurrirlos bien. Ponerlos aparte.

- En la misma cacerola, agregar las verduras frescas y el ajo. Cocinar por 5 minutos. Mezclar el caldo de carne y los tomates. Llevar a ebullición. A poca temperatura, cocer a fuego lento por 20 minutos, revolviendo ocasionalmente.

- Agregar las albóndigas, los frijoles, la hoja de laurel y el clavo de olor. Cocer a fuego lento por 10 minutos. Sazonar. Servir en tazones soperos. Espolvorear con más o menos 1 cdta (3 g) de queso Parmesano. Servir.

VARIACIONES

- Reemplazar las albóndigas con 1 ½ taza (375 ml) de macarrones cocidos.

- Reemplazar el caldo de carne con caldo de pollo, y los tomates de lata con tomates frescos, previamente cocidos y luego pelados.

Sopa Espesa de Ostras

4-6 PORCIONES

36	ostras, en su jugo
3 tazas	(750 ml) leche
1 taza	(250 ml) crema ligera
1	cebolla mediana, picada
2	tallos de apio, picados fino
2	tallos de perejil, picados
	pimienta blanca, al gusto
$\frac{1}{4}$ taza	(60 g) mantequilla
	sal de apio
	paprika

- En un colador fino o tela de gasa, escurrir las ostras, guardando por separado el jugo, y las ostras.

- En una cacerola, mezclar la leche y la crema. Agregar la cebolla, el apio, el perejil y la pimienta. Cocer a fuego lento unos cuantos minutos sin hervir.

- Pasar la leche y la crema por el colador. Regresarlas a la cacerola. Agregar el jugo de las ostras. Poner aparte.

- En una sartén grande, a temperatura moderada, derretir la mantequilla. Agregar las ostras. Cocinar por 1 minuto hasta que las ostras se hinchen.

- Agregar las ostras a la mezcla cremosa. Calentar bien hasta que los costados de las ostras se ondulen.

- Poner la sopa en tazones soperos. Espolvorear con la sal de apio y paprika. Servir.

Sopa Espesa de Camarones

6 PORCIONES

4 tazas	(1 L) agua
1	cebolla mediana, picada
1	puerro pequeño, picado
2	tallos de apio, en cubitos
1	zanahoria, en cubitos
1	papa mediana, pelada, en cubitos
8 oz	(225 g) salmón, en cubitos
1 lb	(450 g) camarones miniatura
$\frac{1}{4}$ cdta	(1 g) pimienta de Cayena
	sal y pimienta
$\frac{1}{4}$ taza	(60 ml) crema espesa

- En una cacerola grande, llevar el agua a ebullición. Agregar las verduras. Cocer por 10 minutos.

- Agregar los cubitos de salmón. Cocer a fuego lento por 5 minutos. Mezclar los camarones y los condimentos. Continuar cociendo por 2 minutos.

- Agregar la crema, revolviendo hasta que se mezcle bien. Recalentar sin hervir. Servir.

Sopa de Bacalao Ahumado

8 PORCIONES	
¹/₄ taza	(60 g) mantequilla
2	cebollas, picadas
1 cda	(7 g) harina
4 tazas	(1 L) agua hirviendo
³/₄ taza	(120 g) apio, picado
2 tazas	(320 g) papas, peladas, en cubitos
2 tazas	(500 g) bacalao ahumado, en cubitos
3 tazas	(750 ml) jugo de tomate
¹/₈ cdta	(0,5 g) pimienta
	perejil, al gusto
	tomillo, al gusto

▪ En una cacerola, derretir la mantequilla. Cocinar las cebollas por 5 minutos. Espolvorear con harina. Revolviendo, continuar cocinado hasta que esté bien mezclado.

▪ Agregar los ingredientes restantes. Hervir. Bajar la temperatura. Cocer a fuego lento por 30 minutos. Servir.

Sopa Espesa de Mariscos

8 PORCIONES	
¹/₄ taza	(60 g) mantequilla
1	cebolla, picada fino
2	tallos de apio, picados fino
10 oz	(284 ml) champiñones de lata, en rodajas
1 lb	(450 g) vieiras, en cubitos
1 lb	(450 g) halibut, en cubitos
8 oz	(225 g) salmón, en cubitos
1 lb	(450 g) bacalao, en cubitos
2 tazas	(500 ml) agua
10 oz	(284 ml) bisque (sopa) de lata de langosta o cangrejo, o sopa de lata de pescado
5 oz	(142 ml) almejas enlatadas, en su jugo
1 lb	(450 g) camarón cocido
2 tazas	(500 ml) leche

▪ En una cacerola, derretir la mantequilla. Cocer ligeramente la cebolla, el apio y los champiñones. Agregar el pescado fresco. Continuar cocinando por 5 minutos.

▪ Poner el agua. Hervir. Agregar el bisque, las almejas en su jugo y el camarón. Hervir de nuevo.

▪ Agregar la leche. Continuar cocinando por 5 minutos sin hervir. Servir muy caliente.

Sopa Espesa de Cangrejo

6 PORCIONES	
2 cdas	(30 g) mantequilla
	blancos de 3 puerros, picados fino
3 tazas	(750 ml) caldo de pollo
4	papas, peladas, en rodajas
2 tazas	(500 ml) leche
5 oz	(142 ml) carne de cangrejo, de lata
2 oz	(60 ml) jerez seco
$^1/_2$ oz	(15 ml) kirsch
	sal y pimienta
	cebollines, picados

- En una cacerola, derretir la mantequilla. Cocer los puerros hasta que se ablanden. Agregar el caldo y las papas. Llevar a ebullición. Tapar. A baja temperatura, cocer a fuego lento por 20 minutos.

- En una licuadora, hacer un puré con la mezcla. Regresarla a la cacerola.

- Poner la leche, el cangrejo, el jerez y el kirsch. Recalentar sin hervir. Sazonar con sal y pimienta. Espolvorear con cebollines picados. Servir.

Sopa Espesa de Almejas de Nueva Inglaterra

6-8 PORCIONES	
19 oz	(540 ml) almejas enlatadas, en su jugo
2 cdas	(30 g) mantequilla
1	cebolla mediana, picada fino
4 tazas	(1 L) agua hirviendo
$^3/_4$ cdta	(3 g) sal
$^1/_2$ cdta	(2 g) pimienta
1	papa mediana, pelada, en cubitos
1 taza	(250 ml) crema ligera
1 taza	(250 ml) leche
	maicena (opcional)
	paprika

- Escurrir las almejas, reservar 1 taza (250 ml) del jugo (agregar agua si el jugo no es suficiente).

- En una cacerola, derretir la mantequilla. Cocinar la cebolla hasta que esté transparente. Agregar las almejas. Continuar cocinando por 5 minutos. Pasar la mezcla a un tazón. Poner aparte.

- En la misma cacerola, combinar el agua hirviendo, el jugo de almeja, la sal y la pimienta. Cocer a fuego lento por 25 minutos. Agregar la papa. Continuar cocinando por 5 minutos.

- Poner la crema y la leche. Recalentar sin hervir. Agregar la mezcla de almeja. Cocer a fuego lento por 5 minutos.

- Si se necesita espesar la sopa, agregar la maicena mezclada con un poco de agua. Espolvorear con una pizca de paprika. Servir.

Sopa de Pescado con Queso

6 PORCIONES	
1 lb	(450 g) filetes de pescado fresco o congelado (bacalao, lenguado, etc.)
1 lb	(450 g) camarón fresco o congelado
2 cdas	(30 g) mantequilla
$^1/_4$ taza	(60 g) cebolla, picada fino
1 taza	(160 g) zanahorias, picadas fino
$^1/_3$ taza	(53 g) apio, en cubitos
$^1/_4$ taza	(56 g) harina
$^1/_2$ cdta	(2 g) sal
	pizca de paprika
2 tazas	(500 ml) caldo de pollo
3 tazas	(750 ml) leche
$^1/_2$ taza	(125 ml) queso procesado, para untar

- Descongelar el pescado y los camarones, si se usa de los congelados.
- Cortar en cubitos los filetes de pescado. Mezclarlos con el camarón. Poner aparte.
- En una cacerola, derretir la mantequilla. Sofreír las verduras hasta que la cebolla esté transparente. Agregar la harina, la sal y la paprika.
- Revolver gradualmente el caldo de pollo y la leche. Continuar revolviendo hasta que la mezcla se espese.
- Agregar el pescado y el camarón. Cocer a fuego lento por 5 minutos o hasta que el pescado esté cocido. Mezclar el queso. Revolver hasta que el queso se derrita. Servir muy caliente.

Bouillabaisse Criolla

6 PORCIONES	
1 lb	(450 g) pescado fresco o congelado
$^1/_4$ taza	(60 ml) aceite
2	cebollas, picadas
1	tallo de apio, en cubitos
2	pimientos dulces verdes, en cubitos
3-4	dientes de ajo, picados
2 cdas	(30 ml) perejil, picado
2 cdas	(30 ml) orégano
2 cdas	(30 ml) mejorana
1	hoja de laurel
$^1/_4$ taza	(28 g) harina
19 oz	(540 ml) tomates de lata
3 tazas	(750 ml) caldo de pollo

- Si se usa pescado congelado, primero descongelarlo.
- Cortar el pescado en cubos de 1 pulg (2,5 cm). Ponerlo aparte.
- En una cacerola de fondo pesado, calentar el aceite. Sofreír las cebollas, el apio, los pimientos, el ajo y los condimentos por unos cuantos minutos.
- Revolver la harina. Agregar los tomates y el caldo de pollo. Hervir, y revolver.
- Agregar el pescado. Tapar. A poca temperatura, cocer a fuego lento por 15 minutos o hasta que pescado se parta a lo largo fácilmente. Revolver ocasionalmente. Ajustar los condimentos. Servir muy caliente.

Vichyssoise Caliente o Fría

	6 PORCIONES
1 cdta	(5 ml) aceite de cacahuate
1	cebolla mediana, picada
4 tazas	(1 L) agua
2 tazas	(320 g) papas, peladas, en cubitos
1 taza	(250 g) puerros, en rodajas
	sal de mar, al gusto
	hierbas mixtas, al gusto
2 cdas	(18 g) cebollines frescos, picados
1/4 taza	(60 ml) perejil fresco, picado

■ En una cacerola, calentar el aceite. Sofreír la cebolla unos cuantos minutos.

■ Agregar el agua y las verduras. Hervir. Tapar. A baja temperatura, cocer a fuego lento por 30 minutos.

■ En una licuadora, hacer un puré con la mezcla. Sazonar con la sal y las hierbas mixtas. Servirla caliente o refrigerada, espolvoreada con los cebollines y el perejil.

Sopa de Pimiento Dulce Verde

	4 PORCIONES
3	pimientos dulces verdes, picados
1 cda	(15 ml) aceite de maíz
1	cebolla grande, picada
1	tallo de apio pequeño, picado
1 taza	(250 ml) caldo de verduras
1 taza	(250 ml) caldo de carne
1/4 cdta	(1 ml) orégano
1/2 cdta	(2 ml) albahaca
4 cdtas	(24 g) harina de trigo integral
2 tazas	(500 ml) leche descremada
	sal y pimienta

■ Poner aparte 2 cdas (30 g) del pimiento picado, para decorar.

■ En una cacerola, calentar el aceite. Sofreír las verduras. Agregar los dos caldos y las hierbas mixtas. A poca temperatura, cocer a fuego lento por 10 minutos.

■ En una licuadora, hacer un puré con la mezcla. Regresarla a la cacerola.

■ En un tazón, mezclar la harina y la leche. Ponerlas en la sopa. A poca temperatura y revolviendo, recalentar sin hervir. Sazonar con sal y pimienta. Servir la sopa caliente o refrigerada, cubierta con los pimientos picados.

Sopa de Calabaza

	4 PORCIONES
2 cdas	(30 g) mantequilla
2 cdas	(15 g) harina
1	tallo de apio, en cubitos
1	papa, pelada, en cubitos
1	cebolla, picada
1 taza	(160 g) pulpa de calabaza, en cubitos
1 taza	(250 ml) caldo de pollo
1 cda	(15 ml) jugo de limón
3	gotas de salsa Tabasco
1/4 cdta	(1 g) paprika
	pizca de nuez moscada
1/4 cdta	(1 g) clavo de olor molido
1 taza	(250 ml) leche
	sal y pimienta
1/4 taza	(60 ml) crema espesa

■ En una cacerola, derretir la mantequilla. Espolvorear con la harina. Hacer una pasta líquida. Agregar las verduras y la calabaza, mezclándolas bien. Poner los demás ingredientes, menos la crema. A poca temperatura, cocer a fuego lento hasta que la papa esté cocida.

■ En una licuadora, hacer un puré con la mezcla. Agregar la crema, mezclándola bien. Servir caliente.

VARIACIÓN
• Refrigerar el puré. Cuando se enfríe, agregar la crema. Servirlo frío.

Sopa Yocoto

	6-8 PORCIONES
1 taza	(250 ml) yogurt sin sabor
1 taza	(250 ml) leche
2	pepinos, pelados, en cubitos
2	tomates, en cubitos
2 cdas	(30 ml) perejil fresco, picado
2 cdas	(30 ml) aceite de oliva
	unas cuantas hojas de albahaca, picadas
2 cdas	(18 g) cebollines, picados
	sal y pimienta

■ En un procesador de alimentos, mezclar el yogurt y la leche.

■ Pasar la mezcla a un tazón grande. Agregar los demás ingredientes. Sazonar al gusto.

■ Si se necesita, refrigerar la sopa. Servirla fría.

De arriba hacia abajo :
Sopa de Calabaza,
Sopa de Pimiento Dulce Verde,
Sopa Yocoto

L os entremeses fríos que se presentan aquí son además de deliciosos, fáciles de preparar. Con seguridad, tendrán un lugar distinguido en cualquier buffet o recepción.

Algunas de las recetas de esta sección también son de bajo contenido de grasas y calorías. Dos ejemplos de este tipo son el Borstch Estilo Cosaco y el Pepino en Salsa de Menta (p. 54). Estamos seguros que usted encontrará que todas las recetas son tan deliciosas como sustanciosas.

Bolitas de Queso con Pimiento Dulce

6 PORCIONES

1 lb	(450 g) tocineta
1 lb	(450 g) queso Cheddar rallado
8 oz	(225 g) queso crema, ablandado
1	pimiento dulce verde, picado grueso
1	pimiento dulce rojo, picado grueso
1/4 taza	(60 ml) perejil fresco, picado
1/4 taza	(40 g) nueces, picadas fino
	galletitas

- En una sartén, cocinar la tocineta hasta que esté crujiente. Escurrirla en una toalla de papel para absorber lo más que se pueda de grasa.

- En un tazón, combinar la tocineta, los dos quesos y los pimientos dulces. Dividirlos en 3 partes iguales.

- En un procesador de alimentos, mezclar cada tercio y hacer una bolita. También se puede hacer con toda la mezcla una bola grande o varias bolitas más pequeñas. Poner aparte.

- En tazón grande, combinar el perejil y las nueces. Untar cada bolita con la mezcla. Sellar con papel plástico o papel de aluminio. Refrigerar por lo menos 24 horas. Servir a temperatura ambiente con las galletitas.

Entremés de Ricotta con Nueces

4 PORCIONES

1 taza	(250 g) queso Ricotta
1/3 taza	(53 g) dátiles, picados fino
1/3 taza	(53 g) nueces, picadas fino
1/3 taza	(53 g) pasas, picadas fino
2 cdas	(30 ml) mayonesa
	hojas de lechuga

- En un tazón grande, mezclar todos los ingredientes, menos la lechuga. Refrigerar por lo menos 1 hora antes de servir.

- Sacar del refrigerador. Servir en una cama de lechuga.

Coliflor Marinada

6 PORCIONES	
1 taza	(250 ml) yogurt sin sabor
1 cdta	(5 ml) salsa inglesa
1 cda	(15 ml) perejil fresco, picado
$^{1}/_{4}$ cdta	(1 ml) orégano
$^{1}/_{4}$ cdta	(1 g) ajo, picado fino
$^{1}/_{4}$ cdta	(1 g) paprika
	pizca de tomillo
3 tazas	(480 g) flores de coliflor

■ En un procesador de alimentos, mezclar todos los ingredientes, menos la coliflor, para hacer una salsa de marinar. Poner aparte.

■ En una cacerola con agua hirviendo ligeramente salada, cocer la coliflor por 1 minuto. Sacarla de la cacerola. Sumergirla en un tazón de agua muy fría. Escurrirla bien.

■ Ponerle la salsa de marinar a la coliflor. Refrigerar por 3 horas. Servir.

Rollos de Espárrago

6 PORCIONES	
12	rodajas de pan de trigo integral, sin las orillas
4 oz	(113 g) queso crema, ablandado
12	puntas de espárragos, cocidas
3 cdas	(30 g) queso Parmesano, rallado
4 cdtas	(20 ml) perejil, picado
1	huevo, ligeramente batido

■ Precalentar el horno a 375 °F (190 °C).

■ Pasar un rodillo sobre cada rodaja de pan. Untarlas con queso crema. Colocar una punta de espárrago en uno de los extremos de cada rodaja. Enrollar. Poner aparte.

■ En un tazón grande, mezclar el Parmesano y el perejil. Poner aparte.

■ Con una brochita, untar cada rollo de espárrago con huevo batido. Poner en el rollo la mezcla de Parmesano y perejil. Cortar en 3 rodetes.

■ Pasar los rollos a una lata de hornear no adhesiva. Cocinar en el horno por 7-8 minutos. Dejarlos reposar para que se enfríen por 15 minutos. Servir.

Pepino en Salsa de Menta

4 PORCIONES	
2	pepinos firmes, pelados
¹/₂ taza	(125 ml) yogurt sin sabor
2 cdas	(18 g) cebollines, picados fino
2 cdas	(20 g) menta fresca, picada fino
	sal y pimienta
4	hojas de repollo verde

- Cortar los pepinos por la mitad, a lo largo. Sacarles las semillas. Cortarlos en rodajas finas. Poner aparte.

- En un tazón, mezclar el yogurt, los cebollines y la menta. Sazonar. Doblar con suavidad las rodajas de pepino. Refrigerar por lo menos 30 minutos.

- Cubrir 4 platos de ensalada con una hoja de repollo verde. Con una cuchara poner la mezcla de pepino en el centro. Servir.

La receta se muestra arriba a la izquierda

Borscht Estilo Cosaco

6-8 PORCIONES	
14 oz	(398 ml) remolachas (betabeles) enlatadas, escurridas — reservar 1 taza (250 ml) de jugo
2	sobres de gelatina sin sabor
1 taza	(250 ml) caldo de carne
¹/₄ taza	(40 g) espinaca, desmenuzada fino
1 cda	(15 ml) jugo de limón
¹/₂ taza	(125 ml) yogurt sin sabor
	cebollines frescos, picados

- En una cacerola mediana, poner el jugo de remolacha. Espolvorear con la gelatina. A baja temperatura, revolver hasta que la gelatina se disuelva. Quitar del fuego. Poner aparte.

- En un procesador de alimentos, combinar las remolachas y el caldo de carne. Procesar hasta que esté homogéneo. Mezclar el puré de remolacha con la mezcla de gelatina. Agregar la espinaca. Rociar con jugo de limón. Pasar a una fuente sopera. Tapar. Refrigerar hasta que el borscht esté medio asentado.

- Decorar con un poco de yogurt. Espolvorear con los cebollines picados. Servir.

VARIACIÓN
- Pasar el borscht a un molde. Refrigerar hasta que la mezcla se asiente. Adornar con yogurt y cebollines picados.

La receta se muestra arriba a la derecha

Vinagreta de Corazones

4-6 PORCIONES	
¹/₂ taza	(125 ml) aceite de oliva
2 cdas	(30 ml) vinagre de vino
1	cebolla, picada fino
1	diente de ajo, picado fino
¹/₂ cdta	(2 ml) albahaca, picada
	sal y pimienta
10 oz	(284 ml) corazones de alcachofa enlatada, en cuartos
10 oz	(284 ml) corazones de palmito enlatado, en rodajas
	hojas de lechuga
	perejil fresco

- En un tazón, revolver los primeros 6 ingredientes hasta que la mezcla esté suave y homogénea. Mezclar con cuidado los corazones de alcachofa y de palmito.
- Marinar en el refrigerador por lo menos 3 horas, removiendo ocasionalmente.
- Poner la vinagreta, con una cuchara, sobre una cama de lechuga. Adornar con el perejil. Servir.

Naranjas Rellenas

2 PORCIONES	
2	naranjas grandes
1	manzana, en tiras finas
1	zanahoria, rallada grueso
¹/₄ taza	(40 g) apio, picado fino
2 cdas	(20 g) pasas
2 cdas	(20 g) pistachos
¹/₂ cdta	(2 g) sal
¹/₄ taza	(60 ml) crema ácida
¹/₄ taza	(60 ml) yogurt sin sabor

- Cortar una rodaja de la parte de arriba de las naranjas. Con una cuchara, sacar la pulpa sin romper el exterior de la fruta. Poner aparte las naranjas vaciadas. Cortar la pulpa en cubitos.
- En un tazón, combinar la pulpa de naranja y los demás ingredientes, mezclando bien. Poner aparte.
- Con un cuchillo pequeño, hacer un corte con un borde en zigzag alrededor de las naranjas vaciadas. Con una cuchara, ponerles el relleno. Servir.

Moldes de Zanahoria y Albaricoque

	6 PORCIONES
¹/₄ taza	(60 ml) agua fría
1 cda	(15 g) gelatina sin sabor
1 ¹/₄ taza	(300 ml) jugo de piña
¹/₂ cdta	(2 g) sal
¹/₄ taza	(60 ml) jugo de limón
2 cdas	(30 g) azúcar
1 taza	(250 ml) albaricoques enlatados, escurridos, en cubitos
1 taza	(160 g) zanahorias, ralladas
	hojas de lechuga (opcional)
	palitos de zanahoria

- En una cacerola, espolvorear el agua con la gelatina. A baja temperatura, disolver la gelatina. Agregar el jugo de piña, la sal, el jugo de limón y el azúcar. Dejar reposar para que se enfríe un poco.
- Agregar los albaricoques y las zanahorias a la mezcla. Ponerla en moldes. Refrigerar por 1 hora.
- Sacar la mezcla de los moldes y ponerla en una cama de lechuga, si se desea. Servir con palitos de zanahoria.

Antipasto

	8 PORCIONES
10 oz	(284 ml) corazones de palmito enlatados, en rodajas
10 oz	(284 ml) maíz en miniatura enlatado, en rodajas
10 oz	(284 ml) corazones de alcachofa, de lata
¹/₂ taza	(80 g) aceitunas negras
¹/₂ taza	(125 g) pimiento dulce rojo, cortado en tiras
¹/₂ taza	(125 g) pimiento dulce verde, cortado en tiras
¹/₂ taza	(80 g) champiñones frescos, en rodajas
	hojas de lechuga

Aderezo

¹/₄ taza	(60 ml) vinagre de vino tinto
³/₄ taza	(180 ml) aceite de oliva
1 cdta	(5 ml) mostaza de Dijon con estragón
1 cdta	(5 g) sal
¹/₂ cdta	(2 g) azúcar
¹/₂ cdta	(2 g) pimienta negra
¹/₂ cdta	(2 ml) albahaca
¹/₂ cdta	(2 ml) orégano
1	diente de ajo, machacado
2 cdas	(30 ml) agua

- Mezclar todas las verduras, menos la lechuga.
- En una licuadora, mezclar los ingredientes del aderezo. Ponérselo a las verduras. Marinar en el refrigerador por 12 horas.
- Poner el antipasto, con una cuchara, sobre una cama de lechuga. Servir.

Ensalada Rusa

6	tomates medianos, maduros
¹/₃ taza	(80 g) pepino, en cubitos
¹/₃ taza	(80 ml) chícharos verdes de lata, escurridos
¹/₄ taza	(40 g) pepinillos sin endulzar, picados fino
2 cdas	(20 g) alcaparras
	pizca de vinagre
	sal y pimienta
¹/₂ taza	(125 g) pollo cocido, frío, en cubitos

¹/₄ taza	(60 ml) mayonesa
	hojas de lechuga
	perejil fresco, picado fino

• Cortar la parte de arriba de los tomates. Con una cuchara, sacarles la pulpa. Poner aparte.

• En un tazón, mezclar con cuidado ¹/₃ taza (80 ml) de la pulpa de tomate con los demás ingredientes, menos la lechuga y el perejil. Rellenar con la mezcla los tomates vaciados. Colocarlos en una cama de lechuga. Adornar con perejil. Servir.

Ensalada de Repollo con Manzana

2 tazas	(320 g) repollo rojo, rallado
¹/₂	manzana, picada fino
2 cdas	(30 g) pimiento dulce verde, picado fino
¹/₂ taza	(125 ml) yogurt sin sabor
2 cdas	(30 g) azúcar
¹/₄ cdta	(1 g) semillas de apio
	sal y pimienta

• En un tazón mediano, mezclar el repollo, la manzana y el pimiento dulce. Poner aparte.

• En un segundo tazón, mezclar los demás ingredientes hasta que la mezcla esté fina y homogénea. Ponerla sobre la ensalada de repollo, mezclando con cuidado. Refrigerar aproximadamente por 1 hora. Servir.

Ruedas de Jamón y Queso

8 PORCIONES

8 oz	(225 g) queso crema, ablandado
¹/₄ taza	(60 g) cebollas verdes, picadas fino
1 cda	(15 ml) perejil fresco, picado
¹/₄ taza	(60 ml) mayonesa
24	rodajas de jamón

- En un tazón, mezclar todos los ingredientes, menos el jamón. Untar las rodajas de jamón con la mezcla. Enrollarlas. Cortar cada rodaja en ruedas de ³/₄ de pulg (1,5 cm) de ancho.

- Dividirlas en platos de ensalada individuales. Servir con verduras frescas.

La receta se muestra arriba

VARIACIONES

- Reemplazar la mayonesa con salsa de chile, como se muestra al lado.

- Reemplazar el jamón con pavo ahumado, como se muestra abajo a la derecha.

Conchas de Pasta Rellenas

	4 PORCIONES
16	conchas de pasta extra-grandes
1 taza	(250 g) pollo cocido, picado
1 cda	(15 g) cebolla, picada fino
1 cda	(15 g) pimiento dulce, picado fino
1 cda	(10 g) apio, picado fino
3 cdas	(45 ml) mayonesa
	paprika (opcional)
	perejil fresco, picado (opcional)
	hojas de lechuga
4	rodajas de tomate
	aceitunas

- En una cacerola, con agua hirviendo ligeramente salada, cocer las conchas de pasta.

- Mientras tanto, en un tazón, mezclar el pollo, la cebolla, el pimiento dulce, el apio y la mayonesa. Poner aparte.

- Escurrir bien las conchas de pasta cocidas. Rellenarlas con la mezcla de pollo. Espolvorear con paprika o perejil, si se desea.

- Cubrir 4 platos de ensalada con una cama de hojas de lechuga. Colocar 4 conchas de pasta en el centro de cada plato. Servir con una rodaja de tomate y aceitunas.

Melocotones Rellenos

	4 PORCIONES
4 oz	(115 g) queso crema, ablandado
5 oz	(140 g) trozos largos de pavo, de lata
2 cdas	(30 g) cebolla roja, picada
$^1/_4$ taza	(60 ml) mayonesa
	sal y pimienta
28 oz	(796 ml) mitades de melocotones de lata, escurridas
	hojas de lechuga
	ramitas de perejil fresco

- En un tazón, mezclar los primeros 5 ingredientes.

- Rellenar con la mezcla cada mitad de melocotón. Pasarlas a una cama de lechuga. Adornar con perejil fresco. Servir.

La receta se muestra arriba a la izquierda

Triángulos Deliciosos

	4-6 PORCIONES
12	rodajas de jamón
12	rodajas de queso
	verduras encurtidas

- En un plato, poner una rodaja de jamón. Cubrirla con una rodaja de queso. Repetir, y usar todas las rodajas para formar una pila. Cubrir con papel plástico. Refrigerar por 3 horas.

- Sacar del refrigerador. Cortar las rodajas en triángulos. Colocarlos con las verduras encurtidas, en platos de ensalada pequeños. Servir con palillos de dientes individuales.

La receta se muestra arriba a la derecha

Sorpresa de Aguacate

4 PORCIONES	
1	pimiento dulce verde
1	pimiento dulce rojo
2	aguacates
³/₄ taza	(180 g) jamón, picado
³/₄ taza	(180 ml) mayonesa
1 cdta	(5 ml) ketchup
	sal y pimienta
3 cdas	(30 g) aceitunas rellenas con pimiento dulce, en rodajas

▪ Reservar algunas tiras de los pimientos verde y rojo para decorar. Picar fino lo restante. Poner aparte.

▪ Partir los aguacates por la mitad, a lo largo. Sacarles las semillas. Con una cuchara, sacarles la pulpa sin dañar las partes exteriores. Poner aparte los aguacates vaciados.

▪ En un tazón, macerar la pulpa de aguacate. Mezclarla con los demás ingredientes, menos con los pimientos dulces para adornar y las aceitunas. Rellenar los aguacates vaciados con la mezcla.

▪ Pasar cada aguacate a un plato de ensalada individual. Adornar con las tiras de pimiento dulce y las aceitunas. Servir.

La receta se muestra arriba

Aspic

6 TAZAS (1,5 L)	
4 lbs	(1,8 kg) posta de cerdo
1 ¹/₄ lb	(565 g) jarretes de cerdo
2	cebollas grandes, en rodajas
1	puerro, en cubitos
2	dientes de ajo, picados fino
¹/₄ cdta	(1 ml) canela
1 cdta	(5 ml) tomillo real
¹/₄ cdta	(1 ml) clavo de olor molido
2 cdas	(30 ml) vinagre de sidra
6 tazas	(1,5 L) agua
	sal y pimienta
1	sobre de gelatina sin sabor

▪ En una cacerola, combinar todos los ingredientes, menos la gelatina. Hervir. Tapar. A baja temperatura, cocer a fuego lento por 2-3 horas.

▪ En un colador, escurrir la carne sobre una cacerola mediana. Espolvorear los jugos de la carne con gelatina. A baja temperatura, disolver la gelatina. Poner aparte.

▪ Cortar la carne en cubitos. Ponerla en un molde. Cubrirla con la mezcla de gelatina. Refrigerar por 24 horas. Sacarla del molde. Servir.

Mousse de Jamón

4-6 PORCIONES	
6 ¹/₂ oz	(184 g) jamón en trozos, de lata
8 oz	(225 g) queso crema, ablandado
¹/₂ taza	(125 g) chalotes, picados fino
¹/₂ taza	(80 g) apio, picado fino
1 taza	(250 ml) crema ácida
	pizca de paprika
¹/₄ taza	(60 ml) agua fría
1	sobre de gelatina sin sabor
	galletitas

■ En un tazón, desmenuzar los trozos de jamón con un tenedor. Mezclarlos con el queso crema y las verduras. Agregar la crema ácida y la paprika, y mezclar hasta que esté homogéneo. Poner aparte.

■ En una cacerola pequeña, espolvorear el agua fría con la gelatina. A baja temperatura, disolver la gelatina. Mezclarla con la mezcla del jamón. Poner el mousse que resulta en un molde engrasado. Refrigerar por lo menos 4 horas.

■ Servir con galletitas, rodetes de pan tostado, medias-lunas o chips.

Mousse de Carne

4-6 PORCIONES	
1 taza	(250 g) rosbif cocido, picado
8 oz	(225 g) queso crema, ablandado
¹/₂ taza	(80 g) apio, picado fino
¹/₂ taza	(125 g) chalotes, picados fino
1 taza	(250 ml) mayonesa
¹/₄ cdta	(1 ml) curry
	sal y pimienta
	hojas de lechuga
	perejil fresco

■ En un tazón, combinar todos los ingredientes, menos la lechuga y el perejil; mezclar bien. Ponerlos en un molde engrasado. Refrigerar por lo menos 4 horas.

■ En una fuente de servir, sacar del molde el mousse frío; ponerlo sobre una cama de lechuga. Adornar con el perejil. Servir.

Molde de Camarón

	6-8 PORCIONES
8 oz	(225 g) queso crema, ablandado
2 tazas	(500 g) camarón, picado
$^1/_4$ taza	(60 g) chalotes, picados fino
1 taza	(250 ml) yogurt sin sabor
$^1/_2$ taza	(125 ml) agua fría
1	sobre de gelatina sin sabor

- En un tazón, mezclar el queso, el camarón, los chalotes y el yogurt hasta que se combinen bien. Poner aparte.

- En una cacerola pequeña, espolvorear el agua con la gelatina. A baja temperatura, disolver la gelatina. Mezclarla con la mezcla de camarón. Poner en un molde. Tapar. Refrigerar por lo menos 8 horas.

- En un tazón con agua fría, sumergir el fondo del molde por 10 segundos. Sacarlo del molde. Servir.

La receta se muestra arriba

VARIACIÓN
- A la primera mezcla, agregarle $^1/_4$ taza (60 ml) de salsa de chile, como se muestra al lado

Islas de Piña

7 oz	(198 g) atún enlatado, escurrido, desmenuzado
7 oz	(198 g) salmón enlatado, escurrido, desmenuzado
$^1/_4$ taza	(40 g) apio, picado fino
3	chalotes, picados fino
1	diente de ajo, picado fino
	perejil fresco, picado fino
2 cdas	(30 ml) mayonesa
$^1/_2$ cda	(7 ml) jugo de limón
4	rodajas de piña enlatada, escurridas

■ En un tazón, mezclar los ingredientes, menos la piña. Refrigerar por 2 horas.

■ Colocar una rodaja de piña en cada uno de 4 platos de ensalada. Con un cucharón de helado, poner encima de las rodajas la ensalada de pescado. Servir.

VARIACIONES

• Reemplazar el pescado enlatado con sobrantes de carne o pescado, cocidos y luego picados. Reemplazar la piña con rodajas de tomate.

Peras con Ostras Ahumadas

8 oz	(225 g) queso crema, ablandado
2 cdtas	(10 ml) vodka
1 cdta	(5 ml) jugo de limón
4 $^3/_4$ oz	(134 ml) ostras ahumadas de lata, escurridas
28 oz	(796 ml) mitades de pera de lata, escurridas
	aceitunas rellenas con pimiento dulce, en rodajas

■ En un tazón, mezclar el queso, el vodka y el jugo de limón. Agregar las ostras.

■ Rellenar las mitades de pera con la mezcla de las ostras. Si es necesario, usar una cuchara para agrandar la cavidad del centro de las peras. Adornar con las rodajas de aceituna. Servir.

Albóndigas de Cangrejo

6-8 PORCIONES	
1 lb	(450 g) carne de cangrejo de lata, escurrida, desmenuzada
8 oz	(225 g) queso crema, ablandado
1 cda	(15 g) cebolla, picada fino
1 cda	(15 ml) jugo de limón
2 cdtas	(10 ml) rábano picante preparado (opcional)
¹/₂ cdta	(2 ml) salsa inglesa
¹/₂ cdta	(2 ml) salsa Tabasco
¹/₂ taza	(80 g) nueces, picadas
¹/₄ taza	(60 ml) perejil fresco, picado fino
	galletitas

■ En un tazón, mezclar los primeros 7 ingredientes. Formar con la mezcla una bola grande o varias bolitas más pequeñas. Refrigerar por lo menos 2 horas.

■ En un tazón grande, mezclar las nueces y el perejil. Rodar la bola de cangrejo en la mezcla. Servir con galletitas.

Aguacates Rellenos con Cangrejo Picante

4 PORCIONES	
¹/₂ taza	(125 ml) mayonesa
¹/₂ taza	(80 g) apio, picado fino
¹/₄ taza	(60 g) pimientos picantes encurtidos, picados fino
¹/₄ taza	(60 ml) perejil fresco, picado fino
1 cda	(15 ml) mostaza preparada
	unas gotas de salsa Tabasco
	unas gotas de salsa inglesa
	pizca de sal
	jugo de ¹/₂ limón
6 oz	(180 g) carne de cangrejo enlatada
2	aguacates maduros
	berro fresco
	tomatitos cereza
	aceitunas negras

■ En un tazón, mezclar los primeros 8 ingredientes y 2 cdtas (10 ml) de jugo de limón. Tapar. Refrigerar.

■ Escurrir la carne de cangrejo. En un tazón, desmenuzarla en trozos alargados. Refrigerar.

■ Pelar los aguacates. Partirlos en mitades, a lo largo. Sacarles las semillas. Sumergir los lados cortados en el resto del jugo de limón.

■ Cubrir 4 platos de ensalada con una cama de berro. Colocar las mitades de aguacate en el centro. Rellenarlas con carne de cangrejo. Con una cuchara, poner encima la mayonesa picante. Adornar con los tomates y las aceitunas. Servir.

Mousse de Salmón Ahumado

6 PORCIONES	
8 oz	(225 g) salmón ahumado
2 cdas	(30 g) cebolla, picada
8 oz	(225 g) queso crema, ablandado
2	filetes de anchoa
1	diente de ajo, picado
2 cdtas	(10 ml) perejil, picado
1/4 cdta	(1 g) sal de cebolla
	chorrito de salsa inglesa
2 cdas	(30 ml) jugo de limón
	pimienta recién triturada
	hojas de lechuga

• En un procesador de alimentos, mezclar todos los ingredientes, menos la lechuga; hacer un mousse suave y homogéneo. Refrigerarlo por 12 horas.

• Con una cuchara, echar el mousse en una bolsa de pastelería de boquilla ondulada. Ponerlo sobre las hojas de lechuga.

VARIACIONES
• Usar otras variedades de pescado ahumado.

Tomates Rellenos

4 PORCIONES	
4	tomates medianos
8 oz	(225 g) salmón enlatado, sin piel ni huesos
1 taza	(250 ml) arroz cocido
1/2 taza	(125 ml) mayonesa
	jugo de 1/2 limón
2 cdas	(30 ml) perejil, picado
2-3	gotas de salsa Tabasco
	sal y pimienta
2	huevos cocidos duros
	ramitas de perejil fresco
2	aceitunas negras, sin semillas, en mitades

• Con un cuchillo, cortar la parte de arriba de los tomates. Sacarles la pulpa con una cuchara. Poner aparte los tomates vaciados.

• Picar la pulpa de tomate. En un tazón, mezclarla con el salmón, el arroz, la mayonesa, el jugo de limón, el perejil y los condimentos. Rellenar los tomates vaciados con la mezcla. Poner aparte.

• Separar las claras y las yemas de los huevos. Pasar las yemas por un colador. Ponerlas aparte.

• Picar fino las claras de huevo. Poner trocitos de clara y de yema de huevo alrededor de cada tomate relleno. Adornarlos con una ramita de perejil y media aceituna. Servir.

Salmón Noruego

10-12 PORCIONES	
1	salmón entero de 3-4 lbs (1,4-1,8 kg)
¹/₄ taza	(60 g) sal gruesa
¹/₂ taza	(125 g) eneldo, picado
2 oz	(60 ml) coñac
	jugo de 1 limón
	agua

Salsa

1 taza	(250 ml) crema espesa
¹/₄ taza	(60 ml) mostaza de Dijon
	sal y pimienta
	perejil, picado

- Cortar el salmón por la mitad, a lo largo. Quitarle el espinazo. No pelar la piel.

- En un plato, colocar el salmón con la parte cortada hacia arriba. Frotar el pescado con la sal gruesa. Espolvorear con eneldo, coñac y jugo de limón. Poner agua en el fondo del plato, la que debe rodear pero no cubrir el pescado. Refrigerar por 2 días.

- Darle vuelta al salmón. Revolver la salsa de marinar. Refrigerar por 2 días más.

- En un tazón, mezclar los ingredientes de la salsa. Cortar el salmón marinado en rodajas diagonales. Con una cuchara, cubrir el pescado con la salsa. Servir inmediatamente.

Camarón a la Nueva Orleans

4 PORCIONES	
1 taza	(250 g) camarón miniatura
19 oz	(540 ml) trozos de piña enlatada, en su jugo
¹/₄ taza	(60 ml) aceite
2 cdas	(30 ml) mostaza preparada
1 cda	(15 ml) jugo de limón
1 cdta	(5 ml) salsa inglesa
2	cebollas verdes, picadas fino
	hojas de lechuga

- En un tazón, mezclar todos los ingredientes, menos la lechuga. Marinar en el refrigerador por 1 hora.

- Cubrir 4 platos de ensalada con una cama de hojas de lechuga. Con una cuchara, poner el camarón marinado en el centro. Servir.

Ceviche de Salmón y Vieiras

8 oz	(225 g) filetes de salmón fresco
8 oz	(225 g) vieiras frescas
1/2 taza	(125 ml) jugo de limón
1/2 taza	(125 ml) jugo de lima
1 taza	(250 ml) jerez
	tomates, en mitades
1/2	cebolla roja, en cubitos
1	pimiento verde picante de lata, escurrido, en cubitos
1/4 taza	(60 ml) aceite de oliva
3 cdas	(45 ml) jugo de lima
1 cda	(15 ml) cilantro fresco , picado fino
1	diente de ajo, picado fino
1/2 cdta	(1 ml) orégano
	sal y pimienta
	hojas de lechuga
	ramitas de cilantro fresco

- Con un par de pinzas, sacarle los huesos al salmón. Cortar la carne en cubos de 1/2 pulg (1,25 cm).

- En un tazón de cristal pequeño, combinar el salmón, las vieiras, y los jugos de limón y lima. Tapar. Refrigerar por 5 horas o hasta que la carne se ponga opaca. Revolver ocasionalmente.

- Sacar del refrigerador . Escurrir bien. Mezclar los demás ingredientes, menos la lechuga y las ramitas de cilantro. Tapar. Refrigerar por 1 hora.

- Colocar en una cama de lechuga. Decorar con el cilantro. Servir.

Entremés de Vieiras

3 cdas	(45 ml) aceite de oliva
1 cda	(15 ml) vinagre de estragón
	sal y pimienta
5 oz	(142 ml) gajos de mandarina de lata, escurridos
1 taza	(250 g) vieiras cocidas

- En un tazón, revolver el aceite, el vinagre y los condimentos hasta que la mezcla esté fina y homogénea. Poner las mandarinas y las vieiras. Marinar en el refrigerador por 1 hora.

- Dividir las vieiras y los gajos de mandarina en 4 platos de ensalada. Servir.

Trío de Huevos Endiablados

4 PORCIONES

6	huevos
3 cdas	(45 ml) mayonesa
2 cdtas	(10 ml) salsa de chile
	sal y pimienta
1 cdta	(3 g) cebollines, picados
1	diente de ajo, picado
	sal y pimienta

Decoración

1 cdta	(5 g) granos de pimienta rosada
1 cdta	(3 g) alcaparras
4	filetes de anchoas

- En una cacerola con agua ligeramente salada, cocer los huevos por 10 minutos. Enfriarlos bajo agua fría corriente. Quitarles la cáscara. Partirlos por la mitad, a lo largo. Con una cuchara, sacarles la yema con cuidado, reservando las claras.
- Combinar las yemas con los demás ingredientes; mezclar bien.
- Poner la mezcla en una bolsa de pastelería con boquilla acanalada. Ponerla sobre las claras de huevo.
- Decorar 4 mitades de huevo con granos de pimienta rosada, 4 con alcaparras, y 4 con anchoas.
- En 4 platos de ensalada, colocar 3 huevos endiablados, uno de cada clase.

Huevos Poché en Cono

4 PORCIONES

4 tazas	(1 L) agua
2 cdas	(30 ml) vinagre
4	huevos, a temperatura ambiente
3 cdas	(45 ml) mayonesa
1/2 cdta	(2 ml) rábano picante preparado
	sal y pimienta
4	rodajas de jamón sin grasa

- En una cacerola, llevar a ebullición el agua y el vinagre.
- Mientras tanto, romper cada huevo en una taza individual. Uno por uno, sumergirlos con cuidado en el agua hirviendo. Cocerlos por unos 5 minutos. Con una cuchara espumadera, sacar los huevos. Sumergirlos en un tazón de agua muy fría. Poner aparte.
- En un segundo tazón, mezclar la mayonesa y el rábano picante. Sazonar. Poner aparte.
- Enrollar las rodajas de jamón en forma de cono. Colocar un huevo en cada cono. Poner encima 2 cdtas (10 ml) de la mayonesa con rábano picante. Servir.

Tarta de Paté de Hígado

6 PORCIONES

3/4 taza	(180 ml) consomé de carne, de lata, sin diluir
1 oz	(30 ml) vino Oporto
2 cdtas	(10 g) gelatina sin sabor
3 cdas	(45 ml) agua fría
1 taza	(250 g) paté de hígado
1	corteza corta de pastel, horneada *(p. 334)*
4-5	rodajas de pavo ahumado
10-12	aceitunas rellenas con pimiento dulce, en rodajas
2	huevos cocidos duros, en rodajas

- En una cacerola, a baja temperatura, calentar el consomé. Agregar el Oporto. Poner aparte.
- En un tazón, dejar que la gelatina se espume en agua fría. Agregar al consomé, mezclar bien. Dejar reposar para que se enfríe un poco.
- Mientras tanto, en un procesador de alimentos, ablandar el paté de hígado.
- Poner una capa uniforme de paté en la corteza de pastel. Cubrirla con las rodajas de pavo. Poner encima rodajas de aceituna y huevo. Echar el consomé tibio sobre la tarta para cubrir la decoracion. Refrigerar por 3 horas. Servir.

Tarta de Caviar

6 PORCIONES

3/4 taza	(180 ml) bisque (sopa) de mariscos de lata, sin diluir
1 oz	(30 ml) vodka
2 cdtas	(10 g) gelatina sin sabor
3 cdas	(45 ml) agua fría
1 taza	(250 ml) mousse de salmón ahumado *(p. 65)*
1	corteza corta de pastel, horneada *(p. 334)*
4-5	rodajas de salmón ahumado
1	huevo cocido duro, en rodajas
2 cdas	(30 g) caviar

- En una cacerola, a poca temperatura, calentar el bisque. Agregar el vodka. Poner aparte.
- En un tazón pequeño, dejar que la gelatina se espume en agua fría. Ponerla en el bisque; mezclarla bien. Dejar reposar para que se enfríe un poco.
- Mientras tanto, en un procesador de alimentos, ablandar el mousse de salmón.
- Poner una capa uniforme del mousse en la corteza de pastel. Cubrirla con rodajas de salmón ahumado. Poner encima rodajas de huevo y caviar. Echar el bisque sobre la tarta para cubrir la decoración. Refrigerar por 3 horas. Servir.

ENTREMESES CALIENTES

En las páginas siguientes usted va a conocer las delicias de un menú de platos calientes y livianos, como el Quiche de Brócoli (p. 73), el Pollo Relleno con Champiñones (p. 77) y la Langosta Newburg (p. 82). Estas selecciones del menú satisfacerán a la perfección sus necesidades y las de los invitados que usted atienda.

Estos platos se pueden servir no sólo como la pieza principal para un almuerzo o cena ligera, sino que también se pueden ofrecer como entremeses calientes en una cena formal. Usted puede escoger varios platillos como comida principal de una fiesta deportiva, un almuerzo de tarde de señoras o siempre que la ocasión sea apropiada para selecciones más ligeras, pero siempre deliciosamente calientes.

Cuadritos de Calabacita

8 PORCIONES	
3 tazas	(480 g) calabacita, rallada
2 tazas	(320 g) zanahorias, ralladas
1	cebolla mediana, picada fino
¹/₂ taza	(80 g) queso Parmesano, rallado
4	huevos, batidos
¹/₂ taza	(125 ml) aceite vegetal
1 taza	(115 g) harina de trigo integral
¹/₄ cdta	(1 g) sal
¹/₄ cdta	(1 g) pimienta
¹/₄ cdta	(1 ml) perejil, picado
¹/₄ cdta	(1 ml) albahaca

▪ Precalentar el horno a 350 °F (175 °C). Untar con mantequilla un plato de hornear de 9 x 13 pulg (23 x 33 cm). Ponerlo aparte.

▪ En un tazón, mezclar todos los ingredientes. Ponerlos en el plato de hornear. Hornear por 10 minutos.

▪ Sacar del horno. Cortar 24 cuadritos. Servir calientes.

Pastel de Verduras

6-8 PORCIONES	
¹/₃ taza	(80 g) margarina
1 ¹/₂ taza	(240 g) champiñones, picados fino
1 ¹/₄ taza	(142 g) galletas saladas, desmenuzadas
¹/₂ taza	(125 g) cebollas, en rodajas
1	calabacita, picada fino
2	tomates, en rodajas finas
3	huevos, batidos
1 cda	(7 g) harina de todo uso
1 taza	(250 ml) leche
¹/₄ cdta	(1 g) sal
¹/₄ cdta	(1 g) pimienta
¹/₄ cdta	(1 ml) albahaca
	perejil fresco, picado fino
2 cdas	(20 g) queso Parmesano, rallado

▪ Precalentar el horno a 350 °F (175 °C).

▪ En una sartén, derretir la margarina. Sofreír los champiñones. Agregar las galletas saladas; mezclar bien.

▪ Cubrir el interior de un molde de pastel de 9 pulg (23 cm) con la mezcla; untarla en el fondo y a lo largo de los lados. Cubrirla con las rodajas de cebolla y calabacita. Ponerle encima rodajas de tomate. Poner aparte.

▪ En un tazón, mezclar los huevos con los demás ingredientes, menos el queso Parmesano. Poner en la corteza de pastel. Espolvorear con el queso Parmesano. Hornear por 25-35 minutos. Servir caliente.

La receta se muestra arriba

VARIACIONES

• Reemplazar la calabacita con cualquier otra verdura. Cocer de antemano las verduras firmes como nabo, remolacha (betabel), zanahoria, etc.

Quiche de Brócoli

6-8 PORCIONES

2 tazas	(320 g) flores de brócoli
¹/₄ taza	(60 g) margarina o mantequilla
1 taza	(250 g) cebollas, picadas
¹/₂ taza	(125 ml) perejil fresco, picado
¹/₄ cdta	(1 ml) albahaca
¹/₄ cdta	(1 ml) orégano
¹/₂ cdta	(2 g) sal
¹/₂ cdta	(2 g) pimienta
2 tazas	(320 g) queso Mozzarella, rallado
2	huevos, batidos
1	paquete de masa comercial de media-luna, descongelada
2 cdtas	(10 ml) mostaza de Dijon

- Precalentar el horno a 375 °F (190 °C).

- En una cacerola con agua ligeramente salada, cocer el brócoli por 1 minuto. Sacarlo de la cacerola. Sumergirlo en un tazón con agua muy fría. Escurrirlo bien. Ponerlo aparte.

- En una sartén, derretir la margarina. Sofreír las cebollas. Sazonar con las hierbas mixtas, sal y pimienta; mezclar bien. Poner aparte.

- En un tazón, mezclar el brócoli, el queso Mozzarella y los huevos. Agregar la mezcla de cebolla. Poner aparte.

- Cubrir el interior de un molde de quiche o de pastel con la masa de media-luna. Asegurarse de cubrir los lados para formar un borde pronunciado. Untar la mostaza con una brochita.

- Poner la mezcla de brócoli en el molde. Hornear por 20 minutos o hasta que al insertar un cuchillo en el centro, salga limpio. Servir.

Plátanos Envueltos con Tocineta

6-8 PORCIONES

3	plátanos de cocer, pelados
1 lb	(450 g) tocineta

- Cortar los plátanos a lo largo y luego a lo ancho, en rodajas de 1 pulg (2,5 cm) de ancho por 2 pulg (5 cm) de largo. Poner aparte.

- Cortar las rodajas de tocineta en 3 trozos. Envolver las rodajas de plátano con la tocineta. Freírlas en una sartén. Servir calientes.

Mimosa de Espárragos

4 PORCIONES	
24	puntas de espárrago
3 cdas	(45 g) mantequilla
1	huevo cocido duro, picado fino
	pizca de nuez moscada molida
2 cdas	(30 ml) perejil fresco, picado fino

■ Pelar los espárragos. Cortarlos en trozos de 6 pulg (15 cm) de largo. Limpiarlos bien. Hacer con ellos un manojo y atarlo. Poner el manojo parado en una cacerola con agua ligeramente salada. Cocer por 10 minutos.

■ Mientras tanto, calentar 4 platos de ensalada, en el horno.

■ Sacar los espárragos de la cacerola. Escurrirlos bien. Pasarlos a los platos de ensalada calientes. Poner aparte.

■ En una sartén, derretir la mantequilla. Agregar el huevo. Sazonar con nuez moscada. Revolver en la sartén por 30 segundos. Echar la mezcla a los espárragos. Espolvorear con el perejil. Servir inmediatamente.

Espárragos au Gratin

4 PORCIONES	
12 oz	(341 ml) puntas de espárragos enlatadas, escurridas
3 cdas	(45 g) mantequilla
1 cda	(7 g) harina de todo uso
1½ taza	(375 ml) leche
	sal y pimienta
⅓ taza	(54 g) queso Emmenthal, rallado
1 cda	(7 g) miga de pan
	pizca de nuez moscada
¼ cdta	(1 ml) tomillo

■ Precalentar el horno a 400 °F (205 °C).

■ En una lata de hornear, colocar los espárragos. Ponerlos aparte.

■ En una sartén, derretir 1 cda (15 g) de mantequilla. Espolvorearla con harina. Cocinar, revolviendo, por 2 minutos. Mezclar la leche. Revolviendo constantemente, continuar cocinando por 6 minutos hasta que la salsa esté cremosa y homogénea. Sazonar.

■ Poner la salsa a los espárragos. Poner encima trocitos de mantequilla. Cubrir con el queso, luego con la miga de pan. Sazonar con la nuez moscada y el tomillo. Hornear por 20 minutos o hasta que el queso y la miga de pan formen una corteza dorada. Servir.

Berenjena Dorada

4-6 PORCIONES	
$^1/_2$ taza	(56 g) miga de pan
$^1/_2$ taza	(56 g) germen de trigo
$^1/_4$ cdta	(1 g) sal
	pizca de pimienta de Cayena
$^1/_4$ cdta	(1 ml) albahaca, tomillo o hierbas mixtas
2	huevos
1	berenjena, en rodajas
$^1/_2$ taza	(80 g) queso que prefiera, rallado o en rodajas

- Precalentar el horno a 350 °F (175 °C). Untar con aceite una lata de hornear galletas. Ponerla aparte.

- En un plato, combinar la miga de pan, el germen de trigo y los condimentos.

- En un tazón, batir los huevos. Sumergir las rodajas de berenjena. Espolvorearlas con la miga de pan sazonada. Pasarlas a la lata de hornear. Hornear por 20 minutos.

- Sacarlas del horno. Ponerles queso encima. Continuar cocinando hasta que las rodajas se doren ligeramente. Servir.

VARIACION
- En panecillos de hamburguesa, servir la berenjena cocida sin cubrirla con queso. Decorar con lechuga, rodajas de tomate y mayonesa.

Fondue de Tomate

6 PORCIONES	
28 oz	(796 ml) tomates enteros de lata
5	dientes de ajo, machacados
1	pimiento dulce verde, picado
$^1/_2$ cdta	(2 ml) salsa Tabasco sal y pimienta
1 lb	(450 g) queso ladrillo, en rodajas
1	baguette de pan francés, cortada en cubos

- En un tazón grande para microondas, mezclar los primeros 5 ingredientes. Cocinar por 10 minutos, en ALTO.

- Sacar del horno. Incorporar el queso hasta que la mezcla esté homogénea. Servirla muy caliente. Servir los cubos de pan por separado.

Paté de Verduras

6 PORCIONES

³/₄ taza	(84 g) harina de trigo integral
¹/₂ taza	(125 g) semillas de girasol molidas
1 taza	(250 ml) agua caliente
2 cdas	(30 ml) jugo de limón
¹/₄ taza	(60 ml) aceite de girasol
²/₃ taza	(74 g) levadura nutricional (de tienda de salud)
1	diente de ajo, picado fino
2	cebollas, picadas fino
1	zanahoria, picada fino
1	tallo de apio, picado fino
1	papa, pelada, rallada
¹/₄ taza	(60 ml) salsa Tamari
1 cdta	(5 ml) albahaca
¹/₂ cdta	(2 ml) tomillo
¹/₄ cdta	(1 ml) salvia

▪ Precalentar el horno a 350 °F (175 °C).

▪ En un tazón grande, mezclar los ingredientes. Ponerlos en una molde de pan de 4 x 8 pulg (10 x 20,5 cm). Hornear por 45-60 minutos. Dejar reposar para que se enfríen. Sacar el paté del molde. Cortarlo en rodajas. Envolverlo en papel de aluminio. Recalentarlo en el horno. Servir caliente.

Nota : El Paté de Verduras se puede congelar hasta por 2 meses.

VARIACION
▪ Servirlo frío con pan y encurtido mixto.

Arroz con Espinaca y Queso

6-8 PORCIONES

10 oz	(280 g) espinaca congelada, sin tallos, descongelada
2	huevos, batidos
13 oz	(369 ml) leche evaporada de lata
²/₃ taza	(160 g) arroz instantáneo
8 oz	(225 g) queso procesado, en cubitos
¹/₂ cdta	(2 g) sal
¹/₄ cdta	(1 g) pimienta
¹/₄ taza	(60 g) cebolla, picada

▪ Poner la espinaca en un platón para microondas de 5 tazas (1,25 L). Tapar. Ponerla en el horno por 5-6 minutos, en ALTO. Escurrirla. Ponerla aparte.

▪ En un tazón para microondas de 10 tazas (2,5 L), mezclar los huevos, la leche, el arroz, el queso, sal y pimienta. Cocinar por 2 minutos, en ALTO. Revolver. Continuar cocinando por 3-4 minutos o hasta que el queso se derrita.

▪ Incorporar la cebolla y la espinaca. Poner la mezcla en un plato para microondas de 10 x 6 x 2 pulg (25 x 15 x 5 cm). En ALTO, cocinar por 10-12 minutos o hasta que al insertar un cuchillo en el centro, salga limpio. Servir.

Tostada de Champiñones

<table>
<tr><td colspan="2" align="center">4-6 PORCIONES</td></tr>
<tr><td>1 cda</td><td>(15 ml) aceite</td></tr>
<tr><td>8 oz</td><td>(225 g) champiñones, en rodajas</td></tr>
<tr><td>2-3</td><td>chalotes, picados fino</td></tr>
<tr><td>2 cdas</td><td>(30 ml) perejil, picado</td></tr>
<tr><td>3 cdas</td><td>(45 g) mantequilla</td></tr>
<tr><td>3 cdas</td><td>(21 g) harina</td></tr>
<tr><td>1 ½ taza</td><td>(375 ml) leche</td></tr>
<tr><td></td><td>sal y pimienta</td></tr>
<tr><td>16</td><td>rodetes de baguette de pan francés</td></tr>
<tr><td>1 ½ taza</td><td>(240 g) queso, rallado</td></tr>
</table>

- Precalentar el horno a 350 °F (175 °).

- En una sartén, calentar el aceite. Sofreír las verduras y el perejil. Poner aparte.

- En una cacerola, derretir la mantequilla. Espolvorear con harina. Cocinar por 2 minutos, revolviendo. Incorporar la leche. Revolviendo constantemente, continuar cocinando por 6 minutos o hasta que la salsa esté espesa y cremosa. Agregar los champiñones sofritos. Sazonar. Poner aparte.

- En una lata para hornear galletas, no adhesiva, colocar los rodetes de baguette. Ponerles salsa de champiñones. Espolvorearlos con queso rallado. Ponerlos en el horno por 5 minutos o hasta que el queso se derrita y empiece a dorarse. Servir.

Champiñones Rellenos con Pollo

<table>
<tr><td colspan="2" align="center">4-6 PORCIONES</td></tr>
<tr><td>24</td><td>champiñones grandes</td></tr>
<tr><td>4 oz</td><td>(115 g) pollo cocido, en cubitos</td></tr>
<tr><td>6 cdas</td><td>(42 g) miga de pan</td></tr>
<tr><td>2 cdtas</td><td>(10 ml) perejil fresco, picado fino</td></tr>
<tr><td></td><td>sal y pimienta</td></tr>
<tr><td>2 cdas</td><td>(30 g) mantequilla</td></tr>
<tr><td>2 cdtas</td><td>(10 g) cebolla, picada fino</td></tr>
<tr><td>¾ taza</td><td>(120 g) queso Cheddar, rallado</td></tr>
</table>

- Precalentar el horno a 425 °F (220 °C).

- Quitar los tallos a los champiñones; guardar las cabecitas.

- Picar fino los tallos. En un tazón, combinarlos con el pollo, la miga de pan y el perejil. Poner los condimentos.

- En una sartén, derretir la mantequilla. Freír la cebolla por 3-4 minutos. Agregarla a la mezcla de pollo. Rellenar las cabecitas de los champiñones. Espolvorear con queso.

- En una lata para hornear galletas, no adhesiva, colocar los champiñones rellenos. Ponerlos en el horno por 8-10 minutos. Servir calientes.

VARIACIÓN
- Usar cortezas de pastel en lugar de champiñones.

Crepas de Espinacas

6 PORCIONES	
	6 crepas (p. 380)
1 ½ taza	(240 g) espinaca, picada fino
	canela

Salsa de Queso

2 cdas	(30 g) mantequilla o margarina
1	cebolla pequeña, picada fino
2 cdas	(14 g) harina de todo uso
1 taza	(250 ml) leche semi-descremada
	sal y pimienta
½ taza	(80 g) queso Cheddar, rallado

- Precalentar el horno en ASAR.

- Colocar las crepas en una lata de hornear no adhesiva. Ponerles espinaca encima. Sazonarlas con una pizca de canela. Enrollarlas o doblarlas para formar cuadritos. Ponerlas aparte.

- En una sartén, derretir la mantequilla. Cocinar la cebolla. Espolvorear con harina. Cocinar por 2 minutos, revolviendo. Incorporar la leche a fuego moderado. Revolver constantemente; continuar cocinando hasta que la mezcla esté cremosa y homogénea. Sazonar. Agregar el queso. Revolver hasta que el queso se derrita.

- Con una cuchara, poner la salsa de queso sobre cada crepa. Hornearlas por 2-3 minutos. Servir inmediatamente.

La receta se muestra arriba

VARIACIONES

- Reemplazar la espinaca con flores de coliflor cocidas, como se muestra al lado, o flores de brócoli cocidas, o remolachas (betabeles) enlatadas bien escurridas, como se muestra abajo a la derecha.

Tortitas de Arroz con Queso

4 PORCIONES

¹/₄ taza	(60 ml) aceite
1	cebolla, picada fino
2 tazas	(500 g) arroz de grano corto, cocido
2	huevos, batidos
²/₃ taza	(106 g) queso Gruyère, rallado
2 cdas	(14 g) harina de todo uso
1 cdta	(5 ml) curry
	sal y pimienta
3 cdas	(21 g) miga de pan

▪ En una sartén, calentar 1 cda (15 ml) de aceite. Sofreír la cebolla. En un tazón, mezclar la cebolla con el arroz, los huevos, el queso Gruyère, la harina y los condimentos. Con las manos humedecidas, hacer 8 tortitas bien firmes. Espolvorearlas con miga de pan.

▪ A fuego moderado, en la misma sartén, calentar el aceite restante. Freír las tortitas 10 minutos por lado. Servir.

VARIACIONES
• Usar quesos diferentes.

Chow Mein

6-8 PORCIONES

3 cdas	(21 g) maicena
¹/₃ taza	(80 ml) salsa de soya
10 oz	(284 ml) castañas de agua, escurridas, en rodajas
19 oz	(540 ml) frijoles germinados de lata, escurridos
7 oz	(198 g) champiñones de lata, en su jugo
2 tazas	(500 g) sobrantes de carne cocida, en cubitos
2 tazas	(320 g) apio, rodajas diagonales de ¹/₂ pulg (1,25 cm)
1 taza	(250 g) cebollas, picadas fino
	arroz cocido o fideos fritos

▪ En un plato hondo para microondas de 10 tazas (2,5 L), diluir la maicena en la salsa de soya. Incorporar los demás ingredientes, menos el arroz. Cocinar por 10 minutos, en ALTO. Sacar del horno. Revolver una vez. Continuar cocinando por 10-12 minutos o hasta que la mezcla se espese. Sacarla del horno. Dejarla reposar por 5 minutos.

▪ Ponerla sobre una cama de arroz o fideos fritos. Servir de inmediato.

Nachos de Fiesta

4-6 PORCIONES

1 cdta	(5 ml) aceite vegetal
1	diente de ajo, picado fino
14 oz	(398 ml) frijoles rojos de lata, escurridos
1 cdta	(5 g) chile en polvo
¼ cdta	(1 ml) comino
	gotas de salsa Tabasco
	pimienta
36	tortillas de 2 ½ pulg (6 cm)
3	tomates, picados
1	pimiento dulce verde, picado
1 cda	(15 ml) chile jalapeño encurtido, picado fino (opcional)
1 taza	(160 g) queso Cheddar, rallado

▪ En un plato hondo de microondas, combinar el aceite y el ajo. Calentar por 35 segundos, en ALTO. Sacar del horno. Mezclar los frijoles y los condimentos, menos la pimienta. Tapar. Cocinar por 2-3 minutos. Revolver cuando esté medio cocinado.

▪ En un procesador de alimentos, hacer puré la mezcla. Sazonar con pimienta. Untar cada tortilla con 1 cdta (5 ml) de la mezcla. Pasarlas a dos platos de microondas de 12 pulg (30,5 cm). Espolvorearlas con los tomates, el pimiento dulce y el chile jalapeño, si se desea. Cubrir con queso.

▪ En MEDIO, hornear por unos 3 minutos o hasta que el queso se derrita. Servir.

Salsa Caliente de Cangrejo

4 PORCIONES

8 oz	(225 g) queso crema, ablandado
4 oz	(113 g) carne de cangrejo de lata, escurrida
2	chalotes, picados fino
2-3	gotas de salsa inglesa
1 cda	(15 ml) jugo de limón
	sal y pimienta, al gusto
	ajo, al gusto
	verduras frescas y galletas

▪ Precalentar el horno a 300 °F (150 °C).

▪ En una bandeja honda para hornear, mezclar todos los ingredientes, menos las verduras y las galletas. Tapar. Hornear por 20 minutos.

▪ Pasar la salsa a un plato de fondue de chocolate. Servirla caliente con un plato de verduras frescas y galletas.

80 SOPAS Y ENTREMESES

Fondue Parmesano

6 cdas	(90 g) mantequilla
³/₄ taza	(84 g) harina
1 ¹/₄ taza	(300 ml) leche
1	yema de huevo
¹/₂ taza	(80 g) queso Gruyère, rallado
¹/₂ taza	(80 g) queso Parmesano, rallado
	sal y pimienta
¹/₂ cdta	(2 g) paprika
1	clara de huevo
¹/₈ cdta	(0,5 ml) aceite
1 taza	(115 g) miga de pan
1 cda	(10 g) queso Parmesano, rallado
¹/₂ taza	(57 g) harina

- En un tazón, mezclar los primeros 6 ingredientes. Sazonar. En una sartén, a baja temperatura, cocinar hasta que el queso se derrita y la pasta se espese. Esparcirla uniformemente en un plato cuadrado de 8 pulg (20,5 cm). Refrigerar por 6 horas.

- Precalentar el horno a 350 °F (175 °C).

- En un tazón, batir ligeramente la clara de huevo y el aceite.

- Mezclar la miga de pan con 1 cda (10 g) de queso Parmesano.

- Sacar la pasta del refrigerador. Cortar 16 cuadritos. Espolvorear cada cuadrito con harina. Sumergirlos en la mezcla de huevo. Espolvorearlos con miga de pan. Pasarlos a una lata de hornear no adhesiva. Hornearlos por 20 minutos. Servir calientes.

Rollitos de Queso

2 tazas	(230 g) harina de todo uso
4 cdtas	(18 g) levadura en polvo
1 cdta	(5 g) sal
1 cda	(15 g) mantequilla, ablandada
1 cda	(15 ml) manteca vegetal
1 taza	(250 ml) leche
1 taza	(160 g) queso Cheddar amarillo, rallado

- Precalentar el horno a 350 °F (175 °).

- En un tazón grande, cernir dos veces la harina, la levadura y la sal. Ponerlas aparte.

- En un segundo tazón, hacer una crema con la mantequilla y la manteca vegetal. Alternando con la leche, incorporar los ingredientes secos hasta que la mezcla esté homogénea. Pasarle un rodillo y formar un rectángulo de ³/₈ pulg (1 cm) de grosor.

- Espolvorearlo con queso. Enrollarlo. Cortarlo en rodetes de 1 pulg (2,5 cm) de grosor. Pasarlos a una lata de hornear no adhesiva. Ponerlos en el horno por 30-40 minutos o hasta que se doren bien. Servirlos tibios.

Vieiras en Cama de Verduras

4 PORCIONES

5 cdas	(75 g) mantequilla
8 oz	(225 g) vieiras medianas
1 cda	(15 g) chalote, picado
1/3 taza	(54 g) zanahoria, en tiras finas
1/3 taza	(54 g) calabacita, en tiras finas
1/3 taza	(54 g) apio, en tiras finas
1/3 taza	(80 g) pimiento dulce rojo, en tiras finas
1/3 taza	(80 g) pimiento dulce verde, en tiras finas
	sal y pimienta
	jugo de 1/2 limón
1/2 cdta	(2 ml) perejil, picado

▪ En una sartén, derretir 2 cdas (30 g) de mantequilla. Agregar las vieiras. Cocinarlas por 2 minutos. Poner el chalote. Continuar cocinando por 2 minutos. Asegurarse de que las vieiras se cocinen por todos lados. Ponerlas aparte.

▪ En una cacerola, derretir el resto de la mantequilla. Sofreír las tiras de verdura por 2 minutos. Sazonar con sal y pimienta.

▪ Cubrir 4 platos de ensalada con una cama de verduras. Con una cuchara, poner las vieiras en el centro. Rociarlas con jugo de limón y perejil. Servir.

Langosta Newburg

6 PORCIONES

6	rodajas de pan, tostadas, con mantequilla
1 cda	(15 g) mantequilla
2 cdtas	(7 g) harina de todo uso
1 taza	(250 ml) crema espesa
1 taza	(250 g) carne de langosta cocida, en cubitos
2	yemas de huevo
1 oz	(30 ml) jerez
1/2 oz	(15 ml) coñac
	pizca de sal
	pizca de paprika
	pizca de pimienta de Cayena

▪ Con un cortador de pastelería o un cuchillo pequeño, cortar las rodajas de pan en crotones decorativos. Ponerlos aparte.

▪ En una cacerola pequeña, derretir la mantequilla. Espolvorear con harina; mezclar bien. Incorporar la crema. Llevar a ebullición. Hervir por 30 segundos, a temperatura alta. Incorporar la langosta. Poner aparte.

▪ En un tazón pequeño, batir las yemas de huevo, el jerez y el coñac. Sazonar. Poner en una cacerola; mezclar bien. A fuego muy bajo, cocinar por 2 minutos.

▪ Poner los cuscurros en platos de ensalada individuales. Con una cuchara, ponerles encima la mezcla de langosta. Servir.

Empanadas de Cangrejo

6 PORCIONES

1	cebolla, picada fino
6	champiñones, picados fino
1/4 cdta	(1 ml) estragón
8 oz	(225 g) carne de cangrejo o imitación
8 oz	(225 g) camarón miniatura
1/2 taza	(80 g) almendras partidas
3/4 taza	(180 ml) vino blanco
1/4 taza	(60 ml) crema ligera
1 lb	(450 g) pasta escamosa *(p. 335)* o masa de pastel comercial
1/4 taza	(60 ml) leche
	salsa de queso *(p. 78)*

▪ Precalentar el horno a 400 °F (205 °C).

▪ En una cacerola, mezclar los primeros 7 ingredientes. Llevar a ebullición. Reducir la temperatura. Cocer a fuego lento hasta que el líquido se reduzca a tres cuartos. Incorporar la crema. Continuar cocinando por 3 minutos, revolviendo o hasta que la mezcla esté cremosa y homogénea.

▪ Pasarle un rodillo a la masa y cortar seis cuadrados de 5 pulg (12,5 cm). Con una cuchara, poner 1-2 cdas (15-30 ml) de la mezcla de mariscos en cada cuadrado. Doblarlos en triángulos. Apretar los bordes para sellarlos bien.

▪ Pasar las empanadas a una lata de hornear no adhesiva. Ponerles leche con una brochita. Hornearlas por 12 minutos.

▪ Servirlas de inmediato, cubiertas con salsa de queso.

Delicia de Cangrejo y Queso

4 PORCIONES

10 oz	(284 ml) carne de cangrejo de lata, o cangrejo e imitación de lata, desmenuzados
1/4 taza	(60 ml) mayonesa
1	cebolla pequeña, picada fino
	sal y pimienta, al gusto
1/4 cdta	(1 ml) jugo de limón
4	rodetes de baguette de pan francés
1/2 taza	(80 g) queso Mozzarella, rallado

▪ En un tazón, mezclar los primeros 5 ingredientes. Refrigerar por 2-3 horas.

▪ Precalentar el horno a 400 °F (205 °C).

▪ Untar los rodetes de baguette con la mezcla de mariscos refrigerada. Espolvorearlos con queso. Pasarlos a una lata de hornear no adhesiva. Hornear por unos 7 minutos.

▪ Subir la temperatura del horno a ASAR. Continuar horneando por 2 minutos o hasta que el queso se dore bien. Servir.

Con las manecillas del reloj, empezando de arriba a la izquierda :
Empanadas de Cangrejo, Delicia de Cangrejo y Queso, Vieiras en Cama de Verduras

Atún Imperial

4 PORCIONES	
7 oz	(198 g) atún blanco enlatado, escurrido, desmenuzado
1	cebolla, picada fino
1	diente de ajo, machacado
$\frac{1}{4}$ cdta	(1 ml) jugo de limón
$\frac{1}{4}$ cdta	(1 ml) salsa inglesa
1 cdta	(5 ml) perejil fresco, picado fino
	sal y pimienta
1 taza	(250 ml) salsa Béchamel, caliente
4	volovanes
$\frac{1}{4}$ taza	(40 g) queso Parmesano, rallado

- Precalentar el horno en ASAR.
- En una cacerola, mezclar todos los ingredientes, menos los volovanes y el queso. A baja temperatura, calentar la mezcla. Ponerla en las cortezas de pastel. Espolvorear con queso.
- Hornear por 3-4 minutos. Servir.

Coquilles St-Jacques

4 PORCIONES	
2 cdas	(30 g) mantequilla
$\frac{1}{2}$ taza	(80 g) champiñones, picados fino
$\frac{1}{2}$ taza	(125 g) chalotes, picados
2 tazas	(500 ml) salsa Béchamel, caliente
1 lb	(450 g) mariscos (camarón, vieiras, almejas, etc.)
1 taza	(160 g) puré de papas, caliente
2 cdas	(30 g) mantequilla, derretida
2 cdtas	(10 ml) jugo de limón

- Precalentar el horno en ASAR.
- En una cacerola, derretir la mantequilla. Cocinar ligeramente los champiñones y los chalotes. Agregar la salsa Béchamel y los mariscos. Cocer a fuego lento por 3 minutos. Poner aparte.
- Mientras tanto, poner el puré de papas en una bolsa de pastelería con boquilla acanalada. Poner puré alrededor del borde de 4 caparazones de vieira. Con una cuchara, poner la mezcla de mariscos en el centro. Rociar con un poco de jugo de limón. Con una brochita, poner mantequilla sobre la corona de puré de papas.
- Hornear hasta que se doren un poco. Servir.

Buñuelos de Camarón

4 PORCIONES	
2	rodajas de pan blanco, sin corteza, partidas a mano
1	huevo, ligeramente batido
$^1/_3$ taza	(80 ml) mayonesa
8 oz	(225 g) camarón miniatura, picado
$^1/_4$ taza	(60 g) pimiento dulce rojo, picado fino
$^1/_4$ taza	(60 g) cebolla, picada fino
1 cdta	(5 ml) mostaza de Dijon
$^1/_4$ cdta	(1 g) pimienta recién triturada

▪ Precalentar el horno a 375 °F (190 °C).

▪ En un tazón, combinar el pan, el huevo y la mayonesa hasta que la mezcla esté homogénea. Incorporar los demás ingredientes .

▪ Con la mezcla, hacer bolitas de 1 $^1/_2$ pulg (3,75 cm). Colocarlas en una lata de hornear no adhesiva. Poner en el horno por 25 minutos o hasta que los buñuelos se doren bien. Servir.

Panecillos de Hot Dog con Salmón

12 PORCIONES	
7 oz	(198 g) salmón sólido enlatado, desmenuzado
1 taza	(160 g) queso Cheddar medio, rallado
3	huevos cocidos, machacados o en cubitos
2 cdas	(30 g) pimiento dulce verde, picado fino
2 cdas	(30 g) cebolla, picada fino
2 cdas	(30 ml) salsa de pepinillos dulces
$^1/_2$ taza	(125 ml) mayonesa
12	panecillos de hot dog calientes

▪ Precalentar el horno a 400 °F (205 °C).

▪ En un tazón, mezclar los primeros 7 ingredientes. Rellenar los panecillos calientes de hot dog con la mezcla. Envolverlos individualmente en papel de aluminio.

▪ Ponerlos en una lata de hornear. Hornearlos por 15-20 minutos. Servir.

Pizza Jiffy

6 PORCIONES

1	corteza de pizza comercial de 10 pulg (25 cm) ó
1	pan italiano plano
¹/₂ taza	(125 ml) salsa de tomate
1 taza	(250 g) jamón cocido, en cubitos
¹/₄ taza	(60 g) pimiento dulce rojo, en rodajas
¹/₄ taza	(60 g) pimiento dulce verde, en rodajas
¹/₂	cebolla española
¹/₂ cdta	(2 ml) albahaca
¹/₂ cdta	(2 ml) orégano
1 taza	(160 g) queso Cheddar o Mozzarella, rallado

■ Precalentar el horno a 400 °F (205 °C).

■ Poner la corteza en una lata para pizza. Untar la salsa de tomate con una brochita. Cubrir con el jamón y las verduras. Sazonar con las hierbas mixtas. Cubrir con queso.

■ Colocar la pizza en el centro del horno. Hornear por 12 minutos o hasta que el queso se dore un poco. Servir.

VARIACIONES

• Agregar champiñones en rodajas.

• Usar queso de poca grasa, ¡para que sea más saludable!

Panecillos Rellenos con Ensalada

5 PORCIONES

3 cdas	(45 ml) aceite
8 oz	(225 g) cerdo molido
8 oz	(225 g) ternera molida
1	cebolla, picada fino
10 oz	(284 ml) sopa enlatada de arroz con pollo
	sal y pimienta
2 cdas	(30 g) mostaza en polvo
2 cdtas	(10 ml) salsa de soya
¹/₂ cdta	(2 ml) ketchup
10	panecillos

■ En una cacerola, calentar el aceite. Agregar la carne. Cocinar por 10 minutos, revolviendo ocasionalmente. Poner la cebolla. Continuar cocinando por 4 minutos. Incorporar los demás ingredientes, menos los panecillos. Llevar a ebullición. Reducir la temperatura. Cocer a fuego lento hasta que el líquido se evapore. Mezclar bien. Dejar reposar para que la mezcla se enfríe un poco.

■ Precalentar el horno a 350 °F (175 °C).

■ Rellenar los panecillos con la mezcla. Envolverlos individualmente con papel de aluminio. Colocarlos directamente en la parrilla del horno. Calentarlos por 10 minutos. Servir.

Albóndigas de Ternera en Salsa de Melocotón

8 PORCIONES	
1 ¹/₂ lb	(675 g) ternera molida
1	cebolla, picada
1	huevo, batido
¹/₂ taza	(125 ml) parte suave de pan, partida a mano
	sal y pimienta
1 cda	(15 ml) aceite

Salsa

¹/₂ taza	(125 ml) salsa de chile
1 cda	(15 ml) jugo de limón
¹/₄ taza	(28 g) azúcar morena
2 cdas	(30 g) mostaza en polvo
1 cdta	(5 ml) salsa de soya

19 oz	(540 ml) rodajas de melocotón de lata, en su almíbar
	arroz cocido

- Precalentar el horno a 350 °F (175 °C).
- En un tazón grande, mezclar los primeros 5 ingredientes. Hacer albóndigas con la mezcla. Ponerlas aparte.
- En una sartén, calentar el aceite. Dorar las albóndigas. Pasarlas a un bandeja de hornear honda con tapa. Ponerlas aparte.
- En un tazón, mezclar los ingredientes de la salsa, menos los melocotones. Ponerles la salsa a las albóndigas. Tapar. Hornear por 30-40 minutos.
- Sacarlas del horno. Agregar las rodajas de melocotón. Continuar horneando por 15 minutos.
- Con una cuchara, poner las albóndigas sobre una cama de arroz. Servir.

Costillitas Picantes

4-6 PORCIONES	
2 lbs	(900 g) costillitas
	sal y pimienta
1	cebolla pequeña, picada
2	dientes de ajo, picados
2	tallos de apio, picados fino
³/₄ taza	(180 ml) ketchup
1 taza	(250 ml) agua
2 cdas	(30 ml) vinagre blanco, o
	jugo de limón
2 cdas	(30 ml) salsa inglesa
2 cdas	(20 g) azúcar morena
1 cdta	(5 ml) mostaza preparada

- Precalentar el horno a 350 °F (175 °C).
- En una cacerola con agua ligeramente salada, cocinar las costillitas por 15 minutos. Sacarlas de la cacerola. Escurrirlas bien. Pasarlas a una lata de hornear. Sazonarlas con sal y pimienta. Ponerlas aparte.
- En un tazón, mezclar los demás ingredientes. Ponerle la mezcla a las costillitas. Hornearlas sin tapa por 1 hora. Servir.

Fricassée de Codorniz en Salsa de Naranja

4 PORCIONES

4	codornices
2 cdas	(30 ml) aceite de cacahuate
3 cdas	(45 ml) miel
1	diente de ajo, picado
1 cda	(15 ml) jugo de limón
¹/₂ taza	(125 g) naranjas, peladas, sin corazón, en gajos, en su jugo
¹/₂ taza	(125 ml) caldo de pollo
¹/₄ taza	(60 ml) crema espesa sal y pimienta

▪Partir las codornices en 4 piezas, como se muestra al lado. Ponerlas aparte.

▪ En una sartén, calentar el aceite. Dorar ligeramente las codornices por un lado. Voltearlas. Mezclar la miel y el ajo. Echarle a las codornices el jugo de limón y el jugo de las naranjas. Continuar cocinando.

▪ Cuando el líquido esté casi totalmente evaporado, agregar el caldo de pollo. Reducir el líquido a la mitad. Incorporar la crema. Sazonar con sal y pimienta; mezclar bien. Continuar cocinando por 30 segundos. Pasar las codornices a una fuente de servir. Servir.

▪ *Cortar las puntas de las alas.*

▪ *Partir las codornices hacia abajo, a los dos lados del hueso. Quitar con cuidado la pechuga, para no romper la juntura del ala.*

▪ *Doblar las caderas hacia afuera. Quitarlas.*

Hígado Sabroso

6 PORCIONES

1 lb	(450 g) hígado de ternera, en rodajas finas
2 cdas	(14 g) harina de todo uso
1 taza	(250 ml) manteca vegetal
1	cebolla, picada fino
¹/₂	pimiento dulce verde, picado fino
10 oz	(284 ml) sopa de tomate, de lata
1 taza	(250 ml) agua
1 cdta	(5 ml) jugo de limón

▪ Espolvorear las rodajas de hígado con la harina. Ponerlas aparte.

▪ En una sartén, derretir la manteca vegetal. Agregar el hígado, la cebolla y el pimiento dulce. Soasar el hígado. Incorporar la sopa de tomate, el agua y el jugo de limón. Tapar. A baja temperatura, cocer a fuego lento por 30 minutos o hasta que el hígado se ablande. Servir.

Rollitos de Salchicha

4 PORCIONES

2 cdtas	(10 g) mantequilla
8	salchichas de cerdo y ternera
3 cdas	(21 g) harina de todo uso
1 lb	(450 g) pasta escamosa (p. 335) o masa de pastel comercial
¹/₂ taza	(125 g) paté de hígado
2 cdas	(30 ml) mostaza picante

▪ Precalentar el horno a 400 °F (205 °C).

▪ En una sartén, derretir la mantequilla. Agregar las salchichas. Cocinarlas por unos 4 minutos o hasta que estén medio cocinadas.

▪ Enharinar la superficie de trabajo. Pasarle el rodillo a la masa. Cortar ocho cuadrados de 3 pulg (7,5 cm). Untar cada cuadrado con una capa uniforme de paté de hígado. Ponerles mostaza picante con una brochita.

▪ Colocar una salchicha en el extremo de cada cuadrado. Enrollarlos. Sellar bien apretado. Pasar los rollitos a una lata de hornear no adhesiva. Dorarlos ligeramente en el horno por unos 10 minutos. Servir.

De arriba hacia abajo :
Rollitos de Salchicha, Hígado Sabroso,
Fricassée de Codorniz en Salsa de Naranja

DULCE INTERMEDIO

¿**C**on qué seguir la sopa o los entremeses antes de servir el plato principal? Para disfrutar al máximo el plato principal, los sabores distintivos de los platos anteriores se deben eliminar del paladar. La mejor manera de lograr esto es servir un helado ligero y refrescante, un sorbete o fruta fresca.

¿Qué Cocinar? presenta una selección de los refrescos más apropiados, garantizados a estimular el apetito. Escoja entre selecciones como el Sorbete de Toronja y Vodka (p. 92), o las Frutillas Escarchadas (p. 95). No importa lo que escoja, su selección cautivará el gusto de sus invitados.

Sorbete de Toronja con Vodka

10-12 PORCIONES

3 tazas	(750 ml) jugo de toronja
2 oz	(60 ml) vodka
2 cdas	(30 g) azúcar
	hojas de menta fresca

- En un tazón grande, mezclar los primeros 3 ingredientes. Poner la mezcla en un recipiente cerrado herméticamente. Poner en el congelador por 12 horas o hasta que la mezcla esté casi sólida.

- En un procesador de alimentos, revolver la mezcla hasta que esté casi homogénea. Poner en el congelador otra vez.

- Sacar la mezcla del congelador, 15 minutos antes de servir. Si se desea, batirla otra vez para obtener un sorbete más cremoso. Servir en copas escarchadas. Decorar con hoja de menta.

VARIACIONES

SORBETE DE MANZANA
- Reemplazar el jugo de toronja con jugo de manzana, y el vodka con Calvados.

SORBETE DE NARANJA
- Reemplazar el jugo de toronja con jugo de naranja, y el vodka con liqueur de naranja.

SORBETE DE LIMÓN
- Reemplazar el jugo de toronja con limonada ligeramente endulzada, y el vodka con tequila.

- *En un procesador de alimentos, batir la mezcla hasta que esté casi homogénea.*

- *Para una textura más cremosa, batir otra vez en el procesador de alimentos, 15 minutos antes de servir.*

Sorbete de Vino Muscadet

8 PORCIONES

	jugo de 6 naranjas
	jugo de 4 limones
1 1/2 taza	(375 g) azúcar
2/3 taza	(160 ml) vino Muscadet
1	clara de huevo
1/4 cdta	(1 ml) canela
1 taza	(250 g) uvas frescas

- En una cacerola, mezclar la mitad de los jugos de fruta con el azúcar. Llevar a ebullición. A temperatura moderada, cocer a fuego lento por 5 minutos. Dejar reposar para que se enfríe un poco. Incorporar los jugos restantes y el vino. Ponerlos en un recipiente cerrado herméticamente. Poner en el congelador hasta que la mezcla esté casi sólida.

- En un tazón de mezclar, combinar la clara de huevo y la canela. Batir hasta que se formen picos firmes. Poner aparte.

- Sacar la mezcla del congelador. En un procesador de alimentos, batirla hasta que esté homogénea. Incorporar con cuidado la clara de huevo. Poner en el congelador por 3 horas.

- Sacar del congelador 15 minutos antes de servir. Si el sorbete está muy duro, batirlo una segunda vez en un procesador de alimentos para lograr una textura más cremosa. Servirlo en copas escarchadas. Decorar con uvas frescas.

Granita de Melón Dulce

8-10 PORCIONES

1	melón dulce, pelado, cortado en trozos
2 cdas	(30 ml) miel líquida
1/2 taza	(125 g) azúcar
3/4 taza	(180 ml) vino blanco
	hojas de menta fresca

- En un procesador de alimentos, hacer un puré con la pulpa del melón dulce. Pasarla a un tazón. Ponerla aparte.

- En una cacerola pequeña, con poco calor, disolver la miel y el azúcar en el vino. Incorporarlas en el puré de melón. Mezclar con una cuchara de madera. Poner en una lata de asar. Poner en el congelador por 24 horas.

- Sacar del congelador. Con una cuchara de metal, raspar la granita y formar hojuelas de helado. Poner en copas escarchadas. Decorar con una hoja de menta. Servir de inmediato.

De izquierda a derecha :
Sorbete de Toronja con Vodka,
Sorbete de Vino Muscadet,
Granita de Melón Dulce

Delicia de Ron con Frutas

6 PORCIONES	
1 cda	(15 g) mantequilla
3	naranjas, peladas, en rodajas de $\frac{1}{2}$ pulg (1,25 cm) de grosor
3	plátanos, pelados, en rodajas de $\frac{1}{2}$ pulg (1,25 cm) de grosor
	azúcar morena, al gusto
	canela, al gusto
3 oz	(90 ml) ron
	helado

• Poner la parrilla del horno lo más cerca posible del elemento de calor. Precalentar el horno en ASAR.

• Cortar seis cuadrados de papel de aluminio de 10 pulg (25 cm). Poner mantequilla en el centro de cada cuadrado. Cubrirlos con 2 rodajas de naranja. Dividir las rodajas de plátano entre las porciones. Espolvorear con azúcar morena, canela y $\frac{1}{2}$ oz (15 ml) de ron. Sellar los cuadrados de aluminio.

• Hornearlos por 5 minutos. Dejarlos reposar para que se enfríen. Poner encima de cada delicia de fruta una cucharada de helado. Servir.

VARIACIONES
• Reemplazar el ron con la bebida alcohólica de su gusto.
• Reemplazar el helado con el sorbete de su gusto *(pp. 406-407).*

Fruta Gratinada

4 PORCIONES	
4 tazas	(1 L) fresas, frambuesas, arándanos, melocotones, cantalupo, en trozos
3 cdas	(45 g) azúcar
6 oz	(180 ml) Grand Marnier
6	yemas de huevo
1 cda	(15 ml) agua fría
2 cdas	(30 ml) crema ligera
2 cdas	(30 g) azúcar

• En un tazón grande, combinar la fruta, el azúcar y el Grand Marnier. Dejar reposar por 30 minutos. Colar la fruta, reservar el almíbar. Ponerlos aparte.

• Precalentar el horno en ASAR.

• En una cacerola doble, combinar las yemas de huevo, el agua y la crema. Batiendo rápidamente, calentar hasta lograr una salsa espesa y cremosa. Incorporar gradualmente el almíbar. Poner aparte.

• Enmantequillar un plato de hornear. Ponerle la fruta. Cubrir la fruta con la salsa. Espolvorear con azúcar. Caramelizar en el horno. Servir caliente para mejores resultados.

VARIACIONES
• Reemplazar el cantalupo con melón dulce honeydew, la fruta con las variedades en cosecha, y el Grand Marnier con el licor de su gusto.

Copas de Fruta Congelada

10-12 PORCIONES	
2 lbs	(900 g) uvas verdes sin semilla
	hojas de menta frescas

▪ Colocar las uvas en un recipiente hermético. Tapar. Poner en el congelador por 24 horas.

▪ Pasar las uvas a copas escarchadas o frutas vaciadas. Decorar con las hojas de menta. Servir de inmediato.

VARIACIONES
• Reemplazar las uvas verdes con moras, fresas en cuartos, un melón partido en bolitas o trocitos de kiwi.

La receta se muestra arriba

• Reemplazar las hojas de menta con hierba de limón.

Frutillas Congeladas

10-12 PORCIONES	
8 oz	(225 g) frambuesas
8 oz	(225 g) fresas, en cuartos
8 oz	(225 g) arándanos
8 oz	(225 g) moras
2 tazas	(500 ml) vino blanco
$\frac{1}{4}$ taza	(60 g) azúcar glass

▪ En un tazón grande, colocar la fruta. Cubrirla con el vino. Mezclar bien. Dejarla remojar por lo menos 3 horas. Escurrir.

▪ En una lata para hornear galletas, poner las frutas en una sola capa. Dejarlas en el congelador hasta que estén bastante firmes. Pasarlas a un recipiente hermético. Ponerlas a congelar hasta que se vayan a servir.

▪ Poner las frutas en copas escarchadas o en frutas vaciadas. Espolvorearlas con el azúcar glass. Servir.

La receta se muestra arriba

- *Cortar una rodaja fina de la base de cada manzana, para evitar que rueden.*

- *Cortar tapas de la parte de arriba, teniendo cuidado de no dañar las tapas.*

- *Con un utensilio para hacer bolitas de melón, sacarles el corazón y las semillas, teniendo cuidado de no dañar la piel.*

- *Sumergir las manzanas vaciadas y las tapas, en agua muy fría mezclada con 1 cdta (5 g) de sal de mar. Dejar en remojo por 1 minuto. Sacarlas. Sacudir el exceso de agua. Poner en el congelador las manzanas y las hojas de menta por 24 horas.*

- *A media comida, sacar las manzanas del congelador. Poner 1 oz (30 ml) de licor en el centro de cada manzana. Coronar con una hoja de menta. Cubrir con la tapa.*

4 PORCIONES	
4	manzanas
4 tazas	(1 L) agua muy fría
1 cdta	(5 g) sal de mar
4	hojas de menta frescas
4 oz	(125 ml) licor, de su gusto

- Cortar una rodaja fina de la base de cada manzana para que no rueden. Cortar una tapa de la parte de arriba de las manzanas, con cuidado para no dañar la tapa.

- Con un utensilio para hacer bolitas de melón, sacar el corazón y las semillas de las manzanas, sin romper la piel.

- Sumergir las manzanas vaciadas y las tapas en el agua fría mezclada con sal de mar. Dejar en remojo por 1 minuto. Sacar las manzanas. Sacudir el exceso de agua. Poner en el congelador las manzanas y las hojas de menta, por 24 horas.

- Cuando se esté en medio de la comida, sacar las manzanas del congelador. Poner 1 oz (30 ml) de licor en el centro de cada manzana. Coronar con una hoja de menta. Cubrir con la tapa. Servir de inmediato.

VARIACIONES

- Reemplazar las manzanas con peras.
- Reemplazar el licor con brandy.

TROU NORMAND DE MELÓN

- Para una presentación espectacular, ¡servir en un melón!

- *Con un cuchillo con filo, cortar la parte de arriba del melón; dejar un borde en zigzag. Sacar el centro fibroso y las semillas. Enjuagarlo con agua fría. Secar el interior del melón.*

- *Decorar el melón poniendo frutas pequeñas en la corteza, con palillos de dientes; sin atravesar completamente el melón.*

- *Llenar el melón con el licor de su gusto. Servir a los invitados poniendo la bebida en ¡"copas de manzana"!*

La receta se muestra en la página de enfrente

El plato principal de cada comida debe ser expresión del corazón del anfitrión o anfitriona. *¿Qué Cocinar?* le dará la inspiración para crear comidas que tengan corazón.

En los capítulos siguientes usted encontrará comidas de corazón y algunas que en realidad son buenas para el corazón.

El plato principal es donde la mayoría de las personas obtiene la mayor parte de sus necesidades nutricionales. La carne, el pescado, y los mariscos son excelentes fuentes de proteínas, minerales como cinc y hierro, y vitaminas complejas. Así que, *¿Qué Cocinar?* es lo que es bueno para usted.

PLATOS PRINCIPALES

El pollo y otras aves continuan siendo los componentes principales de los menús de la mayoría de las familias en todo el mundo. La menos costosa de las carnes, el pollo, es también la más versátil. El pollo, el pato, y el pavo se usan en más formas culinarias de las que uno se puede imaginar.

Siempre que tenga dudas con respecto a alguna selección para su menú, puede recurrir al pollo para lograr inspiración. A algunas personas puede no gustarles el pescado, el cerdo, y aun la carne; pero sin embargo, la mayoría de los invitados disfrutan de un plato preparado con fineza, como el Pollo con Miel (p. 112) o las Croquetas de Pavo (p. 119). Sólo varíe la selección de su menú, muestre su creatividad y disfrute.

AVES

- *Quitarle las alas al pollo. Partirlo hacia abajo, por el frente. Cortar la pechuga presionando el cuchillo contra los huesos y deslizándolo suave hacia abajo.*

- *Doblar la pechuga sin quitarle la piel. Insertar un cuchillo con cuidado debajo de los huesos para cortar la piel de la parte de abajo.*

- *Una vez cortada la pechuga, sacarle los huesos. Ponerla extendida horizontalmente. Cortar las puntas de los muslos. Deshuesar los muslos (ver p. 108).*

Pollo con Arándanos

6 PORCIONES	
2 cdas	(30 ml) aceite
1	cebolla pequeña, picada
8 oz	(225 g) cerdo molido
¹/₄ taza	(60 g) jamón molido
3 oz	(90 g) arándanos
	ralladura de ¹/₂ naranja o de limón
1 cda	(15 ml) hierbas mixtas (perejil, estragón, cebollines)
1 cda	(15 ml) tomillo fresco, picado
	sal y pimienta
1	huevo, separado
1	pollo entero de 3 ¹/₂ lbs (1,6 kg), deshuesado

- Precalentar el horno a 375 °F (190 °C).

- En una sartén, calentar el aceite. Sofreír la cebolla por 2 minutos. Dejarla que se enfríe.

- En un tazón grande, mezclar la cebolla con los demás ingredientes, menos la clara de huevo y el pollo. Poner aparte.

- En una batidora de tazón, batir la clara de huevo hasta que forme picos firmes. Incorporarla con cuidado en el relleno. Poner aparte.

- En una hoja grande de papel de aluminio, colocar el pollo, con la piel hacia abajo. Cubrirlo con el relleno. Doblar los lados del pollo alrededor del relleno para formar un rollo grande. Sujetar los dos extremos.

- Pasar el pollo a una bandeja de hornear. Sellar el papel de aluminio. Hornear por 2 horas. Quitar el papel de aluminio. Asar por 10 minutos. Servir.

VARIACIONES

- Reemplazar los arándanos con grosellas rojas, frescas o congeladas.

- Agregar un huevo entero al relleno.

Pollo Casero

	4 PORCIONES
1	pollo de 3-4 lbs (1,4-1,8 kg)
	sal y pimienta
2 tazas	(500 ml) ketchup hecho en casa o comercial, con trocitos de verduras
2 cdas	(14 g) harina de trigo integral

- Precalentar el horno a 350 °F (175 °C).

- En una bandeja honda para hornear, con tapa, colocar el pollo. Sazonarlo con sal y pimienta. Cubrirlo con ketchup. Tapar. Hornear por 1 hora.

- Sacar de la bandeja el pollo y los jugos de la cocción. Poner aparte el pollo.

- Usando un colador, colar los jugos sobre la bandeja. Espolvorearlos con harina. Cocer a temperatura moderada, revolviendo hasta que la salsa se espese.

- Colocar el pollo en la salsa. Continuar cocinando por 20 minutos o hasta que el pollo esté cocido. Servir con puré de papas y una ensalada verde, si se desea.

Pollo a la Olla

	4 PORCIONES
1 cda	(15 g) mantequilla
2	cebollas, picadas fino
1	tallo de apio, en cubitos
	sal y pimienta
1	pollo de 2 ¹/₂-3 lbs (1,2-1,4 kg), preparado
1 ¹/₂ taza	(375 ml) caldo de pollo, caliente
	perejil, picado

- En una bandeja honda grande, derretir la mantequilla. Cocinar la cebolla y el apio hasta que se ablanden, pero sin dorarse.

- Mientras tanto, sazonar la cavidad del pollo con sal y pimienta. Colocar el pollo sobre las verduras. Poner el caldo. Tapar. A baja temperatura,

cocinar por 2 horas. Si se necesita, agregar más caldo para que el líquido no se reduzca. Espolvorear con el perejil 15 minutos antes del final de la cocción.

- Sacar el pollo y las verduras de la bandeja. Escurrir bien. En una fuente de servir, colocar el pollo sobre una cama de verduras. Rodearlo con los cubitos de nabo y zanahoria, si se desea.

VARIACIONES

- Agregar salsa de soya y chalotes picados al líquido de la cocción. Colocar el pollo sobre una cama de verduras o arroz.

- Agregar ¹/₂ taza (125 ml) de vino blanco y 1 cdta (5 ml) de romero al líquido. A las verduras, agregarles 10 oz (280 g) de champiñones de cabecita de lata, bien escurridos.

Pollo en Salsa de Melocotón

4 PORCIONES	
2 cdas	(30 g) mantequilla
4	pechugas de pollo
2	cebollas, picadas fino
1	diente de ajo, picado
1/2	pimiento dulce verde, en cubitos
14 oz	(398 ml) mitades de melocotón de lata, escurridas — reservar 1/2 taza (125 ml) de almíbar
10 oz	(284 ml) sopa de crema de champiñones de lata
2 cdtas	(10 ml) albahaca
	almendras partidas (opcional)

- En una sartén con tapa, derretir la mantequilla. Soasar las pechugas de pollo, 2-3 minutos cada lado. Cuando estén a medio cocinar, agregar las cebollas, el ajo y el pimiento dulce. Sacar el pollo. Quitar la grasa de la sartén.

- Regresar el pollo a la sartén. Mezclar el almíbar de melocotón, la crema de champiñones y la albahaca. Tapar. A baja temperatura, cocer a fuego lento por 30 minutos. Incorporar los melocotones. Calentar por unos minutos. Decorar con las almendras. Servir en una cama de arroz, si se desea.

VARIACIONES
- Reemplazar la sopa de crema de champiñones con sopa de crema de pollo.
- Reemplazar la albahaca con 1 cdta (5 ml) de tomillo real.

Pechugas de Pollo Béarnaise

6 PORCIONES	
3 cdas	(45 g) mantequilla
1	cebolla, picada fino
8 oz	(225 g) hígados de pollo
2 oz	(60 ml) jerez seco
1 cdta	(5 g) paprika
	sal y pimienta
6	rodajas de pan, tostadas, sin corteza
3	pechugas de pollo, cortadas por la mitad
	jugo de 1 limón
	semillas de ajonjolí

- En una sartén, derretir 1 cda (15 g) de mantequilla. Dorar ligeramente la cebolla. Agregar los hígados, el jerez y la mitad de la paprika. Cocinar por 2 minutos. Sazonar con sal y pimienta.

- En un procesador de alimentos, picar la mezcla de hígado hasta que esté fina y homogénea. Untarla a las tostadas. Ponerlas aparte.

- Precalentar el horno a 375 °F (190 °C).

- En una cacerola, derretir la mantequilla restante. Untarla a las pechugas de pollo. Colocarlas en una lata de hornear. Sazonar con sal, pimienta y el resto de la paprika. Rociar con jugo de limón. Hornear por 30 minutos. Cuando esté a medio cocinar, espolvorear con las semillas de ajonjolí.

- Unos 5 minutos antes de terminar de cocinar, poner las tostadas en el horno.

- Sacar el pollo y las tostadas del horno. Colocar media pechuga en cada tostada preparada. Bañarlas con los jugos de la cocción. Servir.

Pollo con Naranja y Especias

2 PORCIONES	
	jugo de 1 limón
	jugo de 1 naranja
1 cdta	(5 g) té negro
1 cdta	(5 g) paprika
1 cdta	(5 g) sal de ajo
2	pechugas de pollo, deshuesadas
2 cdas	(30 g) mantequilla
1	cebolla, picada
2	dientes de ajo, picados
3 cdas	(45 ml) yogurt sin sabor
	ralladura de 1 naranja
	sal y pimienta

▪ En un tazón, mezclar los primeros 5 ingredientes. Cubrir las pechugas de pollo con la mezcla. Marinar en el refrigerador por 1 hora.

▪ Escurrir el pollo; reservar las pechugas y la salsa de marinar por separado.

▪ En una sartén, derretir la mantequilla. Dorar la cebolla y el ajo. Agregar el pollo. Soasar ambos lados. Ponerle la salsa de marinar. Con muy poco calor, cocer a fuego lento por 20 minutos. Sacar el pollo de la sartén. Mantenerlo tibio en el horno.

▪ Agregar el yogurt y la ralladura de naranja a los jugos de la cocción. Con calor moderado, cocer a fuego lento por 1 minuto. Ajustar los condimentos. Ponérselos al pollo. Servir con verduras mixtas, si se desea.

Pollo Agridulce

4 PORCIONES	
1 taza	(250 ml) ketchup
1 taza	(250 ml) agua
1 cda	(15 ml) salsa inglesa
¼ taza	(28 g) azúcar morena
2 cdas	(30 ml) vinagre
1 cda	(15 ml) mostaza preparada
	sal y pimienta
¼ taza	(60 g) mantequilla
4	pechugas de pollo
2	cebollas medianas, en rodajas
1 taza	(160 g) apio, en rodajas

▪ Precalentar el horno a 350 °F (175 °C).

▪ En un tazón, mezclar los primeros 6 ingredientes para hacer una salsa homogénea. Sazonar. Ponerla aparte.

▪ En una sartén para hornear, derretir la mantequilla. Dorar las pechugas de pollo por ambos lados. Sacar el pollo de la sartén. Ponerlo aparte.

▪ En la grasa del pollo, freír las cebollas y el apio por 2-3 minutos. Incorporar la salsa. Cocer a fuego lento por 10 minutos.

▪ Agregar las pechugas de pollo. Hornearlas sin tapar cerca de 1 hora, revolviendo ocasionalmente. Servir con puré de papas o arroz, si se desea.

Pechugas de Pollo en Miel de Maple

¹/₂ taza	(125 g) mantequilla, derretida
1 cda	(15 g) mostaza en polvo
6	pechugas de pollo
4 oz	(115 g) grasa sólida de cerdo o tocineta, en rodajas
1	cebolla, en rodajas
1 taza	(250 ml) miel de maple
2 tazas	(500 ml) agua hirviendo
1 taza	(250 ml) ketchup
3 cdas	(45 ml) vinagre
3	clavos de olor
1	hoja de laurel
	pizca de tomillo

■ Precalentar el horno a 325 °F (160 °C).

■ Mezclar la mantequilla y la mostaza. Untarlas a las pechugas de pollo con una brochita. Colocar el pollo en una lata de hornear enmantequillada. Poner sobre cada pechuga una rodaja de la grasa de cerdo y una rodaja de cebolla. Ponerles la miel de maple. Hornear sin tapar por 90 minutos. Bañar al pollo regularmente con los jugos. Quitarlo de la bandeja. Mantenerlo caliente en el horno.

■ Sacar la grasa de los jugos de la cocción. Deglacear con el agua hirviendo. Agregar los demás ingredientes. Poner a hervir para obtener una salsa espesa y homogénea.

■ Pasar la salsa por un colador. Ponérsela al pollo. Hornear por 5-10 minutos. Servir.

Pollo Tradicional

6	pechugas de pollo
¹/₄ taza	(28 g) harina
6 cdas	(90 ml) aceite de oliva
	sal y pimienta
5 tazas	(1,25 L) caldo de pollo, caliente
20	cebollas pequeñas, cocidas, escurridas
¹/₄ cdta	(1 ml) albahaca
1 cdta	(5 ml) tomillo
1 cdta	(5 ml) perifollo
1	hoja de laurel
2 cdas	(30 ml) perejil, picado
8 oz	(225 g) champiñones
2	yemas de huevo, batidas
¹/₃ taza	(80 ml) crema espesa

■ Precalentar el horno a 350 °F (175 °C).

■ En una cacerola con agua fría, cocer el pollo por 5 minutos. Escurrirlo. Secarlo a golpecitos. Espolvorearlo con harina.

■ En una bandeja honda, calentar el aceite. Soasar el pollo por ambos lados. Sazonarlo con sal y pimienta. Hornearlo por 10 minutos. Agregarle el caldo, las cebollas, las hierbas mixtas y el perejil. Tapar. Hornear por 1 hora. Cuando esté a medio cocinar, agregar los champiñones.

■ En un tazón, batir las yemas de huevo y la crema. Ponerlas aparte.

■ Sacar el pollo de la bandeja. Poner la mezcla de huevo a los jugos de la cocción. Calentarlos bien, pero sin hervir. Ponérselos al pollo. Servir en una cama de arroz saborizado con tomates, si se desea.

Pollo en Salsa de Cerveza

4 PORCIONES	
3 cdas	(45 g) mantequilla
4	pechugas de pollo, sin piel
1 taza	(250 ml) cerveza
1 taza	(250 ml) caldo de pollo
1 cdta	(5 ml) tomillo
	sal y pimienta
2 cdas	(30 g) mantequilla, ablandada
2 cdas	(14 g) harina de todo uso

- En una sartén, derretir la mantequilla. A temperatura moderada, sofreír las pechugas de pollo por 8-10 minutos.

- Agregar la cerveza, el caldo de pollo y los condimentos; mezclar bien. Tapar. A baja temperatura, cocinar por 45-50 minutos.

- Mezclar la mantequilla y la harina. Poner aparte.

- Sacar el pollo de la sartén. Agregar la mantequilla amasada a los jugos de la cocción. Cocinar, revolviendo, hasta que la salsa se espese. Ponérsela al pollo. Servir con el arroz, las verduras mixtas y una flor de brócoli, si se desea.

Pollo Criollo

4 PORCIONES	
1½ taza	(375 ml) tomates enteros de lata
5½ oz	(156 ml) pasta de tomate
2 cdas	(30 g) cebolla, picada fino
¼ cdta	(1 g) sal
¼ cdta	(1 g) azúcar
1 cda	(15 ml) aceite vegetal
4	pechugas de pollo
½ taza	(125 g) pimiento dulce verde, picado
½ taza	(80 g) champiñones, picados fino
¼ taza	(60 g) cebolla, picada
6	aceitunas negras o verdes, picadas fino
1	diente de ajo, picado
1 cdta	(5 ml) perejil, picado
	pizca de tomillo
½ oz	(15 ml) Jerez seco
	arroz cocido

- En una cacerola grande, combinar los primeros 5 ingredientes. Con poco calor, cocer a fuego lento por 15-20 minutos.

- Mientras tanto, calentar el aceite en una sartén. Soasar las pechugas de pollo, 3 minutos cada lado.

- Colocar el pollo sobre la mezcla de tomate. Agregar los demás ingredientes, menos el arroz. Con poco calor, cocer a fuego lento por 30 minutos o hasta que el pollo esté cocido. Colocarlo en una cama de arroz. Servir.

Muslos de Pollo con Relleno de Fideos de Arroz

- *Extender bien los muslos del pollo. Cortar las puntas de los muslos. Hacer un corte a todo lo largo de los huesos.*

- *Raspar los huesos para desprenderlos parcialmente.*

- *Deslizar el cuchillo bajo los huesos. Sacar los huesos completamente.*

4 PORCIONES

4	muslos de pollo
2 cdas	(30 ml) aceite de cacahuate
1/4 taza	(40 g) zanahoria, en tiras finas
1/4 taza	(60 g) puerro, picado fino
1/4 taza	(60 g) nabo, en tiras finas
1/4 taza	(60 g) cebolla, picada
1 taza	(250 g) fideos de arroz, cocidos
1	diente de ajo, picado
2 cdas	(30 g) semillas de ajonjolí
1 cdta	(5 ml) aceite de ajonjolí
	sal y pimienta
2 cdas	(30 g) mantequilla
1 cdta	(5 ml) jugo de limón
1/2 taza	(125 g) naranjas, peladas, sin corazón, en gajos, en su jugo
1/2 taza	(125 ml) caldo de pollo
1/4 taza	(60 ml) crema espesa

- Precalentar el horno a 350 °F (175 °C).

- Deshuesar los muslos de pollo como se muestra en la técnica al lado. Ponerlos aparte.

- En una sartén, calentar el aceite de cacahuate. Freír las verduras por 1 minuto. Agregar los fideos de arroz, el ajo, las semillas de ajonjolí y el aceite. Mezclar sin cocinar. Sazonar con sal y pimienta. Rellenar cada muslo con 1/2 taza (125 ml) de relleno de fideos. Enrollar los muslos como salchichas. Atarlos con un cordel.

- En una sartén para hornear, derretir la mantequilla. Soasar los rollos de pollo por todos lados. Hornear por 20 minutos.

- Mientras tanto, en una cacerola, combinar el jugo de limón, las naranjas y el caldo de pollo. Llevar a ebullición. Bajar la temperatura, cocer a fuego lento por 5 minutos. Incorporar la crema. Continuar cocinando por 10 minutos.

- Sacar los muslos de pollo del horno. Cortar el cordel. Cortar 5-6 rodetes de cada muslo. Cubrirlos con salsa. Servir.

Muslos de Pollo Crujientes

6 PORCIONES	
2	huevos
¹/₄ taza	(60 ml) leche
	sal y pimienta
4	muslos de pollo, sin piel
1 taza	(250 g) arroz inflado comercial, molido
1 cda	(15 ml) aceite de cacahuate
1 cda	(15 g) mantequilla
3 cdas	(45 ml) agua
1 ¹/₂ taza	(375 ml) salsa de barbacoa comercial
2 cdas	(30 ml) perejil, picado

▪ Precalentar el horno a 350 °F (175 °C).

▪ En un tazón, batir los huevos, la leche, sal y pimienta. Remojar en la mezcla los muslos de pollo. Rodarlos en el arroz molido. Ponerlos aparte.

▪ En una sartén para hornear, calentar el aceite y derretir la mantequilla. Dorar ligeramente los muslos de pollo en ambos lados. Hornear por 15 minutos.

▪ Sacar los muslos de la sartén. Ponerlos aparte.

▪ Sacar la grasa de la sartén. Deglacear con agua. Agregar la salsa de barbacoa. Cocer a fuego lento hasta que la salsa esté homogénea. Si se necesita espesar la salsa, agregarle maicena mezclada con un poco de agua. Con una cuchara, ponerle la salsa al pollo. Espolvorear con perejil. Servir.

Pollo con Salsa de Champiñones

4 PORCIONES	
4	muslos de pollo, sin piel
2 cdas	(14 g) harina
2 cdas	(30 g) mantequilla, derretida
¹/₂ taza	(125 ml) jugo de uva blanca
¹/₃ taza	(80 ml) caldo de pollo
¹/₂ cdta	(2 ml) estragón
¹/₄ cdta	(1 ml) mejorana molida
2	dientes de ajo, machacados
1 taza	(160 g) champiñones, en rodajas
¹/₂ taza	(125 ml) crema ácida
¹/₄ taza	(60 g) chalotes, picados

▪ En un plato para microondas, colocar los muslos de pollo en estrella, con las partes carnosas hacia afuera. Cubrir el plato con papel plástico. Con un tenedor, hacerle algunos agujeros. Hornear por 5 minutos, en ALTO. Darle vuelta al pollo a medio cocinar. Sacar el pollo. Escurrirlo.

▪ En un tazón, mezclar la harina y la mantequilla. Incorporar el jugo de uva, el caldo de pollo, las hierbas mixtas, el ajo y los champiñones. En ALTO, cocinar por 6 minutos o hasta que la mezcla se convierta en una salsa espesa. Revolverla una vez durante la cocción. Agregar la crema ácida y la mitad de los chalotes. Ponerle la mezcla al pollo.

▪ Cocinar por 8-10 minutos, en ALTO. Decorar con el resto de los chalotes. Tapar. Dejar reposar por 5 minutos. Servir.

Muslos de Pollo Deleite

6 PORCIONES	
4 cdtas	(20 g) mantequilla
2	rodajas de tocineta, en trozos
6	muslos de pollo enteros
5	chalotes, picados
	sal y pimienta
$^1/_2$ cdta	(2 ml) estragón
$^1/_2$ taza	(125 ml) leche
10 oz	(284 ml) sopa de crema de pollo, de lata

▪ En una sartén, derretir la mantequilla. Cocinar la tocineta hasta que se dore. Agregar los muslos de pollo y los chalotes. Freír ligeramente. Sazonar. Tapar. Con poco calor, continuar cocinando por 40 minutos.

▪ En un tazón, mezclar la leche y la crema de pollo hasta que la mezcla esté homogénea. Ponérsela al pollo. Cocer a fuego lento por 15 minutos. Servir.

Muslos de Pollo Mexicanos

6 PORTIONS	
6	muslos de pollo enteros
1 taza	(250 ml) ketchup
1 taza	(250 ml) agua
$^1/_4$ taza	(60 ml) vinagre
$^1/_4$ taza	(60 ml) salsa inglesa
	pizca de pimienta de Cayena
1 cda	(10 g) azúcar morena
1 cda	(15 g) mantequilla
1 cdta	(5 g) sal
1 cdta	(5 g) sal de apio
1 cdta	(5 g) chile en polvo
2 cdas	(30 ml) jugo de limón

▪ Precalentar el horno a 325 °F (160 °C).

▪ En un plato para hornear, colocar los muslos de pollo. Poner aparte.

▪ En un tazón, mezclar los demás ingredientes. Ponérselos al pollo. Hornear destapado por 2 horas. Servir sobre una cama de arroz, si se desea.

Sorpresa de Pollo Envuelto

6 PORCIONES	
6	muslos de pollo
1	sobre pequeño de sopa de crema de champiñones
$^1\!/_2$ cdta	(2 g) condimentos para pollo
2 cdas	(30 ml) perejil seco
1 $^1\!/_3$ taza	(330 g) arroz de cocción rápida
2	pimientos dulces verdes, cortados en rueditas
3	tomates, en mitades
$^3\!/_4$ taza	(180 ml) crema ligera
1 $^1\!/_3$ taza	(330 ml) agua

• Precalentar el horno a 325 °F (160 °C).

• Forrar el interior de una lata de hornear con papel de aluminio. Colocar los muslos de pollo. Poner aparte.

• En un tazón, mezclar la crema de champiñones, los condimentos y el perejil. Ponerle al pollo la mitad. Rodear al pollo con el arroz, los pimientos dulces y los tomates. Sazonar con el resto de la mezcla de champiñones. Poner aparte.

• En un tazón, mezclar la crema y el agua. Ponérselas al pollo. Sellar el papel de aluminio. Hornear por 2 horas.

• Abrir el papel de aluminio. Asar el pollo por 30 minutos. Servir.

VARIACIONES
• Reemplazar los muslos con un pollo entero o con otras piezas de pollo.
• Reemplazar los tomates con rodajas de zanahoria y cubitos de nabo.

Pollo Frito Crujiente

4 PORCIONES	
4	muslos de pollo enteros
1	cebolla, picada
	sal y pimienta
1 taza	(115 g) harina
$^1\!/_2$ cdta	(2 g) sal
$^1\!/_2$ cdta	(2 ml) perejil
$^1\!/_8$ cdta	(0,5 g) pimienta
$^1\!/_8$ cdta	(0,5 g) pimienta de Cayena
$^1\!/_8$ cdta	(0,5 g) chile en polvo
$^1\!/_8$ cdta	(0,5 g) sal de ajo
$^1\!/_8$ cdta	(0,5 g) sal de cebolla
$^1\!/_4$ cdta	(1 g) paprika
$^1\!/_4$ cdta	(1 g) condimentos para barbacoa
$^1\!/_4$ cdta	(1 g) sal de apio
1	huevo
2 cdas	(30 ml) leche
4 tazas	(1 L) aceite de cacahuate

• En una cacerola con agua hirviendo, poner el pollo y la cebolla. Sazonar con sal y pimienta. Hervir por 10 minutos. Dejar reposar para que se enfríe.

• En una bolsa, combinar la harina y las especias.

• En un tazón, batir el huevo y la leche. Sumergir los muslos de pollo. Pasarlos a la bolsa de harina sazonada. Revolver para que se espolvoreen uniformemente. Poner aparte.

• En una sartén de freír grande, calentar el aceite a 400 °F (205 °C). Freír los muslos de pollo hasta que se doren bien. Servir con miel o con salsa de barbacoa.

Pollo con Miel

1	pollo de 3 lbs (1,4 kg), en cuartos
2 cdas	(30 g) mantequilla
2 cdas	(30 ml) miel
1 cda	(15 ml) salsa de soya
1	diente de ajo, picado fino
1/2 taza	(125 ml) encurtido (relish) de fruta

- Precalentar el horno a 350 °F (175 °C).

- En un plato para hornear, con tapa, colocar el pollo con la piel hacia abajo. Ponerlo aparte.

- En una sartén pequeña, derretir la mantequilla. Agregar los demás ingredientes, menos el encurtido. Mezclar bien para obtener una salsa homogénea. Quitar del fuego. Incorporar el encurtido.

- Ponerle al pollo la mitad de la salsa. Tapar. Hornear por 40 minutos.

- Sacar el pollo del horno. Darle vuelta. Ponerle el resto de la salsa. Continuar horneando sin tapar por 20-30 minutos. Servir.

Coq au Vin

4 PORCIONES

1	pollo de 3-4 lbs (1,4-1,8 kg), cortado en 10 piezas
1/2 taza	(57 g) harina
1/4 taza	(60 g) mantequilla sal y pimienta
2 oz	(60 ml) coñac
1/4 cdta	(1 ml) tomillo
2	hojas de laurel
1 cda	(15 ml) curry
2 tazas	(500 ml) vino tinto
4	rodajas de grasa sólida de cerdo, en cubitos
12	cebollas pequeñas
12	champiñones
	pan tostado, cortado en triángulos

- Espolvorear las piezas de pollo con la harina. Poner aparte.

- En una sartén grande, derretir la mantequilla. Dorar ligeramente el pollo. Sazonarlo con sal y pimienta. Poner el coñac. Flamear por 30 segundos. Agregar las hierbas mixtas. Poner el vino. Tapar. Con poco calor, cocer a fuego lento por 40 minutos.

- Mientras tanto, en una segunda sartén, freír ligeramente la grasa de cerdo. Agregar las cebollas. Tapar. A fuego bajo, cocinar la cebolla hasta que se ablande, pero sin dorarse. Agregar los champiñones. Continuar cocinando por 2 minutos.

- En una fuente de servir caliente, colocar las piezas de pollo sobre una cama de verduras fritas. Poner encima los jugos de cocción, espesados con maicena, si se desea. Decorar con los triángulos de pan tostado. Servir.

Pollo en Salsa Blanca

4 PORCIONES	
1 cda	(15 ml) aceite vegetal
3 cdas	(45 g) mantequilla o margarina
1	pollo de 3 lbs (1,4 kg), cortado en trozos
3 cdas	(21 g) harina
1/3 taza	(80 ml) sidra de vino blanco
2 tazas	(500 ml) agua
1	yema de huevo, batida
	sal y pimienta
1/4 cdta	(1 g) paprika
1 cdta	(5 ml) perejil, picado

- En una sartén, calentar el aceite y derretir la mantequilla. Soasar los trozos de pollo por todos lados. Sacarlos de la sartén.

- Espolvorear la grasa del pollo con la harina. Mezclarle gradualmente el vino y el agua. Revolviendo, cocinar hasta obtener una salsa espesa y cremosa.

- En un tazón, mezclar la yema de huevo y 2 cdtas (10 ml) de la salsa caliente. Incorporar lentamente el resto de la salsa. Regresar el pollo a la sartén. Sazonarlo. Tapar. Con poco calor, cocer a fuego lento por 1 hora.

- Servir con papas pequeñas cocidas, sazonadas con la paprika, y cubitos de zanahoria, si se desea.

Fricassée de Pollo Endiablado

4 PORCIONES	
3 cdas	(45 ml) aceite de maíz
4	pechugas de pollo, sin piel, en cubitos
	sal y pimienta
1	pimiento dulce verde, cortado en tiras
1	pimiento dulce rojo, cortado en tiras
1	cebolla roja, picada fino
3	elotes miniatura de lata, escurridos
1/4 cdta	(1 ml) tomillo
1/4 cdta	(1 ml) perejil, picado
1	chile picante pequeño, en cubitos (opcional)

- En una cacerola, calentar el aceite. Agregar el pollo. Sazonarlo con sal y pimienta. Cocinar por 10 minutos.

- Agregar las verduras, el tomillo y el perejil. Continuar cocinando por 5 minutos.

- Espolvorear con los cubitos de chile, si se desea. Servir con fideos en salsa de soya, si se desea.

La receta se muestra arriba

Pollo con Vegetales Estilo Chino

6 PORCIONES	
1 taza	(160 g) flores de brócoli
1 taza	(160 g) flores de coliflor
1 taza	(160 g) apio, en rodajas diagonales
2 cdas	(14 g) maicena
2 cdas	(30 ml) almíbar de maíz
1 cda	(15 ml) salsa de soya
1/2 taza	(125 ml) caldo de pollo
3 cdas	(45 ml) aceite de maíz
1 taza	(160 g) champiñones, en cuartos
1 taza	(160 g) tomates, en cubitos
1 lb	(450 g) sobrantes de pollo cocido, cortados en tiras

▪ En una cacerola con agua ligeramente salada, cocer el brócoli, la coliflor y el apio por 1 minuto. Poner aparte.

▪ En una cacerola, mezclar la maicena, el almíbar de maíz, la salsa de soya, el caldo de pollo y el aceite. Cocinar hasta obtener una salsa homogénea.

▪ Incorporar las verduras y las tiras de pollo. Con poco calor, cocer a fuego lento por 5-10 minutos, revolviendo ocasionalmente. Servir sobre una cama de arroz, si se desea.

Pollo Volteado con Almendras

4 PORCIONES	
4 cdtas	(9 g) maicena
2 cdas	(30 ml) salsa de soya
1 lb	(450 g) pechugas de pollo, cortadas en tiras
1/2 taza	(125 ml) caldo de pollo
2 cdas	(30 ml) aceite vegetal
2 tazas	(320 g) apio, picado fino
2 tazas	(320 g) vainitas de chícharo, cortadas en diagonal
1 taza	(160 g) zanahorias, picadas fino
1-2	cebollas grandes, picadas fino
2	dientes de ajo, picados
2 cdas	(30 ml) agua
	sal y pimienta
2 cdas	(20 g) almendras en rodaja, tostadas

▪ Diluir 1 cda (7 g) de la maicena en la salsa de soya. Ponerle la mezcla al pollo. Ponerlo aparte.

▪ Diluir el resto de la maicena en el caldo de pollo.

▪ En una sartén china (wok), calentar el aceite. Freír el pollo, volteándolo, por 4 minutos o hasta que se ponga blanco. Sacarlo de la sartén.

▪ Freír volteando las verduras y el ajo en la grasa del pollo por 1 minuto. Poner el agua. Tapar. Cocinar por 2 minutos.

▪ Agregar el caldo espesado y el pollo. Continuar cocinando por 3-4 minutos o hasta que la salsa llegue a ebullición y las verduras estén blandas por fuera y crujientes por dentro. Sazonar. Espolvorear con las almendras tostadas. Servir sobre una cama de arroz, si se desea.

Pastel del Pastor
con Pollo

6 PORCIONES	
2 cdas	(30 g) mantequilla
2	pechugas de pollo, en cubos
³/₄ taza	(180 g) cebollas, picadas
1 taza	(160 g) champiñones, picados fino
1 ¹/₂ lb	(675 g) cerdo molido
¹/₄ taza	(60 ml) vino blanco
³/₄ taza	(180 ml) caldo de carne
¹/₂ cdta	(2 g) sal
¹/₂ cdta	(2 g) pimienta
	pizca de tomillo
1 cda	(15 ml) perejil, picado
2 cdas	(14 g) maicena
¹/₄ taza	(60 ml) caldo de pollo
2	cortezas cortas de pastel *(p. 334)*

- En una bandeja honda, derretir la mantequilla. Dorar ligeramente los cubos de pollo. Agregar las verduras y el cerdo. A temperatura moderada, cocinar por 10-15 minutos.

- Poner el vino y el caldo de carne. Sazonar. Cocinar por 2-3 minutos.

- Diluir la maicena en el caldo de pollo. Ponérselo al pollo; mezclar bien. Continuar cocinando hasta que la salsa se espese. Dejar reposar para que se enfríe.

- Precalentar el horno a 350 °F (175 °C).

- Poner una corteza en un molde de pastel de resorte de 9 pulg (23 cm). Poner la mezcla de pollo en el molde. Cubrir con el resto de la corteza. Poner en el horno por 30-40 minutos. Servir.

Nota : Si la corteza se dora muy rápido, cubrirla con papel de aluminio.

Croquetas de Pollo
Semi-Crujientes

4 PORCIONES	
2 cdas	(30 g) mantequilla
2 cdas	(14 g) harina
1 taza	(250 ml) leche
	pizca de sal de cebolla
2 cdtas	(10 ml) perejil, picado
	sal y pimienta
¹/₄ taza	(28 g) harina
¹/₄ taza	(28 g) galletas saladas, desmenuzadas
4	pechugas de pollo , deshuesadas, molidas
1	huevo, batido
4 tazas	(1 L) aceite
	salsa de barbacoa comercial

- En una cacerola, con poco calor, derretir la mantequilla. Espolvorearla con la harina. Cocinar por 2-3 minutos. Batiendo con fuerza, incorporar la leche hasta hacer una salsa homogénea y cremosa. Sazonar con sal y pimienta. Continuar cocinando por 5 minutos.

- En un tazón, mezclar la harina y las galletas saladas desmenuzadas.

- Agregar el pollo a la salsa; mezclar bien. Hacer 12 tortitas. Sumergirlas en el huevo batido. Espolvorearlas con el empanizado.

- En una sartén, calentar el aceite a 400 °F (205 °C). Freír las tortitas hasta que tengan un bonito color dorado. Escurrirlas bien. Cubrirlas con salsa de barbacoa. Servir.

Alas de Pollo con Zanahoria

2 cdas	(30 ml) aceite vegetal
3 lbs	(1,4 kg) alas de pollo
3 tazas	(480 g) zanahorias, ralladas
1 taza	(160 g) champiñones, en rodajas
1 taza	(250 g) cebollas, picadas fino
1	diente de ajo, machacado
1 cda	(15 ml) perejil, picado
1 taza	(250 ml) jugo de tomate
	sal y pimienta

■ Precalentar el horno a 350 °F (175 °C).

■ En una sartén, calentar el aceite. Soasar las alas de pollo por todos lados.

■ Pasarlas a una bandeja honda de hornear. Agregar los demás ingredientes. Tapar. Hornear por 35 minutos. Servir.

Alas de Pollo en Tres Formas

³/₄ taza	(180 ml) salsa de ajo oriental, comercial
³/₄ taza	(180 ml) salsa de barbacoa comercial
3 lbs	(1,4 kg) alas de pollo
	sal y pimienta

La primera forma: sobre la estufa

■ En una bandeja honda, mezclar las dos salsas. Agregar las alas de pollo. Sazonar al gusto. A temperatura moderada, cocer a fuego lento hasta que las alas estén cocidas. Servir.

La segunda forma: a la parrila de carbón

■ En un tazón, mezclar las dos salsas. Poner bastante salsa a las alas de pollo. Sazonarlas. Ponerlas a asar, mojándolas frecuentemente con salsa. Servir.

La tercera forma: al horno

■ Precalentar el horno a 450 °F (230 °C).

■ En un plato para hornear, mezclar las dos salsas. Agregar las alas de pollo. Sazonarlas. Hornearlas por 40 minutos o hasta que se ablanden. Mojarlas regularmente con salsa. Servir.

VARIACIÓN

• Para un toque exótico, agregar ¹/₄ cdta (1 ml) de jengibre molido.

Relleno de Cerdo

¹/₄ taza	(60 g) margarina
1	cebolla, picada
1	corazón de pollo, molido
1	hígado de pollo, molido
1	molleja de pollo, molida
1 lb	(450 g) cerdo molido
	sal y pimienta
	condimentos para pollo
1 taza	(160 g) puré de papas

■ En una sartén, derretir la margarina. A temperatura alta, freír ligeramente la cebolla y la molleja. Reducir la temperatura. Continuar cocinando por 5-8 minutos.

■ Agregar el cerdo. Sazonar. Continuar cocinando por 15-20 minutos. Incorporar el puré de papas .

■ Rellenar con la mezcla un pollo de 3-4 lbs (1,4-1,8 kg). (Cerrarlo con pinchitos). Cocinar el pollo de acuerdo a la receta de su gusto.

VARIACIONES

• Reemplazar el cerdo molido con salchichas de cerdo, y el puré de papas con arroz cocido.

• Agregar ¹/₂ taza (125 ml) de salsa de manzana.

• Reemplazar el puré de papas con Couscous cocido. Agregar un pimiento dulce rojo picado.

• Reemplazar el cerdo molido con jamón molido, y el puré de papas con arroz saborizado con tomate.

Hígados de Pollo con Pimientos Dulces

3 cdas	(45 g) mantequilla o margarina
1 ¹/₂ lb	(675 g) hígados de pollo
	sal y pimienta
1	cebolla mediana, picada fino
1	pimiento dulce verde, cortado en tiras
1	pimiento dulce rojo, cortado en tiras

■ En una sartén, derretir 2 cdas (30 g) de mantequilla. Sofreír los hígados de pollo. Sazonarlos con sal y pimienta. A temperatura moderada, cocinarlos por 3-4 minutos. Poner aparte.

■ En una sartén, derretir el resto de la mantequilla. Cocinar la cebolla picada por 2-3 minutos. Agregar los pimientos. Continuar cocinando por 3 minutos.

■ Mezclar las verduras con los hígados fritos. Servir sobre una cama de fettucine con salsa de tomate, si se desea.

De izquierda a derecha :
Hígados de Pollo con Pimientos Dulces,
Alas de Pollo en Tres Formas,
Alas de Pollo con Zanahoria

Pavo Asado con Relleno a la Antigua

10-12 PORCIONES	
1	pavo de 10-12 lbs (4,5-5,4 kg)

Relleno

4	rodajas de tocineta, en cubitos
1	cebolla, picada fino
5	tallos de apio, picados fino
1 ¹/₂ lb	(675 g) cerdo molido
	sal y pimienta
1¹/₂ taza	(240 g) puré de papas, sin leche
2 cdas	(30 ml) aceite (opcional)

- Precalentar el horno a 325 °F (160 °C).

- Limpiar y preparar el pavo antes de cocinarlo. Ponerlo aparte.

- En una bandeja honda, cocinar ligeramente la tocineta, la cebolla y el apio. Agregar el cerdo. Sazonar al gusto. Cocinar por 30 minutos, sacando los jugos de cocción regularmente.

- Incorporar el puré de papas. Rellenar el pavo con la mezcla caliente. Cerrarlo bien con pinchitos.

- Forrar el interior de una bandeja de hornear con papel de aluminio. Pasar el pavo a la bandeja. Hornearlo 20-30 minutos por cada 1 lb (450 g).

- Sacar el relleno del pavo cocido. Calentarlo en aceite caliente, si se desea.

- Pasar el pavo a una fuente de servir grande. Servir el relleno muy caliente, por separado.

Molde Cremoso de Pavo

6-8 PORCIONES	
3	sobres de gelatina sin sabor
1 ¼ taza	(300 ml) caldo de ave
1 taza	(250 ml) mayonesa
¼ taza	(60 ml) crema espesa
1 cda	(15 ml) jugo de limón
1 ½ cdta	(7 g) sal
¼ cdta	(1 g) pimienta
4 tazas	(1 kg) pavo cocido, en cubitos
¾ taza	(120 g) apio, en cubitos
¼ taza	(60 g) pimiento dulce rojo, en cubitos
¼ taza	(60 g) pimiento dulce verde, en cubitos
½ taza	(125 g) uvas rojas sin semilla, picadas

- En una cacerola doble, disolver la gelatina en el caldo de ave. Dejar reposar para que se enfríe un poco.
- En un tazón grande, mezclar la mayonesa, la crema y el jugo de limón. Sazonar con sal y pimienta.
- En un segundo tazón, combinar los demás ingredientes. Poner aparte.
- Incorporar la mezcla de gelatina en la mayonesa con crema. Agregarle la mezcla al pavo; revolver bien.
- Poner en un molde de 8 tazas (2 L). Refrigerar por 8 horas o hasta que la mezcla se asiente. Sacar del molde. Servir.

Croquetas de Pavo

4 PORCIONES	
2 tazas	(500 g) pavo cocido, molido
10 oz	(284 ml) sopa de crema de pollo, de lata
1 cda	(15 ml) perejil, picado
1	cebolla, picada fino
1 cdta	(5 ml) jugo de limón
1½ taza	(375 g) arroz cocido
1	huevo
2 cdas	(30 ml) leche
1 taza	(115 g) miga de pan
4 tazas	(1 L) aceite

- En un tazón, mezclar los primeros 6 ingredientes. Refrigerar por 1 hora.
- En un tazón mediano, batir ligeramente el huevo y la leche. Poner aparte.
- Espolvorear un plato con miga de pan. Ponerlo aparte.
- Sacar la mezcla de pavo del refrigerador. Hacer 12 tortitas. Espolvorearlas con miga de pan. Sumergirlas en la mezcla de huevo batido y leche. Espolvorearlas otra vez con miga de pan.
- En una sartén, calentar el aceite a 400 °F (205 °C). Freír las tortitas y dorarlas bien. Servir con salsa Béchamel, si se desea.

Casserole de Pechugas de Pavo

6 PORCIONES	
2	pechugas de pavo, sin piel, deshuesadas
	sal y pimienta
2	calabacitas, picadas fino
1	cebolla, picada fino
8 oz	(225 g) champiñones, picados fino
19 oz	(540 ml) salsa de tomate
2	dientes de ajo, picados
1 cda	(15 ml) perejil, picado
1/2 cdta	(2 ml) albahaca
1/2 cdta	(2 ml) orégano
	pizca de tomillo

▪ Precalentar el horno a 350 °F (175 °C).

▪ En una bandeja honda para hornear, colocar las pechugas de pavo. Sazonarlas con sal y pimienta. Cubrirlas con las verduras.

▪ Poner la salsa de tomate. Espolvorear con el ajo, el perejil y las hierbas mixtas. Tapar. Hornear por aproximadamente 1 hora. Quitar la tapa. Continuar cocinando por 10 minutos. Servir.

Pechuga de Pavo Rellena

3-4 PORCIONES	
3 tazas	(150 g) pan de trigo integral, en cubitos
2 tazas	(500 ml) caldo de pollo
1 taza	(250 g) menudillos de pavo, molidos
4,4 oz	(125 g) yogurt sin sabor
1	cebolla, picada
3 cdas	(30 g) almendras, picadas
1 cda	(15 ml) perejil, picado
	pizca de salvia
	pizca de tomillo
	pizca de paprika
	pizca de clavo de olor molido
	sal y pimienta
1	pechuga de pavo, sin piel, deshuesada

▪ Precalentar el horno a 400 °F (205 °C).

▪ En un tazón pequeño, poner 1/2 taza (125 ml) de caldo de pollo sobre los cubitos de pan. Dejarlos en remojo por 5 minutos. Escurrirlos. Pasarlos a un tazón grande. Mezclar los menudillos, el yogurt, la cebolla, las almendras, el perejil y los condimentos.

▪ Hacer un corte a lo largo de la pechuga del pavo. Rellenarlo con la mezcla de pan. Atarlo con un cordel. Colocarlo en una bandeja de poco fondo. Poner el resto del caldo. Tapar. Hornear por 30 minutos.

▪ Bajar la temperatura del horno a 350 °F (175 °C). Continuar cocinando por 1 hora, remojando con los jugos regularmente. Pasarlo a una fuente de servir. Servir.

Muslo de Pavo a la Barbacoa

3-4 PORCIONES	
1	muslo entero de pavo, sin piel
3 cdas	(45 ml) aceite vegetal
	sal, pimienta y paprika
1	cebolla pequeña, picada fino
¹/₂ taza	(80 g) apio, en cubitos
³/₄ taza	(180 ml) ketchup rojo
1 taza	(250 ml) agua
2 cdas	(30 ml) salsa inglesa
1 cda	(15 ml) vinagre blanco
1 cda	(10 g) azúcar morena
1 cdta	(5 g) mostaza en polvo

▪ Con una brochita, untar el muslo de pavo con 2 cdas (30 ml) de aceite. Sazonarlo.

▪ En una barbacoa, colocar una parrilla aceitada a 3 pulg (7,5 cm) del carbón. Asar el muslo de pavo 3 minutos por cada lado.

▪ Subir la parrilla a 6 pulg (15 cm). Continuar cocinando por unos 25 minutos, volteando regularmente la carne. Ponerle un poco de aceite, si se necesita.

▪ En una sartén, calentar el resto del aceite. Freír ligeramente las verduras. Agregar los demás ingredientes. Mezclar hasta formar una salsa homogénea. Con poco calor, cocer a fuego lento por 15 minutos.

▪ Colocar el muslo de pavo sobre una cama de arroz. Cubrirlo con salsa. Servirlo con zanahorias y vainitas de chícharo, si se desea.

Muslos de Pavo con Brandy

3-4 PORCIONES	
¹/₂ taza	(125 g) mantequilla o margarina
2	muslos de pavo, sin piel
1 oz	(30 ml) brandy
2 cdas	(30 g) chalotes, picados fino
2 cdas	(30 ml) perejil, picado
¹/₄ cdta	(1 ml) tomillo
	sal y pimienta
¹/₂ taza	(125 ml) vino blanco
¹/₂ taza	(125 ml) crema espesa

▪ En una bandeja honda, con poco calor, derretir la mantequilla. Dorar ligeramente los muslos de pavo por todos lados. Continuar cocinando por 15 minutos, volteando la carne algunas veces.

▪ Poner el brandy. Revolver y flamear hasta que se apaguen las llamas.

▪ Incorporar los demás ingredientes, menos la crema. Tapar. Cocer a fuego lento por 45 minutos o hasta que el pavo se ablande.

▪ Sacar las piernas de pavo de la bandeja. Poner la crema en los jugos de cocción. Revolver hasta formar una salsa homogénea.

▪ Pasar las piernas de pavo a una fuente de servir. Con un cucharón, ponerles la salsa. Servir.

Pato a la Naranja

4 PORCIONES

1	pato de 5 lbs (2,2 kg), preparado
2 cdas	(30 g) mantequilla
	pizca de nuez moscada
	sal y pimienta
1 taza	(250 ml) jugo de naranja
3 cdas	(30 g) ralladura de naranja
1/2 taza	(125 ml) caldo de pollo
1/3 taza	(80 ml) miel

- Precalentar el horno a 350 °F (175 °C).

- Cerrar el pato con pinchitos. Colocarlo en una bandeja de asar. Untarle mantequilla con una brochita. Sazonarlo. Hornearlo por 75 minutos, remojándolo constantemente con los jugos de cocción.

- Mientras tanto, en una bandeja honda, mezclar los demás ingredientes. Llevar a ebullición. Con poco calor, cocer a fuego lento por 30 minutos o hasta que el caldo se reduzca a la mitad.

- Sacar el pato del horno. Cortarlo en porciones. Bañarlo con salsa. Servir.

Codornices en Ron

2 PORCIONES

4	codornices, preparadas
4 oz	(125 ml) ron oscuro
2 cdas	(30 ml) miel
2 cdas	(30 ml) salsa de chile
	sal y pimienta
3/4 taza	(180 ml) caldo de pollo

- Precalentar el horno a 350 °F (175 °C).

- En una sartén para hornear, colocar las codornices. Ponerlas aparte.

- En un tazón, mezclar el ron, la miel y la salsa de chile para hacer una salsa homogénea. Sazonar con sal y pimienta. Con una brochita, untar la salsa a las codornices. Hornearlas por 30 minutos, remojándolas con la salsa de ron cada 5 minutos.

- Sacar las codornices de la sartén. Deglacear con el caldo de pollo. A temperatura alta, reducir el líquido por 2 minutos.

- Pasar las codornices a una fuente de servir. Bañarlas con salsa. Servir.

Codornices Rellenas

4 PORCIONES

	el relleno de su gusto, tibio (p. 116)
8	codornices, preparadas
1/4 taza	(60 g) mantequilla, ablandada
	sal y pimienta
	salsa de su gusto, caliente

- Precalentar el horno a 350 °F (175 °C).

- Rellenar las codornices. Cerrarlas bien con pinchitos.

- En un plato para hornear, colocar las codornices. Con una brochita, untarlas con la mantequilla ablandada. Sazonar con sal y pimienta. Hornear por 30 minutos.

- Sacar las codornices del horno. Bañarlas con salsa caliente. Servir.

Ensalada de Ganso Ahumado

4 PORCIONES

3 cdas	(45 ml) aceite de oliva virgen
1/4 taza	(60 g) tocineta, en cubitos
1	pechuga de ganso ahumado, sin piel, cortada en tiras
	sal y pimienta
1/3 taza	(80 ml) vino Oporto
1/4 taza	(60 ml) vinagre de vino
20 oz	(560 g) espinaca fresca, lavada, sin tallos

- En una sartén, calentar 1/2 cdta (2 ml) de aceite. A temperatura alta, dorar la tocineta por 3 minutos. Poner las tiras de ganso. Cocinarlas por 3 minutos. Sazonar con sal y pimienta.

- Deglacear la sartén con el vino Oporto y el vinagre de vino. Continuar cocinando hasta que el líquido se reduzca a la mitad.

- Mientras tanto, en un tazón grande para ensalada, combinar la espinaca y el resto del aceite. Sazonar con sal y pimienta. Revolver.

- Poner la mezcla del ganso sobre la espinaca. Revolver una vez más. Servir.

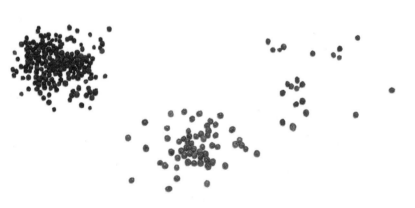

De arriba hacia abajo :
Pato a la Naranja
Codornices en Ron,
Ensalada de Ganso Ahumado

En el pasado, la carne de res a menudo ha sido eliminada sin justificación de las dietas de bajo contenido de grasas. Es cierto que contiene grasa, ¡todas las carnes la contienen! Sin embargo, la carne de res es una fuente excelente de proteína y hierro, y por lo tanto, es parte de una dieta saludable y balanceada.

Para reducir el consumo de grasa, escoja cortes magros de carne de res. Quíteles la grasa visible y use métodos de cocinar que usen poca o ninguna grasa.

En esta sección usted encontrará platos que van desde el siempre popular Rosbif Clásico (p. 127) al exótico Costillas Coreanas (p. 143). Con toda seguridad usted encontrará selecciones de menú para satisfacer aun a los gustos más exigentes.

Rosbif Favorito

6 PORCIONES	
2 cdas	(30 ml) aceite
1	filete de anca de 4 lbs (1,8 kg)
1	cebolla mediana, picada grueso
1	diente de ajo pequeño, picado
¼ taza	(60 ml) agua hirviendo
	sal y pimienta
3 cdas	(45 g) mantequilla
3 cdas	(21 g) harina

▪ Precalentar el horno a 350 °F (175 °C).

▪ En una bandeja honda para hornear, calentar el aceite. Soasar la carne por todos lados por unos 10 minutos.

▪ Agregar la cebolla y el ajo. Poner el agua hirviendo. Sazonar con bastante sal y pimienta. Tapar. Hornear por 2 horas o hasta que la carne se ablande.

▪ Sacar la carne de la bandeja. Dejarla reposar 5 minutos antes de cortarla.

▪ Mientras tanto, sacarle la grasa a los jugos de cocción. Ponerlos aparte.

▪ En una bandeja honda, derretir la mantequilla. Espolvorearla con harina. Cocinarla hasta que se dore bien. Revolviendo, agregar 2 tazas (500 ml) de los jugos degrasados. Agregar agua si los jugos no son suficientes. Cocer a fuego lento hasta que la salsa se espese. Ponerla en una salsera.

▪ Servir la carne con papas al horno y ensalada de repollo, si se desea.

Rosbif con Salsa de Champiñones y Puerro

4-6 PORCIONES	
1	sobre pequeño de sopa de puerro
10 oz	(284 ml) sopa de crema de champiñones de lata
	sal y pimienta, al gusto
1 ½ taza	(375 ml) agua
1	filete redondo de 3-4 lbs (1,4-1,8 kg)

▪ Precalentar el horno a 325 °F (160 °C).

▪ En un tazón, mezclar los primeros 4 ingredientes hasta obtener una salsa homogénea.

▪ Colocar la carne en una bandeja de asar pequeña. Ponerle encima la salsa. Tapar. Asar en el horno por unas 3 horas.

▪ Aproximadamente unos 45 minutos antes de que se termine de cocer la carne, ajustar los condimentos.

▪ Agregar ½ taza (125 ml) de agua hirviendo si la salsa está muy espesa.

▪ Sacar la carne de la bandeja. Dejarla reposar 5 minutos antes de cortarla.

▪ Mientras tanto, degrasar la salsa.

▪ Con un cucharón, ponerle la salsa al asado. Servir.

La receta se muestra arriba

Rosbif Clásico

8 PORCIONES	
1	lomo de franja de 5-6 lbs (2,2-2,6 kg)
4	rodajas de tocineta, en mitades (opcional)
	sal y pimienta
¹/₂ cdta	(2 ml) tomillo
1 cdta	(5 ml) perejil, picado
2 cdas	(14 g) harina (opcional)
¹/₄ taza	(60 ml) agua o caldo de carne (opcional)

- Precalentar el horno a 325 °F (160 °C). Si el lomo no tiene grasa, ponerle las rodajas de tocineta.

- En una bandeja de asar con parrilla, colocar la carne, con el lado de la grasa hacia arriba.

- Hornear por 20 minutos cada 1 lb (450 g) para rojo, 25-30 minutos para medio rojo. Mojar la carne frecuentemente con los jugos de cocción. Sazonarla cuando esté medio cocida.

- Pasar el rosbif a una fuente de servir. Mantenerlo caliente en el horno 5 minutos antes de cortarlo.

- Si se desea, hacer una salsa espolvoreando los jugos con 2 cdas (14 g) de harina. Dorar. Incorporar el agua. Cocer a fuego lento por 4-5 minutos, removiendo constantemente. Colar la salsa. Ponerla en una salsera.

- Rodear el rosbif con papas al horno, ejotes y zanahorias, si se desea. Servirlo con salsa.

Carne Mexicana

4 PORCIONES	
2 cdas	(30 ml) aceite vegetal
1	carne de paletilla de 2 lbs (900 g)
¹/₂ taza	(125 ml) agua
¹/₂ cdta	(2 g) azúcar
1 cdta	(5 g) sal
1 cdta	(5 g) pimienta de Cayena
	pizca de pimienta
28 oz	(796 ml) tomates de lata, en su jugo
1	pimiento dulce verde, en cubitos
1-2	zanahorias, en rueditas
1	cebolla grande, picada
¹/₂ taza	(80 g) champiñones, picados fino

- En una bandeja honda de fondo pesado, calentar el aceite. Soasar la paletilla por todos lados. Agregar los demás ingredientes .

- Tapar. Cocer a fuego lento por 75 minutos o hasta que la carne esté cocida.

- Sacar la paletilla de la bandeja. Cortarla en porciones individuales.

- Regresar las porciones de carne a la bandeja. A baja temperatura, cocer a fuego lento por 10 minutos, en los jugos de la cocción. Servir.

Bistecs a la Pimienta

4 PORCIONES

4	bistecs redondos de 7 oz (190 g)
$^1/_2$-1 cdta	(2-5 g) pimienta
3 cdas	(45 g) mantequilla
1 cda	(15 ml) salsa inglesa
1 cda	(15 ml) jugo de limón
$^1/_4$ cdta	(1 g) sal de apio
$^1/_2$	diente de ajo, picado fino

▪ Frotar los bistecs con mucha pimienta para que los condimentos se adhieran bien. Ponerlos aparte.

▪ En una bandeja honda, derretir la mantequilla. Agregar los demás ingredientes. Mezclarlos bien hasta obtener una salsa homogénea. Con una brochita, untar salsa a los bistecs. Poner aparte el resto.

▪ En una sartén, dorar los bistecs por unos 5 minutos. No cocinarlos demasiado.

▪ Pasar los bistecs a platos individuales. Bañarlos con salsa. Servir.

Bistec Suizo

4 PORCIONES

2 cdas	(14 g) harina
1 cdta	(5 g) sal de sazonar
$^1/_4$ cdta	(1 g) pimienta
1	bistec redondo de espaldilla de 1 lb (450 g), sin hueso
1 cda	(15 ml) aceite vegetal
$^1/_4$ cdta	(1 g) mostaza en polvo
$^1/_2$ cdta	(2 ml) salsa inglesa
$^1/_4$ taza	(28 g) azúcar morena
$^1/_2$ taza	(125 ml) ketchup
$^1/_2$ taza	(125 ml) agua
1	cebolla, en rodajas

▪ Precalentar el horno a 350 °F (175 °C).

▪ En un plato, combinar la harina, la sal y la pimienta. Espolvorear los bistecs con la mezcla. Con un mazo de carne, macerar la carne para hacer que se adhiera la harina sazonada. Ponerla aparte.

▪ En una sartén grande, calentar el aceite. Dorar la carne por todos lados. Sacar la grasa de la sartén.

▪ En un tazón pequeño, mezclar los demás ingredientes, menos la cebolla. Poner la mezcla sobre la carne. Agregar las rodajas de cebolla. Tapar. Hornear con poco calor por 1 hora o hasta que la carne se ablande. Servir.

Filete Porterhouse con Verduras

4 PORCIONES	
10	chalotes franceses, pelados
2 cdas	(30 g) mantequilla
3 tazas	(480 g) champiñones, en cuartos
10 oz	(284 g) ejotes de lata, en su jugo
10 oz	(284 g) espárragos enlatados, en su jugo
	sal y pimienta
4	tomates, en mitades
1 cda	(15 ml) aceite
4	filetes Porterhouse de 8 oz (225 g)
3 oz	(90 ml) coñac

- En una cacerola con agua ligeramente salada, cocer los chalotes por 2 minutos. Escurrirlos. Secarlos a golpecitos.
- En una sartén, derretir la mantequilla. Dorar ligeramente los chalotes y los champiñones. Mantenerlos calientes.
- En una bandeja honda, calentar los ejotes y los espárragos. Sazonarlos al gusto con sal y pimienta. Escurrirlos. Mantenerlos calientes.
- Precalentar el horno en ASAR.
- Espolvorear las mitades de tomate con pimienta. Pasarlos a una bandeja de hornear. Asarlos por 2-3 minutos. Mantener calientes.
- En una sartén, calentar el aceite. Soasar los filetes 5 minutos por lado. Ponerles coñac. Flamearlos por 30 segundos. En una fuente de servir caliente, colocar los bistecs en un anillo de verduras. Servir.

La receta se muestra arriba

Filetes Picantes a la Barbacoa

2 PORCIONES	
4 cdtas	(20 g) mantequilla
2	filetes de lomo de franja
2 cdas	(30 g) especias para barbacoa
	sal
1 oz	(30 ml) coñac
1/2 taza	(125 ml) vino tinto
1 cda	(7 g) harina de todo uso
2 cdas	(30 ml) crema ácida

- En una sartén de fondo pesado, derretir 1 cda (15 g) de mantequilla. A temperatura alta, soasar los filetes, 5 minutos por cada lado. Sazonarlos. Ponerles coñac. Flamearlos por 30 segundos.
- Pasar los filetes a platos de servir calientes. Mantenerlos calientes.
- Deglacear la sartén con vino. A temperatura alta, reducir el líquido a la mitad.
- Mientras tanto, en un tazón, mezclar el resto de la mantequilla y la harina.
- Mezclar la mantequilla amasada y la crema ácida en la salsa de vino, revolviendo hasta que la salsa esté homogénea. Con una cuchara, ponerle la salsa a los filetes. Servir.

Filetes de Costilla con Bourbon

4 PORCIONES	
2 cdas	(30 g) mantequilla
4	filetes de costilla de 6 oz (165 g) sal y pimienta
4 oz	(125 ml) bourbon o whiskey
¹/2 taza	(125 ml) crema espesa

- En una sartén, derretir la mantequilla. Soasar los filetes 3-5 minutos cada lado. Sazonarlos con sal y pimienta. Ponerle el bourbon a los filetes. Flamear por 30 segundos.

- Sacar los filetes de la sartén. Mantenerlos calientes.

- Incorporar la crema en la grasa de los filetes. Batirla para hacer una salsa homogénea. Llevar a ebullición. Quitar inmediatamente del fuego. Con una cuchara, ponerle la salsa a los filetes. Servir.

Carne Estilo Ruso

2 PORCIONES	
2	papas grandes, en rodajas sal y pimienta
2	cebollas, en anillos
2	filetes redondos de 8 oz (225 g)
10 oz	(284 ml) sopa de crema de tomate de lata
1	pimiento dulce verde, picado fino

- Precalentar el horno a 325 °F (160 °C).

- Engrasar un plato para hornear. Poner la mitad de las papas en el fondo. Sazonar con sal y pimienta. Cubrir con la mitad de los anillos de cebolla. Colocar encima los filetes. Cubrir con las cebollas restantes, luego con las papas.

- Poner la sopa de tomate en el plato. Espolvorearla con el pimiento dulce. Tapar. Hornear por unos 90 minutos.

- Unos 15 minutos antes de terminar de cocinar, quitar la tapa. Servir.

Carne al Horno

6 PORCIONES

1	diente de ajo, picado
1 cdta	(5 ml) mejorana
	sal y pimienta
4 oz	(115 g) grasa de cerdo salada, en cubitos
1	filete de costilla de 2 lbs (900 g)
6	clavos de olor
1 cda	(15 ml) aceite vegetal
1 cda	(15 g) mantequilla
2 tazas	(500 ml) caldo de carne
1	cebolla, picada
3	zanahorias, en rodajas
1 taza	(160 g) apio, picado

- Precalentar el horno a 350 °F (175 °C).
- En una hoja de papel encerado, espolvorear el ajo, la mejorana, sal y pimienta. Untar con la mezcla los cubitos de grasa de cerdo. Hacer agujeros en el filete. Insertar los cubitos de grasa de cerdo y los clavos de olor en los agujeros.
- En una bandeja honda para hornear, calentar el aceite y derretir la mantequilla. Dorar ligeramente la carne a ambos lados. Poner el caldo. Llevar a ebullición.
- Agregar la cebolla, las zanahorias y el apio. Ajustar los condimentos. Tapar. Cocer en el horno por 90 minutos o hasta que la carne se ablande. Servir.

VARIACIÓN
- Usar otros cortes de carne como hombrillo, espaldilla, etc.

Filete con Chalotes Acaramelados

4 PORCIONES

2 cdtas	(10 g) mantequilla
16	chalotes franceses, en mitades
2 cdtas	(10 ml) mostaza picante
4 oz	(125 ml) vino Oporto
1/2 taza	(125 ml) caldo de carne
	sal y pimienta
2 cdas	(30 ml) aceite vegetal
4	filetes de anca de 7 oz (190 g)

- En una cacerola pequeña, derretir la mantequilla. Cocinar los chalotes por 5 minutos. Mezclar. Incorporar la mostaza y el Oporto. A alta temperatura, reducir el líquido a la mitad.
- Agregar el caldo a la cacerola. Llevarlo a ebullición. Reducirlo a la mitad. Sazonar al gusto con sal y pimienta.
- Mientras tanto, en una sartén, calentar el aceite. Cocinar los filetes a ambos lados.
- Pasar los filetes a platos individuales. Adornarlos con las mitades de chalote. Bañarlos con la salsa de Oporto. Servir.

Nota : Se recomienda que el cocimiento sea rojo o medio, ya que los filetes de anca bien cocidos tienden a ser duros.

La receta se muestra arriba

Tournedos Festivos

6 PORCIONES

¹/2 taza	(125 g) mantequilla
6	tomates maduros, sin tallos
	sal y pimienta, al gusto
2	berenjenas medianas, peladas, cortadas en rodetes
¹/2 taza	(57 g) harina
4 tazas	(1 L) aceite para freír
2	cebollas, cortadas en anillos
¹/4 taza	(60 ml) leche
6	tournedos de 4 oz (115 g)
6	rodajas de tocineta
2 cdas	(30 ml) aceite
3	papas, mitades, al horno
1 taza	(250 ml) caldo de carne
¹/2 taza	vino blanco
	perejil fresco, picado

■ En una sartén, derretir 3 cdas (45 g) de mantequilla. Agregar los tomates. Sazonar. Tapar. A calor moderado, cocinar por 10 minutos, volteando una vez. Reservar los tomates y sus jugos de cocción por separado.

■ Espolvorear los rodetes de berenjena con sal y 3 cdas (21 g) de harina.

■ En una sartén, calentar el aceite a 400 °F (205 °C). Freír la berenjena unos 5 minutos.

■ Sumergir los anillos de cebolla en la leche. Espolvorear con el resto de la harina. Poner aparte.

■ Sacar la berenjena de la sartén. Escurrirla. Ponerla aparte.

■ En el mismo aceite, freír los anillos de cebolla por 3 minutos. Sacarlos de la sartén. Escurrirlos. Sazonarlos al gusto con sal.

■ Envolver los tournedos con la tocineta. Atarlos con un cordel. En una sartén, derretir 1 cda (15 g) de la mantequilla. Soasar los tournedos, 4 minutos por lado, dándoles vuelta sin agujerear la carne. Sazonar con sal y pimienta.

■ Quitar el cordel y la tocineta. Continuar cocinando los tournedos por 1 minuto, volteándolos en la grasa.

■ En una fuente de servir grande, poner una corona de tomates. Colocar un tournedo en cada tomate. Poner encima un anillo de cebolla. En el centro del plato, hacer una pila de capas de berenjena. Rodear con papas. Mantener caliente.

■ En la grasa de los tournedos, poner el caldo de carne y los jugos de cocción de los tomates. A temperatura alta, reducir el líquido a dos cuartos. Fuera del calor, incorporar el vino blanco y el resto de la mantequilla. Poner la mezcla en una salsera.

■ Adornar los tournedos con perejil. Servir.

La receta se muestra arriba.

VARIACIÓN

● Reemplazar los tomates con crotones, y las papas al horno con papas sofritas como se muestra arriba.

Filetes Mignons con Crema Batida

4 PORCIONES	
4	filetes mignons de 6 oz (165 g)
4	rodajas de tocineta
¹/₄ cdta	(1 g) pimienta
1 cdta	(5 g) paprika
¹/₄ cdta	(1 g) chile en polvo
1 taza	(250 ml) crema espesa
3 cdas	(45 ml) ketchup
1 ¹/₂ oz	(45 ml) coñac

- Precalentar el horno a 325 °F (160 °C).

- Envolver cada filete mignon con una rodaja de tocineta. Sujetar con un cordel o palillo de dientes. Sazonar.

- Colocar los filetes mignon en un plato para hornear. Tapar. Hornear por 30 minutos.

- Mientras tanto, en un tazón para mezclar, batir la crema y formar picos suaves. Incorporar con cuidado el ketchup y el coñac. Poner aparte a temperatura ambiente.

- Pasar los filetes mignon a platos individuales. Adornar con crema batida. Servir.

La receta se muestra arriba

Filetes Mignons Rápidos

4 PORCIONES	
¹/₄ taza	(60 g) mantequilla , derretida
¹/₄ taza	(60 ml) salsa de soya
4	filetes mignons de 8 oz (225 g)

- Mezclar la mantequilla derretida y la salsa de soya. Untar bien con una brochita los filetes mignons.

- En un plato para microondas, colocar un filete mignon. Hornearlo por 1 ¹/₂ minutos en MEDIO-ALTO. Voltearlo. Continuar cocinando por 1 ¹/₂ minuto. Sacar el filete del plato. Ponerlo aparte.

- Cocinar los demás filetes de la misma forma.

- En el mismo plato, colocar los 4 filetes mignons. Cocinarlos por 1 minuto, en MEDIO-ALTO. Dejarlos reposar por 5 minutos. Servir.

Olla Caliente de
Arroz con Carne

6 PORCIONES

2 cdas	(30 ml) aceite vegetal
8 oz	(225 g), filete de anca, picado fino
4 oz	(115 g) champiñones frescos, en rodajas
1/2 taza	(125 g) cebolla, picada
1/2 taza	(80 g) apio, picado
2 tazas	(500 ml) agua
10 oz	(284 ml) sopa de crema de champiñones de lata
1 cdta	(5 g) sal
1/8 cdta	(0,5 g) pimienta
2 1/2 tazas	(625 ml) arroz cocido
1 1/2 taza	(240 g) zanahorias cocidas, en rodajas
1 taza	(250 ml) chícharos de lata, escurridos

• En una olla de 10 tazas (2,5 L), calentar el aceite. Cocinar ligeramente la carne picada. Mezclar los champiñones, la cebolla y el apio.

• Poner el agua y la crema de champiñones. Sazonar con sal y pimienta. A calor bajo, cocinar destapado hasta que la carne se ablande.

• Incorporar los demás ingredientes. Cocer a fuego lento por 20 minutos. Revolver bien. Servir.

Carne con
Almendras

6 PORCIONES

2 1/4 lbs	(1 kg) filete redondo, 1 pulg (2,5 cm) de grosor
1/2 taza	(125 ml) caldo de pollo, caliente
4 tazas	(640 g) repollo, picado fino
6 cdas	(90 ml) aceite vegetal
1	diente de ajo, machacado
2 cdas	(30 ml) salsa de soya
1 cdta	(2 g) maicena
1/4 taza	(60 ml) caldo de pollo frío
1/2 taza	(57 g) almendras tostadas en rodajas

• Cortar los filetes en tiras, siguiendo el grano de la carne. Ponerlos aparte.

• En una bandeja honda, mezclar el caldo de pollo frío y el repollo. Llevar a ebullición. Cocinar por 2 minutos. Escurrir el repollo; reservar el líquido de cocción. Mantener caliente.

• En una sartén, calentar la mitad del aceite. Freír ligeramente el ajo. Poner la salsa de soya y 1/4 taza (60 ml) del líquido de cocción. Cocer a fuego lento por 2 minutos.

• Diluir la maicena en el caldo de pollo frío. Incorporarlos en la mezcla líquida, revolviendo bien para hacer una salsa homogénea.

• En una sartén grande, calentar el resto del aceite. Freír la carne por 6 minutos. Poner la salsa. Cocer a fuego lento por 5 minutos.

• Con una cuchara, poner la carne y la salsa sobre una cama de repollo. Espolvorear con las almendras tostadas. Servir.

Guiso de Carne con Miel de Maple

6-8 PORCIONES	
3 cdas	(45 ml) aceite
2 lbs	(900 g) cubos de carne
1 taza	(250 g) cebollas, picadas fino
1	diente de ajo, picado
¼ taza	(28 g) harina
2 tazas	(500 ml) caldo de carne
½ taza	(125 ml) vino tinto
½ taza	(125 ml) miel de maple
2 tazas	(320 g) tomates, picados grueso
¼ cdta	(1 g) jengibre fresco, rallado
½ cdta	(2 g) sal
¼ cdta	(1 g) pimienta
1 taza	(160 g) apio, en cubitos
3 tazas	(480 g) papas, peladas, en cubitos
2 tazas	(320 g) zanahorias, en cubitos

- Precalentar el horno a 350 °F (175 °C).
- En una bandeja honda, calentar el aceite. Soasar los cubos de carne. Agregar las cebollas y el ajo. Continuar cocinando por 1 minuto. Quitar del fuego. Espolvorear con la harina. Poner el caldo. Agregar el vino, la miel de maple, los tomates y el jengibre. Sazonar con sal y pimienta. Tapar. Hornear por 1 hora.
- Incorporar los demás ingredientes. Tapar. Continuar horneando por 1 hora. Servir.

Brochetas Filete Mignon

4 PORCIONES	
8	cubos de carne de 1 oz (30 g)
4	rodajas de tocineta, en mitades
2 cdtas	(10 g) mantequilla
8	chalotes, picados
2 tazas	(500 ml) arroz cocido
	sal de ajo, al gusto
1 cda	(15 ml) salsa de soya
1	salchicha grande, cortada en 8 rodetes
2	cebollas, en cuartos
8	tomatitos cereza
3 cdas	(45 ml) aceite de cacahuate

- Envolver cada cubo de carne con media rodaja de tocineta. Poner aparte.
- En una sartén, derretir la mantequilla. Cocinar los chalotes 30 segundos hasta que se ablanden pero sin dorarse. Mezclar el arroz cocido, la sal de ajo y la salsa de soya. Mantener caliente.
- Insertar en cada pincho un cubo de carne, una rodaja de salchicha, un cuarto de cebolla y un tomatito cereza.
- En una sartén grande, calentar el aceite. Cocinar los pinchos por todos lados hasta que la carne se ablande.
- Con una cuchara, poner una cama de arroz en 4 platos. Colocar 2 pinchos de carne en cada uno. Servir con una ensalada verde, si se desea.

La receta se muestra arriba

Carne Olé

6 PORCIONES	
1	cebolla, picada
2	dientes de ajo
1/2 taza	(125 g) chalotes, picados
1/4 taza	(60 ml) salsa de soya
1/4 cdta	(1 g) pimienta
2 lbs	(900 g) carne, en cubitos
3 cdas	(45 ml) aceite
1/3 taza	(38 g) azúcar morena
	agua
2-4	pimientos picantes, picados
2	pimientos dulces verdes, en cubitos
6	zanahorias grandes, cortadas en palitos
4 tazas	(1 L) jugo de tomate
3 tazas	(480 g) arroz de cocción rápida

- En un tazón, mezclar los primeros 5 ingredientes. Agregar los cubos de carne. Marinar en el refrigerador por 30 minutos, revolviendo ocasionalmente.
- Sacar los cubos de carne del refrigerador. Escurrirlos.
- En una olla de hierro, calentar el aceite. Espolvorearlo con el azúcar; mezclar bien. Dorar los cubos de carne por todos lados. Agregar agua suficiente para cubrir la carne. Incorporar los demás ingredientes, menos el arroz. Tapar. Cocinar 1 hora o hasta que la carne se ablande. Agregar el arroz. Tapar. Cocer a fuego lento por 15 minutos. Servir.

La receta se muestra arriba

VARIACIÓN
- Reemplazar la carne con pollo.

Guiso de Carne a la Barbacoa

8 PORCIONES	
3 lbs	(1,4 kg) de carne, en cubos de 1 pulg (2,5 cm)
1 taza	(250 ml) salsa de barbacoa comercial, regular o sabor a ajo
1 1/2 taza	(375 ml) agua
1 cdta	(5 g) sal
8	papas pequeñas
8	zanahorias, trozos de 1 1/2 pulg (3,75 cm)
1	cabeza de apio, trozos de 1 1/2 pulg (3,75 cm)
1	cebolla, cortada en 8 cuñas
3 cdas	(21 g) harina
1/3 taza	(80 ml) agua fría

- En un plato, colocar los cubos de carne. Ponerles la salsa de barbacoa; mezclar bien. Marinar en el refrigerador por 3 horas.
- En una bandeja honda, colocar la carne y la salsa de marinar. Agregar el agua y la sal. Llevar a ebullición. Tapar. Cocer a fuego lento por 45 minutos.
- Agregar las verduras. Tapar. Continuar cocinando 30 minutos o hasta que la carne y las verduras se ablanden.
- Mientras tanto, diluir la harina en el agua fría. Ponérsela a la mezcla de carne; revolver bien.
- Llevar a ebullición. Revolver hasta que la salsa se espese. A calor bajo, cocer a fuego lento por 15 minutos. Servir.

Casserole de Carne con Ciruelas

6 PORCIONES	
2 tazas	(500 ml) vino tinto
1/2 taza	(125 ml) vinagre de vino
1cda	(15 ml) aceite
2	zanahorias, en rodajas redondas
1	cebolla, picada
1	diente de ajo, picado
	ramito de hierbas
	sal y pimienta
3 lbs	(1,4 kg) cubos de carne
2 cdas	(30 g) mantequilla
1 taza	(250 ml) caldo de carne
8 oz	(225 g) ciruelas
	agua tibia

- En un tazón grande de ensalada, combinar los primeros 8 ingredientes. Agregar los cubos de carne; mezclar bien. Marinar en el refrigerador por 12 horas.

- Sacar los cubos de carne del refrigerador. Escurrirlos bien; reservar la salsa de marinar.

- En una sartén, derretir la mantequilla. Cocinar ligeramente los cubos de carne. Poner el caldo y la salsa de marinar. Tapar. A calor bajo, cocinar 2 1/2 horas.

- Mientras tanto, cubrir las ciruelas con agua tibia. Dejarlas en remojo.

- Unos 15 minutos antes de terminar de cocinar, agregar las ciruelas a la casserole de carne.

- En una fuente de servir, colocar los cubos de carne en un anillo de ciruelas. Servir.

Guiso de Carne con Tomate

6 PORCIONES	
2 lbs	(900 g) cubos de carne
1/4 taza	(60 g) azúcar granulada
2 cdas	(30 ml) aceite
1	cebolla mediana, picada
28 oz	(796 ml) tomates de lata, machacados
	sal y pimienta
1cda	(7 g) maicena
3 cdas	(45 ml) agua fría

- Rodar los cubos de carne en el azúcar. Ponerlos aparte.

- En una sartén, calentar el aceite. Freír ligeramente la cebolla y los cubos de carne por todos lados.

- Pasar la mezcla de carne a una bandeja honda. Agregar los tomates; mezclar bien. Sazonar al gusto con sal y pimienta. Cocer a fuego lento por aproximadamente 1 hora.

- En un tazón, diluir la maicena en el agua. Incorporarla en la mezcla de carne. Revolver hasta que la salsa se espese. Cocer a fuego lento por 10 minutos. Servir.

Carne con Macarrones al Horno

4 PORCIONES

1 cda	(15 ml) aceite
1 lb	(450 g) carne molida
1	cebolla pequeña, picada
1/2 taza	(125 g) pimiento dulce verde, picado
8 oz	(227 ml) salsa de tomate de lata
8 oz	(227 ml) champiñones, de lata, escurridos
8 oz	(227 ml) maíz de grano entero, de lata
1/2 taza	(125 g) aceitunas rellenas con pimiento dulce, en rodajas
1 taza	(250 ml) macarrones cocidos
	sal y pimienta, al gusto
1 taza	(160 g) queso Mozzarella, rallado

■ Precalentar el horno a 350 °F (175 °C).

■ En una sartén, calentar el aceite. Cocinar ligeramente la carne molida, la cebolla y el pimiento dulce. Sacar de la sartén. Escurrir. Pasar a un plato para hornear.

■ Incorporar los demás ingredientes, menos el queso. Cubrir con Mozzarella.

■ Hornear hasta que el queso se derrita. Servir.

Lonja de Carne

4 PORCIONES

1 1/2 lb	(675 g) carne molida
1	cebolla, picada
3/4 taza	(90 g) avena molida
1	huevo, batido
1 taza	(250 ml) leche
	sal y pimienta
1/3 taza	(38 g) azúcar morena
1/2 taza	(125 ml) ketchup
1 cdta	(5 g) mostaza en polvo

■ Precalentar el horno a 350 °F (175 °C).

■ En un tazón, mezclar los primeros 5 ingredientes. Sazonar al gusto con sal y pimienta .

■ Poner apretando la mezcla en un molde enmantequillado. Poner aparte.

■ En un segundo tazón, combinar el azúcar morena, el ketchup y la mostaza en polvo hasta que la mezcla esté homogénea. Untarla a la lonja de carne.

■ Cubrir el molde con papel de aluminio. Hornear por 75 minutos; quitar el papel de aluminio a los 30 minutos. Servir.

Picadillo de Carne con Vino Tinto

4 PORCIONES

1 cda	(15 ml) aceite
1 1/2 lb	(675 g) carne molida
2	cebollas, en cubitos
2	dientes de ajo, machacados
1	pimiento dulce rojo, en cubitos
1	zanahoria, en cubitos
2	tallos de apio, en cubitos
3	tomates, en cuñitas
1/2 taza	(125 ml) vino tinto seco
10 oz	(284 ml) caldo de carne, de lata
1 cda	(15 ml) caldo de carne concentrado
	sal y pimienta
1 cda	(7 g) maicena
3 cdas	(45 ml) agua fría

■ En una bandeja honda, calentar el aceite. Dorar ligeramente la carne molida. Sacarla de la bandeja. Ponerla aparte.

■ En la grasa de la carne, sofreír la cebollas, el ajo, el pimiento, la zanahoria y el apio, por 3-4 minutos.

■ Incorporar la carne, los tomates, el vino tinto, el caldo de carne y el concentrado. Sazonar al gusto con sal y pimienta. Cocer a fuego lento por 30 minutos.

■ En un tazón pequeño, diluir la maicena en el agua fría. Ponérsela el picadillo de carne; mezclar bien. Cocer a fuego lento por 5 minutos, revolviendo ocasionalmente. Servir.

Casserole de California

4 PORCIONES

2 tazas	(320 g) papas, en cubitos
2 cdtas	(10 g) sal
1/4 cdta	(1 g) pimienta
2 tazas	(320 g) apio, en rodajas diagonales
1 1/2 taza	(375 g) carne molida
1/2 taza	(125 g) cebolla, picada fino
1 taza	(160 g) flores de brócoli
10 oz	(284 ml) sopa de crema de tomate enlatada

■ Precalentar el horno a 325 °F (160 °C).

■ Colocar los cubitos de papa en el fondo de una bandeja honda ligeramente engrasada. Sazonar con sal y pimienta.

■ Cubrir con capas sucesivas de apio, carne molida, cebolla y flores de brócoli. Sazonar con sal y pimienta entre las capas.

■ Poner la crema de tomate. Tapar. Hornear por 75 minutos. Servir.

De arriba hacia abajo :
Casserole de California,
Picadillo de Carne con Vino Tinto,
Lonja de Carne

Albóndigas con Curry

4 PORCIONES		
1 lb	(450 g)	carne molida
$\frac{1}{2}$ cdta	(2 g)	sal
		pizca de pimienta
$\frac{3}{4}$ taza	(84 g)	miga de pan
1		huevo, batido
$\frac{1}{4}$ taza	(60 ml)	jugo de tomate
$\frac{3}{4}$ taza	(180 g)	cebollas, picadas fino
1 cda	(15 ml)	aceite
1 cda	(15 g)	mantequilla
$\frac{1}{2}$ taza	(80 g)	apio, picado
1 $\frac{1}{2}$ taza	(240 g)	manzanas, peladas, en cubitos
1 cda	(15 g)	curry en polvo
3 cdas	(21 g)	harina
		sal y pimienta, al gusto
10 oz	(284 ml)	consomé de carne, de lata
$\frac{3}{4}$ taza	(180 ml)	agua
1 cdta	(5 g)	azúcar
1 cdta	(2 g)	ralladura de limón
1 cdta	(5 ml)	jugo de limón

- En un tazón, mezclar los primeros 6 ingredientes. Agregar $\frac{1}{4}$ taza (60 g) de cebolla. Hacer albóndigas.

- En una sartén, calentar el aceite y derretir la mantequilla. Dorar ligeramente las albóndigas por 10 minutos. Sacarlas de la sartén.

- En 1 cdta (5 ml) de la grasa de las albóndigas, a calor bajo, freír el resto de la cebolla, el apio y las manzanas por 2 minutos. Sazonar con curry. Cocinar por 1 minuto. Agregar gradualmente los demás ingredientes. Tapar. Cocer a fuego lento por 1 hora.

- Poner las albóndigas en la salsa. Cocer a fuego lento por 30 minutos. Servir.

Rollitos de Repollo

4 PORCIONES		
12		hojas de repollo rojo
		agua hirviendo
1 cda	(15 ml)	vinagre
1 cda	(15 ml)	aceite
1 cda	(15 g)	mantequilla
1 $\frac{1}{4}$ lb	(565 g)	carne molida
1		cebolla, picada
1		huevo, batido
1 taza	(250 ml)	arroz cocido
2 cdtas	(10 g)	sal
$\frac{1}{2}$ cdta	(2 g)	pimienta
$\frac{1}{2}$ cdta	(2 ml)	tomillo
3 tazas	(750 ml)	jugo de tomate
$\frac{1}{4}$ taza	(60 ml)	agua fría
1 cda	(15 ml)	jugo de limón
1 cda	(10 g)	azúcar morena
		sal y pimienta , al gusto

- Precalentar el horno a 350 °F (175 °C).

- En una bandeja honda, colocar el repollo. Cubrirlo con agua hirviendo. Incorporar el vinagre. Cocer a fuego lento por 10 minutos. Escurrir.

- En una sartén, calentar el aceite y derretir la mantequilla. Freír ligeramente la carne molida y la cebolla. Fuera del calor, incorporar el huevo y el arroz cocido en la mezcla. Sazonar.

- En una hoja de repollo, poner $\frac{1}{4}$ taza (60 ml) de la mezcla de carne. Enrollarla como salchicha. Sujetar con un palillo de dientes. Repetir para un total de 12 rollitos.

- Pasar los rollitos de repollo a un plato para hornear. Echarles el jugo de tomate, el agua y el jugo de limón. Sazonar con el azúcar, sal y pimienta. Tapar. Hornear por 1 hora. Servir.

Pastel del Pastor con Capa de Arroz

4 PORCIONES	
2 cdtas	(10 ml) aceite vegetal
2	zanahorias, en cubitos
1	cebolla, picada
1 lb	(450 g) carne molida
²/₃ taza	(160 ml) caldo de carne
1 cda	(15 ml) pasta de tomate
1 cda	(15 ml) salsa inglesa
	sal y pimienta
³/₄ taza	(180 g) chícharos frescos o congelados
3 tazas	(750 ml) arroz cocido
1	huevo, batido
1 taza	(160 g) queso Cheddar, rallado
¹/₂ taza	(125 ml) crema ácida

- Precalentar el horno en ASAR.

- En una sartén para hornear de 10 pulg (25 cm), calentar el aceite. Cocinar las zanahorias y la cebolla por 3 minutos.

- Agregar la carne molida. Continuar cocinando. Incorporar el caldo, la pasta de tomate y la salsa inglesa. Sazonar al gusto con sal y pimienta. Cocinar por 5 minutos. Agregar los chícharos. Cocinar por 1 minuto.

- Mientras tanto, en un tazón, combinar el arroz, el huevo, el queso rallado y la crema ácida. Ponerlos sobre la mezcla de carne.

- Hornear por 7 minutos o hasta que la capa de arroz esté muy caliente. Servir.

La receta se muestra arriba

Torta Sabrosa de Carne

4 PORCIONES	
1	corteza de pastel de 9 pulg (23 cm) *(p. 334)* medio horneada
2 cdas	(30 g) mantequilla
1 taza	(250 g) cebollas, picadas fino
¹/₄ taza	(40 g) calabacita, en cubitos
1 lb	(450 g) carne molida
2 cdas	(14 g) harina
³/₄ cdta	(3 g) sal
¹/₄ cdta	(1 g) pimienta
1 cda	(15 ml) salsa inglesa
1 taza	(250 g) requesón
2	huevos, batidos
	paprika, al gusto

- Precalentar el horno a 350 °F (175 °C).

- Poner la corteza en un molde de pastel de 9 pulg (23 cm). Ponerlo aparte.

- En una sartén, derretir la mantequilla. Sofreír las cebollas y la calabacita. Agregar la carne molida. Cocinar hasta que la carne se dore por todos lados. Espolvorearla con harina. Sazonar con sal, pimienta y salsa inglesa.

- Poner la mezcla de carne en la corteza.

- En un tazón, mezclar el requesón y los huevos. Ponerlos sobre la carne. Espolvorear con paprika. Hornear por 40 minutos. Servir.

Hígado Cocido

4 PORCIONES	
¹/₄ taza	(28 g) harina
¹/₄ cdta	(1 g) pimienta de Cayena
	pizca de orégano
	pizca de sal de ajo
	sal y pimienta
1 lb	(450 g) hígado de res, en tiras
2 cdas	(30 g) mantequilla
1	cebolla, picada fino
14 oz	(398 ml) salsa de tomate, de lata

- En un plato, combinar la harina y las especias. Espolvorear las tiras de hígado. Ponerlas aparte.
- En una sartén, derretir la mantequilla. Freír la cebolla y las tiras de hígado por todas partes, 2-3 minutos.
- Poner la salsa de tomate. Cocer a fuego lento por 20 minutos, revolviendo ocasionalmente. Servir.

Hígado Princesa

4 PORCIONES	
1 lb	(450 g) hígado de res, en rodajas
1 taza	(250 ml) leche
1 taza	(115 g) harina
3 cdas	(45 g) mostaza en polvo
	sal y pimienta, al gusto
	pizca de perejil picado
1 cda	(15 ml) aceite
1	cebolla mediana, picada
1	pimiento dulce verde, picado
2	tallos de apio, picados fino
2	chalotes, picados fino
1 cda	(15 g) mantequilla
¹/2 taza	(125 ml) caldo de pollo
1 taza	(160 g) flores de coliflor
12	champiñones

- En un tazón, combinar las rodajas de hígado y la leche. Dejar remojar en el refrigerador por 2 horas. Sacar del refrigerador. Escurrir el hígado.
- En un plato, mezclar la harina, la mostaza, la sal, la pimienta y el perejil. Espolvorear las rodajas de hígado.
- En una sartén, calentar el aceite. Sofreír la cebolla, el pimiento, el apio y los chalotes por 5 minutos.
- Precalentar el horno a 350 °F (175 °C).
- En una sartén, derretir la mantequilla. Soasar las rodajas de hígado a ambos lados.
- En un plato para hornear, colocar el hígado y las verduras. Ponerles encima el caldo. Rodear con coliflor y champiñones. Tapar. Hornear por 30 minutos. Servir

Carpacio

4 PORCIONES	
1 lb	(450 g) filete de costilla, preparado, picado fino (como para fondue chino)
1 cda	(15 g) pimienta, molida grueso
1 cda	(15 g) eneldo
½ cdta	(2 g) sal de mar
½ taza	(125 ml) mayonesa
1 cda	(15 ml) mostaza picante
1 cda	(15 ml) mostaza Meaux o de estilo antiguo

■ En 4 platos individuales, extender las rodajas de carne lo más que se pueda. Espolvorearlas con la pimienta, el eneldo y la sal de mar. Presionar los condimentos contra la carne.

■ Sellar cada plato con papel plástico. Refrigerar por 2 horas.

■ Mientras tanto, en un tazón, combinar los demás ingredientes. Poner aparte, a temperatura ambiente.

■ Sacar las rodajas de carne del refrigerador. Con una cuchara, ponerles mayonesa. Servir.

Costillas a la Coreana

4 PORCIONES	
2 ¼ lbs	(1 kg) costillas
4 tazas	(1 L) agua fría
2	dientes de ajo, picados fino
2	champiñones, picados fino
2	chalotes, en trozos de 2 pulg (5 cm)
1 cdta	(5 g) semillas de ajonjolí
1 cda	(15 g) azúcar
1 cda	(15 ml) salsa de soya

■ En una bandeja honda con tapa, colocar las costillas. Cubrirlas con agua. Llevar a ebullición. Cubrir la bandeja. Cocinar por 2 horas o hasta que el líquido se reduzca a la mitad y la carne se ablande.

■ Incorporar los demás ingredientes. Cocer a fuego lento por 15 minutos.

■ Sacar las costillas de la bandeja. Escurrirlas bien. Poner los jugos de cocción en una salsera.

■ Pasar las costillas a una fuente de servir. Servirlas con los jugos de cocción.

La ternera es una carne magra y sabrosa, cuando se prepara bien. La Ternera Volteada con Tomate (p. 152) es un ejemplo de un plato que es rápido y nutritivo. La receta de las Albóndigas de Ternera (p. 156) es una buena alternativa para el guiso de albóndigas tradicional; además, contiene muy poca grasa.

Sin ninguna restricción, nos podemos permitir agregar ternera a nuestro menú, en forma regular. Seguramente, la ternera dará origen a muchas felicitaciones para la cocinera, de parte de los invitados que aprecian su cena.

TERNERA

Ternera Asada

---
6 PORCIONES

1	lomo de ternera para asar de 3 lbs (1,4 kg), sin hueso, enrollado, con franjas de grasa de cerdo
2 cdas	(30 ml) aceite de cacahuate
6	tallos de apio, en rodajas diagonales de 2 pulg (5 cm)
6	zanahorias medianas en rodajas diagonales de 2 pulg (5 cm),
1	cebolla, picada fino
	sal y pimienta
1 cdta	(5 ml) estragón
2 cdtas	(10 g) mantequilla, derretida

▪ Precalentar el horno a 350 °F (175 °C).

▪ A calor moderado, en una sartén grande, calentar el aceite. Soasar la ternera por todos lados.

▪ Mientras tanto, en una cacerola con agua hirviendo ligeramente salada, cocer el apio y las zanahorias por 1 minuto. Escurrirlos. Ponerlos aparte.

▪ En una bandeja honda para hornear, poner los anillos de cebolla. Colocar encima la ternera. Sazonar con sal y pimienta. Agregar las verduras cocidas. Espolvorear con el estragón. Untar con la mantequilla. Hornear por 20 minutos. Bajar la temperatura a 325 °F (160 °C). Continuar cocinando por aproximadamente 1 hora, bañando la carne cada 20 minutos.

▪ Pasar el asado de ternera a una fuente de servir. Bañarla con los jugos de cocción. Servir.

La receta se muestra arriba

VARIACIONES

• Unos 20 minutos antes de terminar de cocinar, agregar 10 oz (284 ml) de corazones de alcachofa de lata, escurridos.

• Cambiar las hierbas (tomillo, perejil, tomillo real, ajo) al gusto.

Ternera Envuelta en Tocineta

---
8 PORCIONES

1	lomo de ternera, preparado, de 4 lbs (8 kg)
8	rodajas de tocineta
1	cebolla mediana, picada
1 cda	(15 ml) perejil, picado
1	hoja de laurel
	sal y pimienta

▪ Precalentar el horno a 325 °F (160 °C).

▪ Engrasar la ternera con tocineta. En una bandeja, hornearla 30 minutos por cada 1 lb (450 g). Cuando esté a medio cocinar, agregar la cebolla y los condimentos. Bañar con los jugos de cocción, si se necesita.

▪ Unos 30 minutos antes de terminar la cocción, sacar la tocineta. Ponerla aparte.

▪ Continuar cocinando hasta que se dore la carne. Servir con tocineta.

Ternera con Cebollines

6 PORCIONES

1	ternera para asado de 3 lbs (1,4 kg)
3 cdas	(27 g) cebollines, picados
½ cdta	(2 ml) tomillo
½ cdta	(2 g) pimienta negra
2 cdas	(30 ml) jugo de limón

▪ Precalentar el horno a 375 °F (190 °C).

▪ En una lata de hornear forrada por dentro con papel de aluminio, colocar la ternera.

▪ Sazonarla. Rociarla con jugo de limón.

▪ Hornear por unos 90 minutos. Servir.

Pecho de Ternera Relleno

6-8 PORCIONES

1	pecho de ternera, sin hueso de 3 lbs (1,4 kg)
2 tazas	(100 g) parte suave de pan
1 taza	(250 ml) leche
1 lb	(450 g) ternera, molida fino
2	huevos, batidos
1 ½ taza	(240 g) espinaca fresca, picada fino
2	tomates, sin semillas, en cubos
	sal y pimienta

▪ Precalentar el horno a 350 °F (175 °C).

▪ Con un cuchillo, cortar el pecho a lo largo para formar una cavidad. Ponerlo aparte.

▪ En un tazón pequeño, remojar el pan en la leche. Mezclar los demás ingredientes. Sazonar al gusto con sal y pimienta .

▪ Rellenar el pecho con la mezcla de pan. Cerrar el pecho con pinchitos.

▪ Pasar el pecho relleno a una lata de hornear. Hornear destapado por unos 90 minutos.

▪ Servir con zanahorias y papas, si se desea.

Chuletas de Ternera St-Denis

	6 PORCIONES	
6		chuletas de ternera, de 1 pulg (2,5 cm) de grosor
2 cdas	(14 g)	harina
2 cdas	(30 ml)	aceite
2 cdas	(30 g)	mantequilla
1		cebolla, picada
1		zanahoria, picada fino
1		tallo de apio, picado fino
¹/₄ cdta	(1 ml)	mejorana
¹/₄ cdta	(1 ml)	romero
		sal y pimienta
2-3		tomates maduros, pelados, picados
¹/2 taza	(125 ml)	caldo de carne
2 cdas	(30 g)	mantequilla , derretida
1 cdta	(2 g)	ralladura de limón
1		diente de ajo, picado
2 cdas	(30 ml)	perejil, picado

- Espolvorear las chuletas con la harina.

- En una bandeja honda, calentar el aceite y derretir la mantequilla. Freír las chuletas a ambos lados. Agregar la cebolla, la zanahoria y el apio. Cocinar hasta que se doren. Sazonar.

- Poner los tomates y el caldo. Tapar. A calor bajo, cocer a fuego lento por 30 minutos. Agregar un poco más de caldo si la salsa está muy espesa.

- Mientras tanto, en un tazón, mezclar la mantequilla, la ralladura de limón, el ajo y el perejil.

- Unos minutos antes de terminar de cocinar, incorporar en la salsa la mantequilla sazonada.

- Servir las chuletas en una cama de pasta, si se desea.

Verdurette de Chuletas de Ternera

	6 PORCIONES	
2 cdas	(30 g)	mantequilla
6		chuletas de ternera
1 cda	(7 g)	harina
2 tazas	(500 ml)	caldo de carne
2		cebollas, en anillos
6		hojas de lechuga
3		tomates, en rodajas

- Precalentar el horno a 375 °F (190 °C).

- En una sartén, derretir la mantequilla. Soasar las chuletas 2 minutos por lado. Sacarlas de la sartén.

- Espolvorear la grasa de la carne con harina; mezclar bien. Incorporar el caldo en la mezcla. A calor bajo, cocer a fuego lento por 4-5 minutos o hasta que la salsa se espese.

- Mientras tanto, pasar las chuletas a una bandeja para hornear. Cubrirlas con capas sucesivas de cebollas, hojas de lechuga y tomates; terminar con una segunda capa de lechuga.

- Poner salsa suficiente para cubrir la lechuga. Si la salsa no es suficiente, agregar jugo de tomate. Hornear por 2 horas. Servir.

VARIACIÓN
- Reemplazar la lechuga con espinaca.

Chuletas de Ternera con Queso

4 PORCIONES	
4	chuletas de ternera, preparadas
2 cdas	(14 g) harina
2 cdas	(30 g) mantequilla
	sal y pimienta
4	rodajas de queso Mozzarella

- Precalentar el horno en ASAR.
- Espolvorear las chuletas de ternera con harina. Ponerlas aparte.
- En una sartén, a alta temperatura, derretir la mantequilla. Soasar las chuletas. Sazonarlas con sal y pimienta. Reducir la temperatura. Cocinar las chuletas 4-6 minutos por lado. Si se necesita, agregar un poco de agua para evitar que se quemen.
- Pasar las chuletas a una bandeja de asar. Cubrir cada una con una rodaja de Mozzarella. Hornear por 3 minutos o hasta que el queso esté medio derretido. Servir.

VARIACIONES
- Colocar las chuletas en una cama de chícharos. Rodearlas con una corona de arroz.

Chuletas de Ternera en Salsa de Crema

4 PORCIONES	
1/2 taza	(57 g) harina
	sal y pimienta
4	chuletas de ternera
3 cdas	(45 g) mantequilla
1	chalote, picado
1	pimiento dulce rojo, en tiras
1 cdta	(5 ml) estragón
1 taza	(250 ml) vino blanco
1/2 taza	(125 ml) crema ligera

- Precalentar el horno a 300 °F (150 °C).
- En un tazón pequeño, mezclar la harina, sal y pimienta. Espolvorear las chuletas con la harina sazonada. Ponerlas aparte.
- En una sartén, derretir la mantequilla. A calor moderado, cocinar las chuletas, unos 6 minutos por lado. Sacar las chuletas de la sartén. Pasarlas a una fuente de servir. Mantenerlas calientes.
- En la grasa de la ternera, cocinar el chalote, la pimienta y el estragón por 3 minutos.
- A alta temperatura, deglacear el sartén con vino blanco. Llevar a ebullición. Cocer a fuego lento por 3 minutos. Incorporar la crema en la salsa. Con una cuchara, ponerle salsa a las chuletas. Servir.

Tournedos de Ternera en Salsa de Camarones

4 PORCIONES

2 cdas	(30 ml)	aceite
2 cdas	(30 g)	mantequilla
4		tournedos de ternera de 4 oz (115 g)
3 cdas	(21 g)	harina
3/4 taza	(180 ml)	caldo de carne
1/2 taza	(125 ml)	crema espesa
2 oz	(60 ml)	Jerez
3/4 cdta	(3 g)	sal
1/4 cdta	(1 g)	pimienta
3/4 taza	(180 g)	camarones miniatura

- En una sartén, calentar el aceite y derretir la mantequilla. Cocinar los tournedos 5 minutos cada lado. Sacarlos de la sartén. Pasarlos a platos individuales. Mantenerlos calientes.

- Espolvorear la grasa de la ternera con harina; mezclar bien. Revolviendo, dorar ligeramente por 2 minutos. Incorporar lentamente el caldo, la crema y el Jerez; mezclar bien. Sazonar con sal y pimienta. A calor bajo, cocer a fuego lento por 4 minutos.

- Agregar el camarón. Continuar cocinando por 2 minutos. Bañar los tournedos con la salsa de camarón. Servir.

VARIACIONES

- Reemplazar el caldo de carne con caldo de pollo.
- Reemplazar el Jerez con sidra o jugo de manzana.

Paupiettes de Ternera

6-8 PORCIONES

3		huevos cocidos duros, picado
12		aceitunas negras
3 cdas	(45 g)	mantequilla
8		escalopes de ternera, en rodajas muy finas
8		rodajas finas de jamón
8		rodajas de tocineta
8		hojas de laurel
1/4 oz	(8 ml)	coñac
2 cdas	(30 g)	mantequilla
1/4 taza	(60 g)	grasa sólida de cerdo, en cubitos
1 taza	(250 ml)	caldo de pollo
1/4 taza	(60 g)	cebolla, picada
1		diente de ajo, picado
1/4 taza	(40 g)	zanahorias, en cubitos

- Precalentar el horno a 350 °F (175 °C).

- En un tazón grande, mezclar los primeros 3 ingredientes.

- Cubrir cada escalope con una rodaja de jamón y 2 cdas (30 ml) de la mezcla de huevo. Enrollar. Envolver las paupiettes a lo largo con una rodaja de tocineta. Atarlas con un cordel. Adornar con una hoja de laurel. Rociar con coñac. Con un tenedor, picar las paupiettes.

- En una bandeja honda para hornear, con tapa, derretir la mantequilla. Agregar las paupiettes y la manteca de cerdo. Cocinar hasta que se doren bien.

- Incorporar los demás ingredientes. Tapar. Hornear por 45 minutos. Servir.

Medallones de Ternera con Garbanzos

4 PORCIONES

1/4 taza	(60 g)	mantequilla
1 taza	(160 g)	garbanzos, enjuagados, escurridos
1		chalote francés, picado
1		diente de ajo, picado
2 cdas	(30 ml)	perejil, picado
1 cda	(15 ml)	aceite
8		medallones de ternera de 2 oz (60 g)
		sal y pimienta
1 oz	(30 ml)	coñac o Calvados
1/2 taza	(125 ml)	crema ligera

- En una sartén, derretir la mitad de la mantequilla. Sofreír los garbanzos por unos minutos. Agregar el chalote, el ajo y la mitad del perejil. Continuar cocinando por 5 minutos, revolviendo ocasionalmente. Sacar la mezcla de la sartén. Mantenerla caliente.

- En el mismo sartén, agregar el resto de la mantequilla y el aceite. Cocinar los medallones 5-7 minutos cada lado. Sazonarlos con sal y pimienta.

- Rociarlos con coñac. Flamearlos por 30 segundos. Pasar los medallones a platos individuales. Mantenerlos calientes.

- Mezclar la crema en la grasa de la ternera. A calor bajo, cocer a fuego lento por 3 minutos.

- Ponerle la mezcla de garbanzos a los medallones. Bañarlos con salsa. Espolvorear con el resto del perejil picado. Servir.

Escalopes de Ternera con Calabacita

4 PORCIONES

4		escalopes de ternera de 4 oz (115 g)
1/4 taza	(28 g)	harina de trigo integral
2 cdas	(30 ml)	aceite de oliva
		sal y pimienta
1 cda	(15 g)	mantequilla
1 taza	(160 g)	calabacita, en tiras finas
2 cdas	(30 ml)	jugo de limón
1/3 taza	(80 ml)	vino blanco seco

- Precalentar el horno a 350 °F (175 °C).

- Espolvorear los escalopes con harina.

- En una sartén, calentar el aceite. Soasar los escalopes a ambos lados. Sazonarlos al gusto con sal y pimienta. Pasar los escalopes a una bandeja para hornear. Hornear por 10 minutos o hasta que la ternera se ablande.

- En la misma sartén, derretir la mantequilla. Revolviendo, cocinar la calabacita. En cuanto la calabacita cambie de color, rociarla con jugo de limón y vino; mezclar bien. Continuar cocinando por 2 minutos.

- Pasar los escalopes a platos individuales. Cubrirlos con la mezcla de calabacita. Servir.

Con las manecillas del reloj, de arriba a la izquierda:
Paupiettes de Ternera,
Escalopes de Ternera con Calabacita,
Tournedos de Ternera en Salsa de Camarones

TERNERA **151**

Franjas de Ternera
con Champiñones

6 PORCIONES	
¹/2 taza	(57 g) harina
2 lbs	(900 g) ternera, cortada en franjas
2 cdas	(30 g) mantequilla
2	zanahorias, en rodajas redondas
2	tallos de apio, en rodajas
10 oz	(284 ml) ejotes cortados, de lata, escurridos
3 cdas	(45 ml) salsa de soya
2 tazas	(500 ml) caldo de carne
	sal y pimienta

- Precalentar el horno a 350 °F (175 °C).

- Poner aparte 1 cda (7 g) de harina para la salsa. Espolvorear las franjas con el resto.

- En una sartén, derretir la mantequilla. Soasar las franjas por todos lados. Sacarlas de la sartén. Pasarlas a una bandeja para hornear con tapa.

- Espolvorear la grasa de la ternera con la harina reservada; mezclar bien. Agregar las verduras, la salsa de soya y el caldo. Sazonar al gusto con sal y pimienta . Mezclar otra vez.

- Poner la salsa a las franjas. Tapar. Hornear por 1 hora, revolviendo ocasionalmente. Si se necesita, agregar ¹/2 taza (125 ml) de caldo durante la cocción. Servir en una cama de arroz, si se desea.

La receta se muestra arriba

Ternera Volteada
con Tomate

2 PORCIONES	
2 cdtas	(10 ml) aceite de oliva
1 taza	(250 g) cebollas, picadas
1 taza	(160 g) champiñones, picados fino
1	diente de ajo, picado
10 oz	(280 g) ternera, cortada en franjas
2 tazas	(500 ml) tomates de lata, escurridos
2 cdas	(30 ml) vinagre de vino
1 cda	(15 ml) mostaza de Dijon
	sal y pimienta
	perejil, picado

- En una sartén grande no adhesiva, calentar el aceite. Cocinar las cebollas, los champiñones y el ajo por unos 5 minutos.

- Agregar las franjas. Soasarlas por 5 minutos.

- Incorporar los demás ingredientes. Sazonar al gusto con sal y pimienta. A calor bajo, cocer a fuego lento por unos 10 minutos.

- Con una cuchara, poner la ternera y las verduras sobre una cama de arroz silvestre, si se desea. Adornar con perejil. Servir.

Fricassée de Ternera

4 PORCIONES	
¹/₄ taza	(28 g) harina
1 cdta	(5 g) sal
¹/₄ cdta	(1 g) pimienta
¹/₂ cdta	(2 g) paprika
1 lb	(450 g) ternera, cortada en franjas
1 taza	(250 ml) agua
1 cda	(15 ml) salsa inglesa
2 cdas	(30 ml) ketchup
2	zanahorias medianas, en rodajas
1	puerro, picado fino
1	papa, pelada, picada grueso
2	cebollas pequeñas, picadas
¹/₂ taza	(80 g) chícharos congelados

- En un plato, mezclar la harina, la sal, la pimienta y la paprika. Espolvorear las franjas con la mezcla.

- En una bandeja honda con tapa, colocar las franjas de ternera. Agregar el agua, la salsa inglesa y el ketchup. Tapar. A calor bajo, cocer a fuego lento por 30 minutos o hasta que la ternera se ablande.

- Agregar las verduras, menos los chícharos. Continuar cocinando 30 minutos o hasta que las verduras se ablanden.

- Incorporar los chícharos. Cocer a fuego lento hasta que los chícharos estén cocidos. Servir.

Fettucine de Ternera

4 PORCIONES	
12 oz	(350 g) fettucine
12 oz	(350 g) ternera, picada fino (como para fondue chino)
2 cdas	(30 ml) aceite vegetal
1	cebolla, picada
1	diente de ajo, picado
1	pimiento dulce verde, picado fino
1	pimiento dulce rojo, picado fino
¹/₂ taza	(125 ml) caldo de carne
	sal y pimienta

- En una cacerola con agua hirviendo ligeramente salada, cocinar el fettucine.

- Mientras tanto, en una sartén con tapa, calentar el aceite. Soasar las rodajas de ternera. Sacarlas de la sartén. Ponerlas aparte.

- En la grasa de la ternera, freír la cebolla, el ajo y el pimiento dulce. Tapar. A calor bajo, cocinar hasta que las verduras estén blandas por fuera y crujientes por dentro.

- Mezclar la ternera y el caldo de carne. Sazonar al gusto con sal y pimienta. Cocer a fuego lento por 2 minutos.

- Escurrir el fettucine. Con una cuchara, poner la mezcla de ternera sobre una cama de fettucine. Servir.

Marengo de Ternera

6 PORCIONES	
3 cdas	(45 ml) aceite
3 lbs	(1,4 kg) ternera, en cubos
2 cdas	(14 g) harina de trigo
1 taza	(250 ml) caldo de carne
7 1/2 oz	(213 ml) salsa de tomate picante de lata
1/2 cdta	(2 g) sal
1/4 cdta	(1 g) pimienta
1/2 cdta	(2 ml) tomillo
1 taza	(250 g) cebollas, en cubitos
2	dientes de ajo, picados fino
1 cda	(15 ml) perejil, picado
1	hoja de laurel
8 oz	(225 g) champiñones, en rodajas

■ En un horno de microondas, precalentar un plato de hornear por 7 minutos, en ALTO. En esa misma temperatura, calentar el aceite por 30 segundos. Soasar los cubos de ternera. Espolvorearlos con harina; mezclar bien. Incorporar el caldo y la salsa de tomate. Cocinar 3-4 minutos, en ALTO. Revolver una vez.

■ Agregar los demás ingredientes, menos los champiñones. Tapar. Cocinar 1 hora, en MEDIO-ALTO. Revolver una vez cuando esté a medio cocinar.

■ Sacar del horno. Revolver. Incorporar los champiñones. Tapar. Continuar cocinando por 8-10 minutos o hasta que la ternera esté cocida. Dejar reposar por 5 minutos. Servir.

Pastel del Pastor de Ternera

4 PORCIONES	
	jugo de 1 limón
8 oz	(225 g) champiñones, en rodajas
1 cda	(15 g) mantequilla
3 tazas	(750 g) ternera cocida, en cubitos
10 oz	(284 ml) sopa de crema de pollo, de lata
	sal y pimienta
2 tazas	(320 g) puré de papas
1/4 taza	(40 g) queso, rallado
2 cdas	(14 g) miga de pan

■ Precalentar el horno a 425 °F (220 °C).

■ En un tazón pequeño, rociar los champiñones con jugo de limón.

■ En una sartén, derretir la mantequilla. Sofreír los champiñones. Agregar los cubitos de ternera y la crema de pollo. Sazonar al gusto con sal y pimienta. Revolviendo, continuar cocinando por algunos minutos.

■ En una bandeja para hornear con tapa, y enmantequillada, poner la mezcla de ternera. Cubrir con el puré de papas. Espolvorear con el queso rallado y la miga de pan. Hornear por 20 minutos. Servir.

Guiso de Ternera con Cebollas y Champiñones

6-8 PORCIONES

3 lbs	(1,4 kg) ternera, en cubos
1	cebolla, picada fino
2	zanahorias, en cubitos
1	ramito de hierbas
	sal y pimienta , al gusto
3 cdas	(45 g) mantequilla
1 lb	(450 g) champiñones, picados fino
1/2 lb	(225 g) cebollitas de perla
2 cdas	(14 g) harina
1	yema de huevo
1 taza	(250 ml) crema ligera

- En una cacerola con agua hirviendo ligeramente salada, cocer los cubos de ternera por 5 minutos. Escurrirlos. Enjuagarlos. Regresarlos a la cacerola. Cubrir con agua fría. Llevar a ebullición. Eliminar la grasa flotante.

- Agregar la cebolla, las zanahorias y los condimentos. A calor bajo, cocer a fuego lento por 1 hora.

- Sacar los cubos de la cacerola. Separar la ternera y los jugos de cocción, y ponerlos aparte.

- En una sartén, derretir 1 cda (15 g) de mantequilla. Sofreír los champiñones y las cebollas. Poner aparte.

- En la misma sartén, derretir el resto de la mantequilla. Espolvorearla con harina; mezclar bien. Incorporar lentamente los jugos de cocción. Agregar la yema de huevo y la crema. Con un batidor, revolver hasta que la salsa se espese.

- Colocar los cubos en la salsa. Agregar las verduras sofritas. Cocer a fuego lento por 5 minutos. Servir.

La receta se muestra arriba

VARIACIONES
- Reemplazar las zanahorias con flores de coliflor o de brócoli, como se muestra arriba.

- Agregar al líquido de cocción, 3 cdas (45 ml) de pasta de tomate.

Albóndigas de Ternera

6 PORCIONES	
2 lbs	(900 g) ternera molida
3	huevos
3	dientes de ajo, picados
1/2 taza	(80 g) arroz instantáneo
	sal y pimienta, al gusto
1/2 taza	(57 g) miga de pan
4 tazas	(1 L) ginger ale
1 1/2 taza	(375 ml) salsa de chile

• En un tazón, mezclar los primeros 6 ingredientes. Con las manos humedecidas, hacer 30 albóndigas. Ponerlas aparte.

• En una cacerola, combinar la ginger ale y la salsa de chile. Colocar las albóndigas en la salsa. A calor moderado, cocinar por unas 2 horas.

• Servir con fideos o papas, si se desea.

Tortitas de Ternera en Vino Blanco

4 PORCIONES	
2 lbs	(900 g) ternera molida
1	huevo
2 cdas	(30 g) cebolla, picada
2 cdas	(20 g) alcaparras, picadas
1 cda	(15 ml) perejil, picado
1 cda	(15 ml) salsa inglesa
1/2 cdta	(2 g) sal
	pizca de pimienta
1/2 cdta	(2 ml) salvia
2 cdtas	(10 ml) aceite de oliva
2 cdtas	(10 g) mantequilla
1 taza	(160 g) champiñones, en cuartos
2 cdas	(30 g) chalotes, picados
2 cdas	(30 ml) vino blanco seco

• En un tazón, mezclar los primeros 9 ingredientes. Con las manos humedecidas, hacer 8 tortitas. Ponerlas aparte.

• En una sartén, calentar el aceite y derretir la mantequilla. Dorar ligeramente las tortitas. Sacarlas de la sartén. Ponerlas aparte.

• En la grasa de la ternera, cocinar ligeramente los cuartos de champiñones y los chalotes. Deglacear con el vino blanco. Llevar a ebullición. Reducir la temperatura. Colocar las tortitas en una sartén. Cocer a fuego lento por 2-3 minutos. Servir.

Chile con Ternera en Hojaldre

2 PORCIONES	
1 cdta	(5 ml) aceite vegetal
1/2 taza	(125 g) cebollas, picadas fino
1/2 taza	(125 g) pimiento dulce verde, picado fino
2	dientes de ajo, picados
10 oz	(280 g) ternera molida
1 cdta	(5 g) chile en polvo
1/2 cdta	(2 ml) orégano
	pizca de sal
	unas gotas de salsa Tabasco
1/4 taza	(60 ml) frijoles rojos de lata, escurridos
1/2 taza	(125 ml) tomates de lata, machacados, escurridos
2 cdas	(30 ml) pasta de tomate
2	volovanes, comerciales

- En una sartén, calentar el aceite. Sofreír las cebollas, el pimiento y el ajo por 5 minutos. Agregar la ternera. Sazonar. Revolviendo, cocinar 3 minutos o hasta que la carne se dore por todos lados.

- Incorporar los frijoles, los tomates y la pasta de tomate. Cocer a fuego lento por 10 minutos, revolviendo ocasionalmente.

- Dividir la mezcla de ternera en los volovanes. Servir.

La receta se muestra arriba

Lonja de Ternera

6 PORCIONES	
1 cdta	(5 ml) manteca vegetal
2	huevos cocidos duros, en rodajas
1 lb	(450 g) ternera cocida, en franjas
8 oz	(225 g) jamón cocido, cortado en franjas
3	chalotes, picados
	sal y pimienta, al gusto
1/4 cdta	(1 g) nuez moscada
	pizca de pimienta de Cayena
1 cda	(15 g) gelatina sin sabor
1/4 taza	(60 ml) agua fría
1 1/2 taza	(375 ml) caldo de pollo
1/4 cdta	(1 ml) salsa Tabasco

- Enjuagar un molde de pan con agua fría corriente. Engrasarlo con un poco de manteca vegetal. Colocar unas rodajas de huevo en el fondo. Cubrir con las franjas de ternera, las franjas de jamón y los chalotes. Sazonar. Repetir los 3 pasos anteriores hasta que se usen todos los ingredientes.

- Poner la gelatina a espumar en agua fría.

- En una cacerola, combinar el caldo de pollo y la salsa Tabasco. Calentar bien. Incorporar la gelatina. Ponerle el caldo a la carne. Hacer cortes con un cuchillo para que el líquido penetre hasta el fondo del molde. Refrigerar por 12 horas.

- Sacar del molde. Servir adornado con perejil, tiras de pimiento y rodajas de tomate, si se desea.

Riñones de Ternera con Arándanos

4 PORCIONES	
1 lb	(450 g) riñones de ternera, limpios, cortados en lóbulos
¹/₄ taza	(28 g) harina de trigo integral
3 cdas	(45 ml) aceite vegetal
1 taza	(250 g) arándanos frescos o congelados
2 cdas	(30 ml) vinagre de frambuesa
	sal y pimienta
¹/₃ taza	(80 ml) caldo de carne
¹/₃ taza	(80 ml) caldo de pollo

- Precalentar el horno a 400 °F (205 °C).

- Espolvorear los riñones con la harina.

- En una sartén para hornear, a alta temperatura, calentar el aceite. Soasar los riñones por 5 minutos, revolviendo ocasionalmente. Mezclar los arándanos. Rociar con el vinagre de frambuesa. Cocinar por 1 minuto. Sazonar al gusto con sal y pimienta.

- Poner los dos caldos en la sartén. Llevar a ebullición. Hornear por 10 minutos o hasta que los riñones se ablanden. Servir.

Mollejas de Ternera Meunière

3-4 PORCIONES	
4 tazas	(1 L) agua caliente
1 lb	(450 g) mollejas de ternera, limpias
¹/₂ cdta	(2 g) sal
3 cdas	(45 ml) jugo de limón
¹/₄ cdta	(1 g) jengibre molido
¹/₂ taza	(125 g) mantequilla
¹/₃ taza	(37 g) miga de pan
	perejil, picado

- Precalentar el horno en ASAR.

- En una bandeja honda, llevar a ebullición el agua, las mollejas, la sal, 1 cda (15 ml) de jugo de limón y el jengibre. Tapar. A calor bajo, cocer a fuego lento por 20 minutos.

- Escurrir las mollejas. Sumergirlas en un tazón de agua muy fría. Quitarles los filamentos, venas y tejido conectivo. Cortarlas por la mitad, a lo largo.

- En una cacerola pequeña, derretir la mantequilla. Ponérsela a las mollejas. Espolvorearlas con miga de pan. Poner aparte el resto de la mantequilla derretida.

- Pasar las mollejas a una bandeja de asar con parrilla. Dorarlas en el horno 4-5 minutos por cada lado.

- Poner las mollejas en una fuente de servir caliente.

- En la misma cacerola, combinar la mantequilla y el resto del jugo de limón. Con una cuchara, ponerle a las mollejas. Adornar con perejil. Servir.

VARIACIONES

- Servir en una cama de arroz o puré de papas.

Lengua de Ternera Asada

2 PORCIONES	
2 cdas	(30 g) grasa sólida de cerdo, en cubitos
1	cebolla pequeña, picada fino
2 cdas	(30 g) mantequilla
2 cdas	(14 g) harina
1 taza	(250 ml) caldo de carne
4	rodajas de lengua cocida de 2 oz (60 g)
	sal y pimienta
2 tazas	(320 g) puré de papas, caliente

• En una bandeja honda pequeña, dorar ligeramente la grasa y la cebolla. Incorporar la mantequilla y la harina. Poner el caldo en la mezcla. Cocer a fuego lento por algunos minutos.

• Agregar las rodajas de lengua. Sazonar al gusto con sal y pimienta. Continuar cocinando por 10 minutos.

• Mientras tanto, batir el puré de papas hasta que esté esponjoso. Poner una corona de puré de papas en una fuente de servir.

• Poner una pila de rodajas de lengua en el centro de la corona de puré de papas. Servir.

VARIACIÓN
• Servir con una ensalada de tomates o champiñones sofritos en mantequilla.

Hígado de Ternera con Tocineta

6 PORCIONES	
4 tazas	(1 L) agua
1 cda	(15 ml) vinagre
12	rodajas de hígado de ternera de 3 oz (96 g)
¼ taza	(28 g) harina
	sal y pimienta, al gusto
12	rodajas de tocineta

• Combinar el agua y el vinagre. Poner en remojo las rodajas de hígado. Sacarlas. Escurrirlas bien.

• En un tazón, mezclar la harina, la sal y la pimienta . Espolvorear las rodajas de hígado con la harina sazonada. Ponerlas aparte.

• En una sartén, cocinar la tocineta. Sacarla. Mantenerla caliente.

• En la grasa de la tocineta, soasar las rodajas de hígado, 3-4 minutos cada lado

• Pasar las rodajas de hígado a una fuente de servir. Adornarlas con tocineta. Servir.

¿**P**or qué reservar el cordero solamente para ocasiones especiales? Esta carne tiene un sabor distintivo que se puede usar en un millar de recetas, como usted verá en la variedad de platos de este capítulo.

El cordero marinado es delicioso, principalmente el Cordero Asado con Jengibre (p. 162): preparado de esta manera contiene poca grasa, especialmente cuando se le cocina al horno y a la parrilla.

Las recetas de esta sección ilustran que el cordero es una carne deliciosa y versátil, apropiada para toda clase de comidas.

CORDERO

Cordero Asado con Jengibre

6-8 PORCIONES	
2 cdas	(30 g) jengibre fresco, picado fino
1 cda	(15 g) ralladura de limón
3	dientes de ajo, picados fino
1 cdta	(5 ml) tomillo seco
1/4 taza	(28 g) harina
	sal y pimienta
1/3 taza	(80 ml) jugo de limón fresco
1	pierna de cordero de 4 1/2 lbs (2 kg)
3/4 taza	(180 ml) vino blanco seco o agua
1 cda	(7 g) maicena
2 cdas	(30 ml) agua fría

• Precalentar el horno a 450 °F (230 °C).

• En un tazón pequeño, hacer una pasta con los primeros 7 ingredientes . Ponerla aparte. Cortar la grasa exterior de la pierna y dejar sólo una capa fina. Hacer cortes a lo largo, de 1/2 pulg (1 cm) de profundidad.

• Untar la pierna con la mezcla de jengibre, asegurándose que la pasta penetre en los cortes. Tapar. Refrigerar por lo menos 3 horas o por toda la noche.

• Pasar el cordero a una bandeja de hornear. Ponerle el vino. Hornear por unos 75 minutos o hasta que la temperatura interna de la carne llegue, de acuerdo al termómetro de carne a 130 °F (54 °C) para rojo — o 140 °F (60 °C) para bien cocido. Bañar a menudo durante la cocción. Agregar agua, si se necesita.

• Sacar el cordero del horno. Dejarlo reposar por 15 minutos bajo papel de aluminio. Cortar rodajas finas. Mantenerlas calientes.

• Sacar la grasa de los jugos de cocción. Si se necesita, agregar vino o agua. Llevar a ebullición, mientras se raspa el fondo de la bandeja.

• Mientras tanto, diluir la maicena en el agua fría. Incorporarla en los jugos de cocción. Revolviendo, cocinar hasta que la salsa se espese. Con una cuchara, ponérsela a las rodajas de cordero. Servir.

La receta se muestra arriba

Pierna de Cordero Rellena

6-8 PORCIONES	
2 cdas	(30 ml) aceite
2 lbs	(900 g) hígado de ternera
2	cebollas, picadas
1/4 taza	(60 ml) perejil, picado
2	hojas de menta, picadas fino
2 tazas	(500 g) arroz cocido
1 taza	(250 ml) salsa de manzana
1/2 taza	(125 ml) salsa de tomate
1	pierna de cordero de 4 1/2 lbs (2 kg)
	grasa de lomo de cerdo o tocineta

• Precalentar el horno a 325 °F (160 °C).

(continúa en la siguiente página)

Pierna de Cordero con Sidra Seca

- En una sartén, calentar el aceite. Cocinar el hígado.

- En un triturador de carne, picar el hígado, las cebollas, el perejil y la menta.

- En un tazón, combinar el hígado picado, el arroz, las salsas de manzana y de tomates. Mezclar los condimentos.

- Rellenar la pierna con la mezcla de hígado. Cubrirla con grasa o tocineta. Atarla con un cordel.

- Pasar la pierna a una bandeja de hornear. Hornear destapado, 30 minutos por cada 1 lb (450 g) de carne. Bañarla con frecuencia.

- Pasar la pierna rellena a una fuente de servir caliente. Rodearla con un adorno de jalea de menta o gajos de naranja, si se desea. Servir.

La receta se muestra arriba a la derecha

8 PORCIONES	
1	pierna de cordero de 5 lbs (2,2 kg)
1-2	dientes de ajo, picados grueso

Salsa de Marinar

2 tazas	(500 ml) sidra seca
1/2 taza	(125 g) chalotes, picados
2 cdtas	(10 ml) perejil, picado
1/4 cdta	(1 ml) orégano
1 cdta	(5 g) sal
1/2 cdta	(2 g) pimienta
1 cda	(15 ml) manteca vegetal
1 oz	(30 ml) Calvados (opcional)
2 cdas	(30 ml) mostaza picante
2 cdas	(30 g) mantequilla, ablandada
2 cdas	(14 g) harina

- Precalentar el horno a 325 °F (160 °C).

- Limpiar la pierna de cordero. Hacerle cortes a lo largo. Insertar trocitos de ajo en los cortes.

- En un tazón pequeño, mezclar los ingredientes de la salsa de marinar. Ponérsela al cordero. Marinar en el refrigerador por 3 horas. Escurrir la carne, reservando la salsa de marinar.

- En una bandeja honda, derretir la manteca vegetal. Soasar el cordero por todos lados. Agregar el Calvados. Flamear. Rociar con un poco de la salsa de marinar.

- Hornear, 20 minutos por cada 1 lb (450 g) para rojo — 25 minutos para bien cocido. Bañar la carne con la salsa frecuentemente.

- Sacar el cordero del horno. Mantenerlo caliente. Poner la bandeja a alta temperatura. Desengrasar los jugos de cocción. Agregarles la mostaza y el resto de la salsa de marinar. Reducir la temperatura.

- En un tazón pequeño, combinar la mantequilla ablandada y la harina. Incorporarlas en la salsa de marinar. Con una cuchara, ponérsela a la pierna de cordero. Servir.

La receta se muestra arriba a la izquierda

Deshuesado de un Lomo de Cordero

- Con un cuchillo, cortar la grasa lo más que se pueda.

- Extender el lomo lo más horizontal que se pueda, con el lado de la grasa hacia abajo. Deslizar el cuchillo entre la carne y el hueso.

- Presionar hacia abajo siguiendo el hueso.

- Cuando se desprenda el hueso de un lado, doblar esa carne para tener libre el otro lado.

- Continuar cortando a lo largo del hueso hasta que la carne se desprenda totalmente, como se muestra arriba. Enrollar la carne, atarla con un cordel y cocinarla, o rellenarla antes de enrollarla, como se muestra abajo.

Rollitos de Cordero con Berro

4 PORCIONES		

Relleno

1 taza	(160 g) berro, picado	
1	huevo, batido	
3 cdas	(30 g) queso Parmesano, rallado	
	sal y pimienta	
2	lomitos de cordero, deshuesados según la técnica de al lado	
3 cdas	(45 ml) aceite de cacahuate	
3 cdas	(45 g) cebolla, picada	
3 cdas	(21 g) harina	
1 taza	(250 ml) caldo de cordero o de res	

- Precalentar el horno a 350 °F (175 °C).

- En un tazón pequeño, mezclar los ingredientes del relleno.

- Cubrir cada lomo con la mitad del relleno. Enrollarlos apretado. Atarlos con un cordel.

- En una sartén, calentar el aceite. Dorar ligeramente la carne por todos lados. Agregar la cebolla. Sazonar con sal y pimienta. Cocinar por 1 minuto.

- Pasar el cordero a una bandeja para hornear. Hornear por 12 minutos.

- Mientras tanto, incorporar la harina en la grasa del cordero; revolver hasta tener una mezcla homogénea. Revolviendo, agregar el caldo en 2 pasos. Reducir el líquido a la mitad. Ponerlo aparte.

- Partir la carne en 10 rodetes. Colocarlos en una fuente de servir. Bañarlos con salsa. Servir.

Costillas con Estragón

2 PORCIONES	
2 cdas	(30 ml) aceite
1	costillar de cordero, preparado
1/2 taza	(125 ml) vino blanco semidulce, caliente
1	diente de ajo, machacado
1/2 cdta	(2 ml) estragón
	sal y pimienta
1/2 taza	(125 ml) crema espesa
2 cdas	(20 g) alcaparras

- Precalentar el horno a 400 °F (205 °C).

- En una sartén, calentar el aceite. Dorar el cordero por todos lados.

- Pasarlo a una bandeja para hornear. Poner el vino. Agregar el ajo y el estragón. Sazonar con sal y pimienta . Hornear por 10 minutos.

- Sacar el cordero del horno. Bañarlo con crema. Espolvorearlo con las alcaparras. Hornear por 20 minutos. Servir.

VARIACIONES
- Servir con ejotes y puré de papas, o con berenjena frita.

Sorpresa de Costillas

4 PORCIONES	
1	diente de ajo, picado
3 cdas	(21 g) miga de pan
1 cda	(15 g) paprika
1 cda	(10 g) avellanas, machacadas
1 cda	(15 ml) perejil, picado
1 cda	(10 g) menta, picada
2	costillares de cordero, preparados
	trozos de mantequilla
	sal y pimienta
1 cda	(15 ml) aceite

- Precalentar el horno a 450 °F (230 °C).

- En un tazón pequeño, combinar el ajo, la miga de pan, la paprika, las avellanas, el perejil y la menta. Poner aparte.

- Poner en el lado con grasa del cordero la mitad de la mezcla de miga de pan. Ponerle encima trocitos de mantequilla.

- En una sartén, calentar el aceite. Soasar el cordero por todas partes.

- Pasar el cordero a una bandeja para hornear. Sazonarlo con sal y pimienta . Hornear por 15 minutos. Darle vuelta una vez durante la cocción.

- Sacar el cordero del horno. Ponerle la otra mitad de la mezcla de miga de pan. Hornearlo por 5 minutos. Servir.

Chuletas en Hojaldre

¹/₂ lb	(225 g) pasta escamosa *(p. 335)*
2 cdas	(30 g) mantequilla
3	chalotes, picados fino
¹/2 taza	(125 ml) champiñones en rodajas, de lata, escurridos
2	rodajas de jamón, en franjas finas
1 cdta	(5 ml) pasta de tomate
	sal y pimienta
4	chuletas de cordero, limpias
¹/₂ oz	(15 ml) coñac, caliente
1	huevo, batido

▪ Precalentar el horno a 400 °F (205 °C).

▪ Pasarle el rodillo a la masa de pastel. Cortarla en 4 cuadrados. Ponerlos aparte.

▪ En una sartén, derretir la mitad de la mantequilla. Cocinar ligeramente los chalotes, los champiñones y el jamón. Mezclar la pasta de tomate, la sal y la pimienta. Poner aparte.

▪ En una sartén, derretir el resto de la mantequilla. Soasar las chuletas a ambos lados. Rociarlas con coñac. Flamearlas.

▪ Colocar cada chuleta en un cuadrado de pastel. Ponerles encima el relleno de jamón. Sellar el pastel, dejar destapadas las puntas de los huesos. Untar con el huevo batido. Hornear por 12 minutos o hasta que el pastel se dore bien. Servir.

Decoración
▪ Adornar las puntas de los huesos con cintas de papel.

Chuletas en Papel de Aluminio

3	papas, al vapor con cáscara
3	dientes de ajo, picados
2 cdas	(30 ml) albahaca
2 cdas	(30 ml) perejil fresco, picado
	sal y pimienta
1 cdta	(5 ml) aceite
1 cdta	(5 g) mantequilla
6	chuletas de cordero
2	cebollas, picadas fino

▪ Precalentar el horno a 400 °F (205 °C).

▪ Pelar las papas. Cortarlas en rodajas redondas. Ponerlas aparte.

▪ Cortar 3 cuadrados grandes de papel de aluminio. Untarlos con un poco de mantequilla. Ponerlos aparte.

▪ En un tazón pequeño, mezclar el ajo, las hierbas, la sal y la pimienta.

▪ En una sartén no adhesiva, calentar el aceite y derretir la mantequilla. Dorar ligeramente las chuletas. Ponerlas aparte.

▪ Poner capas de rodajas de papa en los cuadrados de aluminio. Colocar 2 chuletas en cada capa. Cubrirlas con rodajas de cebolla. Espolvorear con los condimentos.

▪ Cerrar el papel de aluminio, sellando cada porción. Hornear por 30 minutos. Servir.

Chuletas de Cordero Picantes

3 PORCIONES	

Salsa

5 ¹/₂ oz	(156 ml) pasta de tomate
2 cdas	(20 g) azúcar morena
³/₄ taza	(180 ml) agua
¹/₄ taza	(60 ml) vinagre
1 cdta	(5 g) sal
¹/₂ cdta	(2 g) mostaza en polvo
2 cdas	(30 ml) aceite vegetal
1	cebolla mediana, picada
1	diente de ajo, picado
1 cda	(15 ml) jugo de limón
6	chuletas de costilla de cordero, limpias

- Precalentar el horno en ASAR.

- En un tazón, mezclar los ingredientes de la salsa. Poner aparte.

- En una sartén, calentar el aceite. Dorar ligeramente la cebolla y el ajo. Mezclar la salsa y el jugo de limón. Poner aparte.

- Poner las chuletas en una lata de hornear. Colocar la lata a 4 pulg (10 cm) del elemento de calor del horno. Asar las chuletas 4-6 minutos por lado.

- Colocar las chuletas en una fuente de servir. Bañarlas con salsa. Servir.

Chuletas con Mandarina

4 PORCIONES	

1 cda	(15 ml) aceite
8	chuletas de cordero
2 cdtas	(5 g) maicena
4 cdtas	(20 ml) agua fría
1 taza	(250 ml) jugo de arándanos
1 cda	(15 g) azúcar
1 cdta	(5 g) sal
¹/2 taza	(80 g) pasas
10 oz	(284 ml) mandarinas, en gajos, de lata, escurridas

- En una sartén, calentar el aceite. Soasar las chuletas a ambos lados. Sacarlas de la sartén. Ponerlas aparte.

- Diluir la maicena en agua fría. Ponerla aparte.

- Poner el jugo de arándanos en el sartén. Agregar la maicena. A calor bajo, cocinar hasta que la salsa se espese. Sazonar con azúcar y sal. Cocinar revolviendo.

- Colocar las chuletas en la salsa. A calor bajo, cocer a fuego lento por 25 minutos. Cuando se esté a medio cocinar, agregar las pasas y las mandarinas. Terminar de cocinar. Servir.

Rollitos con Salsa de Albaricoque

4 PORCIONES

Relleno

1 taza	(160 g)	puré de camote
¹/₄ taza	(40 g)	albaricoques secos, picados
1 cda	(15 ml)	melaza
8		rodajas finas de cordero cocido

Salsa

1 ¹/₂ taza	(375 ml)	jugo de albaricoque
1 cda	(15 ml)	jugo de limón
4 cdtas	(10 g)	maicena
¹/₂ cdta	(2 g)	sal
		pizca de jengibre
¹/₂ taza	(125 g)	pasas doradas
2 cdas	(30 g)	mantequilla o margarina

- Precalentar el horno a 350 °F (175 °C).

- En un tazón pequeño, combinar los ingredientes del relleno. Dividir el relleno entre las rodajas de cordero. Enrollarlas. Sujetarlas con un palillo de dientes de madera.

- Pasar los rollitos a una lata para hornear galletas. Hornearlos por 15 minutos.

- Mientras tanto, en una cacerola, combinar los ingredientes de la salsa. A calor bajo, revolviendo, cocinar hasta que la salsa se espese. Agregar las pasas y la mantequilla. Revolver hasta que la mantequilla se derrita. Ponerle la salsa de albaricoque a los rollitos de cordero. Servir.

Filetes de Cordero con Mostaza

4 PORCIONES

Salsa

2 cdtas	(5 g)	harina
¹/₂ taza	(125 ml)	vino blanco
¹/₂ taza	(125 ml)	caldo de pollo
2 cdtas	(10 ml)	aceite de oliva
2 cdas	(30 g)	mantequilla
16		filetes de cordero
4		chalotes, picados fino
1		diente de ajo, machacado
2 cdas	(30 ml)	mostaza picante

- En un tazón, diluir la harina en el vino y el caldo. Poner aparte.

- En una sartén, calentar el aceite y derretir la mantequilla. Dorar ligeramente los filetes de cordero. Sacarlos de la sartén. Mantenerlos caliente.

- En la grasa del cordero, sofreír los chalotes y el ajo. Incorporarlos en la salsa. Revolviendo, reducir el líquido por 5 minutos.

- Colocar los filetes en la salsa. Cocer a fuego lento por 5 minutos. Pasar los filetes a una fuente de servir caliente.

- Agregar la mostaza a la salsa. A alta temperatura, cocinarla por 2 minutos, revolviendo constantemente. Ponerle salsa de mostaza a los filetes. Servir.

La receta se muestra arriba

Medallones de Cordero con Pistachos y Menta

4 PORCIONES	
2	lomos de cordero, deshuesados
3 cdas	(21 g) harina de trigo integral
3 cdas	(45 ml) aceite de oliva
¼ taza	(40 g) pistachos, sin cáscara
3 cdas	(45 ml) jalea de menta
1 taza	(250 ml) caldo de cordero o de res
	sal y pimienta
	hojas de menta fresca

■ Cortar los lomos de cordero en 4 pedazos. Macerar cada pedazo en forma de medallón. Espolvorearlo con harina.

■ Calentar el aceite. A alta temperatura, soasar los medallones 3 minutos cada lado. Reducir la temperatura. Continuar cocinando por 2 minutos.

■ Mezclar los pistachos y la jalea de menta. Incorporar en el caldo. A alta temperatura, llevar a ebullición. Reducir el líquido a la mitad. Quitar del calor. Dejar reposar por 3 minutos. Sazonar con sal y pimienta.

■ Pasar a una fuente de servir. Adornar con las hojas de menta frescas. Servir.

Medallones de Cordero a la Provenzal

4 PORCIONES	
2	lomos de cordero, deshuesados
3 cdas	(21 g) miga de pan
3 cdas	(30 g) queso Parmesano, rallado
2	dientes de ajo, picados
1 cda	(15 ml) perejil, picado
3 cdas	(45 ml) aceite de oliva
3 cdas	(45 ml) pasta de tomate
1 taza	(250 ml) caldo de cordero o de res
	sal y pimienta
	perejil fresco

■ Cortar los lomos de cordero en 4 pedazos. Macerar cada pedazo en forma de medallón.

■ Mezclar la miga de pan, el queso Parmesano, el ajo y el perejil. Espolvorear los medallones con la mezcla, apretándola para que se adhiera a la carne.

■ En una sartén, calentar el aceite. Dorar ligeramente los medallones, 2 minutos cada lado. Reducir la temperatura. Continuar cocinando por 6 minutos.

■ Mezclar la pasta de tomate. Poner el caldo de cordero o de res en la sartén. A alta temperatura, llevar a ebullición. Reducir el líquido a la mitad. Sazonar con sal y pimienta. Quitar del calor. Dejar reposar por 3 minutos. Adornar con perejil fresco. Servir.

Nota : Si no se puede conseguir base de caldo de cordero o de res, reemplazar con sopa espesada con maicena.

Guiso de Sobrantes de Cordero

4 PORCIONES

2 cdas	(30 ml) aceite
1	cebolla grande, picada
1/2 taza	(80 g) apio, picado fino
1	diente de ajo, picado
1	pimiento dulce verde, en cubitos
1	tomate, pelado, picado grueso
10 oz	(284 ml) sopa de tomate de lata
	pizca de paprika
2 tazas	(500 g) pierna de cordero, cocida, en cubitos
	sal y pimienta

- En una sartén, calentar el aceite. Dorar ligeramente la cebolla. Agregar el apio, el ajo, el pimiento dulce y el tomate. Cocinar por 5 minutos. Incorporar la sopa de tomate, la paprika y la carne. Sazonar. Continuar cocinando por 5 minutos.

- Servir en una cama de arroz o macarrones.

Casserole de Cerdo y Cordero

6-8 PORCIONES

1 1/2 lb	(675 g) papas, en rodajas
	sal y pimienta
1 lb	(450 g) espaldilla de cordero, deshuesada, en cubos
1 lb	(450 g) espaldilla de cerdo, deshuesada, en cubos
2	cebollas, en rodajas finas
2/3 taza	(80 ml) vino blanco
2 cdas	(30 g) mantequilla, en cubitos

- Precalentar el horno a 375 °F (190 °C).

- Cubrir el fondo de una bandeja honda enmantequillada con la mitad de las rodajas de papa. Sazonar con sal y pimienta. Poner capas de cubos de cordero, cubos de cerdo, y rodajas de cebolla. Poner el vino. Agregar el resto de las papas. Poner los cubitos de mantequilla. Tapar. Hornear por 75 minutos o hasta que las papas se doren bien. Servir.

Brochetas Shish-Kabobs

6-8 PORCIONES

2 lbs	(900 g) pierna o espaldilla de cordero, en cubos
1/2 taza	(125 ml) aceite vegetal
1/4 taza	(60 ml) jugo de limón
2	dientes de ajo, machacados
1/2 taza	(125 ml) perejil, picado fino
	sal y pimienta

- Precalentar el horno en ASAR.

- En un plato poco hondo, combinar todos los ingredientes. Marinar la carne por 6 horas.

- Sacar la carne de la salsa de marinar. Secarla a golpecitos. Poner los cubos en pinchos. Hornear por 8-10 minutos o hasta que la carne se dore bien. Rotar los pinchos 4 veces durante la cocción. Servir.

VARIACIÓN
- Asar a la barbacoa los shish-kabobs, sobre carbones.

Cordero con Bulgur

6 PORCIONES

3 cdas	(45 ml) aceite vegetal
1 1/2 lb	(675 g) cordero, en cubos de 2 pulg (5 cm)
1	cebolla, picada fino
3 tazas	(750 ml) agua
1 taza	(250 ml) bulgur
19 oz	(540 ml) garbanzos de lata, escurridos
1/2 cdta	(2 g) sal
1/4 cdta	(1 g) pimienta
1/4 cdta	(1 g) canela

- En una bandeja honda, calentar el aceite. Dorar ligeramente la carne y la cebolla. Agregar el agua. Llevar a ebullición. Reducir la temperatura. Cocer a fuego lento por unos 45 minutos o hasta que la carne se ablande. Agregar 1/2 taza (125 ml) de agua durante la cocción, si se necesita.

- Incorporar el bulgur, los garbanzos y los condimentos. Continuar cocinando por 15 minutos. Servir esta comida nutritiva con pepinos encurtidos o yogurt, si se desea.

Con las manecillas del reloj, de arriba a la izquieda :

Guiso de Sobrantes de Cordero, Casserole de Cerdo y Cordero, Brochetas Shish-Kabobs, Cordero con Bulgur

Guiso de Cordero con Tomates y Cebollas

4 PORCIONES

1 cda	(15 ml) aceite vegetal
1 lb	(450 g) cubos de cordero
2	cebollas, picadas
2	dientes de ajo, picados fino
3 cdas	(45 g) mantequilla
3 cdas	(21 g) harina
10 oz	(284 ml) salsa de tomate, de lata
1/3 taza	(80 ml) agua
1 cdta	(5 ml) vinagre de vino tinto
	sal y pimienta
2 cdtas	(10 ml) estragón fresco, picado fino
2 cdtas	(10 ml) perejil fresco, picado fino
2 cdtas	(10 ml) hinojo fresco, picado fino

- A alta temperatura, en una sartén, calentar el aceite. Soasar los cubos de cordero. Reducir la temperatura. A calor bajo, dorar la carne por 30 minutos. Mezclar la cebolla y el ajo. Poner aparte.

- Precalentar el horno a 375 °F (190 °C)

- En una cacerola, derretir la mantequilla. Incorporar la harina. Agregar la salsa de tomate y el agua; revolver bien. Sazonar con el vinagre, la sal, la pimienta y las hierbas. Cocer a fuego lento por 2-3 minutos.

- Pasar la carne a una bandeja para hornear. Cubrirla con salsa. Hornear por 6-7 minutos. Servir.

Calabacita Rellena con Cordero

4 PORCIONES

Relleno

3 cdas	(45 g) mantequilla
8 oz	(225 g) espaldilla de cordero, en cubitos
1	cebolla, picada fino
1/4 cdta	(1 g) canela
	sal y pimienta
1/2 taza	(125 g) piñones
8	calabacitas medianas, peladas, en mitades a lo largo
2 tazas	(500 ml) salsa de tomate

- Precalentar el horno a 325°F (160 °C)

- En una sartén, derretir la mantequilla. Dorar ligeramente la carne. Agregar el resto de los ingredientes del relleno. Cocer a fuego lento por unos 5 minutos. Poner aparte.

- Sacar la mitad de la pulpa de las calabacitas. Rellenarlas con la mitad del relleno. Colocarlas en una bandeja para hornear. Cubrirlas con salsa de tomate. Hornearlas por 40 minutos. Servir.

Cordero al Curry

8 PORCIONES	
19 oz	(540 ml) tomates de lata, picados, escurridos
2	cebollas, picadas
3	dientes de ajo, picados
¹/₄ taza	(60 ml) aceite
2 ¹/₂ lbs	(1,2 kg) cubos de cordero
1 cdta	(5 g) jengibre
¹/₂ cdta	(2 g) semillas de cilantro
	pizca de tomillo, picado
2	hojas de laurel
¹/₄ cdta	(1 g) pimientos rojos machacados
¹/₈ cdta	(0,5 g) clavo de olor
¹/₄ cdta	(1 ml) comino molido
1 cdta	(5 g) paprika
1 cdta	(5 ml) cúrcuma
	sal
1 ¹/₃ taza	(330 ml) agua
2 ¹/₂ cdtas	(12 ml) cilantro fresco

- En una bandeja honda, combinar los tomates, las cebollas, el ajo y el aceite. A calor bajo, cocinar por 10 minutos.

- Agregar los cubos de cordero y los condimentos. Poner el agua. Tapar. Cocer a fuego lento por 1 hora. Agregar el cilantro. Cocer a fuego lento por 10 minutos. Servir en una cama de arroz blanco con sabor a canela.

La receta se muestra arriba

Quiche de Cordero

4 PORCIONES	
2 cdas	(30 g) mantequilla
1	cebolla grande, picada
¹/₂ taza	(125 g) champiñones, en rodajas
¹/₄ cdta	(1 g) mostaza en polvo
1	corteza de pastel de 9 pulg (23 cm) *(p. 334)*
1 ¹/₂ taza	(375 g) cordero, cocido, en cubitos
¹/₂ taza	(80 g) queso Parmesano, rallado
8 oz	(225 g) queso crema, ablandado
1 taza	(250 ml) leche
3	huevos, batidos
1 cdta	(5 g) sal
¹/₄ cdta	(1 g) pimienta
¹/₈ cdta	(0,5 g) nuez moscada molida
4	tomates, en rodajas

- Precalentar el horno a 400 °F (205 °C)

- En una sartén, derretir la mantequilla. Cocinar ligeramente la cebolla, los champiñones y la mostaza. Ponerlos aparte.

- Colocar la carne en la corteza de pastel. Poner aparte.

- En un tazón, mezclar los dos quesos. Agregar la leche, los huevos, la sal, la pimienta y la nuez moscada. Incorporar la cebolla y los champiñones en la mezcla. Ponerla con cuidado en la corteza de pastel. Cubrir con las rodajas de tomate. Hornear por 10 minutos. Bajar la temperatura del horno a 350 °F (175 °C). Continuar horneando por 25 minutos. Sacar el quiche del horno. Servir.

Albóndigas de Primavera

4 PORCIONES

1 lb	(450 g) cordero molido
2	huevos, batidos
4 oz	(115 g) queso Gruyère o Cheddar
1	rodaja de pan, desmenuzada
1 cdta	(5 g) sal
1/2 cdta	(2 g) pimienta
	miga de pan
1 cda	(15 g) mantequilla

▪ En un tazón, mezclar el cordero molido, 1 huevo, el queso, la miga de pan, la sal y la pimienta. Hacer 32 albóndigas pequeñas.

▪ Sumergir las albóndigas en el resto del huevo batido. Espolvorearlas con miga de pan.

▪ En una sartén, derretir la mantequilla. Dorar las albóndigas. Servirlas con una ensalada, si se desea.

Albóndigas de Cordero con Limón

6 PORCIONES

1 1/2 lb	(675 g) cordero magro molido
1/2 taza	(57 g) galletas sin sal, desmenuzadas
1	huevo entero
1 cdta	(5 ml) albahaca seca
2 tazas	(500 ml) agua
2	cubos de caldo de carne
1 cda	(7 g) maicena
2 cdas	(30 ml) agua fría
3 cdas	(45 ml) jugo de limón

▪ En un tazón, mezclar el cordero molido, las migas de galleta, el huevo, la sal, la pimienta y la albahaca. Hacer albóndigas de 1 pulg (2,5 cm). Ponerlas aparte.

▪ En una bandeja honda, hervir el agua. Disolver los cubos de caldo de carne. Agregar las albóndigas. Cocinar por 15 minutos. Sacar las albóndigas. Mantenerlas calientes.

▪ Mientras tanto, diluir la maicena en agua fría. Agregarla al caldo de cordero. Llevar a ebullición. Cocinar por 5 minutos. Incorporar el jugo de limón. Ponerle la salsa a las albóndigas. Servir.

Tortitas de Cordero

6-8 PORCIONES

1 1/4 taza	(145 g) miga de pan
1 taza	(250 ml) leche
2	huevos, batidos
2 lbs	(900 g) cordero molido
	sal y pimienta
6-8	rodajas de tocineta
1 cda	(15 g) mantequilla
6-8	rodajas de piña
1 1/2 taza	(240 g) champiñones, en cuartos
1 cda	(15 ml) perejil, picado

▪ En un tazón, remojar el pan en la leche. Mezclarle los huevos, el cordero, la sal y la pimienta. Refrigerar por 1 hora.

▪ Hacer 6-8 tortitas. Envolver cada una con una rodaja de tocineta. Sujetarlas con un palillo de dientes.

▪ En una sartén no adhesiva, dorar las tortitas por unos 5 minutos a ambos lados. Mantenerlas calientes.

▪ Mientras tanto, en una sartén, derretir la mantequilla. Freír las rodajas de piña y los champiñones hasta que se doren bonito.

▪ Colocar la piña y las tortitas de cordero en una fuente de servir. Adornar con champiñones. Espolvorear con perejil. Servir.

Lonja de Cordero

6 PORCIONES

1 1/2 lb	(675 g) cordero molido
3/4 taza	(120 g) queso, rallado
1	cebolla, picada
3 cdas	(45 ml) ketchup
2 cdtas	(10 ml) salsa inglesa
	sal y pimienta
1	huevo, ligeramente batido
1 lb	(450 g) tocineta

▪ Precalentar el horno a 350 °F (175 °C)

▪ En un tazón, mezclar todos los ingredientes, menos la tocineta. Poner aparte.

▪ Cubrir un molde con rodajas de tocineta, de forma tal que la tocineta sobrepase el borde. Poner la mezcla de cordero en el molde. Doblar la tocineta sobre la carne, cubriéndola totalmente. Hornear por 1 hora. Servir.

Con las manecillas del reloj, de arriba a la izquierda :
Albóndigas de Cordero de Primavera, Lonja de Cordero, Albóndigas de Cordero con Limón

Ya sea en forma de asado, de costillas, o de filete, la carne de cerdo se prepara fácilmente y siempre es un éxito. ¿Sabía usted que los avances en la industria porcina nos permiten obtener carne de cerdo más magra? Además, la grasa de cerdo es fácil de quitar, ya que se localiza principalmente alrededor de la piel.

La carne de cerdo es una fuente excelente de proteína y tiamina.

En este capítulo presentamos recetas como el Cerdo Volteado con Mandarinas (p. 186) y el Cerdo en Salsa de Albaricoque (p. 178).

No se preocupe, pruebe las deliciosas recetas con carne de cerdo que se le ofrecen en esta sección.

CERDO

Cerdo Asado en Salsa de Albaricoque

6 PORCIONES	
3 lbs	(1,4 kg) cerdo para asar, deshuesado, enrollado
8 oz	(227 ml) albaricoques de lata, escurridos, picados (reservar el jugo)
1 ¼ taza	(300 ml) agua
2 ½ cdas	(38 ml) melaza
1 cdta	(5 g) mostaza en polvo
1 cdta	(5 g) sal
¼ cdta	(1 g) pimienta
2 cdas	(14 g) maicena
1 taza	(250 ml) caldo de pollo
1 cda	(15 ml) vinagre

- Precalentar el horno a 325 °F (160 °C).

- En una bandeja para hornear, colocar la carne de cerdo. Ponerla aparte.

- En un tazón, combinar el jugo de albaricoque y el agua. Mezclar la melaza, la mostaza, la sal y la pimienta.

- Ponerle la salsa a la carne. Tapar. Hornear por unas 2 horas, bañando la carne cada 30 minutos.

- Unos 30 minutos antes de terminar de cocinar, quitar la tapa.

- Pasar la carne a una fuente de servir caliente. Mantenerla caliente.

- En un tazón pequeño, diluir la maicena en 3 cdas (45 ml) de caldo de pollo. Incorporarla en los jugos de cocción. Agregar el resto del caldo y el vinagre. Revolviendo, llevar a ebullición.

- Incorporar los albaricoques. Ajustar los condimentos. Poner en una salsera.

- Servir la carne y la salsa con coliflor o zanahorias, si se desea.

VARIACIONES
- Servir la carne fría con ensalada de pasta o con verduras.

- Reemplazar los albaricoques con cerezas de lata, y el caldo de pollo con caldo de carne.

Cerdo Asado con Miel

8 PORCIONES	
¹/₄ taza	(60 ml) miel
3 cdas	(45 ml) salsa de soya
1 cda	(15 ml) mostaza de Dijon
¹/₂ cdta	(2 ml) salsa Tabasco
1 cda	(15 g) granos de pimienta negra, machacados
1	espaldilla de cerdo de 2 lbs (900 g)

▪ Precalentar el horno a 325 °F (160 °C).

▪ En un tazón, mezclar los primeros 5 ingredientes. Untar la carne con una buena cantidad de la mezcla de miel. Colocarla en una bandeja para asar con parrilla. Hornear por 90 minutos.

▪ Sacar la carne de la bandeja. Cortarla en rodajas. Bañar cada rodaja con jugos de la cocción.

▪ Regresar las rodajas de cerdo a la bandeja de hornear. Continuar horneado por 10 minutos.

▪ Servir la carne con papas al vapor y ejotes, si se desea.

Cerdo Asado a la Antigua

8 PORCIONES	
2 cdas	(30 ml) aceite vegetal
1	espaldilla de cerdo de 5 lbs (2 kg)
	sal y pimienta
2	cebollas medianas, en cuartos
1	diente de ajo, machacado
1 ¹/₄ taza	(300 ml) jugo de manzana
3	papas medianas, en cuartos
6	zanahorias, cortadas en palitos
1	colinabo pequeño, en cuartos
2	manzanas pequeñas, peladas, en cuartos

▪ En una olla, calentar el aceite. Soasar el cerdo por todos lados. Sazonarlo con sal y pimienta. Agregar las cebollas, el ajo y el jugo de manzana. Tapar. A calor bajo, cocinar por 2 ¹/₂ -3 horas o hasta que la carne se ablande. Pasar la carne a una fuente de servir. Mantenerla caliente.

▪ Agregar el resto de las verduras a los jugos de la cocción. Tapar. Cocinar por 15 minutos. Agregar los cuartos de manzana. Continuar cocinando por 5 minutos o hasta que las verduras estén cocidas.

▪ Servir la carne con una ensalada de verduras y manzanas.

VARIACIÓN

• Reemplazar el jugo de manzana con 1 botella (341 ml) de cerveza.

Chuletas de Cerdo con Tomates

4 PORCIONES

4		chuletas de cerdo, ³/₄ pulg (2 cm) de grosor
1 cda	(15 ml)	mostaza preparada
2 cdas	(30 g)	mantequilla
¹/₂ taza	(125 g)	cebolla, picada
4		papas, peladas, en rodajas
19 oz	(540 ml)	tomates de lata, en su jugo
2 cdtas	(10 g)	sal
		pizca de pimienta

- Untar las chuletas con mostaza.

- En una sartén, derretir la mantequilla. Cocinar ligeramente la cebolla. Agregar las chuletas. Dorarlas a cada lado.

- Incorporar los demás ingredientes. Tapar. A calor bajo, cocinar por 1 hora. Servir.

Chuletas de Cerdo al Horno

2 PORCIONES

4		chuletas de cerdo, ³/₄ pulg (2 cm) de grosor
¹/₃ taza	(80 ml)	ketchup
¹/₄ taza	(28 g)	azúcar morena
¹/₄ taza	(60 g)	cebolla, picada
¹/₄ taza	(40 g)	apio, picado fino
		sal y pimienta
3 cdas	(45 ml)	agua fría

- Precalentar el horno a 325 °F (160 °C).

- En una lata de hornear no adhesiva, colocar las chuletas de cerdo. Poner aparte.

- En un tazón pequeño, mezclar los demás ingredientes. Untar con la mezcla a las chuletas. Cubrirlas con papel de aluminio. Hornearlas por 75 minutos. Servir.

Chuletas de Cerdo a la Barbacoa

4 PORCIONES

1 taza	(250 ml)	agua fría
³/₄ taza	(180 ml)	ketchup
2 cdtas	(10 ml)	vinagre
2 cdas	(30 ml)	salsa inglesa
3 cdas	(45 g)	azúcar
1 cda	(15 g)	mantequilla
8		chuletas de cerdo, ³/₄ pulg (2 cm) de grosor
		sal y pimienta
3 cdas	(45 g)	cebolla, picada
2 cdas	(30 ml)	agua caliente

- En un tazón, mezclar los primeros 5 ingredientes para hacer una salsa. Poner aparte.

- En una sartén, derretir la mantequilla. Soasar las chuletas. Sazonar con sal y pimienta. Sacarlas de la sartén. Ponerlas aparte.

- En la grasa del cerdo, sofreír la cebolla. Deglacear con agua caliente. Incorporar la salsa.

- Colocar las chuletas de cerdo en la salsa. Llevar a ebullición. Tapar. A calor bajo, cocinar por 50 minutos. Servir.

Chuletas de Cerdo con Arroz

4 PORCIONES

2 cdas	(30 ml)	aceite de girasol
8		chuletas de cerdo, ¹/₂ pulg (1,25 cm) de grosor
1		cebolla grande, picada
28 oz	(796 ml)	tomates de lata, en su jugo
1 taza	(160 g)	arroz de cocción rápida
¹/₂ taza	(125 ml)	agua
		sal y pimienta

- En una sartén con tapa, calentar el aceite de girasol. Dorar ligeramente las chuletas. Sacarlas de la sartén. Ponerlas aparte.

- En la grasa del cerdo, sofreír la cebolla. Colocarle encima las chuletas. Agregar los tomates, el arroz y el agua. Tapar. A calor bajo, cocer a fuego lento por 25-30 minutos o hasta que la carne se ablande y el arroz esté cocido. Sazonar con sal y pimienta. Servir.

De arriba hacia abajo:
Chuletas de Cerdo a la Barbacoa,
Chuletas de Cerdo con Arroz,
Chuletas de Cerdo al Horno

Chuletas de Cerdo Rebozadas

2 PORCIONES	
1 cdta	(5 ml) aceite
2 cdas	(30 g) margarina
4	chuletas de cerdo, $^3/_4$ pulg (2 cm) de grosor
$^3/_4$ taza	(120 g) arroz
1	cebolla pequeña, picada
$^1/_2$	pimiento dulce verde, en cubitos
$^1/_4$ cdta	(1 ml) salvia
$^1/_4$ cdta	(1 ml) tomillo
1	hoja de laurel
1 taza	(250 ml) tomates de lata, escurridos
1 taza	(250 ml) caldo de pollo
	sal y pimienta

- Precalentar el horno a 350 °F (175 °C).

- En una bandeja honda, calentar el aceite y derretir la margarina. Dorar ligeramente las chuletas. Sacarlas de la bandeja. Ponerlas aparte.

- En la grasa del cerdo, dorar ligeramente el arroz hasta que se cubra con grasa y cambie de color. Mezclar los demás ingredientes. Sazonar al gusto con sal y pimienta .

- Colocar las chuletas en la mezcla de arroz. Hornear por 1 hora. Servir.

Chuletas en Salsa de Champiñones

6 PORCIONES	
$^1/_4$ taza	(28 g) harina de todo uso
2 cdtas	(10 g) sal
$^1/_4$ cdta	(1 g) pimienta
$^1/_2$ cdta	(2 g) paprika
6	chuletas de cerdo, $^3/_4$ pulg (2 cm) de grosor
2 cdas	(30 ml) aceite o margarina
2	dientes de ajo, machacados
10 oz	(284 ml) sopa de crema de champiñones, de lata
1 taza	(250 ml) agua
3	papas, peladas, en rodajas
2	cebollas, en rodajas
	perejil fresco, picado

- En un plato, mezclar la harina, la sal, la pimienta y la paprika. Espolvorear las chuletas de cerdo con la harina sazonada. Ponerlas aparte.

- En una sartén, calentar el aceite. Dorar ligeramente las chuletas, 4 minutos cada lado. Agregar el ajo, la crema de champiñones y el agua. A calor bajo, cocer a fuego lento por 15 minutos.

- Cubrir las chuletas de cerdo con las rodajas de papa y de cebolla. Ajustar los condimentos. Si se necesita, agregar agua suficiente para cubrir la carne y las verduras.

- A calor bajo, continuar cocinando 30 minutos o hasta que las papas estén cocidas. Servir adornado con perejil.

Chuletas con Relleno de Manzana

4 PORCIONES

4	chuletas de cerdo, 1 pulg (2,5 cm) de grosor

Relleno de Manzana

2 tazas	(340 g) manzanas, peladas, picadas
¹/₄ taza	(40 g) pasas
1	huevo, batido
2 cdas	(30 g) mantequilla, derretida
¹/₂ cdta	(2 g) canela
¹/₂ cdta	(2 g) sal
¹/₈ cdta	(0,5 g) pimienta

Glacé Dulce

¹/₃ taza	(80 ml) jalea de grosella
2 cdas	(30 ml) jugo de naranja

- Partir las chuletas a lo largo para formar una cavidad. Ponerlas aparte.

- En un tazón, mezclar los ingredientes del relleno de manzana. Rellenar las chuletas con la mezcla. En un plato para microondas de 12 x 8 x 2 pulg (31 x 21 x 5 cm), colocar las chuletas en estrella, con las partes carnosas hacia afuera. Poner aparte.

- En un tazón, mezclar los ingredientes del glacé. Untarle la mitad a las chuletas.

- Envolver el plato con papel encerado. Cocinar en el horno de microondas por 35-40 minutos, en MEDIO. A los 15 minutos, dar una media vuelta al plato en sentido del reloj.

- Sacar las chuletas del horno. Dejarlas reposar por 5 minutos. Bañarlas con el resto del glacé. Servir.

Costillar de Cerdo con Lentejas

4 PORCIONES

1	lomo de cerdo con 4 costillas
	sal y pimienta
2 cdas	(30 ml) manteca vegetal
1	cebolla, picada
1	chalote, picado
2	zanahorias, en cubitos
1	nabo, en cubitos
1 cda	(7 g) harina de todo uso
14 oz	(398 ml) lentejas de lata, enjuagadas, escurridas
1	tallo de apio, en cubitos
1	diente de ajo, picado
¹/₄ taza	(60 g) grasa sólida de cerdo, en cubitos
1	ramito de hierbas
	agua

- Precalentar el horno a 350 °F (175 °C).

- Sazonar el lomo con sal y pimienta. Colocarlo en una bandeja honda. Hornear por 75 minutos.

- Mientras tanto, en una cacerola con tapa, derretir la manteca vegetal. Dorar ligeramente la cebolla, los chalotes, las zanahorias y el nabo. Espolvorear con harina; mezclar bien.

- Agregar las lentejas, el apio, el ajo, los cubitos de grasa y el ramito de hierbas. Sazonar al gusto con sal y pimienta. Cubrir la mezla con agua. Cocer a fuego lento, destapado, por 20 minutos. Poner aparte.

- Unos 15 minutos antes de terminar de cocinar, rodear el costillar con la mezcla de lentejas. Servir.

Escalopes de Cerdo a la Barbacoa

8 PORCIONES	
3 cdas	(45 g) mantequilla
8	escalopes de cerdo de 5 oz (140 g)
2	cebollas, picadas
2	pimientos dulces verdes, en cubitos
1/2 taza	(125 ml) agua
1/2 taza	(125 ml) ketchup
2 cdas	(30 ml) vinagre
10 oz	(284 ml) sopa de crema de tomate, enlatada
3 cdas	(30 g) azúcar morena

- Precalentar el horno a 350 °F (175 °C).

- En una sartén, derretir la mantequilla. Soasar los escalopes de cerdo, 2 minutos cada lado. Pasarlos a una bandeja para hornear. Ponerlos aparte.

- En la grasa del cerdo, sofreír las cebollas y los pimientos. Agregar los escalopes. Ponerlos aparte.

- En un tazón, mezclar los demás ingredientes para hacer una salsa. Ponérsela a los escalopes. Hornear por 1 hora.

- Servir los escalopes con puré de papas, una ensalada, o una combinación de verduras, si se desea.

VARIACIÓN
- Reemplazar la sopa de crema de tomate con tomates enteros de lata.
- Reemplazar los escalopes de cerdo con chuletas o filetes de cerdo.

Noisettes de Cerdo con Salsa de Limón

2 PORCIONES	
4	noisettes de cerdo de 2 oz (60 g)
1/4 taza	(28 g) harina
	pizca de sal
	pizca de pimienta
2 cdas	(30 ml) aceite
2 cdas	(30 g) mantequilla
2 cdas	(30 g) azúcar
3 cdas	(45 ml) jugo de limón
3	chalotes, picados
1/4 taza	(60 ml) caldo de pollo

- Colocar las noisettes entre dos hojas de papel encerado. Macerar la carne con un rodillo. Ponerla aparte.

- En un plato, mezclar la harina, la sal y la pimienta. Espolvorear ligeramente las noisettes con la harina sazonada.

- En una sartén, calentar el aceite y derretir la mantequilla. Dorar ligeramente las noisettes, 2 minutos cada lado. Sacarlas de la sartén. Ponerlas aparte.

- Desengrasar la sartén. Mezclar el azúcar y el jugo de limón. A calor moderado, caramelizar por 2-3 minutos, revolviendo constantemente. Incorporar los chalotes y el caldo de pollo.

- Colocar las noisettes en la salsa. Cocinar por 2-3 minutos.

- Pasar las noisettes a platos individuales. Bañarlas con la salsa de limón. Servir.

Lomitos de Cerdo en Salsa de Crema

4 PORCIONES

1 ¹/₂ lb	(675 g) lomitos de cerdo
	sal y pimienta
2 cdas	(30 g) mantequilla
1	cebolla, picada
1 taza	(160 g) champiñones, picados fino
¹/₂ taza	(125 ml) vino blanco
2 cdas	(14 g) harina de todo uso
³/₄ taza	(180 ml) crema ligera

- Dividir los lomitos para 4 porciones. Sazonarlos. Ponerlos aparte.

- En una sartén, derretir la mantequilla. Soasar los lomitos, unos 8 minutos por lado.

- Agregar la cebolla y los champiñones picados. Sofreír por 2 minutos. Deglacear con vino blanco. Tapar. Cocer a fuego lento por 10 minutos.

- Mientras tanto, en un tazón pequeño, combinar la harina y la crema. Poner aparte.

- Sacar los lomitos de la sartén. Cortar 4-5 rodajas de cada uno. Pasarlas a platos individuales. Mantener calientes.

- Poner la mezcla de harina y crema en la sartén. Revolviendo, cocinar hasta que la salsa se espese. Ponérsela a las rodajas de cerdo. Servir.

Cerdo al Coñac

4 PORCIONES

1 cda	(15 ml) aceite
1 cda	(15 g) mantequilla
2	lomitos de cerdo
1	cebolla, picada
1	diente de ajo, picado
4 oz	(125 ml) coñac
2 cdtas	(10 g) mantequilla, ablandada
2 cdtas	(5 g) harina de todo uso
2 tazas	(500 ml) caldo de carne

- Precalentar el horno a 350 °F (175 °C).

- En una sartén, calentar el aceite y 1 cda (15 g) de mantequilla. Soasar los lomitos. Sacar la grasa de la sartén menos 1 cda (15 ml). Dorar ligeramente la cebolla y el ajo. Mezclar el coñac. Cocer a fuego lento por 3-5 minutos.

- Sacar los lomitos de la sartén. Pasarlos a una bandeja de hornear. Hornear por 30 minutos o hasta que los lomitos estén bien cocidos.

- Mientras tanto, en un tazón pequeño, combinar la mantequilla ablandada y la harina para hacer una pasta. Poner aparte.

- En la misma sartén, poner el caldo de carne. Cocer a fuego lento hasta que el líquido se reduzca un tercio. Incorporar la mantequilla y la pasta de harina. Pasar la salsa por un colador. Ponerla aparte.

- Cortar cada lomito por la mitad. Colocar las mitades en platos individuales. Bañarlas con salsa. Servir con una combinación de verduras, si se desea.

Cerdo Volteado con Mandarinas

6 PORCIONES	
1 cda	(7 g) maicena
1/2 taza	(125 ml) caldo de pollo
2 cdas	(30 g) ralladura de naranja
2 cdas	(30 ml) jugo de naranja
2 cdas	(30 ml) aceite
1 taza	(160 g) apio, en rodajas
1/2	pimiento dulce verde, picado fino
1 cda	(15 g) mantequilla
1 taza	(160 g) champiñones
1 taza	(160 g) vainitas de chícharo
1/4 taza	(60 g) chalotes, picados
1 lb	(450 g) cerdo, cortado en franjas
1	diente de ajo, machacado
18 oz	(227 ml) mandarinas de lata, escurridas

- En un tazón pequeño, mezclar bien los primeros 4 ingredientes para hacer una salsa homogénea. Ponerla aparte.
- En una sartén china (wok), calentar 1 cda (15 ml) de aceite. Freír el apio por 1 minuto. Agregar el pimiento dulce. Freír por 1 minuto más.
- Agregar 1 cda (15 g) de mantequilla. Cuando la mantequilla se derrita, incorporar los champiñones, las vainitas y los chalotes. Freír 1 minuto. Sacar las verduras de la sartén. Ponerlas aparte.
- Agregar el resto del aceite a la grasa de freír las verduras. Freír el cerdo y el ajo por 6 minutos.
- Incorporar las verduras, las mandarinas y la salsa. Recalentar por 1 minuto. Servir en una cama de arroz, si se desea.

Chop Suey de Cerdo

4-6 PORCIONES	
2 cdas	(30 g) mantequilla
1/2 taza	(125 g) cebollas, picadas
1 taza	(250 g) puerros, picados
1 taza	(160 g) champiñones, picados fino
1/4 taza	(60 g) castañas de agua, en rodajas
2 tazas	(500 g) cerdo cocido, en cubitos
2 tazas	(500 ml) caldo de pollo
3 cdas	(45 ml) salsa de soya
8 oz	(225 g) frijolitos germinados
	sal y pimienta

- En una sartén, derretir la mantequilla. Sofreír las cebollas, los puerros, los champiñones y las castañas de agua. Agregar el cerdo. Cocinar por 5 minutos.
- Incorporar los demás ingredientes. Sazonar al gusto con sal y pimienta. Llevar a ebullición. A calor bajo, continuar cocinando por 8 minutos. Servir.

Costillitas con Mostaza y Miel

4 PORCIONES

3 lbs	(1,4 kg) costillitas de cerdo
¹/₄ taza	(60 ml) agua
¹/₄ taza	(60 ml) mostaza de Dijon
2 cdas	(30 g) azúcar morena oscura, de paquete
1 cda	(15 ml) miel
¹/₄ cdta	(1 ml) romero seco, desmenuzado
	pizca de chile desmenuzado
	chorrito de salsa inglesa

- Dividir las costillas en porciones individuales. Colocarlas en una bandeja honda para microondas de 12 tazas (3 L). Agregar agua.

- Tapar. Hornear por 5 minutos, en ALTO. Continuar cocinando por 30-40 minutos, en MEDIO-BAJO.

- Mientras tanto, en un tazón, mezclar bien los demás ingredientes para hacer una salsa homogénea. Ponerla aparte.

- Cuando estén cocidas, sacar las costillas del horno. Pasarlas a una parrilla para dorarlas. Untarlas con la salsa de mostaza.

- En MEDIO-ALTO, cocinarlas por 10-15 minutos o hasta que se doren y tengan un buen glaceado de salsa. Servir con ensalada de repollo, si se desea.

La receta se muestra arriba

Fricassée de Hígado de Cerdo

4 PORCIONES

2 cdas	(30 ml) aceite vegetal
1 lb	(450 g) hígado de cerdo, en cubitos
1	cebolla, picada
3	papas, peladas, en cubitos
¹/2 taza	(125 ml) agua
1 taza	(250 ml) jugo de vegetales
	sal y pimienta

- En una sartén, calentar el aceite. Soasar el hígado.

- Agregar la cebolla. Cocinarla ligeramente. Incorporar los demás ingredientes. Sazonar al gusto con sal y pimienta. Llevar a ebullición.

- Tapar. A calor bajo, cocer a fuego lento por 20 minutos o hasta que las papas estén cocidas. Servir.

Guiso de Albóndigas

6 PORCIONES	
2 lbs	(900 g) cerdo molido
1/2 taza	(57 g) miga de pan
2	huevos, ligeramente batidos
1/2 taza	(125 ml) agua
1/4 cdta	(1 ml) mostaza
1 cdta	(5 g) mostaza en polvo
1 cdta	(5 g) sal
1/4 cdta	(1 g) pimienta
1/4 cdta	(1 g) clavos de olor molidos
1/4 cdta	(1 g) canela
2 cdas	(30 ml) aceite
1/2 taza	(125 g) cebolla, picada
2 tazas	(500 ml) caldo de carne
3 cdas	(21 g) harina, dorada
3 cdas	(45 ml) agua fría

- En un tazón mediano, mezclar el cerdo, la miga de pan, los huevos, el agua y los condimentos. Hacer albóndigas. Ponerlas aparte.

- En una sartén, calentar el aceite. Sofreír las cebollas. Agregar las albóndigas. Dorarlas ligeramente. Incorporar el caldo. Tapar. A calor moderado, cocer a fuego lento por 1 hora.

- En un tazón pequeño, combinar la harina con el agua fría. Incorporarla en el guiso; mezclar bien. Servir.

Cerdo con Verduras en Plato Hondo

6 PORCIONES	
2 lbs	(900 g) cerdo molido, cocido
2	cebollas medianas, en rodajas
2	zanahorias, en rodajas
2	papas, peladas, en rodajas
10 oz	(284 ml) sopa de tomate de lata
10 oz	(284 ml) agua
	sal y pimienta

- Precalentar el horno a 325 °F (160 °C).

- En un plato rectangular hondo, de pyrex, colocar el cerdo cocido. Encima poner capas sucesivas de la mitad de las rodajas de cebolla, zanahoria y papa. Repetir.

- Poner encima la sopa y el agua. Sazonar al gusto con sal y pimienta .

- Hornear por unos 90 minutos o hasta que las verduras se ablanden. Servir.

Picadillo de Cerdo Danés

8 PORCIONES	
2 cdas	(30 g) mantequilla
3/4 taza	(84 g) azúcar morena
3 tazas	(480 g) repollo, desmenuzado
	sal y pimienta
2 lbs	(900 g) cerdo molido
1/2 taza	(125 ml) vino tinto

- En una cacerola de fondo pesado, derretir la mantequilla hasta que se dore. Mezclar el azúcar. Cocinar hasta que se caramelice.

- Incorporar el repollo. Sazonar al gusto con sal y pimienta; mezclar bien. Colocar el cerdo molido sobre el repollo. Poner el vino.

- Tapar. A calor muy bajo, cocinar por 2-3 horas, revolviendo con frecuencia para que la mezcla no se pegue al fondo.

- Servir caliente con papas y remolachas (betabeles) calientes, o en una cama de arroz, si se desea.

VARIACIÓN

- Reemplazar el azúcar morena con miel de maple.

Conchitas de Pasta con Cerdo

6 PORCIONES	
1 lb	(450 g) cerdo molido
1	sobre pequeño de sopa de cebolla
1 cdta	(5 ml) orégano
28 oz	(796 ml) tomates enteros de lata
2 tazas	(500 ml) agua
2 tazas	(320 g) conchitas de pasta extra-grandes
1 taza	(160 g) queso Mozzarella, rallado

- En una bandeja honda, combinar los primeros 5 ingredientes. Llevar a ebullición. Mezclar con cuidado las conchitas de pasta.

- Tapar. A calor bajo, cocer a fuego lento por 20 minutos, revolviendo ocasionalmente.

- Precalentar el horno en ASAR.

- Pasar la mezcla de cerdo a una bandeja para hornear. Espolvorear con queso.

- Asar hasta que el queso tome un bonito color dorado. Servir.

Con las manecillas del reloj, desde la izquierda :
Cerdo con Verduras en Plato Hondo,
Guiso de Albóndigas,
Picadillo de Cerdo Danés

Jamón de Pascua

4 tazas	(1 L) agua fría
4 tazas	(1 L) jugo de manzana
2	zanahorias, picadas grueso
4	cebollas, en cuartos
1	diente de ajo, picado fino
4	tallos de apio, en trozos
1 cda	(15 ml) mostaza preparada
1/2 taza	(125 ml) melaza o miel de maple
1	jamón deshuesado, sin cocer, de 5 lbs (2,2 kg)
	mermelada de naranja
	rodajas de piña
	cerezas marrasquinas
	clavos de olor
	perejil fresco, picado

- En una bandeja honda grande, combinar los primeros 8 ingredientes. Llevar a ebullición. Tapar. A calor bajo, cocer a fuego lento por 30 minutos.

- Colocar el jamón en la bandeja. Tapar. Cocer a fuego lento por 50-60 minutos. Quitar del calor. Dejar que el jamón se enfríe un poco en los jugos de cocción.

- Sacar el jamón tibio de la bandeja. Cortar y tirar el borde y la grasa.

- Precalentar el horno a 325 °F (160 °C).

- Pasar el jamón a una bandeja para hornear. Poner jugos de cocción en cantidad suficiente para cubrir el fondo de la bandeja.

- Untar el jamón con la mermelada. Adornarlo con las rodajas de piña y las cerezas. Insertarle clavos de olor.

- Hornearlo por 30-45 minutos, bañándolo ocasionalmente con salsa.

- Sacar el jamón del horno. Pasarlo a una fuente de servir grande. Espolvorearlo con el perejil picado. Servir caliente.

VARIACIONES

- Reemplazar la piña con mitades de albaricoque, y las cerezas con uvas verdes sin semilla, como se muestra arriba.

- Reemplazar el jugo de manzana con jugo de arándanos, y las cerezas con arándanos.

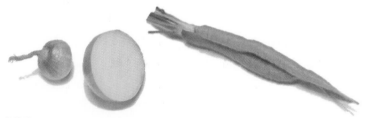

Filetes de Jamón

2 PORCIONES	
3 cdas	(45 ml) vinagre blanco
3 cdas	(30 g) azúcar morena
¹⁄₄ cdta	(1 g) clavo de olor molido
¹⁄₂ taza	(125 ml) agua
2	rodajas de jamón cocido, de ¹⁄₂ pulg (1,25 cm) de grosor

- En un tazón, mezclar bien los primeros 4 ingredientes.
- Con un tenedor, agujerear las rodajas de jamón por todos lados. Colocarlas en un plato con tapa. Echarle la mezcla líquida al jamón.
- Tapar. Marinar en el refrigerador por 1 hora.
- Precalentar el horno en ASAR.
- Sacar el jamón del plato; reservar la salsa de marinar.
- Pasar las rodajas de jamón a un bandeja de asar con parrilla. Asar 4-5 minutos cada lado. Bañar con la salsa de marinar durante la cocción.
- Servir con papas sofritas y pepinillos dulces encurtidos, si se desea.

VARIACIÓN
- ¡Asarlo al carbón para un delicioso plato de verano! Usar un asador engrasado muy caliente.

Empanadas de Jamón

24 EMPANADAS	
1	huevo, batido
1 cda	(15 ml) agua
1 lb	(450 g) pastel de corteza corta (p. 334)
3 tazas	(750 g) jamón cocido, en cubitos
2 cdas	(30 g) chiles picantes, picados fino
3 cdas	(45 g) cebolla, picada
10 oz	(284 ml) sopa de crema de champiñones, de lata
	semillas de amapola o de ajonjolí

- Precalentar el horno a 400 °F (205 °C).
- En un tazón pequeño, mezclar el huevo y el agua. Poner aparte.
- Pasarle un rodillo a la pasta. Cortarla en rodetes de 5 pulg (12,5 cm). Ponerlos aparte.
- En un tazón, mezclar los demás ingredientes, menos la semillas de amapola. Colocar 3 cdas (45 ml) de la mezcla de jamón en el centro de cada redondel de pasta. Humedecer los bordes. Doblar en forma de media-luna.
- Sellar las empanadas con un tenedor. Hacer agujeritos en la parte superior. Untarles huevo batido. Espolvorearlas con las semillas de amapola.
- Hornear por 15-20 minutos o hasta que las empanadas se doren bien. Servir.

Lonja de Jamón

8 PORCIONES

Lonja

2 ¹/₂ tazas	(625 g) jamón molido
1 taza	(250 g) ternera molida
¹/₄ taza	(60 g) cerdo magro molido
2 tazas	(500 ml) hojuelas de maíz
¹/₄ taza	(60 ml) miel
¹/₂ taza	(125 ml) jugo de naranja
¹/₂ cdta	(2 g) sal
¹/₂ cdta	(2 g) paprika
1 cdta	(5 ml) mostaza preparada
2	huevos, ligeramente batidos

Salsa

¹/₄ taza	(60 ml) miel
¹/₄ taza	(60 ml) mostaza preparada

- Precalentar el horno a 350 °F (175 °C).

- En un tazón grande, mezclar los ingredientes para la lonja. Ponerlos en un molde de pyrex de 8 x 12 pulg (20,5 x 30,5 cm). Hornear por 45 minutos.

- Mientras tanto, en un tazón pequeño, combinar los ingredientes de la salsa. Poner aparte.

- Sacar la lonja del horno. Untarle salsa. Continuarla horneando por 15 minutos. Servir.

Pastel de Jamón con Azúcar

4 PORCIONES

2	huevos, batidos
²/₃ taza	(160 ml) leche evaporada
1 cdta	(5 ml) salsa inglesa
	pizca de pimienta
³/₄ taza	(84 g) miga de pan
3 tazas	(750 g) jamón molido, cocido
³/₄ cdta	(3 g) mostaza en polvo
³/₄ cdta	(1,5 g) harina de todo uso
¹/₃ taza	(38 g) azúcar morena
1 cda	(15 ml) vinagre

- Precalentar el horno a 350 °F (175 °C). Enmantequillar un molde de pyrex de 9 pulg (23 cm). Ponerlo aparte.

- En un tazón, combinar los primeros 5 ingredientes. Incorporar el jamón. Poner la mezcla en el molde. Ponerlo aparte.

- En un tazón, mezclar los demás ingredientes hasta que la mezcla esté homogénea.

- Ponerla en la mezcla de jamón. Hornear por 1 hora. Servir con puré de papas y una ensalada verde, si se desea.

La receta se muestra arriba

Jamón Adornado

4 PORCIONES		
1		pimiento dulce verde, en rodajas redondas
1 cda	(15 ml)	margarina o aceite
1		cebolla mediana, picada
2 tazas	(500 g)	jamón cocido, en cubitos
³/₄ taza	(84 g)	miga de pan
¹/₂ taza	(80 g)	queso, rallado
10 oz	(284 ml)	sopa de crema de champiñones de lata
¹/₂ taza	(125 ml)	leche
2		huevos, ligeramente batidos

■ Precalentar el horno a 350 °F (175 °C).

■ Reservar la mitad del pimiento dulce para la decoración.

■ En una sartén, derretir la margarina. Sofreír la cebolla y el resto de los pimientos. Incorporar los demás ingredientes; mezclar bien.

■ Engrasar una lata de hornear de 8 pulg (20,5 cm).

■ Poner la mezcla de jamón en la lata. Hornear por más o menos 1 hora.

■ Sacar del horno. Adornar con las rodajas de pimiento dulce. Servir con brócoli, si se desea.

Fideos con Jamón

4 PORCIONES		
		agua
1 cda	(15 ml)	aceite vegetal
1 cdta	(5 g)	sal
8 oz	(225 g)	linguini
1 ¹/₂ taza	(375 g)	jamón cocido, en cubitos
2 cdas	(30 g)	cebolla, picada
2 cdas	(30 g)	margarina
10 oz	(284 ml)	sopa de crema de pollo, de lata
¹/₂ taza	(125 g)	ejotes, cocidos
¹/₂ taza	(125 ml)	agua
2 cdas	(14 g)	miga de pan

■ En una bandeja honda para microondas, combinar el agua, el aceite y la sal. Llevar a ebullición, en ALTO. Incorporar el linguini. Cocinar en MEDIO hasta que los fideos se ablanden. Escurrirlos. Ponerlos aparte.

■ En una bandeja honda con tapa, de 6 tazas (1,5 L) combinar los cubitos de jamón, la cebolla y la margarina. Tapar. Cocinar por 3 minutos, en ALTO.

■ Incorporar la crema de pollo, los ejotes, el linguini y ¹/₂ taza (125 ml) de agua.

■ Tapar. Cocinar por 5 minutos, en ALTO. Revolver una vez, cuando se esté a medio cocinar.

■ Sacar los fideos con jamón del horno. Espolvorearlos con miga de pan. Tapar. Dejar reposar por 2-3 minutos. Servir.

¿**S**abía usted que los nutriólogos recomiendan comer pescado por lo menos tres veces por semana?

El pescado tiene una carne magra y blanda. Sin embargo, si se le recubre con pan y se fríe, el pescado puede resultar muy cargado de grasa y calorías...¡Tenga cuidado!

Esta sección le ofrece una variedad de descubrimientos culinarios tales como las Alcachofas Rellenas con Caracoles (p. 214) y el Lenguado Florentino (p. 200). ¡Nunca jamás volveremos a asociar la palabra "pescado" con "castigo"!

PESCADO Y MARISCOS

Medallones de Salmón

4 PORCIONES

1 taza	(160 g) champiñones, picados fino
2	cebollas verdes, picadas
4	medallones de salmón fresco de 4 oz (115 g)
¹/₂ taza	(125 ml) vino blanco
	sal y pimienta
2	huevos, batidos
3 cdas	(45 g) mantequilla
2 cdtas	(10 g) granos de pimienta verde

▪ Precalentar el horno a 450 °F (230 °C).

▪ En un plato para hornear, poner los champiñones y las cebollas verdes. Colocar encima los medallones de salmón. Rociarlos con vino. Sazonarlos con sal y pimienta. Hornearlos por 10-15 minutos. Sacarlos del horno. Mantenerlos calientes.

▪ Incorporar un poco de los jugos de cocción del salmón en los huevos batidos. Poner el resto de los jugos en una cacerola pequeña. Calentar bien. Incorporar los huevos, batiéndolos hasta que la salsa se espese. Agregar la mantequilla. Ponérsela al salmón. Espolvorear con los granos de pimienta verde. Servir.

Escalopes de Salmón con Mantequilla de Acedera

4 PORCIONES

1	trozo de mantequilla
8	hojas de acedera grandes, frescas o congeladas, sin tallos, picadas
¹/₄ taza	(60 ml) vermouth blanco
¹/₄ taza	(60 g) mantequilla
1 lb	(450 g) filetes de salmón, cortados en escalopes
	sal y pimienta
	pizca de estragón
2 cdas	(30 ml) agua
	hojas de acedera

▪ En una cacerola pequeña, derretir la mantequilla. Agregar las hojas de acedera.

Tapar. Cocinar unos cuantos minutos o hasta que las hojas de acedera se ablanden.

▪ Rociar con el vermouth. Cocinar destapado hasta que la mezcla se haga puré. A calor bajo, agregar la mantequilla. Revolver hasta que la mantequilla se derrita poco a poco. Mantenerla tibia.

▪ Sazonar los escalopes con la sal, la pimienta y el estragón.

▪ En una sartén no adhesiva, poner el agua. A calor alto, cocinar los escalopes. Ponerlos en 4 platos calientes. Bañarlos con la mantequilla de acedera. Decorar con las hojas de acedera. Servir.

VARIACIÓN

● Cocinar al vapor los escalopes de salmón.

Salmón al Horno

4 PORCIONES

4	filetes de salmón de 4 oz (115 g)
2 cdas	(30 ml) jugo de limón
¼ taza	(60 g) cebollas verdes, picadas
	pimienta, al gusto
1	limón, en cuartos o en rodajas
	perejil, picado

- Precalentar el horno a 375 °F (190 °C).

- En un plato para hornear, colocar los filetes de salmón . Espolvorear con el jugo de limón y las cebollas verdes. Sazonar con pimienta.

- Hornear por 30-45 minutos o hasta que el pescado se parta con facilidad al probarlo con un tenedor.

- Ponerlo en 4 platos. Decorar con el limón en rodajas o en cuartos. Espolvorear con el perejil. Servir.

La receta se muestra arriba

Pastel de Salmón

8-10 PORCIONES

4	cortezas cortas de pastel *(p. 334)*
12 oz	(341 ml) salmón enlatado (reservar el jugo)
	leche
2 cdas	(30 g) mantequilla
½ taza	(80 g) apio, picado fino
1	cebolla pequeña, picada fino
2 cdas	(14 g) harina
	sal y pimienta
1 cda	(15 ml) perejil, picado
	pizca de tomillo real
1 cda	(15 ml) jugo de limón
2	papas pequeñas, en cubitos
½ taza	(80 g) chícharos verdes
2	huevos cocidos duros, picados

- Precalentar el horno a 350 °F (175 °C). Poner las cortezas en 2 moldes de pastel.

- Agregar leche suficiente al jugo del salmón para hacer ⅔ taza (160 ml) de líquido.

- En un cacerola, derretir la mantequilla. A calor moderado, sofreír el apio y la cebolla por unos 10 minutos. Incorporar la harina, la sal y la pimienta. Revolviendo, agregar la leche en un chorrito fino. Sazonar con el perejil, el tomillo real y el jugo de limón. Cocinar hasta que la salsa se espese.

- Incorporar el salmón, las papas, los chícharos verdes y los huevos. Ponerlos en las cortezas de pastel. Cubrir con el resto de las cortezas. Apretar los bordes para sellarlos. Hacer 4 agujeritos en la corteza de arriba. Hornear por 20 minutos o hasta que los pasteles se doren bonito. Servir.

Trucha en Salsa Cremosa de Hierbas

3 PORCIONES	

Salsa

¹/₂ taza	(125 ml) crema ácida
2 cdas	(30 g) mantequilla, derretida
2 cdtas	(10 g) cebolla, picada
1 cdta	(5 g) eneldo seco
¹/₂ cdta	(2 ml) tomillo
6	filetes de trucha de 2 oz (60 g)
	sal y pimienta

- Precalentar el horno a 425 °F (220 °C).
- En un tazón, mezclar los ingredientes de la salsa. Poner aparte.
- En un plato para hornear enmantequillado, colocar los filetes. Sazonarlos ligeramente con sal y pimienta. Bañarlos con salsa. Cocinar destapado en el horno por 15 minutos o hasta que la carne se ponga opaca. Cubrir con papel de aluminio por los últimos 5 minutos de cocción. Servir.

Trucha Meunière

4 PORCIONES	

¹/₂ taza	(125 g) mantequilla
4	truchas de 8 oz (225 g), limpias, secadas a golpecitos
	sal
	harina
1 cda	(15 ml) aceite vegetal
2 cdas	(30 g) mantequilla
¹/₄ taza	(60 ml) perejil, picado grueso
2 cdas	(30 ml) jugo de limón

- En un cacerola, derretir ¹/₂ taza (125 g) de mantequilla. Desnatarla. Poner la mantequilla clarificada en una sartén. Poner aparte.
- Sazonar las truchas por dentro y por fuera con sal. Espolvorearlas con harina. Sacudir el exceso de harina.
- A calor moderado, en una sartén grande de fondo pesado, calentar el aceite y derretir 2 cdas (30 g) de mantequilla. Cocinar las truchas 5-6 minutos por lado.
- Pasar las truchas a una fuente de servir caliente. Mantenerlas calientes.
- En la misma sartén, calentar la mantequilla hasta que se dore.
- Espolvorear las truchas con perejil, jugo de limón y la mantequilla derretida. Servir inmediatamente.

Trucha Rellena con Champiñones

4 PORCIONES	
2 cdas	(30 g) mantequilla
2	cebollas, picadas fino
1	tallo de apio, picado fino
4 oz	(115 g) champiñones, picados
	sal y pimienta
1 cda	(7 g) miga de pan
3 cdas	(45 ml) crema espesa
1 cda	(10 g) hinojo fresco, picado
1 cdta	(3 g) cebollines, picados
4	truchas de 8 oz (225 g), limpias, secadas a golpecitos
¹/₂ cdta	(1 g) harina

▪ Precalentar el horno a 375 °F (190 °C).

▪ En una sartén, derretir la mantequilla. Sofreír ligeramente las cebollas y el apio. A calor moderado, cocinar por 3 minutos. Mezclar los champiñones, la sal, la pimienta y la miga de pan. Incorporar la crema, el hinojo y los cebollines. Cocinar por 3 minutos.

▪ Rellenar las truchas con la mezcla. Cerrarles las aberturas. Espolvorear las truchas rellenas con harina. Hornearlas por 15 minutos. Servir.

Trucha Aterciopelada

6 PORCIONES	
1 cda	(15 ml) aceite vegetal
2 cdas	(30 g) mantequilla
6	truchas de 7-8 pulg (18-20,5 cm) de largo, limpias, secadas a golpecitos
1 ¹/₂ taza	(375 ml) crema espesa
2	claras de huevo, en picos firmes
1 cdta	(5 g) sal de cebolla
2 cdtas	(10 g) eneldo seco
	pimienta
	paprika
¹/₂ taza	(72 g) cebollines, picados

▪ Precalentar el horno a 450 °F (230 °C).

▪ En una sartén, calentar el aceite y derretir la mantequilla. Cocinar ligeramente las truchas. Colocarlas en un plato de hornear enmantequillado. Mantenerlas calientes.

▪ Batir la crema hasta que forme picos. Incorporar con cuidado las claras de huevo. Sazonar con la sal de cebolla, el eneldo y la pimienta. Ponérselos a las truchas. Hornear por 20 minutos.

▪ Espolvorear con la paprika y los cebollines picados. Servir.

Lenguado con Salsa de Vino Blanco

4 PORCIONES

2	filetes de lenguado de 8 oz (225 g), mitades
½ taza	(125 g) hojas de apio, picadas grueso
1	cebolla, en rodajas
1	limón, en rodajas
2 cdas	(30 ml) perejil
¼ cdta	(1 g) pimienta
	trocitos de mantequilla
1 taza	(250 ml) vino blanco
4 cdtas	(20 g) mantequilla amasada
	perejil, limón o camarones

- Precalentar el horno a 350 °F (175 °C).

- Enrollar los filetes de lenguado. Sujetarlos con palillos de dientes. Colocarlos en un plato para hornear sobre la estufa. Cubrirlos con las hojas de apio, la cebolla y rodajas de limón. Sazonar con el perejil y pimienta. Poner trocitos de mantequilla sobre cada ración. Poner el vino. Tapar. Hornear por 10 minutos.

- Pasar los filetes a una fuente de servir. Mantenerlos calientes.

- Cocer a fuego lento los jugos de cocción. Agregar la mantequilla amasada, batiéndola hasta que la salsa se espese. Ponérsela al pescado. Decorar con perejil, limón o camarones. Servir.

Lenguado Relleno con Camarones

4 PORCIONES

Relleno

1 taza	(250 g) camarones miniatura
1 cda	(7 g) miga de pan italiano
1 cda	(15 ml) leche
1 cda	(15 g) mantequilla
1 cda	(15 ml) salsa de chile
1 cda	(15 ml) jugo de limón
1 cda	(15 g) chalote, picado
¼ taza	(28 g) miga de pan
2 cdas	(30 g) paprika
4	filetes de lenguado de 6 oz (165 g), limpios, secados a golpecitos
2 cdas	(30 g) mantequilla, derretida

- En un tazón pequeño, combinar los ingredientes del relleno. Poner aparte.

- Mezclar la miga de pan y la paprika. Poner aparte.

- Untarle el relleno a los filetes de pescado. Enrollarlos. Sujetarlos con un palillo de dientes. Untarles la mantequilla derretida. Espolvorearlos con la mezcla de miga de pan y paprika.

- En una parrilla para dorar en microondas, colocar los rollitos en un círculo. En ALTO, hornear por 7-9 minutos o hasta que la carne se ponga opaca. Dejarla reposar por 3 minutos. Bañar con la salsa de su gusto. Servir.

Lenguado Florentine

4 PORCIONES

10 oz	(280 g) espinaca fresca, sin tallos, lavada, sacudida
1 lb	(450 g) filetes de lenguado
4 oz	(115 g) queso crema, ablandado
	sal y pimienta
1 cda	(15 g) mantequilla
1 cda	(7 g) harina
½ taza	(125 ml) caldo de pollo
	paprika

- En un tazón para microondas, cocinar la espinaca por 4 minutos, en ALTO. Escurrirla si se necesita. En un plato rectangular poco hondo, poner la espinaca. Poner aparte.

- Untar cada filete con 1 cda (10 gl) de queso. Sazonar con sal y pimienta. Enrollarlos. Colocar el pescado sobre la espinaca. Cubrir con un papel plástico perforado. Cocinar por 6 minutos, en ALTO. Dejar reposar por 1 minuto.

- En una taza de pyrex, derretir la mantequilla. Agregar la harina. Incorporarla en el caldo. Cocinar por 1-2 minutos, en ALTO. Mezclar el resto del queso hasta que la mezcla esté homogénea. Ponérsela a los filetes. Espolvorear con paprika. Servir con arroz basmati saborizado con mantequilla, si se desea.

Lenguado con Aceitunas

4 PORCIONES

Salsa

8 oz	(225 g) queso Gruyère, rallado
¼ taza	(60 ml) crema liviana o leche evaporada
12	aceitunas rellenas con pimiento dulce, en rodajas
1 lb	(450 g) filetes de lenguado
¼ taza	(60 ml) aceite vegetal
1 cda	(15 ml) vinagre o jugo de limón
	sal y pimienta
3 cdas	(21 g) miga de pan

- En un tazón, mezclar los ingredientes de la salsa. Poner aparte.

- En un plato, marinar el lenguado por 1 hora en el aceite y el vinagre. Escurrirlo. Secarlo a golpecitos.

- Precalentar el horno a 450 °F (230 °C).

- Pasar los filetes a un plato para hornear enmantequillado. Sazonarlos con sal y pimienta. Bañarlos con salsa. Espolvorearlos con miga de pan. Hornear por 10-12 minutos. Servir.

De arriba hacia abajo :
Lenguado con Salsa de Vino Blanco,
Lenguado Relleno con Camarones,
Lenguado Florentine

Atún al Curry

6 PORCIONES

6 oz	(165 g) atún enlatado, escurrido (reservar el líquido)
1/2 taza	(80 g) apio, picado
1 taza	(250 g) cebolla, picada
1 taza	(160 g) champiñones, en rodajas
1 cdta	(5 g) curry en polvo
10 oz	(284 ml) sopa de crema de pollo de lata
1/3 taza	(80 ml) leche
	arroz cocido, caliente
1/3 taza	(57 g) almendras tostadas, en rodajas
19 oz	(540 ml) rodajas de melocotón, escurridas

▪ En una cacerola, hervir el líquido del atún. Agregar el apio, la cebolla y los champiñones. Cocer a fuego lento hasta que las verduras se ablanden.

▪ Incorporar el curry en polvo, la crema de pollo y la leche. Agregar el atún. Calentar bien.

▪ Servir el pescado en una cama de arroz caliente. Espolvorearlo con las almendras. Rodearlo con las rodajas de melocotón.

VARIACIÓN
• Reemplazar las almendras tostadas con coco rallado.

Brochetas de Atún

4 PORCIONES

Aderezo

1 taza	(250 ml) vino blanco seco
	jugo y ralladura de 1/2 limón
3 cdas	(45 ml) aceite de oliva
2 cdas	(30 ml) pasta de tomate
1	diente de ajo, machacado
1/2 cdta	(2 ml) salvia
1 cdta	(5 ml) tomillo
2 cdtas	(10 g) azúcar
1/2 cdta	(2 g) pimienta triturada
2	pimientos dulces rojos, en trozos
16	cubos de atún de 1 oz (30 g)
	ramitas de hinojo fresco

▪ En un plato, mezclar los ingredientes de la salsa de marinar. Agregar el atún y los pimientos dulces. Marinar por 2 horas. Escurrir.

▪ Precalentar el horno en ASAR.

▪ Poner en pinchitos los cubos de atún alternando con trozos de pimiento dulce. Asarlos 3 minutos por lado. Bañarlos con salsa de marinar durante la cocción. Sacarlos de horno. Decorar con las ramitas de hinojo. Servir los pinchitos en una cama de arroz, si se desea.

VARIACIÓN
• Asarlos a la barbacoa en carbones por unos 12 minutos. Bañarlos a menudo con salsa de marinar, rotando los pinchitos, ocasionalmente.

Abadejo al Estilo Griego

8-10 PORCIONES	
3	cebollas verdes, picadas
$^1/_4$ taza	(60 ml) perejil fresco, picado
3 cdas	(45 ml) aceite vegetal
2 cdas	(14 g) harina
1 cdta	(5 g) paprika
1 cdta	(5 g) sal
28 oz	(796 ml) tomates enlatados, en su jugo
$^1/_4$ cdta	(1 ml) albahaca
$^1/_2$ cdta	(2 g) sal
$^1/_4$ cdta	(1 g) pimienta
2 lbs	(900 g) filetes de abadejo fresco

■ Precalentar el horno a 500 °F (260 °C).

■ En un tazón pequeño, mezclar las cebollas verdes, el perejil, el aceite, la harina, la paprika y sal. Poner aparte.

■ En un plato para hornear enmantequillado, poner los tomates. Sazonarlos con la albahaca, sal y pimienta. Colocar el pescado encima. Espolvorearlo con la mezcla de cebolla verde. Hornear por 15-18 minutos. Servir.

La receta se muestra arriba

Abadejo con Queso

4 PORCIONES	
$^1/_2$ taza	(80 g) queso Parmesano, rallado
1 cdta	(5 g) sal
$^1/_8$ cdta	(0,5 g) pimienta
1 lb	(450 g) filetes de abadejo frescos o congelados
$^3/_4$ taza	(84 g) harina
$^1/_4$ taza	(60 ml) manteca vegetal
	paprika

■ En una hoja de papel encerado, mezclar el queso, sal y pimienta.

■ Espolvorear los filetes de abadejo con harina, después con queso.

■ En una sartén, a calor moderado, derretir la manteca vegetal. Dorar ligeramente el pescado 5-6 minutos a ambos lados. Espolvorearlo con paprika. Servir.

Rodaballo Agridulce

8 PORCIONES

Salsa

1/2 taza	(125 g) mantequilla, derretida
1 cda	(15 ml) jugo de limón
1 cdta	(5 ml) salsa inglesa
1 cdta	(5 ml) mostaza preparada
1 cdta	(5 g) sal
	pizca de pimienta
2 lbs	(900 g) filetes de rodaballo frescos
1/4 taza	(28 g) miga de pan

• Precalentar el horno a 350 °F (175 °C).

• En un tazón pequeño, mezclar los ingredientes de la salsa. Poner aparte.

• Espolvorear los filetes con la miga de pan. Colocarlos en un plato para hornear enmantequillado. Bañarlos con salsa. Hornear por 45 minutos o hasta que el pescado se parta con facilidad cuando se pruebe con un tenedor. Servir.

Róbalo Meunière

6 PORCIONES

2	róbalos de 1 lb (450 g), limpios, secados a golpecitos
3 cdas	(21 g) harina
3 cdas	(45 ml) aceite vegetal
3 cdas	(45 g) mantequilla
	sal y pimienta
2 cdas	(30 g) mantequilla
	jugo de 1 limón
1	limón, en rodajas

• Hacer cortes superficiales en el lomo del pescado. Espolvorearlo con harina.

• En una sartén, calentar el aceite y derretir 3 cdas (45 g) de mantequilla. A calor bajo, cocinar el róbalo 5 minutos por lado. Sazonarlo con sal y pimienta. Sacar el róbalo. Mantenerlo tibio.

• En la misma sartén, derretir 2 cdas (30 g) de mantequilla. Agregar el jugo de limón.

• Pasar el róbalo a un fuente de servir. Rociarlo con limón y mantequilla. Decorar con rodajas de limón. Servir.

VARIACIÓN
• Para una alternativa más económica, sustituir con salmonete.

Halibut con Tomates

4 PORCIONES

2 cdas	(30 ml) aceite de oliva
4	filetes de halibut de 6 oz (165 g)
	sal y pimienta
2 cdas	(30 g) cebolla, picada
28 oz	(796 ml) tomates enlatados picantes, escurridos
1 cda	(15 ml) pasta de tomate
1 taza	(250 ml) caldo o base de sopa de pescado, caliente
1	pimiento dulce verde, picado fino
1	limón, en rodajas

• Precalentar el horno a 350 °F (175 °C).

• En una sartén, calentar 1 cda (15 ml) de aceite. Cocinar los filetes de halibut 3 minutos por lado. Sazonarlos. Sacar el pescado del sartén. Pasarlo a un plato para hornear. Continuar horneando por 5-6 minutos.

• Mientras tanto, en la misma sartén, calentar el resto del aceite. Cocinar la cebolla por 2 minutos. Agregar los tomates, la pasta de tomate, el caldo caliente y los pimientos dulces. Ajustar los condimentos. Cocinar por 4 minutos.

• Poner la salsa de tomate en una fuente de servir. Colocar encima los filetes de halibut. Decorar con rodajas de limón. Servir.

Lucio con Puerros y Naranjas

4 PORCIONES

3	puerros, cortados en rodetes
	sal y pimienta
1 cda	(15 ml) aceite de oliva
2	filetes de lucio de 8 oz (225 g)
1 taza	(250 ml) jugo de naranja fresco
	hojas de laurel, desmenuzadas
1	tomate, en rodajas
1	naranja, pelada, sin corazón, en gajos
	ramitas de perejil

• Si se usa un horno corriente, precalentarlo a 450 °F (230 °C).

• En un plato de hornear, distribuir los puerros. Sazonarlos con sal y pimienta. Espolvorearlos con aceite. Colocar los filetes encima de los puerros. Poner el jugo de naranja. Espolvorear con las hojas de laurel. Tapar.

• Hornear por 15 minutos o en horno de microondas por 4-5 minutos, en ALTO. Dejar reposar por 2 minutos. Servir el pescado bañado con los jugos de cocción. Rodearlo con rueditas de puerro y rodajas de tomate. Decorar con los gajos de naranja y perejil.

VARIACIÓN
• Reemplazar el lucio con lenguado, rodaballo o bacalao.

Con las manecillas del reloj, de arriba a la izquierda :
Halibut con Tomates,
Róbalo Meunière,
Lucio con Puerros y Naranjas

Raya con Toronja

4 PORCIONES

2	aletas de raya de 1 lb (450 g), limpias
1 cda	(15 ml) vinagre
1 cdta	(5 ml) perejil
1	hoja de laurel
2 cdtas	(10 g) mantequilla
1	cebolla, picada
1 taza	(250 ml) jugo de toronja
1 cda	(10 g) alcaparras
	sal y pimienta
1	toronja, pelada, sin corazón, en gajos

▪ En una bandeja honda, cubrir la raya con agua salada. Agregar el vinagre, el perejil y la hoja de laurel. Llevar a ebullición. Cocer a fuego lento por 15-20 minutos. Sacar la raya. Quitarle la piel, y desprender los filetes. Pasarlos a una fuente de servir. Mantenerlos calientes.

▪ En una sartén, derretir la mantequilla. Cocinar ligeramente la cebolla. Agregar el jugo de toronja y las alcaparras. Sazonar. Llevar a ebullición. Cocer a fuego lento por 1 minuto. Ponerle salsa a la raya. Servirla con gajos de toronja.

Cortada de los Filetes de Raya

▪ Con un cuchillo, desprender la piel de un lado. Quitarle la piel al filete, pelándolo completamente. Usar un cuchillo, si fuera necesario.

▪ Presionar el cuchillo contra el hueso dorsal. Deslizar la hoja del cuchillo a lo largo del hueso para sacar los filetes.

▪ Proceder de la misma manera para cortar el otro lado.

Rape Asado

8 PORCIONES

1	rape de 2 ¹/₄ lbs (1 kg)
2	dientes de ajos, en trocitos
6	rodajas de tocineta
	aceite de oliva para cubrir
3 cdas	(45 ml) aceite de oliva
1 lb	(450 g) tomates, pelados, en cuñas
10 oz	(280 g) champiñones, picados fino
	tomillo real y romero
	sal y pimienta
¹/₄ taza	(60 ml) crema ácida

- Precalentar el horno a 400 °F (205 °C).

- Quitarle el espinazo al pescado. Pegarle en la piel trocitos de ajo. Envolver el rape con franjitas de tocineta. Atarlo con un cordel. Untarle aceite con una brochita. Asarlo en el horno por unos 30 minutos. Voltearlo 3 veces durante la cocción. Bañarlo a menudo con aceite.

- En una sartén, calentar 3 cdas (45 ml) de aceite. Dorar ligeramente los tomates y los champiñones. Sazonar al gusto. A calor bajo, cocinar las verduras. Incorporarles la crema; mezclar bien. Ponérsela al rape. Servir.

VARIACIÓN
- Asar el rape a la parrilla con carbón.

Perca en Salsa Cremosa de Hinojo

8 PORCIONES

¹/₃ taza	(37 g) miga de pan
¹/₃ taza	(37 g) harina de centeno
	sal y pimienta
2 lbs	(900 g) filetes de perca
¹/₄ taza	(60 g) mantequilla o margarina

Salsa

¹/₃ taza	(57 g) hinojo, picado fino
1 taza	(250 ml) crema espesa
1 cda	(15 ml) salsa de soya

- Espolvorear una hoja de papel encerado con miga de pan, harina, sal y pimienta. Espolvorear el pescado con la mezcla.

- En una sartén, derretir la mantequilla. A calor moderado, dorar ligeramente el pescado. Sacar los filetes de la sartén. Mantenerlos tibios.

- En la misma sartén, agregar el hinojo y la crema. Cocer a fuego lento hasta que la salsa se espese. Incorporar la salsa de soya. Ajustar los condimentos.

- Poner la salsa en una fuente de servir. Colocar encima el pescado. Servir con papas al horno o arroz, si se desea.

Sorpresa de Pescado

6 PORCIONES

Relleno

2 tazas	(500 g) pescado cocido, desmenuzado
1 cda	(15 ml) perejil, picado
¹/₄ taza	(15 g) parte suave del pan
1	huevo, batido
2 cdas	(30 ml) leche
1 cda	(15 g) cebolla, picada fino
2 cdas	(30 ml) mantequilla, derretida
	sal y pimienta
2¹/₂ tazas	(625 ml) arroz de grano largo, cocido
1 cda	(15 ml) perejil, picado

- Precalentar el horno a 450 °F (230 °C).

- En un tazón, mezclar los ingredientes del relleno. Poner aparte.

- En un segundo tazón, combinar el arroz y el perejil. Poner aparte.

- En 6 ramequines engrasados o un molde para panecillos, dividir la mitad de la mezcla del arroz. Agregar el relleno. Cubrir con el resto del arroz.

- Colocar los ramequines en un plato grande con agua. Hornear por 30 minutos. Sacar del molde. Servir con una salsa de tomates, si se desea.

Pescado Relleno con Tofu

8 PORCIONES

Relleno

2 cdas	(30 g) mantequilla o margarina
2	dientes de ajo, picados
12	champiñones frescos, picados
1	cebolla, picada fino
6 oz	(165 g) tofu, desmenuzado
¹/₄ taza	(60 ml) perejil, picado
¹/₄ taza	(28 g) miga de pan
¹/₂ cdta	(2 g) sal y pimienta
8	filetes de pescado blanco
10 oz	(284 ml) sopa de crema de apio de lata

- En una sartén, derretir la mantequilla. Freír el ajo, los champiñones y la cebolla. Agregar el tofu y el perejil. Cocinar por 2-3 minutos.

- Incorporar la miga de pan, sal y pimienta.

- Cubrir cada filete con unas 2 cdas (30 ml) de relleno. Enrollar los filetes. Sujetarlos con palillos de dientes.

- Colocar el pescado en una sartén. Ponerle la crema de apio. Cocer a fuego lento por 10 minutos o hasta que los filetes estén cocidos. Si queda algo del relleno, incorporarlo en la salsa durante la cocción. Servir.

Pescado Criollo

4-6 PORCIONES	
2 cdtas	(10 g) mantequilla
¹/₂ taza	(125 g) cebolla, picada
¹/₂ taza	(125 g) pimiento dulce verde, picado
¹/₂ taza	(80 g) champiñones, en rodajas
14 oz	(398 ml) tomates de lata, machacados, en su jugo
1 cda	(15 ml) jugo de limón
¹/₈ cdta	(0,5 g) mostaza en polvo
1	hoja de laurel
2	chorritos de salsa Tabasco
	sal y pimienta
1 lb	(450 g) filetes de pescado, en cubos

- En una sartén grande, derretir la mantequilla. Sofreír la cebolla, el pimiento dulce y los champiñones hasta que se ablanden.

- Agregar los tomates, el jugo de limón, la mostaza, la hoja de laurel y salsa Tabasco. Sazonar con sal y pimienta. Llevar a ebullición. Cocer a fuego lento por 30 minutos. Agregar el pescado. Tapar. Cocinar por 7-10 minutos. Servir en una fuente de servir honda.

La receta se muestra arriba

Pescado au Gratin

4 PORCIONES	
2 cdas	(30 g) mantequilla o margarina
2 cdas	(14 g) harina
¹/₂ cdtas	(2 g) sal
¹/₈ cdta	(0,5 g) pimienta
1 taza	(250 ml) leche
²/₃ taza	(160 ml) hojuelas de maíz, molidas
2 tazas	(500 ml) pescado cocido, desmenuzado
1	huevo cocido duro, en rodajas
2 cdtas	(10 g) pimiento dulce rojo, picado fino
1 cda	(15 g) mantequilla o margarina

- Precalentar el horno a 350 °F (175 °C).

- En un cacerola, derretir la mantequilla. Incorporar la harina, la sal y la pimienta. Mezclar gradualmente la leche, revolviéndola hasta que la salsa se espese.

- En un plato para hornear de 5 tazas (1,25 L), poner la mitad de las hojuelas de maíz. Agregar el pescado, las rodajas de huevo y el pimiento dulce. Bañar con salsa. Cubrir con el resto de las hojuelas de maíz. Poner trocitos de mantequilla. Hornear por 20-30 minutos. Servir.

Croquetas de Pescado

4-6 PORCIONES	
4 tazas	(1 L) aceite de cacahuate
2 cdas	(30 g) mantequilla
1/4 taza	(28 g) harina, cernida
	sal y pimienta
1 taza	(250 ml) crema espesa
3 tazas	(750 g) pescado (bacalao, trucha, lenguado), desmenuzado
1	yema de huevo, batida
2	huevos, batidos
1 taza	(115 g) miga de pan

- En una sartén honda, calentar el aceite a 350 °F (175 °C).

- En una cacerola, derretir la mantequilla. Agregar la harina, sal y pimienta; hacerlas una pasta. Poner la crema. A calor alto, revolver hasta que la salsa se espese. Quitar del fuego. Incorporar el pescado y la yema de huevo; mezclar bien. Hacer tortitas de 1 pulg (2,5 cm) de grosor.

- Sumergir las tortitas en los huevos batidos. Espolvorearlas con miga de pan. Freírlas por 2 minutos, volteándolas unas cuantas veces. Escurrirlas en una toalla de papel. Servirlas con la salsa, ensalada o verduras en estación de su gusto.

La receta se muestra arriba

Lenguas de Bacalao

4 PORCIONES	
2 tazas	(500 ml) agua
2 tazas	(500 ml) leche
1	cebolla, picada fino
2	dientes de ajo, picados
	clavo de olor
	sal
1 lb	(450 g) lenguas de bacalao

Salsa

10 oz	(284 ml) sopa de crema de tomate de lata
1/4 taza	(60 ml) caldo de pollo
1 cda	(15 g) mantequilla
1 cda	(15 ml) perejil, picado

- En una olla, combinar los primeros 7 ingredientes. A calor moderado, cocinar las lenguas de bacalao hasta que se ablanden. Escurrirlas. Mantenerlas calientes.

- En una cacerola, calentar los ingredientes de la salsa. Ponérsela a las lenguas de bacalao. Espolvorear con el perejil. Servir con papas cocidas y chícharos verdes, si se desea.

Hamburguesas de Pescado

2-4 PORCIONES

Relleno

¹/₄ taza	(60 g) cebolla, picada fino
6 ¹/₂ oz	(184 g) atún en trocitos, enlatado
¹/₄ taza	(40 g) apio, picado fino
¹/₂ taza	(80 g) pepinillos encurtidos dulces, picados fino
1 cda	(15 ml) mayonesa
2-4	panecillos de hamburguesa
2-4	rodajas de queso

▪ Precalentar el horno a 450 °F (230 °C).

▪ En un tazón, mezclar los ingredientes del relleno. Dividir la mezcla en los panecillos de hamburguesa. Cubrirla con queso. Envolver los panecillos individualmente en papel de aluminio. Hornearlos o asarlos al carbón por unos 10 minutos. Servir.

La receta se muestra arriba

Omelette de Pescado Ahumado

---

4 PORCIONES

---

1 cda	(15 g) mantequilla
1 ¹/₂ taza	(375 g) pescado ahumado, en trozos
6	huevos
1 taza	(250 ml) leche
1 cdta	(5 ml) perejil, picado
	sal y pimienta
2 cdas	(30 g) mantequilla

▪ En una sartén, derretir la mantequilla. Cocinar ligeramente el pescado.

▪ En un tazón, batir los huevos. Incorporar la leche, el pescado y el perejil. Sazonar con sal y pimienta; mezclar bien.

▪ En una sartén, derretir la mantequilla. Cocinar la omelette al punto deseado. Servir.

La receta se muestra arriba a la derecha

Filetes de Pescado Saludables

---

2 PORCIONES

2	filetes de lenguado de 4 oz (115 g)
	leche
¹/₄ taza	(28 g) germen de trigo
1 cda	(15 ml) aceite de primera cosecha, frío

▪ Sumergir el lenguado en la leche. Espolvorearlo con germen de trigo.

▪ A calor alto, en una sartén no adhesiva, calentar el aceite. Soasar los filetes. Servir.

Pastel de Cacerola de Mar Profundo

8 PORCIONES

1 ¹/₂ taza	(375 ml) agua
1 taza	(250 g) cebolla, picada
2 tazas	(320 g) papas, cubitos
¹/₂ taza	(80 g) zanahorias, cubitos
1 taza	(160 g) apio, cubitos
¹/₄ taza	(60 g) cebollas verdes, picadas
8 oz	(225 g) vieiras
8 oz	(225 g) carne de langosta o de cangrejo
8 oz	(225 g) camarones, pelados
1 cda	(15 g) especias para pescado
	sal y pimienta
¹/₂ taza	(125 g) mantequilla
5 oz	(142 ml) leche evaporada de lata
4 cdtas	(9 g) maicena
1	corteza corta de pastel *(p. 334)*

- Precalentar el horno a 350 °F (175 °C).

- En un bandeja honda, poner el agua. Agregar las verduras. Hervir por 6-8 minutos. Agregar los mariscos. Cocer a fuego lento unos cuantos minutos. Agregar el resto de ingredientes, menos la corteza de pastel. Continuar cocinando por 5 minutos.

- Cubrir con la corteza de pastel. Hornear por 30 minutos o hasta que la corteza se dore bonito. Servir.

Mariscos au Gratin

8 PORCIONES

3 cdas	(45 g) mantequilla
2 cdas	(14 g) harina
2 tazas	(500 ml) caldo de pollo, caliente
2-3	chalotes, picados
10 oz	(284 ml) champiñones de lata, escurridos
¹/₂ taza	(125 ml) vino blanco
1 lb	(450 g) vieiras
1 lb	(450 g) carne de cangrejo
1 lb	(450 g) camarones cocidos
1 taza	(160 g) queso, rallado

- Precalentar el horno a 400 °F (205 °C).

- En una sartén, derretir la mantequilla. Incorporar la harina. Agregar gradualmente el caldo de pollo. A calor alto, batir hasta que la salsa se espese.

- Mezclar los chalotes, los champiñones y el vino. Continuar cocinando por 2 minutos. Incorporar los mariscos. Pasarlos a un plato de hornear. Espolvorear con queso. Hornear por 10-12 minutos. Servir.

Quiches de Cangrejo

24 TARTAS

1 taza	(250 ml) carne de cangrejo, de lata, escurrida, en trocitos
1 taza	(160 g) queso Gruyère, rallado
4	chalotes, picados fino
4	huevos, batidos
1 taza	(250 ml) crema liviana
1 cdta	(5 g) paprika
	pizca de pimienta
24	cortezas de tarta
	(p. 334)

- Precalentar el horno a 375 °F (190 °C).

- En un tazón, mezclar el cangrejo, el queso y los chalotes. Poner aparte.

- En un segundo tazón, mezclar los huevos, la crema, la paprika y la pimienta. Poner aparte.

- Colocar las tartas en una lata para hornear galletas. Poner en las cortezas la primera mezcla. Ponerle con cuidado la mezcla de huevo y crema al cangrejo. Hornear por unos 20 minutos. Servir.

La receta se muestra arriba a la derecha

VARIACIONES
- Reemplazar la carne de cangrejo con ostras enlatadas escurridas.

- Agregar 3 cdas (45 ml) de pasta de tomate al mismo tiempo que la crema, como se muestra al lado.

- Agregar $\frac{1}{4}$ taza (40 g) de espinaca desmenuzada fino a la mezcla de huevo y crema, como se muestra abajo a la derecha.

Ostras con Queso Asado

3 PORCIONES

	sal gruesa
24	ostras frescas, abiertas, escurridas
3 cdas	(45 g) mantequilla
3 cdas	(21 g) harina
3 cdas	(30 g) queso Parmesano, rallado
	jugo de limón

• Precalentar el horno a 400 °F (205 °C).

• Llenar una bandeja de hornear o lata de hornear galletas con sal gruesa. Poner apretadas las ostras en la sal.

• En un tazón pequeño, combinar la mantequilla, la harina y el queso. Ponerle la mezcla a las ostras.

• Asar en el horno por 10 minutos. Espolvorear con unas cuantas gotas de jugo de limón. Servir.

Alcachofas Rellenas con Caracol

4 PORCIONES

2 cdas	(30 g) mantequilla
1	diente de ajo, picado
5 oz	(142 ml) caracoles de lata
1/2 taza	(80 g) apio, picado
1/2 taza	(125 g) chalotes, picados
10 oz	(284 ml) champiñones de lata en rodajas, escurridos
10 oz	(284 ml) corazones de alcachofa de lata, escurridos
1 taza	(160 g) queso, rallado

• Precalentar el horno en ASAR.

• En una sartén, derretir la mantequilla. Cocinar ligeramente el ajo, los caracoles, el apio, los chalotes y los champiñones por unos cuantos minutos.

• En un plato para hornear, colocar las alcachofas. Cubrirlas con la mezcla de caracol. Espolvorear con queso rallado. Asar en el horno por unos 6 minutos. Servir en una cama de pasta fresca con mantequilla.

Almejas Ravigote

4 PORCIONES

2 cdas	(30 g) mantequilla
2 cdas	(30 g) cebolla roja, picada
1 1/2 taza	(375 ml) vino blanco seco
4 1/2 lbs	(2 kg) almejas, limpias, en remojo
1/2 taza	(125 ml) crema espesa
3 cdas	(30 g) alcaparras, picadas
4	filetes de anchoas, picados
	sal de mar
	pimienta recién triturada

• En un bandeja honda, derretir la mantequilla. Cocinar ligeramente la cebolla por unos 3 minutos. Poner el vino. Llevar a ebullición. Agregar las almejas. Tapar. Reducir el calor. Cocinar por unos 2 minutos.

• Agregar la crema, las alcaparras y las anchoas. Sazonar con sal y pimienta; mezclar bien. Cuando las almejas estén cocidas, sacarlas con una cuchara espumadera. Pasarlas a 4 platos individuales. Ponerlas aparte.

• Llevar a ebullición los jugos de cocción. Revolviendo, cocer a fuego lento hasta que el líquido se espese. Ponérselo a las almejas. Servir.

Almejas en Salsa de Cerveza

4 PORCIONES

2 cdas	(30 g) mantequilla
2 cdas	(30 g) chalotes franceses, picados
1 1/2 taza	(375 ml) cerveza oscura
4 1/2 lbs	(2 kg) almejas, limpias, en remojo
3 cdas	(21 g) harina de papa
1/2 taza	(125 ml) jugo de vegetales
	sal de mar
	pimienta recién triturada

• En un bandeja honda, derretir la mantequilla. Cocinar ligeramente los chalotes por unos 3 minutos. Poner la cerveza. Llevar a ebullición. Agregar las almejas. Tapar. Reducir el fuego. Cocinar por unos 5 minutos. Revolver cuando se esté a medio cocinar.

• Cuando las almejas estén cocidas, sacarlas con una cuchara espumadera. Pasarlas a 4 platos individuales. Poner aparte.

• Diluir la harina de papa en el jugo de vegetales. Incorporarla en los jugos de cocción. Sazonar al gusto.

• Llevar a ebullición. Revolviendo, cocer a fuego lento hasta que el líquido se espese. Ponérselo a las almejas. Servir.

Con las manecillas del reloj, de arriba a la izquierda :
Almejas Ravigote, Ostras con Queso Asado, Alcachofas Rellenas con Caracol

Ceviche

	4 PORCIONES
1 lb	(450 g) mariscos (camarones, vieiras, carne de cangrejo), en trocitos pequeños
2 cdas	(30 ml) vinagre
¹/₄ taza	(60 ml) jugo de lima fresco
¹/₄ taza	(60 ml) jugo de limón fresco
8 oz	(225 g) tomates maduros, sin semillas, pelados, en cubitos
4 oz	(115 g) cebollitas de perla encurtidas, picadas
2 cdas	(30 ml) aceite liviano
1 cdta	(5 ml) orégano fresco ó
¹/₂ cdta	(2 ml) orégano seco

- Lavar los mariscos con agua fría mezclada con vinagre. Secarlos a golpecitos. Colocarlos en un tazón de vidrio o porcelana. Rociarlos con los jugos de lima y limón. Marinarlos en el refrigerador por toda la noche, revolviendo ocasionalmente. Agregar los tomates, las cebollas, el aceite y el orégano.

- Pasar la mezcla de mariscos a tazones de servir o caparazones de vieiras. Decorar con perejil. Servir.

VARIACIÓN
- Servir el ceviche con frutas como gajos de naranja.

Esturión Ahumado con Almejas y Manzanas

	4 PORCIONES
1	manzana, en cuartos, picada fino
2 tazas	(500 ml) agua
	jugo de ¹/₂ limón
8 oz	(225 g) esturión ahumado, picado fino
1 taza	(250 ml) almejas ahumadas, escurridas
	pimienta recién triturada
2 cdas	(30 ml) aceite de oliva
2 cdas	(18 g) cebollines, picados

- En un tazón, colocar los trozos de manzana. Ponerles el agua. Rociarlos con jugo de limón. Dejarlos en remojo por 1 minuto. Escurrirlos.

- En un plato, colocar las rodajas de esturión, alternándolas con las rodajas de manzana y las almejas ahumadas. Sazonar al gusto con pimienta. Rociar con el aceite y los cebollines. Servir con una ensalada.

Pasta con Camarones

4-6 PORCIONES	
1 lb	(450 g) espagueti
3 cdas	(45 g) mantequilla o margarina
1-2	zanahorias, cortadas en palitos
	blancos de 2 puerros, picados grueso
½ taza	(125 g) pimiento dulce verde, picado
1 taza	(160 g) champiñones, picados fino
1	tomate, pelado, picado
	pizca de nuez moscada
	sal y pimienta
1 lb	(450 g) camarones medianos, pelados
⅔ taza	(160 ml) crema batida
	perejil, picado

- Cocinar la pasta siguiendo las instrucciones del paquete.

- Mientras tanto, en una sartén, derretir la mantequilla. Sin dorarlas, cocinar todas las verduras, menos el tomate, hasta que se ablanden. Sazonar. Mezclar los camarones y el tomate. Cocinar hasta que los camarones se pongan opacos y empiezen a enrizarse. Incorporar la crema batida. A calor bajo, revolviendo con cuidado, calentar bien.

- Escurrir la pasta. Pasarla a una fuente de servir caliente. Bañarla con salsa. Revolverla un poco. Espolvorear con el perejil. Servir.

VARIACIONES

- Reemplazar el espagueti con linguini o fideos de huevo.

Mariscos con Fettucine Verde

6 PORCIONES	
1 lb	(450 g) fettucine de espinaca
6 cdas	(90 ml) aceite de oliva
1	cebolla, picada fino
4	zanahorias pequeñas, picadas fino
1	tallo de apio, en cubitos
	sal y pimienta
	pizca de orégano
1 lb	(450 g) mariscos, en trocitos pequeños
¾ taza	(180 ml) vino blanco seco

- Cocinar la pasta siguiendo las instrucciones del paquete.

- En una sartén, calentar el aceite. Cocinar la cebolla hasta que esté blanda pero sin dorarse. Agregar las zanahorias y el apio. Sazonar con sal, pimienta y orégano. Cocinar por 4-5 minutos. Agregar los mariscos y el vino. A calor bajo, cocer a fuego lento hasta que los mariscos estén cocinados. Ponerlos sobre la pasta escurrida. Servir.

VARIACIONES

- Agregar los tomates al mismo tiempo que las zanahorias.

- Reemplazar la cebolla con ajo, y el orégano con albahaca.

- Reemplazar los mariscos con pescado fresco.

Más y más personas están empezando a disfrutar de las excitantes y versátiles carnes producto de las cacerías.

La carne de animales silvestres, con su sabor pronunciado y distintivo, le añade variedad y sabor a su dieta. Sin embargo, el precio todavía es muy alto, y tenemos la tendencia de reservarla solamente para ocasiones especiales.

En este capítulo usted encontrará delicias tales como el Fondue de Venado (p. 222).

Esta sección sin duda le hará aprender más sobre el sabor especial de los platos con carne de caza.

CAZA

Venado Asado

1	carne de venado de 4 lbs (1,8 kg)
1	hoja de laurel
1	clavo de olor
1 taza	(250 ml) caldo de pollo, caliente
1 taza	(250 ml) caldo de carne de res, caliente
1 taza	(250 ml) sopa de cebolla, caliente

- Precalentar el horno a 350 °F (175 °C).

- En una olla para horno, colocar la carne de venado. Agregar la hoja de laurel, el clavo de olor, los dos caldos y la sopa de cebolla. Tapar. Poner en el horno por unas dos 2 horas.

- Quitar la tapa, unos 30 minutos antes del final de la cocción. Cocinar hasta que la carne se dore bien. Servir con papas sofritas y una ensalada verde, si se desea.

Tournedos de Venado con Salsa de Mostaza

1 cda	(15 ml) aceite de cacahuate
4	tournedos de venado de 6 oz (165 g)
	sal y pimienta
2 cdtas	(10 g) chalotes franceses, picados
3 cdas	(45 ml) mostaza picante
1 taza	(250 ml) caldo de carne de res
1/2 cdta	(2 ml) estragón, picado
3 cdas	(45 ml) crema ácida

- Precalentar el horno a 225 °F (105 °C).

- En una sartén, calentar el aceite. Cocinar los tournedos al punto deseado. Voltearlos solamente una vez. Sazonarlos con sal y pimienta. Pasar los tournedos a una lata de hornear. Mantenerlos calientes en el horno.

- En una sartén caliente, cocinar los chalotes por 1 minuto. Incorporar la mostaza. Agregar el caldo de carne de res y el estragón. Reducir el líquido a la mitad.

- Agregar la crema ácida. Reducir la temperatura. Regresar los tournedos a la sartén. Revolver la carne en la salsa para que se cubra bien. Recalentar sin hervir. Servir.

Filetes de Búfalo con Queso

4 PORCIONES

1 cda	(15 ml) aceite de cacahuate
4	filetes de búfalo de 6 oz (165 g)
¹/₄ cdta	(1 g) pimienta recién triturada
¹/₄ cdta	(1 g) sal de cebolla
3 oz	(90 g) queso Cheddar, en rodajas
3 oz	(90 g) queso Mozzarella, en rodajas

- Precalentar el horno en ASAR.

- En una sartén, calentar el aceite. Cocinar los filetes un poco menos que al punto deseado. Voltearlos solamente una vez durante la cocción. Sazonarlos.

- Pasar los filetes a una bandeja de hornear. Cubrirlos con las rodajas de queso, alternando las dos clases. Colocar la bandeja en el horno a 4 pulg (10 cm) del elemento de calor. Asar por 2 minutos o hasta que los quesos se derritan. Servir.

La receta se muestra arriba

Albóndigas de Venado con Salsa

8 PORCIONES

2 tazas	(320 g) papas, ralladas
1 ¹/₂ lb	(675 g) carne de venado molida
²/₃ taza	(160 g) cebolla, picada
1 cdta	(5 g) sal
¹/₄ cdta	(1 g) pimienta
¹/₄ cdta	(1 g) ajo en polvo
¹/₄ taza	(60 ml) leche
1	huevo, batido
¹/₄ taza	(60 g) mantequilla
¹/₂ taza	(125 ml) agua
3 cdas	(21 g) harina
2 ¹/₂ tazas	(625 ml) agua
2 tazas	(500 ml) crema ácida
1 cdta	(5 g) semillas de eneldo
10 oz	(280 g) chícharos verdes congelados

- En un tazón grande, mezclar los primeros 8 ingredientes. Hacer albóndigas de 1 ¹/₂ pulg (3,75 cm).

- En una sartén de hierro, derretir 1 cda (15 g) de mantequilla. Dorar las albóndigas. Poner ¹/₂ taza (125 ml) de agua. Tapar. Cocer a fuego lento por 20 minutos. Sacar las albóndigas. Mantenerlas tibias.

- En la misma sartén, derretir el resto de la mantequilla. Mezclar la harina. Agregar 2 ¹/₂ tazas (625 ml) de agua. Revolviendo, cocer a fuego lento hasta que la salsa se espese. Quitar del fuego. Agregar la crema ácida, el eneldo y los chícharos verdes. Calentar bien. Poner las albóndigas en la salsa. Mezclar bien. Cocer a fuego lento por 3 minutos. Servir.

Fondue de Venado

4 PORCIONES

4 tazas	(1 L) aceite de cacahuate
1	papa, en rodajas
2	dientes de ajo
1 lb	(450 g) cubos de carne de venado

- En un plato de fondue, poner el aceite. Agregar las rodajas de papa y el ajo. Calentar el aceite a 350 °F (175 °C).

- Colocar la carne de venado en una fuente de servir. Servir el fondue con las salsas siguientes :

Salsa de Cóctel

ALREDEDOR DE $^1/_2$ TAZA (125 ML)

$^1/_2$ taza	(125 ml) salsa de chile
1 cda	(15 ml) rábano picante en vinagre
	chorrito de salsa inglesa

- En un tazón pequeño, mezclar todos los ingredientes.

Salsa de Ajo

ALREDEDOR DE $^1/_2$ TAZA (125 ML)

$^1/_2$ taza	(125 ml) mayonesa
2	dientes de ajo, picados
	chorrito de salsa inglesa
	sal y pimienta

- En un tazón pequeño, mezclar todos los ingredientes.

Salsa de Perejil

ALREDEDOR DE $^1/_2$ TAZA (125 ML)

$^1/_2$ taza	(125 ml) perejil, picado
2 cdtas	(10 ml) mayonesa
	chorrito de salsa inglesa
	sal y pimienta

- En un tazón pequeño, mezclar todos los ingredientes.

Salsa Tártara

ALREDEDOR DE $^1/_2$ TAZA (125 ML)

$^1/_2$ taza	(125 ml) mayonesa
2 cdas	(30 ml) encurtidos ácidos, picados
2 cdtas	(5 g) alcaparras, picadas
$^1/_4$ cdta	(1 g) ajo, picado
	chorrito de salsa inglesa
1	filete de anchoas, picado
	sal y pimienta

- En un tazón pequeño, mezclar todos los ingredientes.

Picadillo de Cebolla

ALREDEDOR DE 1/2 TAZA (125 ML)

$^1/_4$ taza	(60 g) cebolla amarilla, picada
$^1/_4$ taza	(60 g) cebolla roja, picada
2 cdtas	(10 ml) aceite de oliva virgen
2 cdtas	(10 ml) perejil, picado
	sal y pimienta

- En un tazón pequeño, mezclar todos los ingredientes.

Salsa de Whiskey

ALREDEDOR DE $^1/_2$ TAZA (125 ML)

$^1/_2$ taza	(125 ml) mayonesa
1 cda	(15 ml) salsa de chile
$^1/_2$ oz	(15 ml) whiskey
	chorrito de salsa inglesa
	sal y pimienta

- En un tazón pequeño, mezclar todos los ingredientes.

Salsa Picante

ALREDEDOR DE 1/2 TAZA (125 ML)

$^1/_2$ taza	(125 g) pimientos picantes encurtidos, picados
1 cda	(15 ml) salsa de chile
1 cda	(15 ml) mayonesa
	chorrito de salsa inglesa

- En un tazón pequeño, mezclar todos los ingredientes.

Salsa de Curry

ALREDEDOR DE 1/2 TAZA (125 ML)

$^1/_2$ taza	(125 ml) mayonesa
1 cda	(15 ml) salsa de chile
1 cdta	(5 g) curry en polvo
	chorrito de salsa inglesa
	sal y pimienta

- En un tazón pequeño, mezclar todos los ingredientes.

Salsa Picante de Estragón y Cebolla

ALREDEDOR DE 1 TAZA (250 ML)

2	yemas de huevo
1 cda	(15 ml) vino blanco
8 oz	(225 g) mantequilla, clarificada
1 cdta	(5 ml) jugo de limón
	pizca de sal de mar
	pizca de pimienta de Cayena
1 cdta	(5 ml) estragón en vinagre, picado
2 cdas	(30 ml) picadillo de cebolla (p. 222)
1 cdta	(2 g) alcaparras, picadas
1 cdta	(5 ml) encurtidos ácidos, picados
$^1/_2$ cdta	(2 ml) salsa inglesa

- En una cacerola pequeña, a fuego muy bajo, batir las yemas de huevo y el vino blanco hasta que la mezcla se espese.

- Quitar del fuego. Con un batidor, incorporar poco a poco la mantequilla clarificada. Mezclarla bien al poner cada trocito. Cuando la mezcla empiece a espesarse, incorporar el jugo de limón.

- Agregar el resto de los ingredientes. Mezclar hasta que salsa esté homogénea.

Pechuga de Ganso Rellena

4 PORCIONES

1	pechuga de ganso de 1 ¹/₄ lb (565 g)

Relleno

3 oz	(90 g) paté de hígado
¹/₄ taza	(40 g) champiñones, picados fino
2 cdas	(30 ml) aceite vegetal sal y pimienta
1	cebolla, en rodajas
1	diente de ajo, picado
1 taza	(250 ml) caldo de pollo, caliente

- Precalentar el horno a 400 °F (205 °C).

- Hacer un corte a lo largo de la pechuga del ganso, para formar una cavidad donde poner el relleno.

- En un tazón, combinar los ingredientes del relleno. Ponerlos en la cavidad de la pechuga. Sujetar apretado con un cordel.

- En una sartén para hornear, calentar el aceite. Soasar la pechuga a ambos lados. Sazonarla con sal y pimienta. Agregar las rodajas de cebolla y el ajo. Asar en el horno por 30 minutos.

- Cuando se esté a medio cocinar, sacar la pechuga del horno. Sacarle la grasa. Agregarle el caldo de pollo. Regresarla al horno. Continuar cocinando. Cortarla en rodajas. Bañarla con los jugos de cocción. Servir.

Gallina de Guinea Asada con Cerezas

4 PORCIONES

1	gallina de Guinea de 4 ¹/₂ lbs (2 kg)
3 cdas	(45 g) mantequilla sal y pimienta
19 oz	(540 ml) cerezas Bing de lata
¹/₄ taza	(60 ml) miel
¹/₄ taza	(60 ml) caldo de pollo
¹/₄ cdta	(1 ml) tomillo, picado
2 cdtas	(10 ml) perejil, picado

- Precalentar el horno a 350 °F (175 °C).

- Preparar la gallina de Guinea. Untarle mantequilla. Sazonarla.

- Colocarla en un bandeja para hornear. Hornear por unas 2 horas.

- Mientras tanto, escurrir las cerezas, reservar el jugo. Poner las frutas aparte. Mezclar el jugo con el resto de los ingredientes. Ponerle la mezcla a la gallina de Guinea. Bañar con los jugos de cocción cada 15 minutos. Unos 15 minutos antes de terminar de cocinar, agregar las cerezas.

- Cuando la gallinita esté cocida sacarla de la bandeja. Desengrasar los jugos de cocción. Llevarlos a ebullición. Cocer a fuego lento por 5 minutos. Cortar la gallina de Guinea. Bañar cada porción con jugos de cocción. Servir.

Faisán en Salsa de Vino

4 PORCIONES	
1	faisán de 4 lbs (1,8 kg), en 10 trozos
$^1/_2$ taza	(57 g) harina de trigo
$^1/_4$ taza	(60 ml) aceite o mantequilla
	sal y pimienta
2 oz	(60 ml) Calvados
2 tazas	(500 ml) vino tinto
1 taza	(250 ml) caldo de pollo
$^1/_4$ cdta	(1 ml) tomillo, picado
2 cdtas	(10 ml) perejil, picado
2	hojas de laurel
$^1/_2$ taza	(125 g) grasa de cerdo sólida, en cubitos
$^1/_4$ taza	(40 g) cebollitas de perla
$^1/_4$ taza	(40 g) champiñones, en mitades

- Espolvorear dos veces con harina cada pedazo de faisán.
- En una bandeja honda, calentar el aceite o derretir la mantequilla. Soasar los pedazos de faisán por todos lados. Sazonarlos con sal y pimienta.
- Deglacear con el Calvados. Calentar un poco. Flamear por unos 30 segundos. Agregar el vino, el caldo de pollo y los condimentos. Llevar a ebullición. Reducir el fuego. Cocer a fuego lento por unos 50 minutos.
- Mientras tanto, en una sartén, derretir la grasa de cerdo. Agregar las cebollas y los champiñones. Dorarlos un poco. Sacar la grasa. Agregársela al faisán. Servir con pasta fresca, si se desea.

Perdices con Repollo

6 PORCIONES	
3	perdices, cortadas en mitades
$^1/_2$ taza	(57 g) harina
1 taza	(250 g) grasa de cerdo sólida, en cubitos
1	cabeza de repollo verde, picada grueso
4-6	cebollas grandes, picadas fino
$^1/_2$ cdtas	(2 ml) tomillo
	sal y pimienta
$^1/_2$ taza	(125 ml) vino blanco o sidra

- Espolvorear con harina cada pedazo de perdiz.
- En una olla de fondo pesado, derretir la grasa de cerdo. A calor bajo, dorar los pedazos de perdiz por 25 minutos. Sacarlos de la olla. Ponerlos aparte.
- En una olla caliente, poner el repollo y las cebollas. Tapar. Cocinar por 15 minutos, revolviendo frecuentemente.
- Regresar las perdices a la olla. Sazonarlas con tomillo, sal y pimienta. Agregar el vino o sidra. Tapar. Cocer a fuego lento por aproximadamente 1 hora o hasta que se ablanden. Servir.

Guiso de Conejo

4 PORCIONES

Salsa de Marinar

1 ½ taza	(375 ml) vino tinto
½ taza	(125 ml) vinagre de vino tinto
3	hojas de laurel
3	clavos de olor
	pizca de sal
2	granos de pimienta
1 cda	(15 ml) pimienta de Jamaica
1	conejo de 4 lbs (1,8 kg), cortado en pedazos
	harina
½ taza	(125 ml) aceite de oliva
2 lbs	(900 g) cebollitas de perla
2 lbs	(900 g) tomates, pelados, machacados
2 cdas	(30 g) azúcar

■ En un plato, combinar los ingredientes de la salsa de marinar. Agregar los pedazos de conejo. Tapar. Refrigerar por 12-24 horas.

■ Sacar el conejo de la salsa de marinar. Secarlo a golpecitos. Espolvorearlo con harina. Colar la salsa de marinar. Ponerla aparte.

■ En un bandeja honda, calentar el aceite. Dorar los pedazos de conejo por todos lados. Sacarlos de la bandeja. Ponerlos aparte. Dorar la cebolla en la grasa del conejo. Agregar los tomates, el azúcar, la salsa de marinar y los pedazos de conejo. Cocer a fuego lento por aproximadamente 1 hora o hasta que la carne se ablande.

■ Servir con papas espolvoreadas con perejil picado, si se desea.

VARIACIÓN

● Reemplazar las cebollitas de perla con 2 cebollas medianas, en rodajas.

Costillar Asado Agridulce

6-8 PORCIONES

	sal y pimienta
1	costillar de cerdo salvaje
2 cdas	(30 ml) manteca vegetal
½ taza	(125 ml) agua
8 oz	(227 ml) salsa de tomate de lata
2	cebollas, en rodajas
1	diente de ajo, picado fino

Salsa

2 cdas	(20 g) azúcar morena
½ cdta	(2 g) mostaza en polvo
½ taza	(125 ml) jugo de limón
¼ taza	(60 ml) vinagre
⅓ taza	(80 ml) ketchup
1 cda	(15 ml) salsa inglesa

■ Frotar el costillar con sal y pimienta.

■ En una olla de hierro, derretir la manteca vegetal. Dorar la carne por todos lados. Agregar el agua, la salsa de tomate, las cebollas y el ajo. Bajar la temperatura. Cocer a fuego lento por unos 30 minutos.

■ Mientras tanto, en un tazón pequeño, mezclar los ingredientes de la salsa. Ponérselos a la carne. Continuar cocinando por aproximadamente 1 hora o hasta que la carne se ablande. Servir.

Filete de Alce Marinado

4 PORCIONES

Salsa de marinar

1 taza	(250 ml) salsa de chile
1 1/2 taza	(375 ml) jugo de naranja
1/4 taza	(60 g) cebolla, picada
1 cdta	(5 g) ajo, picado
1 cda	(15 ml) salsa inglesa
1 cda	(15 ml) mostaza de Dijon
1 cdta	(5 ml) perejil, picado
1/4 taza	(60 ml) aceite vegetal
1	filete de alce de 1 1/2 lb (675 g), 1/2 pulg (1,25 cm) de grosor

■ En un tazón, mezclar los ingredientes de la salsa de marinar.

■ Hacer cortes en forma de diamante a ambos lados del filete. Colocarlo en un plato. Ponerle la salsa de marinar. Tapar. Refrigerar por lo menos 12 horas. Escurrir el filete; reservar la salsa de marinar.

■ Precalentar el horno en ASAR.

■ Pasar el filete a un bandeja para hornear con parrilla. Colocarla en el horno a 4 pulg (10 cm) del elemento de calor. Asar el filete 4-5 minutos por lado. Bañarlo con salsa de marinar cada 2 minutos. Servir con una ensalada, rodajas de tomate y papas al horno, si se desea.

VARIACIÓN

● Colocar los filetes en una parrilla engrasada. Asar 5-7 minutos por lado. Durante la cocción, bañar con frecuencia con salsa de marinar.

Carne de Venado Gourmet

8 PORCIONES

1/2 taza	(57 g) harina
1 cdta	(5 g) sal
1/2 cdta	(2 g) pimienta
2 cdtas	(10 g) nuez moscada
2 lbs	(900 g) cubos de carne de venado (caribú, alce o ciervo)
3 cdas	(45 ml) aceite
1 cda	(15 g) mantequilla
2	cebollas grandes, picadas fino
2	dientes de ajo, picados
1 cdta	(3 g) azúcar morena
1	botella (341 ml) de cerveza
1	hoja de laurel
	jugo y ralladura de 1/2 naranja

■ Espolvorear a una hoja de papel encerado con harina, sal, pimienta y nuez moscada. Rodar los cubos de carne en la mezcla.

■ En una olla de hierro, calentar el aceite y derretir la mantequilla. Soasar los cubos de carne 2-3 minutos por todos lados. Sacarlos de la olla. Ponerlos aparte. Sofreír las cebollas y el ajo por unos 4 minutos. Incorporar el azúcar. Cocinar por 1 minuto.

■ Regresar la carne a la olla. Agregar la cerveza, la hoja de laurel, y la ralladura y jugo de naranja. Llevar a ebullición. Bajar el fuego. Cocer a fuego lento por 90 minutos. Agregar un poco de agua si la salsa está muy espesa. Servir.

La receta se muestra arriba

ALTERNATIVAS

Los nutriólogos recomiendan que reduzcamos nuestro consumo de carne y la reemplacemos con sustitutos de bajo contenido de grasas. El tofu, los huevos, las nueces, los quesos, los frijoles y las legumbres son sustitutos de la carne; esos alimentos constituyen una fuente importante de proteínas.

Tenemos que ser cuidadosos en lo que se refiere a nueces y quesos. Pueden ser una fuente de grasas aun mayor que la carne. Tampoco abusemos de los huevos; ¡contienen mucho colesterol!

Agregue variedad a su menú incorporando un Pastel de Verduras con Queso (p. 232) en su comida. O pruebe servirle a sus invitados una Berenjena Parmesana (p. 233). Estamos seguros que usted las encontrará deliciosas.

Tofu en Arroz

<table>
<tr><td colspan="2" align="center">3-4 PORCIONES</td></tr>
<tr><td>2 tazas</td><td>(500 ml) caldo de verduras</td></tr>
<tr><td>2 cdas</td><td>(30 ml) salsa de soya</td></tr>
<tr><td>3/4 taza</td><td>(120 g) arroz marrón</td></tr>
<tr><td>1 1/2 taza</td><td>(375 ml) caldo de verduras</td></tr>
<tr><td>1 1/4 taza</td><td>(300 ml) agua</td></tr>
<tr><td>1 taza</td><td>(250 g) cebolla, picada</td></tr>
<tr><td>1 1/2 tazas</td><td>(240 g) apio, picado</td></tr>
<tr><td>1 taza</td><td>(160 g) champiñones, picados</td></tr>
<tr><td>2 tazas</td><td>(500 ml) tofu, en cubitos</td></tr>
<tr><td></td><td>estragón, albahaca, tomillo, romero, pimienta de Cayena, al gusto</td></tr>
<tr><td>4 cdtas</td><td>(9 g) maicena</td></tr>
<tr><td>1/4 taza</td><td>(60 ml) agua</td></tr>
<tr><td>1</td><td>tomate firme, en cubitos</td></tr>
<tr><td>2</td><td>cebollas verdes, picadas</td></tr>
</table>

▪ En una cacerola, llevar a ebullición 2 tazas (500 ml) de caldo de verduras y la salsa de soya. Agregar el arroz. Reducir el fuego al mínimo. Continuar cocinando hasta que arroz esté cocido.

▪ En una segunda cacerola, combinar 1 1/2 taza (375 ml) de caldo de verduras, el agua, la cebolla, el apio, los champiñones y el tofu. Cocer a fuego lento por 6 minutos. Sazonar.

▪ Diluir la maicena en 1/4 taza (60 ml) de agua. Incorporar en la mezcla de tofu. Revolver hasta que la salsa se espese. Agregar el tomate. Cocer a fuego lento por 4 minutos. Servir en una cama de arroz saborizado con soya. Decorar con las cebollas verdes. Servir con verduras frescas, si se desea.

Guiso de Tofu

<table>
<tr><td colspan="2" align="center">2 PORCIONES</td></tr>
<tr><td>2 tazas</td><td>(500 ml) caldo de carne de res, desengrasado</td></tr>
<tr><td>1 1/2 taza</td><td>(375 ml) jugo de vegetales</td></tr>
<tr><td>12 oz</td><td>(350 g) tofu, en cubitos</td></tr>
<tr><td>1 taza</td><td>(250 g) nabo, cortado en tiras</td></tr>
<tr><td>1 taza</td><td>(160 g) flores de coliflor</td></tr>
<tr><td>1/2</td><td>cebolla, picada</td></tr>
<tr><td>1/2</td><td>pimiento dulce verde, picado fino</td></tr>
<tr><td>1</td><td>zanahoria, cortada en tiras</td></tr>
<tr><td>1 cdta</td><td>(5 g) cebolla en polvo</td></tr>
<tr><td>1 cdta</td><td>(5 g) ajo en polvo</td></tr>
<tr><td></td><td>sal y pimienta</td></tr>
</table>

▪ En una olla, cocer a fuego lento todos los ingredientes por unos 30 minutos. Servir.

La receta se muestra arriba

VARIACIONES

• Reemplazar el caldo de carne de res con caldo de pollo o de verduras.

• Reemplazar la coliflor con brócoli, el pimiento dulce verde con pimiento dulce rojo, el nabo con chirivía.

• Reemplazar el jugo de vegetales con 3/4 taza (180 ml) de jugo de naranja y 3/4 taza (180 ml) de jugo de arándano.

• Espolvorear con 1/4 taza (60 g) de semillas de ajonjolí tostadas.

Tofu en Hojaldre

	3 PORCIONES
3 cdas	(45 g) mantequilla
3 cdas	(21 g) harina
2 tazas	(500 ml) leche
1 cda	(15 g) mantequilla
1	cebolla, picada fino
6	champiñones, picados
½ taza	(125 ml) chícharos verdes de lata, escurridos
6	cortezas de pastel
1 cda	(15 g) cebolla en polvo
	pizca de ajo en polvo
1 cdta	(5 g) sal
	pizca de pimienta
6 oz	(165 g) tofu, desmenuzado

- Precalentar el horno a 350 °F (175 °C).

- En una cacerola, derretir 3 cdas (45 g) de mantequilla. Incorporar la harina; mezclar bien. Revolviendo, cocinar por 2 minutos. Agregar la leche. Revolver hasta que la salsa se espese.

- En una sartén, derretir 1 cda (15 g) de mantequilla. Cocinar ligeramente la cebolla, los champiñones y los chícharos verdes.

- Mientras tanto, calentar las cortezas de pastel en el horno.

- Agregar las verduras a la salsa blanca. Sazonar con la cebolla en polvo, el ajo en polvo, sal y pimienta. Agregar el tofu.

- Sacar las cortezas de pastel del horno. Con una cuchara, poner la mezcla de tofu en las cortezas. Servir.

Tofu con Almendras

	8 PORCIONES
¼ taza	(60 ml) salsa de soya
2 cdas	(30 g) mantequilla de cacahuate
¼ cdta	(1 g) ajo en polvo
1 cdta	(5 g) cebolla en polvo
½ cdta	(2 g) jengibre
2 lbs	(900 g) tofu, en cubitos
2 cdas	(30 ml) aceite vegetal
2 cdas	(30 ml) aceite de cacahuate
1	pimiento dulce verde, en cubitos
6-8	cebollas verdes, cortadas en trozos de 1 pulg (2,5 cm)
1 taza	(160 g) apio, cortado en trozos de 1 pulg (2,5 cm)
5 oz	(142 g) castañas de agua, en rodajas
2 cdas	(14 g) maicena
2 tazas	(500 ml) agua fría
¼ taza	(60 ml) salsa de soya
½ taza	(125 g) almendras tostadas

- En un tazón, mezclar los primeros 5 ingredientes. Agregar el tofu. Marinar por 2 horas, revolviendo ocasionalmente.

- En una sartén, calentar el aceite vegetal. Poner el tofu y la salsa de marinar. Cocinar el tofu hasta que absorba todo el líquido.

- En una segunda sartén, calentar el aceite de cacahuate. Cocinar las verduras y las castañas de agua " al dente ".

- Mientras tanto, diluir la maicena en el agua y la salsa de soya. Ponérsela a las verduras; mezclarla bien. A calor bajo, continuar cocinando hasta que la salsa se espese. Agregar el tofu y las almendras. Servir en una cama de arroz, si se desea.

Tajine de Verduras

4 PORCIONES	
1 cda	(15 ml) aceite
4	cebollas grandes, en anillos
1	pimiento dulce verde, picado fino
1	pimiento dulce rojo, picado fino
3	calabacitas medianas, en rueditas
19 oz	(540 ml) tomates picantes de lata
3	huevos, batidos
¹/₂ taza	(80 g) queso Mozzarella, rallado

	tomillo, albahaca, perejil, tomillo real, sal de apio, al gusto
1 taza	(160 g) queso Mozzarella, rallado

- Precalentar el horno a 350 °F (175 °C).

- En una olla, calentar el aceite. Cocinar ligeramente las cebollas. Agregar los pimientos dulces, la calabacita y los tomates. A calor bajo, cocer a fuego lento.

- En un tazón, combinar los huevos batidos, ¹/₂ taza (80 g) de queso y las hierbas mixtas. Ponerlos en la olla; mezclar bien.

- En un plato grande de pyrex engrasado, colocar la mezcla de verduras. Cubrirla con 1 taza (160 g) de queso. Asar en el horno por 20-25 minutos. Servir con arroz, si se desea.

Pastel de Verduras con Queso

6-8 PORCIONES	
2 cdas	(30 ml) aceite vegetal
1	diente de ajo, picado
1 taza	(160 g) calabacita, picada
1 taza	(160 g) apio, picado
¹/₂ taza	(80 g) zanahorias, ralladas
¹/₂ taza	(80 g) champiñones, en rodajas
¹/₂ taza	(125 g) pimiento dulce verde, picado
1 taza	(160 g) maíz de grano entero
14 oz	(398 ml) salsa de tomate de lata
1 cda	(10 g) azúcar morena
1 cdta	(5 ml) orégano
¹/₂ cdta	(2 g) sal
¹/₂ cdta	(2 ml) albahaca
	pizca de pimienta

	pizca de pimienta de Jamaica
2	cortezas cortas de pastel (p. 334)
1 taza	(160 g) queso Cheddar, rallado
1	huevo y 1 cda (15 ml) de agua, batidos juntos

- Precalentar el horno a 325 °F (160 °C).

- En una olla grande, calentar el aceite. Cocinar el ajo y las verduras, menos el maíz, por 3-5 minutos.

- Agregar la salsa de tomate, el maíz, el azúcar y los condimentos. Cocinar por 3-5 minutos.

- Poner la corteza en un molde de pastel. Poner las verduras en la corteza. Espolvorear con queso. Cubrir con la segunda corteza. Untarla con el huevo batido. Hornear por 30-40 minutos. Servir.

Berenjena Parmesana

4 PORCIONES	
1	berenjena, en rodajas de ¹/₂ pulg (1,25 cm) de grosor
2	huevos, batidos
¹/₃ taza	(37 g) harina de trigo integral
¹/₄ taza	(60 ml) aceite de oliva
	sal y pimienta
¹/₄ cdta	(1 ml) orégano, picado
¹/₄ cdta	(1 ml) albahaca, picada
¹/₂ cdta	(2 ml) perifollo, picado
1 cdta	(5 ml) perejil, picado
2 tazas	(500 ml) salsa de tomate
8	rodajas de queso Mozzarella

- Precalentar el horno a 350 °F (175 °C).

- Sumergir las rodajas de berenjena en el huevo batido. Espolvorearlas con harina.

- En una sartén grande, calentar el aceite. Dorar ligeramente las rodajas de berenjena a ambos lados. Sazonarlas con sal y pimienta.

- Pasar las rodajas de berenjena a un plato de pyrex engrasado. Espolvorearlas con las hierbas mixtas. Poner la salsa de tomate. Cubrir con el queso. Hornear por unos 15 minutos o hasta que el queso se derrita y empiece a dorarse. Servir.

Casserole de Papa y Repollo

4 PORCIONES	
6	papas grandes, peladas, cocidas
4 cdtas	(20 g) mantequilla o margarina
²/₃ taza	(160 ml) leche descremada
2 ¹/₂ tazas	(400 g) repollo verde, picado fino, cocido
2 cdtas	(10 ml) perejil fresco, picado
	sal y pimienta
1 cda	(15 ml) aceite vegetal
1 taza	(250 g) cebolla, picada fino
1 taza	(160 g) queso Cheddar añejo, rallado

- Precalentar el horno a 350 °F (175 °C).

- En una licuadora o un tazón, hacer un puré fino con las papas, la mantequilla y la leche. Incorporar el repollo, el perejil, sal y pimienta. Poner aparte.

- En una sartén, calentar el aceite. Cocinar la cebolla hasta que se ablande pero sin dorarse. Agregársela a la mezcla de papa.

- En un plato de hornear engrasado de 10 tazas (2,5 L), poner una capa de puré de papas. Cubrir con la mitad del queso. Poner una segunda capa de puré de papas, y luego el resto del queso.

- Hornear por 30-40 minutos o hasta que el queso se dore bonito. Servir.

Salsa de Espagueti sin Carne

¹/₂ taza	(125 ml) aceite vegetal o de ajonjolí
2	cebollas grandes, picadas
2 tazas	(320 g) apio, picado
2 tazas	(320 g) champiñones frescos, picados
¹/₂ taza	(80 g) frijoles de soya, machacados
1 taza	(160 g) semillas de girasol, picadas o molidas
1 taza	(160 g) cacahuates, picados

28 oz	(796 ml) tomates de lata
10 oz	(284 ml) sopa de crema de tomate de lata
19 oz	(540 ml) jugo de tomate de lata
12 oz	(341 ml) pasta de tomate de lata
2	puerros, picados fino
2	pimientos dulces verdes, picados fino
4-6	dientes de ajo, picados
1 cda	(15 ml) miel
¹/₂ cdta	(2 g) pimientos dulces rojos, machacados

¹/₂ cdta	(2 ml) salsa Tabasco
2	pizcas de perejil
3	hojas de laurel
1 cdta	(5 g) sal de mar
¹/₂ cdta	(2 g) pimienta
1 cdta	(5 ml) albahaca
1 cdta	(5 ml) tomillo
1 cdta	(5 ml) orégano
¹/₂ cdta	(2 g) canela
¹/₂ cdta	(2 g) clavos de olor molidos

■ En una cacerola de fondo pesado, calentar el aceite. Cocinar las cebollas, el apio y los champiñones por 4 minutos. Agregar los frijoles de soya, las semillas de girasol y los cacahuates. Continuar cocinando por 5 minutos.

■ Poner los tomates, la sopa de crema de tomate, el jugo y la pasta de tomate. Agregar los puerros y los pimientos dulces. Llevar a ebullición. Cocer a fuego lento por 10 minutos. Incorporar el ajo, la miel, los pimientos dulces rojos y la salsa Tabasco. Cocer a fuego lento por 2 horas.

■ Unos 30 minutos antes de terminar de cocinar, agregar los otros condimentos. Si la salsa está muy espesa, agregarle jugo de tomate. Servir en una cama de pasta fresca, cocida "al dente".

Tortellini de Verduras y Piñones

4 PORCIONES	
¹/₄ taza	(60 g) pimiento dulce rojo, en cubitos
¹/₄ taza	(60 g) pimiento dulce verde, en cubitos
¹/₄ taza	(60 g) nabo, en cubitos
¹/₄ taza	(40 g) zanahorias, en cubitos
1 lb	(450 g) tortellini relleno con espinaca
3 cdas	(45 ml) aceite de oliva
2	dientes de ajo, picados
¹/₄ taza	(40 g) piñones
1 taza	(250 ml) jugo de vegetales
	sal y pimienta
	albahaca, desmenuzada fino

- En una cacerola con agua hirviendo ligeramente salada, cocer las verduras por unos 2 minutos. Sacarlas con una cuchara espumadera. Enfriarlas con agua corriente fría. Escurrirlas. Ponerlas aparte.

- En la misma agua hirviendo, cocinar la pasta siguiendo las instrucciones del paquete. Escurrirla. Ponerla aparte.

- En una sartén, calentar el aceite. Sofreír las verduras, el ajo y los piñones. Revolver hasta que los piñones empiecen a dorarse un poco. Agregar el jugo de vegetales. Sazonar con sal y pimienta. Llevar a ebullición. Agregar el tortellini. Revolviendo, calentar bien. Decorar con albahaca. Servir.

Fideos con Calabacita

4 PORCIONES	
1 lb	(450 g) fettucine
3	calabacitas medianas
3 cdas	(45 ml) aceite de oliva
2	dientes de ajo, picados
¹/₂ cdta	(2 ml) estragón, picado
	sal y pimienta
¹/₂ taza	(125 ml) yogurt sin sabor (opcional)

- En una cacerola con agua hirviendo ligeramente salada, cocinar la pasta siguiendo las instrucciones del paquete. Escurrirla.

- Cortar la calabacita a lo largo, en rodajas finas. Cortar cada rodaja en franjas en forma de fettucini.

- En una sartén grande, calentar el aceite. Sofreír la calabacita y el ajo; revolver.

- En un colador, poner el fettucini bajo agua corriente caliente. Escurrirlo. Agregarlo a la calabacita en la sartén. Sazonar con estragón, sal y pimienta. Continuar cocinando hasta que la pasta se caliente. Agregar yogurt, si se desea. Calentar bien por 2 minutos. Servir.

Arroz Pilaf de la Nueva Ola

4-6 PORCIONES	
¹/₄ taza	(60 ml) aceite de cacahuate
³/₄ taza	(120 g) arroz marrón de grano largo
³/₄ taza	(120 g) arroz blanco de grano largo
1 taza	(250 ml) agua caliente
2 tazas	(500 ml) jugo de vegetales, caliente
2	tomates, en cubitos
1 taza	(160 g) verduras de cabecitas de violín, limpias
2	dientes de ajo, picados
10 oz	(284 ml) champiñones de lata en rodajas, escurridos
	sal y pimienta

- Precalentar el horno a 350 °F (175 °C).

- En una bandeja honda para hornear, calentar el aceite. Agregar el arroz blanco y el marrón. Revolviendo, cocinar por 2 minutos. Mezclar el agua y el jugo de vegetales. Incorporar los tomates, las verduras de cabecitas de violín, el ajo y los champiñones. Sazonar con sal y pimienta. Tapar. Hornear por unos 45 minutos.

- Ya casi al final de la cocción, si la mezcla está muy espesa, agregar más jugo de vegetales. Si la mezcla está muy líquida, cocinar destapado por 5-10 minutos. Servir.

La receta se muestra arriba

Arroz de Fantasía

4-6 PORCIONES	
Aderezo	
¹/₃ taza	(80 ml) aceite vegetal
¹/₃ taza	(80 ml) jugo de limón
1 cda	(15 g) mostaza en polvo
1 cdta	(5 g) paprika
¹/₂ cdta	(2 g) curry en polvo
¹/₄ cdta	(1 ml) tomillo
	sal y pimienta
4 tazas	(1 L) agua, ligeramente salada
2 tazas	(320 g) arroz de grano largo
2 cdas	(30 g) mantequilla
1 taza	(160 g) almendras
1 taza	(160 g) nueces de marañón
1 taza	(160 g) apio, picado fino
5	cebollas verdes, picadas
2	aguacates, en cubitos
1	diente de ajo, picado

- En un tazón, mezclar los ingredientes del aderezo.

- En una cacerola, hervir el agua. Cocinar el arroz siguiendo las instrucciones del paquete. Agregar el aderezo. Marinar en el refrigerador por 12 horas.

- En una sartén, derretir la mantequilla. Dorar ligeramente las almendras y las nueces de marañón por unos 3 minutos. Agregar las verduras, los aguacates y el ajo. Incorporar todo en el arroz. Servir.

Frijoles Rojos con Chile

4-6 PORCIONES	
2	tallos de apio, en cubitos
1	pimiento dulce verde, picado fino
1	pimiento dulce rojo, picado fino
2	zanahorias, picadas fino
3 cdas	(45 g) mantequilla
2	papas, cocidas, en cubitos
19 oz	(540 ml) tomates de lata, en su jugo
2 cdas	(30 ml) pasta de tomate
2	latas de 19 oz (540 ml) de frijoles rojos
2 cdtas	(10 ml) perejil, picado
1 cdta	(5 ml) albahaca, picada
¹/₂ cdta	(2 ml) salsa de chile sal y pimienta

■ En una cacerola con agua hirviendo ligeramente salada, cocer el apio, los pimientos dulces y las zanahorias por 2 minutos. Escurrirlos.

■ En una sartén grande, derretir la mantequilla. Sofreír todas las verduras, menos los tomates, por unos 4 minutos. Agregar los tomates y la pasta de tomate. Llevar a ebullición. Agregar los frijoles y los condimentos. Cocer a fuego lento por 30 minutos.

■ Servir con panecillos de trigo integral o nachos, si se desea.

Lonja de Garbanzos

3-4 PORCIONES	
1 cda	(15 g) mantequilla o margarina
1	cebolla, picada
2	dientes de ajo, picados
4	tallos de apio, picados fino
2	tomates, picados fino
2 cdas	(30 ml) pasta de tomate
19 oz	(540 ml) garbanzos de lata, machacados
1	huevo, batido
¹/₂ taza	(57 g) miga de pan de trigo integral
¹/₄ taza	(60 ml) perejil fresco, picado fino
1 cdta	(5 ml) tomillo seco
1 cdta	(5 ml) tomillo real seco sal y pimienta

■ Precalentar el horno a 375 °F (190 °C).

■ En una sartén, derretir la mantequilla o margarina. Cocinar la cebolla, el ajo y el apio hasta que se ablanden. Agregar los tomates y la pasta de tomate. Continuar cocinando por 5 minutos.

■ En un tazón grande, poner la mezcla caliente. Agregar los garbanzos, el huevo, la miga de pan y las hierbas mixtas. Sazonar con sal y pimienta; mezclar bien. Poner en un molde engrasado. Cubrir con papel de aluminio. Hornear por aproximadamente 1 hora.

■ Dejar reposar la lonja por unos cuantos minutos antes de sacarla del molde. Servirla con salsa de tomate, si se desea.

PLATOS COMPLEMENTARIOS

Lo nutriólogos recomiendan comer tres o cuatro raciones de verduras crudas o cocidas diariamente. La mayoría de las verduras son una fuente excelente de Vitamina A, Vitamina C y fibra dietética.

Si evitamos agregarle mantequilla, aceite, o alguna otra grasa, un plato de verduras puede satisfacer su apetito, y a la vez es un alimento con bajo contenido de calorías.

En este capítulo usted encontrará maneras suculentas y atractivas de preparar las verduras. Las selecciones van desde una convencional Papa al Horno (p. 261) a los exóticos Aguacates Mediterráneos (p. 243). Con estos platos deliciosos, ¡es fácil disfrutar las comidas saludables!

ALCACHOFAS Y ESPÁRRAGOS

De arriba hacia abajo :
Corazones de Alcachofa en Salsa de Tomate, Alcachofas Adornadas, Corazones de Alcachofa con Queso Azul

Corazones de Alcachofa en Salsa de Tomate

4 PORCIONES

12	corazones de alcachofa
1 taza	(250 ml) jugo de tomate
2 cdtas	(10 ml) albahaca, picada
2 cdtas	(10 ml) estragón, picado
1	diente de ajo, picado
	sal y pimienta

■ En un tazón, mezclar todos los ingredientes. Refrigerar por toda la noche.

■ Al día siguiente, sacar los corazones de alcachofa de la salsa de marinar. Cortar cada uno en cuartos.

■ Dividirlos en 4 porciones iguales. Servir los corazones de alcachofa bañados con la salsa de marinar.

Alcachofas Adornadas

4 PORCIONES

1 cda	(15 g) mantequilla
1 taza	(160 g) champiñones, picados
3 cdas	(45 g) pimiento dulce rojo, picado
1	diente de ajo, picado
2 cdas	(30 g) cebolla, picada
	sal y pimienta
1/4 taza	(60 ml) vino blanco
12	bases de alcachofas
3 cdas	(30 g) queso Parmesano, rallado

■ Precalentar el horno en ASAR.

■ En una sartén, derretir la mantequilla. Cocinar los champiñones, el pimiento dulce, el ajo y la cebolla por unos 4 minutos. Sazonar con sal y pimienta. Agregar el vino blanco. Reducirlo hasta que el líquido se evapore casi por completo.

■ Rellenar las alcachofas con la mezcla. Espolvorearlas con el queso Parmesano. Asarlas en el horno por unos 4 minutos o hasta que el queso se comience a dorar un poco. Servir.

Corazones de Alcachofa con Queso Azul

4 PORCIONES

1/4 taza	(60 ml) yogurt sin sabor
2 cdas	(20 g) queso azul, desmenuzado
1 cdta	(5 ml) jugo de limón
1/4 cdta	(1 g) ajo, picado
	chorrito de salsa inglesa
	sal y pimienta
12	corazones de alcachofa

■ En un tazón, mezclar los ingredientes, menos los corazones de alcachofa.

■ Escurrir los corazones de alcachofa. Rellenarlos con la mezcla de queso azul. Servir.

Las alcachofas y los espárragos se consideran como artículos de lujo debido a su alto costo. Están en su mejor punto en la primavera, y son abundantes desde el final de abril hasta junio. Usted encontrará que valen la pena por su precio, y que son excelentes para darle la bienvenida al final del invierno.

Espárragos en Manojo

4 PORCIONES

16	puntas de espárragos frescos
2	rodajas de tocineta
	sal y pimienta

- Pelar los espárragos.

- En una cacerola con agua hirviendo ligeramente salada, cocer los espárragos por 2 minutos. Sacarlos de la cacerola. Enjuagarlos bajo agua corriente fría. Escurrirlos.

- Cortar por la mitad las rodajas de tocineta . Colocar 4 espárragos en cada media rodaja de tocineta. Envolver con la tocineta los espárragos. Sujetar con un palillo de dientes de madera.

- Cocinar en un horno de microondas por 6 minutos, en ALTO. Voltearlos 3 veces durante la cocción. Dejarlos reposar por 3 minutos. Servir.

Espárragos con Manzanas

4 PORCIONES

16		puntas de espárragos frescos
2 cdas	(30 g)	mantequilla
$^1/_2$ taza	(80 g)	manzana, en cubitos
1		diente de ajo, picado
		pizca de nuez moscada
		pizca de canela
		sal y pimienta

- Pelar los espárragos. Cortar y reservar las cabezas.

- En una cacerola con agua hirviendo ligeramente salada, cocer los tallos de espárrago por 2 minutos. Sacarlos de la cacerola. Enjuagarlos bajo agua corriente fría. Escurrirlos. Cortar los tallos en cubitos.

- En una sartén, derretir la mantequilla. Cocinar los cubitos de espárrargo, la manzana, el ajo y los condimentos por unos 5 minutos.

- Mientras tanto, cocer las cabezas de espárrago por unos 4 minutos. Enjuagarlas bajo agua corriente fría. Escurrirlas.

- Dividir la mezcla de espárragos y manzana en 4 platos. Decorar cada porción con 4 cabezas de espárrago. Servir.

Espárragos Marinados

4 PORCIONES

24		puntas de espárragos de lata, escurridas
$^1/_2$ taza	(125 ml)	jugo de toronja
$^1/_2$ taza	(125 ml)	vino blanco
2 cdtas	(5 g)	hinojo, picado
2 cdtas	(10 ml)	estragón, picado
1		diente de ajo, picado
		sal y pimienta

- En un tazón, mezclar todos los ingredientes. Refrigerar por toda la noche.

- Al día siguiente, sacar los espárragos de la salsa de marinar. Colocarlos en una cama de lechuga o repollo desmenuzado fino, si se desea. Bañar con la salsa de marinar. Servir.

De arriba hacia abajo :
Espárragos en Manojo,
Espárragos con Manzanas,
Espárragos Marinados

Berenjenas y Aguacates

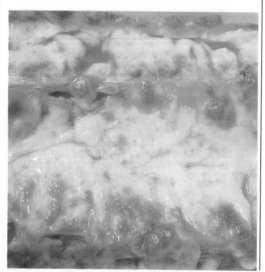

De arriba hacia abajo :
Berenjena Frita,
Berenjena con Ajo,
Berenjena con Queso Asado

Berenjena Frita

4 PORCIONES

8	rueditas de berenjena de ¹/₂ pulg (1,25 cm) de grosor
¹/₄ taza	(28 g) harina de trigo integral
2	huevos, batidos
¹/₄ taza	(28 g) miga de pan
¹/₂ taza	(125 ml) aceite de cacahuate
	sal y pimienta

▪ Cortar cada ruedita de berenjena en 4 triángulos. Espolvorearlos con harina. Sumergirlos en los huevos batidos. Rodarlos en la miga de pan.

▪ En una sartén, calentar el aceite. Cocinar la berenjena hasta que se dore bien. Sacarla de la sartén. Escurrirla en una toalla de papel. Sazonar con sal y pimienta. Servir con mayonesa picante.

Berenjena con Ajo

4 PORCIONES

3 cdas	(45 ml) aceite de oliva
2 tazas	(320 g) berenjena, en cubitos
¹/₄ taza	(40 g) apio, en cubitos
¹/₄ taza	(60 g) pimiento dulce rojo, en cubitos
3	dientes de ajo, picados
¹/₄ cdta	(1 ml) albahaca, picada
	sal y pimienta

▪ En una sartén, calentar el aceite. Revolviendo, cocinar las verduras por unos 4 minutos.

▪ Agregar el ajo y los condimentos. Continuar cocinando por unos 3 minutos. Servir.

Berenjena con Queso Asado

4 PORCIONES

2	berenjenas pequeñas
2 cdas	(30 ml) aceite de oliva
¹/₄ taza	(60 ml) salsa de tomate
	sal y pimienta
1 taza	(160 g) queso Mozzarella, rallado

▪ Precalentar el horno en ASAR.

▪ Cortar las berenjenas por la mitad, a lo largo. Si fuera necesario, cortar una rodaja fina de la parte redondeada de las mitades de berenjena para evitar que rueden.

▪ En una cacerola con agua hirviendo ligeramente salada, cocer las berenjenas por 6 minutos. Sacarlas de la cacerola. Enjuagarlas bajo agua corriente fría. Escurrirlas.

▪ En una lata de hornear, colocar las mitades de berenjena. Ponerles aceite con una brochita. Poner cantidades iguales de la salsa de tomate sobre cada una. Sazonar con sal y pimienta. Cubrirlas con el queso rallado. Asar en el horno por unos 4 minutos o hasta que el queso empiece a dorarse. Servir.

Los aguacates y las berenjenas son cada vez más y más populares, y están jugando un papel cada vez mayor en nuestro menú de todos los días. El aguacate es la fruta más nutritiva que se puede encontrar; ¡también es la que engorda más! Medio aguacate contiene 150 calorías. Por lo tanto, recomendamos moderación.

Aguacate en Vino Tinto

4 PORCIONES

2	aguacates
1 taza	(250 ml) vino tinto
1/2 cdta	(2 g) menta, picada
1	diente de ajo, picado
1	chalote francés, picado
	sal y pimienta

- Pelar los aguacates. Sacarles las semillas. Cortar en cubitos la pulpa del aguacate.

- En un tazón, mezclar todos los ingredientes. Refrigerar por toda la noche.

- Al día siguiente, escurrir los aguacates, reservar la salsa de marinar con vino tinto para usarla como ingrediente para aderezo de ensalada en otra receta. Servir los aguacates en una cama de lechuga o repollo desmenuzado fino, si se desea.

Abanicos de Aguacate con Curry

4 PORCIONES

2	aguacates
2 cdas	(30 ml) jugo de limón
1/2 taza	(125 ml) mayonesa
1 cdta	(5 ml) curry
	chorrito de salsa inglesa
1/4 cdta	(1 g) ajo, picado

- Pelar los aguacates. Cortarlos por la mitad a lo largo. Sacarles las semillas. Rociarlos con jugo de limón, bañándolos por todos lados.

- Cortar en forma de abanico cada mitad de aguacate. Colocarlos en un plato.

- Mezclar el resto de los ingredientes para hacer un salsa. Ponérsela a los aguacates. Servir.

Aguacates Mediterráneos

4 PORCIONES

2	aguacates
3/4 taza	(180 ml) yogurt sin sabor
1	diente de ajo, picado
2	chorritos de salsa inglesa
2 cdas	(30 ml) jugo de limón
1/4 taza	(40 g) hojas de espinaca, desmenuzadas fino
	sal y pimienta
1	tomate, en rodajas delgadas

- Pelar los aguacates. Sacarles las semillas. Cortar en cubitos la pulpa de aguacate.

- En un tazón, mezclar todos los ingredientes, menos las rodajas de tomate. Refrigerar por toda la noche.

- Al día siguiente, servir los aguacates en una cama de rodajas de tomate.

De arriba hacia abajo :
Aguacates en Vino Tinto,
Abanicos de Aguacate con Curry,
Aguacates Mediterráneos

REMOLACHA (BETABEL) Y BRÓCOLI

Remolachas Picantes

4 PORCIONES

2 tazas	(320 g) remolachas cocidas, en cubitos
1/2 taza	(80 g) bulbo de hinojo, en cubitos
3 cdas	(45 g) mantequilla
3	dientes de ajo silvestre en vinagre, picados
1 oz	(30 ml) Pastis
	sal y pimienta

- Escurrir las remolachas.
- En una cacerola con agua hirviendo ligeramente salada, cocer el hinojo por 3 minutos. Escurrirlo.
- En una sartén, derretir la mantequilla. Cocinar las remolachas, el hinojo y el ajo silvestre por 4 minutos. Agregar el Pastis. Sazonar con sal y pimienta. Continuar cocinando por unos 3 minutos. Servir.

Remolachas con Tomates Verdes

4 PORCIONES

3	tomates verdes
3	remolachas
2 cdas	(30 ml) vino tinto
2 cdas	(30 ml) vinagre de estragón
3	dientes de ajo, picados
3 cdas	(45 g) cebolla, picada
1/4 taza	(60 ml) aceite de oliva
1 cdta	(5 ml) tomillo real, picado
	sal y pimienta

- Cortar cada tomate en 8 cuñas. Cortar las cuñas por la mitad.
- Cortar las remolachas en rodajas de 1/4 pulg (0,5 cm) de grueso. Cortar cada rodaja en media luna.
- Mezclar el resto de ingredientes. Agregar las verduras. Marinar en el refrigerador por 2 días.
- Servir refrigerado o previamente bien calentado.

Brochetas de Brócoli

4 PORCIONES

1 taza	(160 g) flores de brócoli
1 1/2 taza	(375 ml) caldo de pollo
2 cdas	(30 ml) salsa de soya
3 cdas	(45 g) mantequilla
1	diente de ajo, picado
1/2 cdta	(2 ml) perifollo, picado
2 cdtas	(10 ml) jugo de limón

- Poner los flores de brócoli en palillos de dientes de madera largos o pinchos pequeños.
- En una cacerola, llevar a ebullición el caldo de pollo y la salsa de soya. A calor bajo, cocinar los pinchitos en el caldo por unos 4 minutos.
- Mientras tanto, en una sartén pequeña, derretir la mantequilla. Agregar el ajo y el perifollo. Calentar hasta que se produzcan espumas. Poner el jugo de limón. Quitar del fuego.
- Servir los pinchitos rociados con la mantequilla con ajo.

Flores de Brócoli Picantes

4 PORCIONES

16	flores medianas de brócoli
1 taza	(250 ml) jugo de vegetales
1/4 cdta	(1 g) chile en polvo
1/4 cdta	(1 g) pimientos dulces rojos, machacados
1 cda	(15 ml) jugo de limón
1	diente de ajo, picado
2 cdtas	(5 g) maicena
2 cdas	(30 ml) agua fría
	sal y pimienta

- En una cacerola con agua hirviendo ligeramente salada, cocer las flores de brócoli por unos 5 minutos. Sacarlas de la cacerola. Escurrirlas. Ponerlas aparte.
- En una cacerola pequeña, hervir el jugo de vegetales. Bajar el fuego. Cocer a fuego lento por 2 minutos. Mezclar el chile en polvo, los pimientos dulces rojos machacados, el jugo de limón y el ajo.
- Diluir la maicena en agua fría. Incorporarla en la mezcla. Sazonar con sal y pimienta. Continuar cocinando por unos 3 minutos o hasta que la salsa se espese. Poner el brócoli en la salsa. Recalentar. Servir.

Con las manecillas del reloj, de arriba a la izquierda :
Brochetas de Brócoli,
Remolachas Picantes,
Flores de Brócoli Picantes

La remolacha (betabel) y el brócoli son verduras de colores vivos que hacen platos complementarios atractivos.
Para mantener tanto su color como su valor nutricional, se deben cocer con la menor cantidad posible de agua.
El brócoli es una fuente excelente de vitamina C, y es también una buena fuente de vitamina A y fibra.

Zanahorias y apio

De arriba hacia abajo :
Zanahorias con Mostaza,
Zanahorias Glacé,
Puré de Zanahoria

Zanahorias con Mostaza

---

4 PORCIONES

---

1 ¹/₂ taza	(240 g) zanahorias, en cubitos
¹/₄ taza	(60 g) pimiento dulce rojo, en cubitos
1 cda	(15 ml) aceite de cacahuate
2 cdas	(30 ml) mostaza de estilo antiguo
3 cdas	(45 ml) caldo de pollo
	sal y pimienta

• En una cacerola con agua hirviendo ligeramente salada, cocer las zanahorias y los pimientos dulces rojos por unos 3 minutos. Escurrirlos. Ponerlos aparte.

• En una sartén, calentar el aceite. Revolviendo, cocinar las verduras por unos 3 minutos. Agregar la mostaza; mezclar bien.

• Incorporar el caldo de pollo. Sazonar con sal y pimienta. Continuar cocinando por unos 2 minutos. Servir.

Zanahorias Glacé

---

4 PORCIONES

16	zanahorias miniatura de primavera
1 cda	(15 g) mantequilla
1 cda	(15 ml) miel
	sal y pimienta
16	ramitas pequeñas de perejil

• Limpiar las zanahorias. Quitarles los tallos.

• En una cacerola con agua hirviendo ligeramente salada, cocer las zanahorias por unos 4 minutos. Escurrirlas. Ponerlas aparte.

• En una sartén, derretir la mantequilla. Cocinar las zanahorias por unos 2 minutos. Agregar la miel. Sazonar con sal y pimienta. Revolviendo, continuar cocinando hasta que las zanahorias se cubran bien con la miel derretida.

• Dividir las zanahorias en 4 platos. Decorar el extremo de cada zanahoria con una ramita de perejil para imitar un tallito. Servir.

Puré de Zanahoria

---

8 PORCIONES

8	zanahorias grandes, peladas
3	papas medianas, peladas
2 cdas	(30 g) mantequilla
1 cda	(15 ml) leche
1	huevo, batido
¹/₄ cdta	(1 g) nuez moscada molida
¹/₂ cdta	(2 ml) perifollo, picado

• Precalentar el horno a 300 °F (150 °C).

• Cortar las verduras en trozos grandes.

• En una cacerola con agua hirviendo ligeramente salada, cocinar las zanahorias y las papas por unos 12 minutos. Quitarlas del fuego. Escurrirlas en un colador de metal.

• Colocar el colador en una lata de hornear. Secar las verduras en el horno por 10 minutos.

• En un tazón, machacar las verduras. Agregar el resto de los ingredientes. Mezclar hasta tener un puré homogeneo. Servir.

Las zanahorias son especialmente ricas en vitamina A. Esta vitamina ayuda a mantener la visión nocturna: estudios recientes muestran que también ayuda en la prevención de ciertos tipos de cáncer.

El apio se usa raramente, excepto para resaltar el sabor de otros platos o como bocadillo para matar el hambre fuera de horas. Sin embargo, por su color y su sabor el apio con facilidad puede ser el ingrediente principal de un plato elegante y delicioso.

Apio con Tomates

4 PORCIONES

12	tallos de apio, en trozos de 4 pulg (10 cm) de largo, con una hojita
1 cda	(15 g) mantequilla
¹/₄ cdta	(1 g) ajo, picado
¹/₄ cdta	(1 g) semillas de hinojo
1 taza	(250 ml) jugo de tomate
¹/₂ cdta	(2 ml) albahaca, picada
	sal y pimienta

• En una cacerola con agua hirviendo ligeramente salada, cocer el apio por más o menos 1 minuto. Escurrirlo.

• En una cacerola pequeña, derretir la mantequilla. Cocinar el apio, el ajo y las semillas de hinojo más o menos por 1 minuto. Agregar el resto de ingredientes. Llevar a ebullición. Bajar el fuego. Tapar. Cocer a fuego lento por unos 10 minutos. Servir.

Apio Estilo Oriental

4 PORCIONES

2 cdas	(30 ml) aceite de cacahuate
1 taza	(160 g) apio, rodajas diagonales
¹/₄ taza	(40 g) champiñones de ostra, picados fino
8	maíz miniatura, en cubitos
1	diente de ajo, picado
¹/₂ taza	(125 ml) caldo de pollo
1 cda	(7 g) maicena
2 cdas	(30 ml) agua fría
	sal y pimienta

• En una sartén grande o wok, calentar el aceite. Cocinar el apio por unos 2 minutos. Agregar los champiñones de ostra, el maíz y el ajo. Freír revolviendo por más o menos 1 minuto.

• Incorporar el caldo de pollo. Continuar cocinando por 2 minutos, revolviendo constantemente.

• En un tazón pequeño, diluir la maicena en agua fría. Incorporarla en la mezcla de la sartén. Sazonar con sal y pimienta; mezclar bien. Continuar cocinando hasta que la salsa se espese. Servir.

Apio en Aceite Virgen

ALREDEDOR DE **2** TAZAS (500 ML)

2 tazas	(320 g) apio, en cubitos
¹/₂ taza	(125 ml) aceite de oliva virgen
¹/₄ taza	(60 g) cebolla, picada
2 cdtas	(10 g) pimientos dulces rojos machacados
2	dientes de ajo, picados
¹/₄ cdta	(1 ml) romero, picado
¹/₄ cdta	(1 g) sal de mar

• En una cacerola con agua hirviendo ligeramente salada, cocer los cubitos de apio por unos 3 minutos. Quitarlos del fuego. Escurrirlos. Ponerlos aparte.

• En una cacerola pequeña, calentar el aceite. Quitarlo del fuego. Agregar el resto de los ingredientes; mezclar bien.

• Pasar el apio a una jarra. Mezclarlo con el aceite sazonado. Revolviendo ocasionalmente, mantener a temperatura ambiente.

Nota : El apio marinado se conserva hasta por 3 semanas.

De arriba hacia abajo :
Apio con Tomates,
Apio Estilo Oriental,
Apio en Aceite Virgen

CHAMPIÑONES Y REPOLLO

De arriba hacia abajo :
Champiñones de Ostra Fritos,
Champiñones en Crema de Ajo,
Champiñones Griegos

Champiñones de Ostra Fritos

4 PORCIONES

8 oz	(225 g) champiñones de ostra
¼ taza	(28 g) harina de trigo integral
¼ taza	(60 ml) aceite de cacahuate
1 cdta	(5 ml) aceite de ajonjolí
1 cda	(15 g) semillas de ajonjolí
	sal y pimienta

- Espolvorear los champiñones con harina. Sacudir el exceso de harina.

- En una sartén, calentar los aceites. Sofreír los champiñones hasta que se doren bastante. Sacarlos de la sartén. Espolvorearlos con las semillas de ajonjolí. Sazonar con sal y pimienta. Servir.

Champiñones en Crema de Ajo

4 PORCIONES

12 oz	(341 ml) champiñones de lata, en cuartos
2 cdtas	(10 g) mantequilla
¼ cdta	(1 g) ajo, picado
¼ taza	(60 ml) crema espesa
	pizca de nuez moscada
	sal y pimienta

- Escurrir los champiñones.

- En una sartén, derretir la mantequilla. Cocinar el ajo por 1 minuto. Mezclar los champiñones. Continuar cocinando por 1 minuto.

- Incorporar el resto de los ingredientes. Continuar cocinando hasta que la crema se espese. Servir.

Champiñones Griegos

4 PORCIONES

12 oz	(341 ml) champiñones en rodajas, de lata
1 cda	(15 ml) aceite de oliva
¼ taza	(60 g) cebolla, picada fino
2 cdas	(20 g) zanahoria, rallada
1	diente de ajo, picado
½ taza	(125 ml) vino blanco
½ taza	(125 ml) jugo de tomate
2 cdas	(30 ml) jugo de limón
	pizca de tomillo
	pizca de hinojo
	pizca de eneldo
	pizca de cebollines, picados
1	hoja de laurel
	sal y pimienta

- Escurrir los champiñones.

- En una sartén, calentar el aceite. Cocinar la cebolla, la zanahoria y el ajo por 2 minutos. Mezclar los champiñones. Continuar cocinando por 1 minuto.

- Incorporar el resto de ingredientes. Continuar cocinando hasta que el líquido se reduzca por lo menos un tercio. Dejar que las verduras se enfríen en sus jugos de cocción. Servir.

Los champiñones son delicados y se deben manejar con cuidado. En vez de lavarlos, use un cepillo para limpiarlos cuidadosamente. Esto también ayudará a que mantengan todo su sabor. Los champiñones son una buena fuente de potasio y fósforo.

Repollo Verde con Mostaza

4 PORCIONES	
3 cdas	(45 g) mantequilla
2 tazas	(320 g) repollo verde, picado fino
1	diente de ajo, picado
1/4 taza	(60 g) cebolla, picada
1 cdta	(5 g) mostaza en polvo
1 taza	(250 ml) caldo de pollo
2 cdtas	(10 ml) salsa de soya
	sal y pimienta

- En un bandeja honda, derretir la mantequilla. Sin dorarlos, cocinar el repollo, el ajo y la cebolla por 4 minutos, revolviendo constantemente.

- Agregar el resto de los ingredientes; mezclar bien. Tapar. Continuar cocinando hasta que el repollo se ablande. Servir.

Repollo Rojo con Oporto

4 PORCIONES	
3 cdas	(45 g) mantequilla
2 tazas	(320 g) repollo rojo, picado fino
1	diente de ajo, picado
1/4 taza	(60 g) cebolla, picada
1 oz	(30 ml) vino Oporto
3 cdas	(45 ml) vinagre de vino
2 cdtas	(10 ml) miel
	sal y pimienta

- En una bandeja honda de fondo pesado, derretir la mantequilla. Sin dorarlos, cocinar el repollo, el ajo y la cebolla por unos 6 minutos, revolviendo constantemente.

- Agregar el resto de los ingredientes; mezclar bien. Tapar. Revolviendo ocasionalmente, continuar cocinando hasta que el repollo se ablande. Servir.

Repollo Chino con Cacahuates

4 PORCIONES	
3 cdas	(45 g) mantequilla
2 tazas	(320 g) repollo chino, picado fino
1	diente de ajo, picado
2 cdas	(30 g) cebolla, picada
1/4 taza	(40 g) cacahuates
1/2 cdta	(2 ml) aceite de ajonjolí
	sal y pimienta

- En una bandeja honda de fondo pesado, derretir la mantequilla. Revolviendo, cocinar el repollo, el ajo, la cebolla y los cacahuates por unos 4 minutos.

- Agregar el aceite de ajonjolí. Sazonar con sal y pimienta; mezclar bien. Continuar cocinando por 3 minutos. Servir.

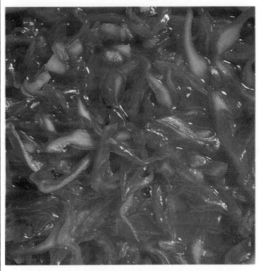

De arriba hacia abajo :
Repollo Verde con Mostaza,
Repollo Rojo con Oporto,
Repollo Chino con Cacahuates

COLES DE BRUSELAS Y COLIFLOR

De arriba hacia abajo :
Coles de Bruselas con Azafrán,
Coles de Bruselas con Prosciutto,
Coles de Bruselas con Chalotes

Coles de Bruselas con Azafrán

4 PORCIONES

2 tazas	(320 g) coles de Bruselas
³/₄ taza	(180 ml) caldo de pollo
¹/₂ cdta	(2 ml) azafrán
¹/₄ cdta	(1 ml) curry
	pizca de cilantro, picado
	sal y pimienta
1 cda	(7 g) maicena
2 cdas	(30 ml) agua fría

▪ En una cacerola con agua hirviendo ligeramente salada, cocer las coles de Bruselas por unos 4 minutos. Escurrirlas. Cortarlas por la mitad.

▪ En una cacerola pequeña, hervir el caldo de pollo. Mezclarle los condimentos. Agregar las coles de Bruselas. Cocer a fuego lento por 3 minutos.

▪ Diluir la maicena en agua fría. Incorporar las verduras. Continuar cocinando hasta que la salsa se espese. Servir.

Coles de Bruselas con Prosciutto

4 PORCIONES

2 tazas	(320 g) coles de Bruselas
1 cda	(15 ml) aceite de cacahuate
¹/₄ taza	(60 g) jamón Prosciutto picado fino
1	diente de ajo, picado
	sal y pimienta

▪ En una cacerola con agua hirviendo ligeramente salada, cocer las coles de Bruselas por unos 5 minutos. Escurrirlas. Cortarlas por la mitad.

▪ En una sartén, calentar el aceite. Revolviendo, cocinar el prosciutto por unos 3 minutos.

▪ Agregar las coles de Bruselas y el ajo. Sazonar con sal y pimienta; mezclar bien. Continuar cocinando por 3 minutos. Servir.

Coles de Bruselas con Chalotes

4 PORCIONES

2 tazas	(320 g) coles de Bruselas
¹/₄ taza	(60 g) chalotes, picados fino
¹/₄ taza	(40 g) puerro, picado fino
2 cdas	(30 ml) aceite de cacahuate
1	diente de ajo, picado
	sal y pimienta

▪ Cortar las coles de Bruselas por la mitad.

▪ En una cacerola con agua hirviendo ligeramente salada, cocer las coles y los chalotes por unos 4 minutos. Agregar el puerro. Continuar cocinando por 30 segundos. Escurrir.

▪ En una sartén, calentar el aceite. Revolviendo, cocinar el ajo por 1 minuto. Agregar las verduras cocidas. Sazonar con sal y pimienta; mezclar bien. Continuar cocinando por 3 minutos. Servir.

Recientes descubrimientos prueban que la coliflor y otros miembros de la familia de las coles (repollo, brócoli, coles de Bruselas) pueden reducir el riesgo de cáncer del colon, el esófago y el estómago. ¡Por lo tanto se recomienda que incluya al repollo con la mayor frecuencia posible en su dieta!

Coliflor en Salsa de Crema

4 PORCIONES	
2 cdas	(30 g) mantequilla
1 ¹/₂ taza	(240 g) flores de coliflor
³/₄ taza	(180 ml) crema espesa
1 cdta	(5 g) nuez moscada
	sal y pimienta

- En una sartén, derretir la mantequilla. Revolviendo, cocinar las flores de coliflor por 3 minutos.

- Mezclar el resto de los ingredientes. Continuar cocinando hasta que la salsa de crema se espese. Servir.

Coliflor Florentina

4 PORCIONES	
1 ¹/₂ taza	(375 ml) caldo de pollo
1 ¹/₂ taza	(240 g) flores de coliflor
1	diente de ajo, picado
¹/₂ taza	(80 g) espinaca, desmenuzada fino
	sal y pimienta

- En una cacerola, mezclar el caldo de pollo, la coliflor y el ajo. Llevar a ebullición. Bajar el fuego. Cubrir a medias la cacerola. Cocer a fuego lento la mezcla por unos 8 minutos.

- Agregar la espinaca. Sazonar con sal y pimienta; mezclar bien. Continuar cocinando por unos 2 minutos. Servir.

Coliflor con Champiñones

4 PORCIONES	
2 tazas	(320 g) flores de coliflor
³/₄ taza	(180 ml) sopa de crema de champiñones de lata
³/₄ taza	(180 ml) leche
2 cdas	(20 g) queso Parmesano, rallado
1 cda	(15 ml) perejil, picado
	pimienta recién triturada

- En una cacerola con agua hirviendo ligeramente salada, cocer las flores de coliflor por más o menos 1 minuto. Escurrir.

- En una cacerola, combinar el resto de los ingredientes. Llevar a ebullición. Bajar el fuego. Cocer a fuego lento por 5 minutos. Agregar las flores de coliflor. Continuar cocinando por 4 minutos. Servir.

De arriba hacia abajo :
Coliflor en Salsa de Crema,
Coliflor Florentina,
Coliflor con Champiñones

PEPINOS, CALABACITA, ENDIBIAS Y ESPINACA

Pepinos Rellenos con Huevo

4 PORCIONES

1	pepino inglés
2	huevos cocidos duros, picados
3 cdas	(45 ml) mayonesa
2 cdtas	(10 ml) salsa de chile
1 cda	(15 ml) perejil, picado
	sal y pimienta
1 cdta	(5 g) granos de pimienta rosada

- Cortar las puntas del pepino. Pelarlo o acanalarlo. Cortarlo en 2 partes iguales. Cortar cada parte por la mitad, a lo largo.

- Con una cuchara, sacar las semillas de cada parte del pepino.

- En un tazón, mezclar el resto de los ingredientes. Con una cuchara o bolsa de pastelería, ponerle la mezcla de huevo a los pepinos. Servir.

Bolas de Calabacita en Salsa de Tomate

4 PORCIONES

4	calabacitas
1/2 taza	(125 ml) caldo de pollo
1/2 taza	(125 ml) jugo de tomate
1 cda	(7 g) maicena
2 cdas	(30 ml) agua fría
	sal y pimienta

- Con boleador de melón, hacer bolitas pequeñas de calabacita.

- En una cacerola, llevar a ebullición el caldo de pollo y el jugo de tomate. Agregar la calabacita. Cocinar por 4 minutos.

- Diluir la maicena en agua fría. Incorporarla en la mezcla de verduras. Continuar cocinando hasta que la salsa se espese. Servir.

Calabacita en Crema de Apio

8 PORCIONES

2 tazas	(320 g) calabacita, en rodajas
3/4 taza	(180 ml) sopa de crema de apio, de lata
3/4 taza	(180 ml) leche
1 cda	(15 ml) perejil, picado
1 cdta	(5 g) semillas de apio
	pizca de nuez moscada
	pimienta recién triturada

- En una cacerola con agua hirviendo ligeramente salada, cocer la calabacita por más o menos 1 minuto. Escurrirla.

- En una cacerola, combinar el resto de los ingredientes. Llevar a ebullición. Bajar el fuego. Cocer a fuego lento por 5 minutos. Agregar la calabacita. Continuar cocinando por 2 minutos. Servir.

De arriba hacia abajo :
Pepinos Rellenos con Huevo,
Bolas de Calabacita en Salsa de Tomate,
Calabacita en Crema de Apio

Mientras los pepinos toman una nueva cara, y la calabacita y la endibia se vuelven " sofisticados ", la espinaca ya ha tenido sus momentos de gloria. Llevada a la fama por el Popeye de la televisión, la espinaca es una buena fuente de hierro y ácido fólico. Debido a que la vitamina C ayuda en la absorción del hierro de la espinaca, le recomendamos que sirva frutas cítricas en el mismo menú.

Endibias con Pastis

4 PORCIONES

3 cdas	(45 g) mantequilla
5	cabezas de endibia, picadas fino
¹/₄ taza	(60 g) cebolla, picada fino
¹/₄ taza	(60 ml) Pastis
¹/₄ cdta	(1 g) nuez moscada molida
	sal y pimienta

• En una sartén, derretir la mantequilla. Cocinar las endibias y las cebollas por unos 3 minutos.

• Agregar el Pastis y la nuez moscada. Sazonar con sal y pimienta; mezclar bien. Continuar cocinando hasta que el líquido se evapore. Servir.

Espinaca Floja con Champiñones

4 PORCIONES

2 cdas	(30 g) mantequilla
1	diente de ajo, picado
2 cdas	(30 g) chalotes franceses, picados
1 taza	(160 g) champiñones, en cuartos
¹/₂ taza	(125 ml) vermouth blanco
3 tazas	(480 g) espinaca, lavada, sin tallos
	sal y pimienta

• En una sartén grande, derretir la mantequilla. Cocinar el ajo y los chalotes por unos 2 minutos. Agregar los champiñones. Continuar cocinando por 2 minutos.

• Poner el vermouth en la sartén. Agregar la espinaca. Sazonar con sal y pimienta. Revolviendo, continuar cocinando hasta que la espinaca se afloje y el líquido se evapore casi por completo. Servir.

Espinaca con Salsa

4 PORCIONES

³/₄ taza	(180 ml) jugo de vegetales
1	diente de ajo, picado
2 tazas	(320 g) espinaca, desmenuzada fino
2 cdtas	(5 g) maicena
4 cdtas	(20 ml) agua fría
¹/₄ cdta	(1 g) nuez moscada molida
	sal y pimienta
1	huevo cocido duro, picado

• En una cacerola, hervir el jugo de vegetales. Mezclar el ajo y la espinaca. A calor bajo, continuar cocinando por unos 2 minutos.

• Diluir la maicena en el agua fría. Ponerla en la cacerola; mezclar bien. Sazonar. Revolviendo, continuar cocinando hasta que la salsa se espese. Dividir la espinaca en 4 platos. Espolvorear con el huevo picado.

De arriba hacia abajo :
Endibia con Pastis,
Espinaca Floja con Champiñones,
Espinaca con Salsa

EjOTES, MAÍZ, NABO Y CHIRIVÍA

Ensalada Caliente de Ejotes con Mantequilla

4 PORCIONES

$3/4$ taza	(120 g) ejotes cortados
$3/4$ taza	(120 g) ejotes amarillos de cera cortados
2 cdas	(30 g) mantequilla
$1/4$ taza	(40 g) tomate, en cubitos
1	diente de ajo, picado
1 cda	(10 g) hojas de albahaca, picadas fino
1 cda	(10 g) hojas de espinaca, picadas fino
1 cda	(10 g) hojas de berro, picadas fino
	sal y pimienta

▪ En una cacerola con agua hirviendo ligeramente salada, cocer los ejotes por 1 minuto. Escurrirlos.

▪ En una sartén, derretir la mantequilla. Cocinar los frijoles por unos 3 minutos. Agregar el resto de los ingredientes. Revolviendo, continuar cocinando por unos 4 minutos. Servir.

Maíz Stroganoff

4 PORCIONES

2 cdas	(30 g) mantequilla
$1 1/2$ taza	(240 g) maíz de grano entero
$1/4$ taza	(60 g) cebolla, picada fino
1	diente de ajo, picado
3 cdas	(45 ml) caldo de pollo sal y pimienta
3 cdas	(45 ml) crema ácida

▪ En una sartén, derretir la mantequilla. Revolviendo, cocinar el maíz, la cebolla y el ajo por unos 3 minutos.

▪ Agregar el caldo de pollo. Sazonar con sal y pimienta. Incorporar la crema ácida. Continuar cocinando por 2 minutos. Servir.

Nabo de Dos Tonos

4 PORCIONES

$3/4$ taza	(180 g) nabo, en cubitos
$3/4$ taza	(180 g) rabioles (nabos de color), en cubitos
2 cdas	(30 g) mantequilla
1 cda	(15 ml) miel
1 cda	(15 g) semillas de ajonjolí tostadas sal y pimienta

▪ En una cacerola con agua hirviendo ligeramente salada, cocer el nabo y los rabioles por unos 5 minutos. Escurrirlos.

▪ En una sartén, derretir la mantequilla. Cocinar el nabo y los rabioles por unos 3 minutos. Agregar el resto de los ingredientes. Revolviendo, continuar cocinando por 3 minutos. Servir.

Chirivía Frita

4 PORCIONES

2 tazas	(320 g) chirivía, en rodajas
1 taza	(250 ml) aceite de cacahuate
1	diente de ajo, picado
2 cdtas	(10 g) semillas de apio
	sal y pimienta

▪ En una cacerola con agua hirviendo ligeramente salada, cocer las rodajas de chirivía por más o menos 1 minuto. Escurrirlas. Secarlas con papel toalla.

▪ En una bandeja honda de fondo pesado, calentar el aceite. Agregar el ajo. En 2 pasos, freír las rodajas de chirivía hasta que se doren bien. Sacarlas. Sacudir el exceso de aceite. Pasarlas a una fuente de servir. Espolvorear con semillas de apio. Sazonar con sal y pimienta. Servir.

Con las manecillas del reloj, desde la derecha :
Chirivía Frita,
Nabo de Dos Tonos,
Ensalada Caliente de Ejotes con Mantequilla

Los ejotes, verdes o amarillos, son tan populares como los nabos y uno de los fundamentos de nuestros guisos de verduras tradicionales. Ultimamente, varias recetas exóticas nos han ayudado a redescubrir sus muchos usos.

En cuanto a la chirivía, muchas personas todavía no estan familiarizadas con esta pariente cercana de la zanahoria y el nabo. El maíz no tiene ese problema : su color y sus vitaminas lo han hecho un favorito de los americanos del Norte. El maíz es también una buena fuente de vitamina C, potasio y fibra. En cuanto a calorías, se compara con la papa.

CEBOLLAS Y PUERROS

Anillos de Cebolla con Semillas de Ajonjolí

6 PORCIONES	
2 tazas	(500 ml) aceite de cacahuate
2 cdas	(30 ml) aceite de ajonjolí
4	cebollas, en rodajas
½ taza	(57 g) harina de trigo integral
2 cdas	(30 g) semillas de ajonjolí, molidas
2	huevos, batidos

- En una sartén honda, calentar los aceites a 400 °F (205 °C).

- Separar la cebolla en anillos. Mezclar la harina y las semillas de ajonjolí. Sumergir cada anillo de cebolla en los huevos batidos. Espolvorear dos veces con la mezcla de harina y semillas de ajonjolí.

- Freír los anillos de cebolla hasta que se doren bien. Servir.

Cebollas Picantes

4 PORCIONES	
3	cebollas
1 cda	(15 ml) aceite de oliva
¼ cdta	(1 ml) curry
¼ cdta	(1 g) paprika
¼ cdta	(1 g) cebolla en polvo
¼ cdta	(1 g) sal de ajo
¼ cdta	(1 ml) perejil, picado
	chorrito de salsa inglesa

- Cortar cada cebolla en 8 cuñas.

- En un plato para microondas, mezclar todos los ingredientes. Hornear por 5 minutos, en ALTO. Revolver una vez a la mitad de la cocción. Dejar reposar por 2 minutos. Servir.

Cebollas Rojas Acarameladas

4 PORCIONES	
3 cdas	(45 g) mantequilla
1 ½ taza	(375 g) cebollas rojas, rebanadas fino
1	diente de ajo, picado
1 cda	(15 ml) vinagre de vino
2 cdas	(30 ml) miel
2 cdas	(30 g) azúcar

- En una bandeja honda de fondo pesado, derretir la mantequilla. Revolviendo, cocinar las cebollas y el ajo por unos 5 minutos.

- Mezclar el vinagre de vino, la miel y el azúcar. A calor bajo, continuar cocinando por 15 minutos. Revolver ocasionalmente. Cuando las cebollas estén acarameladas, quitarlas del fuego. Servirlas calientes o refrigeradas.

De arriba hacia abajo :
Anillos de Cebolla con Semillas de Ajonjolí,
Cebollas Picantes,
Cebollas Rojas Acarameladas

La buena para todo, la cebolla se incluye en la mayoría de todas las recetas cocinadas, y le aporta su sabor distintivo a la carne, las ensaladas, las pastas y otras comidas favoritas. ¿Por qué no probarla sola; por ejemplo, como plato complementario para acompañar un pescado asado?

Por su forma, los puerros nos recuerdan a las cebollas verdes grandes. Mientras los puerros primero se hicieron populares como un ingrediente de nuestras sopas caseras, su sabor fuerte mejora más y más nuestro menú diario.

Puerros en Crema de Brie

4 PORCIONES

	blancos de 6 puerros, en trozos de 4 pulg (10 cm) de largo
2 cdtas	(10 g) mantequilla
1 cda	(15 g) cebolla, picada
³/₄ taza	(180 ml) crema espesa
1 oz	(30 g) queso Brie
	pizca de nuez moscada
	sal y pimienta

■ En una cacerola con agua hirviendo ligeramente salada, cocer los puerros por unos 6 minutos. Escurrirlos. Ponerlos aparte.

■ En una sartén, derretir la mantequilla. Cocinar la cebolla picada por 1 minuto. Incorporar la crema. Continuar cocinando por 2 minutos.

■ Mientras tanto, cortarle la corteza al queso Brie. Incorporar el queso en la salsa de crema. Sazonar con la nuez moscada, sal y pimienta. Revolviendo, continuar cocinando hasta que el Brie se derrita completamente. Recalentear los puerros en la salsa. Servir.

Puerros Flojos con Pasas

4 PORCIONES

2 tazas	(320 g) puerros, rebanados fino
2 cdas	(30 g) mantequilla
¹/₄ taza	(40 g) pasas
1 taza	(250 ml) vino blanco
2 cdtas	(6 g) cebollines, picados
	sal y pimienta

■ En una cacerola con agua hirviendo ligeramente salada, cocer los puerros por más o menos 1 minuto. Escurrirlos. Ponerlos aparte.

■ En una sartén, derretir la mantequilla. Cocinar ligeramente los puerros por 2 minutos. Agregar el resto de los ingredientes. Revolviendo, continuar cocinando hasta que el líquido se evapore completamente. Servir.

Puerros Alfredo

4 PORCIONES

2 tazas	(320 g) puerros, rebanados fino
¹/₄ taza	(60 g) tocineta, picada fino
1 taza	(250 ml) salsa Béchamel
2 cdas	(20 g) queso Parmesano, rallado
	sal y pimienta

■ En una cacerola con agua hirviendo ligeramente salada, cocer los puerros por más o menos 1 minuto. Escurrirlos. Ponerlos aparte.

■ En una sartén, cocinar la tocineta. Desengrasar la sartén. Cocinar los puerros con la tocineta por 1 minuto. Agregar el resto de los ingredientes. Revolviendo, cocinar hasta que la Béchamel se caliente y la salsa esté bien mezclada. Servir.

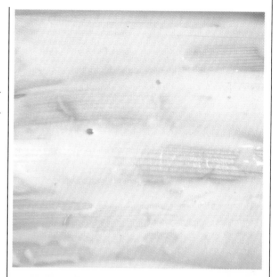

De arriba hacia abajo :
Puerros en Crema de Brie,
Puerros Flojos con Pasas,
Puerros Alfredo

CHÍCHAROS Y PIMIENTOS DULCES

Chícharos Gourmet de Lyon

4 PORCIONES

2 cdas	(30 g) mantequilla
¹/₂ taza	(125 g) cebollas, picadas fino
1 ¹/₂ taza	(240 g) vainitas de chícharos, picadas fino
¹/₄ taza	(60 ml) caldo de pollo
¹/₄ taza	(60 g) tocineta cocida, desmenuzada
	pizca de romero
	pizca de tomillo
	sal y pimienta

- En una sartén grande, derretir la mantequilla. Cocinar las cebollas por 1 minuto. Mezclar las vainitas de chícharo. Revolviendo, continuar cocinando por unos 3 minutos.

- Agregar los demás ingredientes; mezclar bien. Continuar cocinando por 2 minutos. Servir.

Fantasía de Verduras

4 PORCIONES

¹/₄ taza	(40 g) zanahorias
¹/₄ taza	(60 g) nabo
¹/₄ taza	(60 g) chirivía
¹/₄ taza	(40 g) calabacita
¹/₄ taza	(40 g) chícharos verdes
¹/₄ taza	(60 g) maíz de grano entero
	sal y pimienta

- Con un boleador de melón pequeño, hacer perlitas de zanahoria, nabo, chirivía y calabacita.

- En una cacerola con agua hirviendo ligeramente salada, cocer las verduras por unos 3 minutos. Escurrirlas. Sazonar. Servir.

VARIACIÓN
- Cocer las verduras por solamente 1 minuto. Cocinarlas en 2 cdas (30 g) de mantequilla por 3 minutos. Sazonarlas. Servir.

Chícharos Verdes en Salsa Picante

4 PORCIONES

2 tazas	(320 g) chícharos verdes
³/₄ taza	(180 ml) caldo de pollo
2 cdas	(30 ml) salsa de chile
¹/₂ cdta	(2 g) pimientos rojos machacados
2	gotas de salsa Tabasco
	pizca de sal
	paprika

- En un una cacerola pequeña, mezclar todos los ingredientes, menos la paprika. Llevar a ebullición. Bajar el fuego. Cocer a fuego lento por 5 minutos. Servir los chícharos verdes espolvoreados con paprika.

De arriba hacia abajo :
Chícharos Gourmet de Lyon,
Fantasía de Verduras,
Chícharos Verdes en Salsa Picante

A través del tiempo, los chícharos verdes han probado su versatilidad como el ingrediente principal de muchos platos. Tanto frescos como congelados, los chícharos ofrecen colores vivos y buen valor nutricional; deberían ser nuestra primera elección.

Los pimientos dulces son una buena fuente de vitamina C. Los mercados locales ahora ofrecen esta verdura favorita en toda su amplia variedad de colores para dar un toque vivo y exótico. Dulces o picante, frescos o cocinados, los pimientos dulces se prestan con facilidad para muchos platos.

Pimientos Dulces Verdes con Limón

4 PORCIONES	
2	pimientos dulces verdes, picados fino
2 cdas	(30 g) mantequilla
3 cdas	(45 ml) jugo de limón
1 cda	(15 g) ralladura de limón
	sal y pimienta

- En una cacerola con agua hirviendo ligeramente salada, cocer los pimientos dulces por unos 2 minutos. Escurrirlos. Ponerlos aparte.

- En una sartén, derretir la mantequilla. Cocinar los pimientos por 2 minutos. Agregar la ralladura y el jugo de limón. Sazonar con sal y pimienta; mezclar bien. Revolviendo, continuar cocinando por 2 minutos. Servir.

Pimientos Dulces Asados

6 PORCIONES	
1	pimiento dulce verde
1	pimiento dulce rojo
1	pimiento dulce amarillo
1/2 taza	(125 ml) aceite de oliva
3 cdas	(45 ml) salsa de soya
1	diente de ajo, picado
	pimienta recién triturada

- Cortar los pimientos en rodajas gruesas (una por cada cara del pimiento).

- Mezclar todos los demás ingredientes. Marinar las rodajas de pimiento en la mezcla por 20 minutos.

- Precalentar la barbacoa o el horno en ASAR.

- Sacar los pimientos de la salsa de marinar. Sacudir el exceso de líquido. No secarlos.

- Asar los pimientos en la barbacoa por 3 minutos cada lado o en el horno por 4 minutos cada lado. Bañarlos dos veces con la salsa de marinar durante la cocción. Servir.

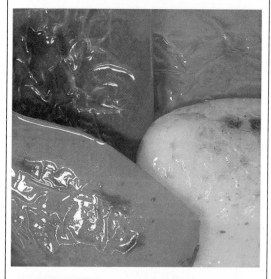

Pimientos Dulces Sofritos

4 PORCIONES	
1	pimiento dulce verde, en cubitos
1	pimiento dulce rojo, en cubitos
2 cdas	(30 g) mantequilla
1	diente de ajo, picado
1 cdta	(5 g) chalote francés, picado
	sal y pimienta

- En una cacerola con agua hirviendo ligeramente salada, cocer los pimientos por más o menos 1 minuto. Escurrirlos. Ponerlos aparte.

- En una sartén, derretir la mantequilla. Cocinar el ajo y el chalote por 1 minuto. Agregar los pimientos. Sazonar con sal y pimienta; mezclar bien. Continuar cocinando por 2 minutos. Servir.

De arriba hacia abajo :
Pimientos Dulces Verdes con Limón,
Pimientos Dulces Asados,
Pimientos Dulces Sofritos

Papas

De arriba hacia abajo :
Papas en Una Cama de Frijoles Germinados,
Puré de Papas con Jamón,
Papas Sofritas

Papas en una Cama de Frijoles Germinados

4 PORCIONES	
1 ¹/₂ taza	(375 ml) caldo de pollo
1 ¹/₂ taza	(240 g) papas, en cubitos
¹/₄ taza	(60 g) cebollitas perla
1 cdta	(5 ml) estragón, picado
	pimienta recién triturada
1 ¹/₂ taza	(375 ml) frijolitos germinados, cocidos, calientes

- En una cacerola, hervir el caldo de pollo. Agregar las papas y las cebollas. Cocinar por unos 6 minutos o hasta que las verduras se ablanden. En el último minuto de la cocción, agregar el estragón y la pimienta.

- En 4 platos, colocar una cama de frijoles germinados. Poner encima las verduras cocidas. Rociarlas con el caldo de pollo caliente. Servir.

Puré de Papas con Jamón

ALREDEDOR DE 4 TAZAS (1 L)	
1 lb	(450 g) papas, peladas
¹/₂ taza	(125 g) jamón cocido, molido
1 cda	(9 g) cebollines, picados
1 cda	(15 ml) perejil, picado
¹/₂ cdta	(2 g) sal
2 cdas	(30 g) mantequilla
2 cdas	(30 ml) leche
1	huevo, batido
¹/₄ cdta	(1 g) nuez moscada molida
	sal y pimienta

- Precalentar el horno a 300 °F (150 °C).

- Cortar las papas en pedazos grandes. En una cacerola con agua hirviendo ligeramente salada, cocinar las papas por unos 12 minutos. Escurrirlas en un colador de metal. Poner el colador sobre una lata de hornear. Secar las verduras cocidas en el horno por 10 minutos.

- En un tazón, hacer puré las papas. Agregar los demás ingredientes. Mezclar bien hasta que el puré esté fino y homogéneo. Servir.

Papas Sofritas

4 PORCIONES	
2 tazas	(320 g) papas, en cubitos
2 cdas	(30 ml) aceite de cacahuate
1 cda	(15 g) mantequilla
¹/₂ taza	(125 g) tocineta cocida, desmenuzada
1	diente de ajo, picado
¹/₂ cdta	(1 ml) romero, picado
1 cdta	(5 ml) perejil , picado
	sal y pimienta

- En un cacerola con agua hirviendo ligeramente salada, cocer las papas por unos 3 minutos. Escurrirlas. Secarlas a golpecitos.

- En una sartén grande, calentar el aceite hasta que esté humeante . Sofreír las papas, revolviéndolas frecuentemente para que se doren bien por todos lados. Mezclar los demás ingredientes. Revolviendo, continuar cocinando hasta que las papas se doren bien. Servir.

Económicas, nutritivas y versátiles, las papas se pueden conseguir durante todo el año, y son una buena fuente de potasio. Cuando se comen con la cáscara, las papas también proveen la fibra necesaria.

Papas en Salsa Mornay

4 PORCIONES

2 tazas	(320 g) papas, en rodajas
³/₄ taza	(180 ml) salsa Béchamel
3 cdas	(30 g) queso Parmesano, rallado
¹/₄ cdta	(1 ml) salvia, picada
	sal y pimienta

- En un cacerola con agua hirviendo ligeramente salada, cocer las rodajas de papa por unos 4 minutos. Escurrirlas.

- Mientras tanto, en una cacerola, combinar los demás ingredientes. Llevar a ebullición; quitarlos del fuego en cuanto la salsa empiece a burbujear.

- Mezclar las papas. A fuego muy bajo, cocer a fuego lento por unos 5 minutos. Servir.

Papas Fritas al Horno

4 PORCIONES

2 cdas	(30 ml) aceite de cacahuate
1 cda	(15 ml) aceite de ajonjolí
¹/₄ cdta	(1 g) sal de mar
¹/₈ cdta	(0,5 g) pimienta recién triturada
¹/₂ cdta	(2 ml) albahaca, picada
¹/₂ cdta	(2 ml) perifollo, picado
¹/₂ cdta	(2 g) paprika
3 tazas	(480 g) papas, cortadas en palitos

- Precalentar el horno a 425 °F (220 °C).

- En un tazón grande, combinar todos los ingredientes, menos las papas. Mezclar bien. Agregar las papas. Voltearlas hasta que se cubran bien con la mezcla.

- En una bandeja para hornear, poner los palitos de papa haciendo una sola capa. Hornearlos por unos 30 minutos o hasta que se doren. Voltearlos 3-4 veces durante la cocción. Servir.

Papas al Horno

4 PORCIONES

4	papas medianas
¹/₂ taza	(125 ml) yogurt sin sabor
3 cdas	(30 g) aceitunas rellenas con pimiento dulce, picadas
1 cdta	(5 ml) perejil, picado
1 cda	(15 g) cebollas verdes, picadas
	sal y pimienta

- Con un tenedor pinchar las papas 3-4 veces. Ponerlas en el centro de un plato para microondas. Cocinarlas por 14-16 minutos, en ALTO.

- Mientras tanto, mezclar los demás ingredientes. Cuando las papas estén cocidas, cortar un lado de cada papa en forma atravesada. Abrir la papa. Ponerle yogurt con aceite en el medio. Servir.

De arriba hacia abajo :
Papas en Salsa Mornay,
Papas Fritas al Horno,
Papas al Horno

VERDURAS DE CABECITA DE VIOLÍN Y TOMATES

Cabecitas de Violín con Ajo Silvestre

4 PORCIONES

2 tazas	(320 g) verduras de cabecitas de violín
2 cdas	(30 g) mantequilla
1	diente de ajo, picado
2	dientes de ajo silvestre, picados
	sal y pimienta

- En una cacerola con agua hirviendo ligeramente salada, cocer las verduras de cabecitas de violín más o menos por 1 minuto. Escurrirlas. Ponerlas aparte.

- En una sartén, derretir la mantequilla. Cocinar los dos ajos por 1 minuto. Agregar las verduras de cabecitas de violín. Sazonar con sal y pimienta; mezclar bien. Continuar cocinando por 2 minutos. Servir.

Cabecitas de Violín con Salsa

4 PORCIONES

2 tazas	(320 g) verduras de cabecitas de violín
³/₄ taza	(180 ml) caldo de pollo
¹/₄ cdta	(1 ml) estragón, picado
¹/₄ cdta	(1 ml) cilantro, picado
¹/₂ cdta	(2 ml) perifollo, picado
	pimienta recién triturada
2 cdtas	(5 g) maicena
2 cdas	(30 ml) agua fría

- En una cacerola con agua hirviendo ligeramente salada, cocer las verduras de cabecitas de violín por más o menos 1 minuto. Escurrirlas.

- Mientras tanto, en una cacerola, combinar los demás ingredientes, menos la maicena y el agua. Llevar a ebullición. Mezclar las verduras de cabecitas de violín. A calor bajo, cocer a fuego lento por unos 3 minutos.

- Diluir la maicena en agua fría. Incorporarla en el caldo. Mezclarla con cuidado. Continuar cocinando hasta que la salsa se espese. Servir.

Tomates Adornados

6 PORCIONES

6	tomates grandes
¹/₄ taza	(40 g) flores de brócoli, cocidas
¹/₄ taza	(40 g) flores de coliflor, cocidas
¹/₄ taza	(40 g) hojas de espinaca, desmenuzadas
¹/₄ taza	(40 g) queso Mozzarella, rallado
1	diente de ajo, picado
2 cdas	(30 ml) aceite de oliva
	sal y pimienta

- Precalentar el horno a 350 °F (175 °C).

- Cortar la parte de arriba de los tomates. Con una cuchara, sacarles la pulpa; reservar más o menos ¹/₄ taza (60 ml) de la pulpa.

- Mezclar la pulpa reservada con los demás ingredientes. Rellenar los tomates con la mezcla. Hornearlos por unos 20 minutos. Servir.

Crepas de Tomate

4 PORCIONES

2	tomates grandes
3 cdas	(45 ml) aceite de oliva
3 cdas	(30 g) hojas de albahaca, desmenuzadas fino
2 cdas	(20 g) aceitunas negras, picadas
	sal y pimienta
16	rodajas pequeñas de queso Bocconcini
4	crepas pequeñas *(p. 380)*

- Cortar cada tomate en 8 rodajas.

- Mezclar el aceite, la albahaca y las aceitunas. Sazonar con sal y pimienta.

- Poner las rodajas de tomate y de queso en una lata de hornear grande. Rociarlas uniformemente con la mezcla del aceite. Dejarlas por 30 minutos.

- En el centro de cada crepa, colocar 4 rodajas de tomate y 4 rodajas de queso haciendo que se traslapen. Doblar las crepas. Servirlas frías, o calentarlas en el horno.

Con las manecillas del reloj, de arriba a la izquierda :
Cabecitas de Violín con Salsa,
Tomates Adornados,
Crepas de Tomate

Todavía poco conocidas, de apariencia exótica, las verduras de cabecita de violín le dan vida a nuestros platos. Esta verdura cada vez más popular le da un toque delicado a varias recetas; también es una fuente excelente de potasio y fibra.

El distintivo color rojo del tomate lo ha hecho un componente básico en la presentación de muchos platos. Especialmente dulce y jugoso en julio y agosto, el tomate es el compañero versátil tanto de nuestras comidas diarias como de los menús para ocasiones especiales.

LEGUMBRES, CONDIMENTOS, CEREALES Y PASTA

De arriba hacia abajo :
Frijoles de Lima con Albahaca,
Couscous con Sabor a Naranja,
Pesto

Frijoles de Lima con Albahaca

6 PORCIONES

2 cdas	(30 g)	mantequilla
2 cdas	(30 g)	cebollas verdes, picada
14 oz	(398 ml)	frijoles de Lima de lata, escurridos
3 cdas	(45 ml)	perejil, picado
1 cdta	(5 ml)	albahaca, picada
		sal y pimienta
1		tomate, en cubitos

▪ En una sartén, derretir la mantequilla. Cocinar las cebollas verdes por 1 minuto. Agregar los frijoles de Lima, el perejil y la albahaca. Sazonar. continuar cocinando por unos 5 minutos, revolviendo ocasionalmente . Agregar los cubitos de tomate. Continuar cocinando por 1 minuto. Servir.

Couscous con Sabor a Naranja

6 PORCIONES

1 taza	(115 g)	couscous
½ taza	(125 ml)	jugo de naranja
¾ taza	(180 ml)	agua
½ cdta	(2 g)	ralladura de naranja
1 cda	(10 g)	almendra en rodajas
1 cdta	(5 ml)	miel
		pizca de canela
		sal y pimienta

▪ En un plato para microondas, mezclar todos los ingredientes. Dejarlos reposar por 8 minutos. Tapar. Cocinar por 6 minutos, en ALTO. Revolver cuando se esté a medio cocinar.

▪ Dejar reposar por 6 minutos. Esponjar con un tenedor. Servir.

Pesto

ALREDEDOR DE 1 TAZA (250 ML)

2 ½ tazas	(400 g)	hojas de albahaca
3 cdas	(45 ml)	aceite de oliva virgen
3 cdas	(30 g)	piñones
3		dientes de ajo, picados
		sal y pimienta
		piñones tostados

▪ Lavar y luego secar sacudiendo las hojas de albahaca.

▪ En una sartén grande, calentar 1 cda (15 ml) de aceite. Cocinar los piñones y el ajo por 30 segundos o hasta que se doren un poco. Agregar la albahaca. Revolviendo, continuar cocinando hasta que las hojas de albahaca se pongan flojas. Quitarlas del fuego.

▪ Agregar el resto del aceite. Sazonar con sal y pimienta. Con un mortero o licuadora, hacer puré la mezcla. Decorar con los piñones tostados. Servir.

Debido a su contenido de fibra, las legumbres y los cereales se han convertido en las estrellas de la cocina para la buena salud. Son un grato beneficio para la buena salud y forman parte de las cocinas más exóticas... El pesto, el hummus y otros platos combinan ingredientes conocidos en formas completamente nuevas, para un toque exótico.

La pasta no engorda! Si el peso se vuelve una preocupación, convierta en hábito servir pasta con salsas de contenido bajo de grasa.

Picadillo de Perejil

ALREDEDOR DE **1** TAZA (250 ML)

³/₄ taza	(180 ml) perejil fresco, picado
3 cdas	(45 g) cebolla, picada
3 cdas	(30 g) aceitunas negras, picadas
2	dientes de ajo, picados
2 cdas	(30 ml) aceite de oliva
	sal y pimienta

- Mezclar todos los ingredientes. Servir.

Salsa de Rábano con Yogurt

ALREDEDOR DE **1** TAZA (250 ML)

¹/₄ taza	(40 g) rábanos
³/₄ taza	(180 ml) yogurt sin sabor
1 cda	(10 g) hojas de hinojo, picadas
2	chorritos de salsa inglesa
2 cdtas	(10 ml) jugo de limón
	sal y pimienta

- Picar grueso los rábanos.
- Mezclar todos los ingredientes. Servir.

Hummus

ALREDEDOR DE **1** TAZA (250 ML)

3 cdas	(45 g) mantequilla
³/₄ taza	(120 g) berenjena, pelada, en cubitos
³/₄ taza	(180 ml) garbanzos de lata, escurridos
2	dientes de ajo, picados
¹/₄ taza	(60 g) cebolla, picada
	sal y pimienta

- En una sartén grande, derretir la mantequilla. Cocinar los cubitos de berenjena y el garbanzo por unos 5 minutos. Agregar el ajo y la cebolla. Sazonar con sal y pimienta. Revolviendo, continuar cocinando por 5 minutos.

- Quitar del fuego. Hacer puré la mezcla en una licuadora. Servir.

De arriba hacia abajo :
Picadillo de Perejil,
Salsa de Rábano con Yogurt
Hummus

Arroz con Huevo Frito

8 PORCIONES	
2 tazas	(320 g) arroz de grano largo
2 tazas	(500 ml) caldo de pollo
2 tazas	(500 ml) agua
2 cdas	(30 ml) salsa inglesa
1 cda	(15 g) margarina
2 cdtas	(10 g) sal
2	dientes de ajo, picados
3 cdas	(45 ml) aceite vegetal
3 tazas	(480 g) verduras frescas (zanahorias, cebollas, pimientos dulces, apio, calabacita), picadas
5	huevos, ligeramente batidos

■ En una cacerola grande, combinar los primeros 7 ingredientes. Llevar a ebullición. Bajar el fuego. Tapar. Cocer a fuego lento por 20 minutos.

■ En un wok o sartén grande, calentar 1 cda (15 ml) de aceite. Freír volteando las verduras hasta que estén blandas por fuera y crujientes por dentro. Sacarlas de la sartén. Ponerlas aparte.

■ Agregar 1 cda (15 ml) de aceite en el wok. Revolviendo, cocinar los huevos. Sacarlos. Ponerlos aparte con las verduras.

■ Poner el resto del aceite en el wok. Agregar el arroz, las verduras y los huevos. Freír volteando para recalentar la mezcla. Servir.

VARIACIONES

• Cuando se combinen todos los ingredientes, agregar 1 taza (250 g) de jamón cocido, en cubitos.

• Cuando se combinen todos los ingredientes, agregar 1 taza (250 g) de salmón cocido, en cubitos, como se muestra arriba a la derecha.

• Cuando se combinen todos los ingredientes, agregar $^1/_4$ taza (60 ml) de salsa de chile, como se muestra arriba a la izquierda.

• Reemplazar $^1/_2$ taza (80 g) de arroz de grano largo con una cantidad igual de arroz silvestre— previamente puesto a remojar por 6 horas en 1 taza (250 ml) de agua — como se muestra arriba en el centro.

Pasta de Berro y Manzana

4 PORCIONES

8 oz	(225 g) pasta, de su gusto
1 cda	(15 ml) aceite de oliva
1 cda	(15 g) mantequilla
½ taza	(80 g) berro, picado
¼ taza	(40 g) manzana, en cubitos
	sal y pimienta

■ Cocinar la pasta siguiendo las instrucciones del paquete. Escurrirla.

■ En una sartén grande, calentar el aceite y derretir la mantequilla. Cocinar ligeramente el berro y la manzana. Agregar la pasta. Sazonar; mezclar bien. Continuar cocinando hasta que la pasta esté muy caliente. Servir.

La receta se muestra arriba a la izquierda

Pasta de Espinaca

4 PORCIONES

8 oz	(225 g) pasta de espinaca
1 cda	(15 ml) aceite de oliva
1 cda	(15 g) mantequilla
½ taza	(80 g) hojas de espinaca, desmenuzadas fino
1	diente de ajo, picado
	sal y pimienta

■ Cocinar la pasta siguiendo las instrucciones del paquete. Escurrirla.

■ En una sartén grande, calentar el aceite y derretir la mantequilla. Cocinar ligeramente la espinaca y el ajo. Agregar la pasta. Sazonar; mezclar bien. Continuar cocinando hasta que la pasta esté muy caliente. Servir.

La receta se muestra arriba en el centro

Pasta de Tomate

4 PORCIONES

8 oz	(225 g) pasta, de su gusto
1 cda	(15 ml) aceite de oliva
1 cda	(15 g) mantequilla
¼ taza	(40 g) tomate, en cubitos
2 cdas	(30 ml) salsa de chile
	sal y pimienta

■ Cocinar la pasta siguiendo las instrucciones del paquete. Escurrirla.

■ En una sartén grande, calentar el aceite y derretir la mantequilla. Cocinar ligeramente el tomate. Agregar la salsa de chile y la pasta. Sazonar; mezclar bien. Continuar cocinando hasta que pasta la pasta esté muy caliente. Servir.

La receta se muestra arriba a la derecha

Pasta de Tres Semillas

4 PORCIONES

8 oz	(225 g) pasta, de su gusto
1 cda	(15 ml) aceite de oliva
1 cda	(15 g) mantequilla
1 cda	(10 g) semillas de ajonjolí
1 cda	(10 g) semillas de hinojo
1 cda	(10 g) semillas de amapola
	sal y pimienta

■ Cocinar la pasta siguiendo las instrucciones del paquete. Escurrirla. En una sartén grande, calentar el aceite y derretir la mantequilla. Tostar ligeramente las semillas. Agregar la pasta. Sazonar; mezclar bien. Continuar cocinando hasta que la pasta esté muy caliente. Servir.

ENSALADAS

Las ensaladas le traen variedad y color a su dieta. Las verduras, el arroz, la pasta, los frijoles y legumbres, las nueces y otros ingredientes le permiten crear una ensalada que es tanto vistosa como nutritiva.

En este capítulo usted encontrará sugerencias excelentes para platos complementarios de ensalada y comidas completas de ensaladas. De hecho, las ensaladas como la Ensalada de Garbanzos (p. 282) que contiene proteínas como carne, queso o frijoles, se pueden servir como platos principales.

Ensalada de Berro

4 PORCIONES	
2 tazas	(320 g) berro
1/2 taza	(80 g) calabacita, rebanada fino
1/4 taza	(40 g) pepinos encurtidos, rebanados fino

Aderezo

1/3 taza	(80 ml) yogurt sin sabor
1	diente de ajo, picado
1 cda	(15 ml) jugo de limón
1 cdta	(5 ml) eneldo, picado
	sal y pimienta
4	hojas de lechuga rizada

- En una ensaladera, colocar el berro, y las rodajas de calabacita y de pepinos encurtidos.
- En un tazón, mezclar el yogurt, el ajo, el jugo de limón y el eneldo. Sazonar con sal y pimienta. Ponerle el aderezo a la ensalada. Servirla en una cama de lechuga.

Ensalada del Jardín

4 PORCIONES	
1	cabeza de lechuga Boston, desmenuzada a mano
3	tomates, en cubitos
2	zanahorias, ralladas
1/4 taza	(40 g) remolachas (betabeles) cocidas, en rodajas

Aderezo

3 cdas	(30 g) albahaca fresca, picada
2 cdas	(20 g) hojas de hinojo, picadas
1/4 taza	(60 ml) aceite de oliva virgen
3 cdas	(45 ml) vinagre de sidra
	sal y pimienta

- En una ensaladera, mezclar las verduras.
- En un tazón pequeño, mezclar los ingredientes del aderezo. Ponérselo a las verduras. Servir.

Ensalada de Dos Endibias

6 PORCIONES	
1	cabeza de endibia rizada, desmenuzada a mano
3	cabezas de endibia, picadas fino
2	manzanas verdes, en cubitos

Aderezo

2 cdas	(20 g) nueces, picadas
¹/₄ taza	(60 ml) aceite de oliva
2 cdtas	(10 ml) mostaza picante
2 cdas	(30 ml) vinagre de vino
1 oz	(30 ml) vino Oporto
1 cdta	(5 g) pimientos dulces rojos machacados
	sal y pimienta

■ En una ensaladera, mezclar las dos endibias. Cubrirlas con los cubitos de manzana.

■ En un recipiente hermético pequeño, combinar los ingredientes del aderezo. Sellar el recipiente. Agitarlo vigorosamente. Ponerle el aderezo a la ensalada, mezclando con cuidado. Servir.

Ensalada Fácil

6 PORCIONES	
2 tazas	(320 g) espinaca, sin tallos
1	cabeza de lechuga Boston, desmenuzada a mano
2	cebollas verdes, picadas
6	flores de coliflor, cocidas
4	rábanos, picados fino
1	tallo de apio, picado fino
6	flores de brócoli, cocidas

Aderezo

¹/₄ taza	(60 ml) vinagre
1 cda	(15 g) azúcar
¹/₃ taza	(80 ml) ketchup
¹/₂ taza	(125 ml) aceite vegetal
	sal y pimienta

■ En un tazón, mezclar las verduras. Refrigerar por 1 hora.

■ En un recipiente hermético, mezclar los ingredientes del aderezo. Sellar el recipiente. Agitarlo vigorosamente. Refrigerarlo por 1 hora. Ponerle el aderezo a las verduras. Servir.

Ensalada Verde Adornada

4 PORCIONES	
1	cabeza de lechuga Boston, desmenuzada a mano
3 cdas	(45 g) cebolla, picada fino
1	tallo de apio, picado
3 cdas	(45 g) pimiento dulce verde, picado
1	cebolla verde, picada
1 taza	(160 g) alfalfa germinada
1/4 taza	(40 g) queso Cheddar, en cubitos
1	huevo cocido duro, en rodajas

Aderezo

3 cdas	(45 ml) mayonesa
1 cda	(15 ml) vinagre
2 cdas	(30 ml) aceite de girasol
1 cda	(10 g) azúcar morena

▪ En una ensaladera, colocar en forma decorativa las verduras, y las rodajas de queso y huevo.

▪ En una jarra, mezclar los ingredientes del aderezo. Ponérselo a la ensalada sólo cuando se esté listo para servir.

Ensalada Refrigerada

8 PORCIONES	
1	cabeza pequeña de lechuga rizada, desmenuzada a mano
10 oz	(280 g) espinaca fresca, sin tallos
10 oz	(284 ml) chícharos verdes de lata, escurridos
2 tazas	(320 g) queso, rallado
1	cebolla verde, picada
1 taza	(250 g) tocineta cocida, desmenuzada
6	huevos cocidos duros, en rodajas

Aderezo

1 taza	(250 ml) mayonesa
1 taza	(250 ml) crema ácida o yogurt sin sabor
3 cdas	(45 ml) salsa de soya
	sal y pimienta

▪ En un plato rectangular, poner capas sucesivas de lechuga, espinaca, chícharos verdes, queso, cebolla verde, tocineta y huevo.

▪ En un tazón, mezclar los ingredientes del aderezo. Ponérselos a la ensalada. Cubrirla con papel de aluminio. Refrigerarla por 12 horas. Servir.

Ensalada César

10-12 PORCIONES	
8 oz	(225 g) tocineta, en cubitos
4	rodajas de pan, en cubitos

Aderezo

6 cdas	(90 ml) aceite vegetal
2 cdas	(30 ml) vinagre
1 cda	(15 ml) aceite de oliva
1 cda	(15 ml) jugo de limón
1 cdta	(5 g) sal
1 cdta	(5 ml) estragón
	pizca de azúcar
	pizca de pimienta
	pizca de mostaza en polvo
	gota de salsa Tabasco
	chorrito de salsa inglesa
1 cdta	(5 ml) perejil

1 cdta	(5 g) ajo, picado
1	huevo
2	cabezas de lechuga romana
3/4 taza	(120 g) queso Parmesano fresco, rallado
1/2 taza	(125 ml) perejil, picado
6	filetes de anchoas, picados
3	huevos cocidos duros, en cuartos

- En una sartén, cocinar la tocineta hasta que esté crujiente. Escurrirla. Ponerla aparte. En la grasa de la tocineta, tostar los cubitos de pan.

- En un tazón grande, mezclar los ingredientes del aderezo con una cuchara de madera.

- Partir la lechuga sobre el aderezo sólo cuando se esté listo para servir.

- Espolvorear con el queso Parmesano. Agregar la tocineta y los crotones. Decorar con el perejil, las anchoas y los cuartos de huevo. Mezclar la ensalada. Servir.

Ensalada Sorpresa

8-10 PORCIONES	
10 oz	(280 g) espinaca, sin tallos
2	cabezas de lechuga Boston, desmenuzadas a mano
4-5	chalotes franceses, picados
2	naranjas, peladas, en cubitos
1	aguacate, pelado, sin la semilla, en cubitos

Aderezo

¹/₄ taza	(60 ml) jugo de limón
2 cdtas	(10 ml) jugo de naranja
1 cdta	(5 g) ralladura de naranja
2 cdas	(30 g) azúcar
1 cdta	(5 g) sal
1 cdta	(5 g) mostaza en polvo
1 cdta	(5 g) paprika
¹/₂ cdta	(2 g) semillas de apio
²/₃ taza	(160 ml) aceite vegetal

- En una fuente de servir grande, colocar las frutas y las verduras en forma decorativa.
- Mezclar los ingredientes del aderezo. Ponérselos a las frutas y las verduras. Servir.

Ensalada de Otoño

6 PORCIONES	
2	tomates, en cubitos
10 oz	(284 ml) corazones de palmito de lata, escurridos, cortados en rueditas
1	cabeza de lechuga rizada, desmenuzada a mano
1	zanahoria pequeña, rallada
1	tallo de apio, picado fino
1	manzana roja, en cubitos

Aderezo

¹/₂ taza	(125 ml) yogurt sin sabor
1 cdta	(5 ml) mostaza picante
1 cda	(15 ml) aceite de oliva
1 cdta	(5 ml) miel
¹/₂ cdta	(2 ml) vinagre de vino
3 cdas	(45 ml) jugo de limón pizca de sal

- En una ensaladera, colocar las verduras y los cubitos de manzana.
- En un tazón pequeño, mezclar los ingredientes del aderezo. Ponérselos a la ensalada; mezclarla con cuidado. Servir.

Ensalada Mixta

4 PORCIONES	
2 tazas	(320 g) frijolitos germinados, enjuagados, escurridos
2 tazas	(320 g) espinaca, sin tallos, desmenuzada fino
1 taza	(160 g) champiñones frescos, en rodajas
¹/₂ taza	(125 g) cebollas verdes, picadas
3	tallos de apio, picados
¹/₃ taza	(53 g) pasas
3	ramitas de perejil, picadas
1 taza	(160 g) semillas de girasol sin sal

Aderezo

3 cdas	(45 ml) salsa de soya
3 cdas	(45 ml) aceite vegetal
1	diente de ajo, picado
1 cdta	(5 ml) jugo de limón

- En una ensaladera, mezclar las verduras, las pasas y el perejil. Agregar las semillas de girasol.
- En un tazón pequeño, mezclar los ingredientes del aderezo. Ponérselo a la ensalada sólo cuando se esté listo para servir.

Ensalada Florentina de Champiñones

4 PORCIONES	
3 tazas	(480 g) espinaca, sin tallos
1 taza	(160 g) champiñones, picados fino

Aderezo

3 cdas	(45 ml) jugo de limón
2 cdtas	(10 ml) aceite de oliva
¹/₂ cdta	(2 ml) albahaca fresca, picada
¹/₂ cdta	(2 g) azúcar
¹/₂	diente de ajo, picado
¹/₄ cdta	(1 g) pimienta
1 cdta	(5 ml) mostaza picante
¹/₈ cdta	(0,5 g) sal

- En una ensaladera, mezclar la espinaca y los champiñones.
- En un tazón pequeño, mezclar los ingredientes del aderezo. Ponérselos a las verduras. Mezclar la ensalada. Servir.

De arriba hacia abajo :
Ensalada de Otoño,
Ensalada Sorpresa,
Ensalada Mixta

Ensalada de Coles

10 PORCIONES

Aderezo

¹/₂ taza	(125 ml)	aceite vegetal
¹/₂ taza	(125 ml)	vinagre
¹/₄ taza	(60 g)	azúcar granulada
1 cdta	(5 ml)	mostaza preparada
1 cdta	(5 g)	sal
1 cdta	(5 g)	semillas de apio
1		cabeza grande de repollo, picada fino
1		cebolla, cortada en anillos
2		zanahorias, ralladas
1 cda	(15 ml)	perejil, picado fino

- En un cacerola de 5 tazas (1,25 L), hervir los ingredientes del aderezo. Cocerlos a fuego lento por 1 minuto. Dejar que se enfríen. Refrigerar por 2 horas antes de servir.

- En una ensaladera, mezclar las verduras y el perejil. Ponerle el aderezo a la ensalada de coles. Servir.

La receta se muestra arriba

Anillo de Brócoli Gelatinado

4 PORCIONES

3 oz	(90 g)	gelatina en polvo de limón
1 ¹/₄ taza	(300 ml)	agua hirviendo
3 cdas	(45 ml)	vinagre
2 cdtas	(10 g)	azúcar
3 cdas	(45 ml)	aderezo italiano comercial
1 ¹/₂ taza	(240 g)	flores de brócoli
¹/₄ taza	(40 g)	apio, picado fino
2 cdas	(30 g)	cebolla, picada fino
		sal, pimienta y paprika
		hojas de lechuga
1		tomate, en cuartos

- En un tazón, disolver la gelatina en polvo, en el agua hirviendo. Dejar que se enfríe. Agregar el vinagre, el azúcar y el aderezo; revolviendo ocasionalmente. Refrigerar hasta que la gelatina tenga una consistencia de clara de huevo. Agregar el brócoli, el apio, la cebolla, sal, pimienta y paprika.

- Poner la mezcla en un molde anular primero engrasado, y luego enjuagado con agua fría. Refrigerar por unas 2 horas o hasta que la mezcla se asiente.

- Sacarla del molde en una cama de lechuga. Decorarla con cuñas de tomate. Servirla como ensalada o como condimento para acompañar carnes frías.

Ensalada Exótica de Berenjena

	4 PORCIONES

Aderezo

1 taza	(250 ml) crema ácida
¹/₂ cdta	(2 ml) mostaza picante
1 cdta	(5 ml) jugo de limón
¹/₂	diente de ajo, machacado
	pizca de pimienta
¹/₄ cdta	(1 g) sal
1	piña fresca
2 cdas	(30 g) mantequilla
2 ¹/₂ tazas	(400 g) berenjena sin pelar, en cubitos
2 ¹/₂ tazas	(625 ml) arroz cocido, refrigerado
1 taza	(160 g) apio, en rodajas
¹/₂ taza	(125 g) cebollas verdes, picadas

- En un tazón, mezclar los ingredientes del aderezo. Poner aparte.

- Cortar la piña a lo largo, empezando de la corona. Quitarle el corazón (el centro duro). Sacar la pulpa; reservar la corteza intacta. Cortar la pulpa en cubitos.

- En una sartén, derretir la mantequilla. Cocinar la berenjena hasta que se dore un poco.

- En un tazón grande, mezclar los cubitos de piña y berenjena con el arroz, el apio y las cebollas verdes. Incorporar el aderezo; mezclar bien. Ponerlo con una cuchara en la piña vaciada.

- Cortar en porciones al frente de los invitados. Servir.

Ensalada de Frutas

	6-8 PORCIONES

Aderezo

¹/₂ taza	(125 ml) vinagre de frambuesa
¹/₄ taza	(60 ml) aceite vegetal
¹/₄ taza	(60 ml) miel líquida
1 cda	(15 ml) jugo de lima
2 tazas	(320 g) espinaca, sin tallos
1	cabeza pequeña de lechuga romana, desmenuzada a mano
1	cabeza de lechuga Boston, desmenuzada a mano
1 ¹/₂ taza	(240 g) piña, en trozos
¹/₂	cantalupo, cortado en bolitas
3	toronjas, peladas, en gajos
1 ¹/₂ taza	(240 g) uvas verdes sin semilla
2	manzanas, en cubitos
1 taza	(160 g) fresas o frambuesas
³/₄ taza	(180 g) jamón o Prosciutto, en tiras finas

- En un tazón pequeño, mezclar los ingredientes del aderezo. Poner aparte.

- En un tazón de vidrio, colocar una cama de espinaca y lechuga. Ponerle encima las frutas y el jamón.

- Sólo cuando se esté listo para servir, ponerle el aderezo de frambuesa a la ensalada. Servir.

Ensalada de Maíz

4-6 PORCIONES

Aderezo

1/2 taza	(125 ml) mayonesa
2 cdas	(30 ml) leche
2 cdas	(30 ml) vinagre
2 cdas	(30 g) azúcar
	sal y pimienta
14 oz	(398 ml) maíz de grano entero de lata, escurrido
1/2 taza	(125 g) pimiento dulce verde, en cubitos
1/2 taza	(125 g) pimiento dulce rojo, en cubitos
1/2 taza	(80 g) apio, cortado en rodajas diagonales finas
1	zanahoria, rallada
3	cebollas verdes, picadas

- En un tazón, mezclar los ingredientes del aderezo. Poner aparte.

- En una ensaladera, mezclar las verduras. Ponerle el aderezo a la ensalada. Mezclar. Servir.

Ensalada de Verduras

8-10 PORCIONES

Aderezo

1 taza	(250 g) azúcar granulada
1 taza	(250 ml) vinagre
3/4 taza	(180 ml) aceite vegetal
1 cda	(15 ml) mostaza preparada
1 cdta	(5 g) semillas de apio
1 cdta	(5 g) sal
1/2 taza	(80 g) flores de brócoli
1/2 taza	(80 g) flores de coliflor
1/4 taza	(60 g) pimiento dulce verde, en cubitos
1	zanahoria, en rodajas
1 taza	(160 g) champiñones, en cuartos
1/2 taza	(160 g) pepino, en rodajas
1/4 taza	(60 g) cebolla, picada
1	cabeza de repollo rojo, picada fino

- En una cacerola pequeña, combinar los ingredientes del aderezo. Llevar a ebullición. Dejar que se enfríen por unos 30 minutos. Poner aparte.

- En una cacerola con agua hirviendo ligeramente salada, cocer el brócoli, la coliflor, el pimiento dulce y la zanahoria por 1 minuto. Escurrir. Dejar que se enfríen.

- En una ensaladera, mezclar todas las verduras. Ponerle el aderezo a la ensalada. Servir.

Ensalada de Espárragos

4 PORCIONES

Aderezo

1/2 taza	(125 ml) aceite de maíz
1/4 taza	(60 ml) jugo de limón
3 cdas	(45 ml) vinagre de vino
1 cdta	(5 ml) mostaza picante
1 cdta	(5 g) chalotes franceses, picados fino
	sal y pimienta
1 lb	(450 g) puntas de espárragos verdes, pelados, recortados a 1 pulg (2,5 cm) de la base

- En un tazón, mezclar los ingredientes del aderezo. Poner aparte.

- En una cacerola, poner 2 pulg (5 cm) de agua fría. Sazonarla ligeramente con sal. Llevar a ebullición. Agregar los espárragos. Cubrir a medias la cacerola. A calor moderado, cocinar por 10 minutos. Escurrir.

- En una fuente de servir, colocar los espárragos. Bañarlos con el aderezo. Servir.

Ensalada de Papas

4-6 PORCIONES

3 tazas	(480 g) papas, cocidas en su cáscara, en cubitos
1 taza	(160 g) apio, en cubitos
3 cdas	(45 g) cebolla roja, picada
1/4 taza	(60 ml) perejil, picado fino
1/4 taza	(40 g) pepinos encurtidos dulces, picados
3/4 taza	(180 ml) mayonesa
2 cdtas	(10 g) sal
1/4 cdta	(1 g) paprika

- En un tazón, mezclar los ingredientes. Servir.

Con las manecillas del reloj, de arriba a la izquierda :
Ensalada de Verduras,
Ensalada de Maíz,
Ensalada de Papas

Ensalada de Arroz con Cinco Verduras

4 PORCIONES		
1 taza	(250 ml) arroz cocido
³/₄ taza	(120 g) zanahorias, picadas
¹/₄ taza	(40 g) apio, picado fino
¹/₄ taza	(40 g) champiñones, picados fino
¹/₄ taza	(60 g) pimiento dulce verde, picado fino
¹/₄ taza	(60 g) pimiento dulce rojo, picado
¹/₂ cdta	(2 g) sal de apio
¹/₂ cdta	(2 g) curry en polvo
¹/₂ cdta	(2 g) sal de ajo
	pimienta recién triturada

Aderezo

2 cdas	(30 ml) mayonesa
1 cdta	(5 ml) agua
2 cdtas	(10 ml) mostaza preparada

- En un tazón grande, mezclar el arroz, las verduras y los condimentos.
- En un tazón pequeño, mezclar los ingredientes del aderezo. Ponérselos al arroz y las verduras. Servir.

Ensalada Crujiente

4-6 PORCIONES		
2 tazas	(500 ml) arroz cocido
2 tazas	(320 g) espinaca, desmenuzada fino
1 taza	(160 g) frijolitos germinados
3	tallos de apio, cortados en rodajas diagonales finas
1 taza	(160 g) champiñones, en cuartos
1	pimiento dulce verde, cortado en tiras
¹/₂ taza	(125 g) cebollas verdes, picadas
1 taza	(160 g) cacahuates
¹/₃ taza	(53 g) pasas
3	ramitas de perejil, picadas

Aderezo

¹/₂ taza	(125 ml) aceite de cacahuate
¹/₄ taza	(60 ml) salsa de soya
1	diente de ajo, machacado
¹/₄ cdta	(1 g) pimienta de apio

- En un tazón grande, mezclar todos los ingredientes, menos los del aderezo.
- En un tazón pequeño, mezclar los ingredientes del aderezo.
- Unos 30 minutos antes de servir, ponerle el aderezo a la ensalada. Servir.

Ensalada de Arroz Marrón

6-8 PORCIONES	
3 tazas	(750 ml) arroz marrón cocido, escurrido
½ taza	(125 g) cebollas verdes, picadas
1 taza	(160 g) calabacita, en rueditas, cocida
10 oz	(284 ml) chícharos verdes de lata, escurridos

Aderezo

½ taza	(125 ml) aceite vegetal
2 cdas	(30 ml) salsa de soya
1 cda	(15 ml) vinagre
2 cdtas	(10 g) curry en polvo
1 cdta	(5 g) semillas de apio
1 cdta	(5 g) sal

- En un tazón, mezclar el arroz y las verduras.

- En un tazón pequeño, mezclar los ingredientes del aderezo. Ponérselos al arroz y las verduras. Refrigerar por 4 horas. Servir la ensalada refrigerada.

Ensalada de Arroz con Requesón

6-8 PORCIONES	
3 tazas	(750 ml) arroz cocido
2	zanahorias, ralladas
¼ taza	(40 g) apio, picado fino
¼ taza	(60 g) pimiento dulce rojo, en cubitos
¼ taza	(60 ml) perejil, picado

Aderezo

1 taza	(250 ml) requesón
1 taza	(250 ml) crema ácida
	sal y pimienta

- En una ensaladera, mezclar el arroz, las verduras y el perejil.

- En un tazón pequeño, mezclar los ingredientes del aderezo. Ponérselos a la ensalada; mezclar bien. Servir.

La receta se muestra arriba

Ensalada de Garbanzos

2 PORCIONES	
¹/₂ taza	(125 ml) garbanzos de lata, escurridos
¹/₂ taza	(80 g) apio, picado
¹/₂ taza	(80 g) tomates, picados
¹/₂ taza	(80 g) pepino, pelado, sin semillas, picado
2 cdas	(30 ml) vinagre de vino
1 cda	(15 ml) perejil fresco, picado
1 cda	(15 ml) jugo de limón fresco
2 cdtas	(10 ml) aceite vegetal
1	diente de ajo, picado ó
¹/₈ cdta	(0,5 g) ajo en polvo
¹/₂ cdta	(2 ml) mostaza picante
	sal y pimienta

- En una ensaladera, mezclar todos los ingredientes.

- Tapar. Revolviendo ocasionalmente, mantener en refrigeración hasta que la ensalada esté bien fría. Servir.

Ensalada de Frijoles Rojos

4-6 PORCIONES	
Aderezo	
1 cda	(15 ml) vinagre de arroz
1 cda	(15 ml) jugo de lima fresco
1 cdta	(5 ml) miel
1 cdta	(5 ml) aceite vegetal
	sal y pimienta
1 taza	(250 ml) frijoles rojos de lata, escurridos
1	naranja, pelada, en gajos
¹/₄ taza	(60 g) cebolla roja, cortada en anillos
¹/₄ taza	(40 g) apio, en rodajas
¹/₄ taza	(60 g) pimiento dulce verde, en cubitos
¹/₄ taza	(60 g) pimiento dulce rojo, en cubitos
8	hojas de lechuga

- En un tazón pequeño, mezclar los ingredientes del aderezo.

- En un tazón mediano, mezclar los frijoles, la naranja, la cebolla, el apio y los pimientos.

- Poner hojas de lechuga en una fuente de servir. Apilar la ensalada de frijoles en el centro. Ponerle encima el aderezo. Servir.

Ensalada Italiana

8-10 PORCIONES	
1 ½ taza	(375 ml) conchitas de pasta medianas, cocidas, enfriadas
1 taza	(160 g) pepino, mitades a lo largo, en rodajas
1 taza	(250 g) jamón cocido, cortado en tiras
½ taza	(80 g) apio , en rodajas
¼ taza	(60 g) cebollas verdes, picadas
½ taza	(125 ml) aderezo italiano cremoso comercial
1	cabeza de lechuga, desmenuzada a mano
3	cabezas de endibia, picadas fino
1	tomate, en cuartos
2	rodajas de queso Mozzarella, cortadas en tiras
	queso Parmesano, rallado

▪ En un tazón, combinar la pasta, el pepino, el jamón, el apio y las cebollas verdes. Mezclar con un poco de aderezo. Refrigerar.

▪ Sólo cuando se esté listo para servir, poner la lechuga y la endibia en la ensaladera. Agregar la mezcla de pasta. Mezclarla con cuidado. Decorar con cuñas de tomate y tiras de queso. Espolvorear con el queso Parmesano. Servir el aderezo al lado.

Ensalada de Salmón

4-6 PORCIONES	
1 taza	(250 ml) fusilli o espirales grandes
1 ½ taza	(375 ml) chícharos verdes congelados, enjuagados, escurridos
1 taza	(160 g) queso suizo, en cubitos
7 ½ oz	(213 ml) salmón rojo de lata, escurrido, en trocitos
½ taza	(80 g) zanahoria, rallada
½ taza	(125 ml) aderezo de pepino cremoso, comercial

▪ Cocinar la pasta siguiendo las instrucciones del paquete. Escurrirla. Enjuagarla bajo agua fría.

▪ En un tazón grande, mezclar con cuidado todos los ingredientes. Servir.

La Guía Alimenticia Canadiense le recomienda a los adultos un consumo diario de dos a cuatro raciones de productos lácteos.

Los quesos representan una fuente excelente de proteína y calcio. Ciertos quesos contienen una mayor cantidad de grasa y se deben consumir con moderación. El contenido de grasa del queso casi siempre se indica en el empaque.

Las recetas para bandejas de queso que se le presentan en este capítulo le invitan a que experimente con los quesos como una adición a su menú.

QUESOS

BANDEJAS DE QUESO

Los quesos pertenecen a 7 tipos o "familias", las que se basan en textura y fuerza de sabor: fresco (requesón, ricotta...), suave (Brie, Camembert, Livarot, Munster...), semi-suave (Oka, Saint-Paulin...), Duros (Cheddar, Emmenthal, Gouda, Gruyère, Jarlsberg...), Duros para rallar (Parmesano, Romano...), Azul (Danés Azul, Cambozola, Gorgonzola, Roquefort...) y quesos de cabra.

Una bandeja de queso es la mejor forma de experimentar con queso en cualquier época del año, y es algo que resulta apropiado para cualquier ocasión.

Cuando prepare su bandeja de queso, calcule 2-3 oz (60-90 g) de queso para cada invitado. Sume las porciones, y divida por el número total de quesos que piensa servir. Este sencillo cálculo le dirá las cantidades exactas de queso que necesita.

Las bandejas de queso que se presentan aquí siguen todas las reglas del buen juicio, gustos y texturas diferentes, para lograr contrastes distintivos y agradables.

Una bandeja de queso con pan, galletas y frutas frescas le dará un toque excitante a cualquier comida familiar o reunión de amigos.

BANDEJA DE TRES QUESOS
- Brie
- Roquefort
- Oka

BANDEJA DE CUATRO QUESOS
- Camembert
- Danés Azul
- Queso de Cabra
- Saint-Paulin

BANDEJA DE CINCO QUESOS
- Cheddar añejo
- Cambozola
- Queso de Cabra
- Munster
- Saint-André

BANDEJA DE CINCO QUESOS
- Livarot
- Emmenthal
- Gouda
- Rondelé con pimienta negra
- Gorgonzola

BANDEJA DE SEIS QUESOS
- Brie
- Queso de Cabra
- Danés Azul
- Oka
- Gruyère
- Saint-Paulin

BANDEJA DE QUESOS FUERTES
- Roquefort
- Maroilles
- Crottin de chèvre
- Cambozola

BANDEJA DE QUESOS MEDIOS
- Cheddar Medio
- Queso Crema Doble con Hierbas Mixtas
- Saint-Paulin
- Jarlsberg

Queso de Cabra con Hierbas y Aceite

4 PORCIONES

1 taza	(250 ml) aceite de oliva virgen
1	ramita pequeña de romero fresco
1	diente de ajo, picado
1	ramita de tomillo fresco
3	ramitas de estragón fresco
¼ cdta	(1 g) pimientos dulces rojos machacados
⅛ cdta	(0,5 g) pimienta recién triturada
4	rodajas de queso de cabra de 2 oz (60 g)

- En una jarra, mezclar todos los ingredientes, menos el queso de cabra.
- Ponerle a las rodajas de queso el aceite sazonado para que se cubra totalmente. Si es necesario, agregar un poco más de aceite.
- Marinar el queso por 4-10 días antes de servirlo.

Brie Dulce

4 PORCIONES

4	cuñas de queso Brie de 2 oz (60 g)
¼ taza	(60 ml) miel de trébol
¼ taza	(40 g) nueces, picadas grueso

- Precalentar el horno en ASAR.
- Poner una cuña de Brie en cada uno de 4 platos de hornear individuales. Rociar el queso con 1 cda (15 ml) de miel de trébol. Espolvorearlo con las nueces picadas.
- Asar en el horno por unos 4 minutos o hasta que las cuñas de queso estén medio derretidas. Servir.

Queso Marinado

4 PORCIONES

4 oz	(115 g) queso Emmenthal, en cubitos
4 oz	(115 g) queso Mozzarella, en cubitos
1 taza	(250 ml) vino Rosé
2 oz	(60 ml) vino Oporto
1 oz	(30 ml) licor de grosella negra

- En una jarra, combinar todos los ingredientes. Marinar por 4-7 días.
- Escurrir los cubitos de queso. Servir.

Queso Azul con Vino Oporto

4 PORCIONES

4	cuñas de queso azul de 2 oz (60 g)
½ taza	(125 ml) espinaca, desmenuzada fino
	pimienta recién triturada
4	vasos de 1 oz (30 ml) de vino Oporto

- En 4 platos de ensalada, poner 1 cuña de queso azul. Decorar un lado con la espinaca desmenuzada. Sazonar con pimienta, de acuerdo a la preferencia individual de cada invitado.
- Servir el vino Oporto para que los invitados le pongan vino al queso, luego lo machaquen con un tenedor. El queso se disfruta mientras se toma el resto de vino Oporto.

Con las manecillas del reloj, de arriba a la izquierda :
Queso de Cabra con Hierbas y Aceite,
Queso Azul con Vino Oporto,
Brie Dulce

POSTRES Y REPOSTERÍA

¿**T**enemos que rechazar pasteles, bizcochos y dulces con el pretexto que contienen demasiada grasa y calorías? Las personas que le prestan atención a su salud se hacen a sí mismas esta pregunta. Según lo que sabemos, los postres pueden ser parte de una dieta nutritiva, si los consumimos en cantidades pequeñas, saboreando cada pedacito.

Los postres hacen que disfrutemos más nuestras comidas. Para lograr una mejor nutrición, elija las selecciones basadas en frutas o productos lácteos, y reserve los postres cremosos para ocasiones especiales. Escoger postres que sean de bajo contenido de grasa y azúcar también ayuda a mantener un menú nutritivo.

A menudo podemos reducir en un tercio el azúcar en una receta sin alterar la textura y la calidad del postre. Sin embargo, es más difícil reducir la grasa ya que ésta es la que les imparte la suavidad y la ligereza. Aun cuando los nutriólogos recomiendan frutas frescas para completar la comida, ellos no se oponen cuando sucumbimos a la tentación…¡con moderación!

En esta sección se presentan pasteles y bizcochos. Satisfaga su paladar sin ningún remordimiento con un Bizcocho de Tomate Sin Azúcar (p. 306) o el Bizcocho de Salsa de Manzana (p. 304).

En cuanto a otros postres, es prudente, sobre todo en lo que se refiere a contar calorías, evitar la crema batida. Limite la cantidad de nueces o reduzca a la mitad la mayonesa, reemplazándola con yogurt natural.

También podemos usar queso crema ligero y leche descremada en todos los postres que requieren esos ingredientes, y así por lo tanto, reducir el contenido de grasa y calorías.

TORTAS

BIZCOCHOS ESPONJOSOS

Bizcocho Esponjoso de Vainilla, Receta Básica

1 BIZCOCHO

5	huevos
³/₄ taza	(180 g) azúcar
1 taza	(115 g) harina de todo uso
¹/₂ cdta	(1 g) polvo de hornear
3 cdas	(45 g) mantequilla, derretida
1 cdta	(5 ml) extracto de vainilla

- Precalentar el horno a 350 °F (175 °C). Enmantequillar y enharinar un molde de pastel de resorte de 9 pulg (23 cm). Ponerlo aparte.

- Poner un tazón de acero inoxidable sobre una cacerola con agua hirviendo. En el tazón, batir los huevos y el azúcar por 5 minutos o hasta que la mezcla se espese. Fuera del calor, continuar batiendo hasta que la mezcla se enfríe un poco. Ponerla aparte.

- En un segundo tazón, cernir la harina y el polvo de hornear. Incorporarlos en la mezcla del huevo batido.

- Con una espátula o batidor, incorporar con cuidado la mantequilla derretida y el extracto de vainilla. Poner la mezcla en el molde de pastel.

- Hornear por 25-35 minutos. Sacar del horno. Sacar el bizcocho del molde deslizando un cuchillo pequeño a los lados. Dejar que se enfríe por 5 minutos. Desarmar el molde de pastel. Poner el bizcocho en una parrilla o una lata para hornear galletas espolvoreada con azúcar. Dejarlo reposar hasta que se enfríe.

BIZCOCHO DE LIMÓN
- Reemplazar la vainilla con 1 cdta (5 g) de ralladura de limón, 1 cda (15 ml) de jugo de limón y 2 gotas de colorante de alimentos amarillo.

BIZCOCHO DE NARANJA
- Reemplazar la vainilla con 2 cdtas (10 g) de ralladura de naranja, ¹/₂ cdta (2 ml) de azahar o 1 cda (15 ml) de jugo de naranja. Agregar 2 gotas de colorante de alimentos anaranjado (opcional).

BIZCOCHO DE CAFÉ
- A la mantequilla, agregarle 2 cdas (10 g) de café instantáneo.

BIZCOCHO DE DULCE DE CHOCOLATE
- Derretir 4 oz (115 g) de chocolate semidulce. Dejar que se enfríe. Incorporarlo después de la mantequilla derretida.

BIZCOCHO DE NUECES
- Agregar ³/₄ taza (120 g) de las nueces picadas de su preferencia (almendras, avellanas, pacanas, pistachos, etc.) antes de la mantequilla derretida.

BIZCOCHO DE TROCITOS DE CHOCOLATE
- En la harina, incorporar ¹/₂ taza (100 g) de chocolate semidulce rallado.

BIZCOCHO DE CACAO

• En un tazón, mezclar la harina con 3 cdas (21 g) de cacao. Incorporar 2 cdtas (10 ml) de aceite vegetal y 2 gotas de colorante de alimentos rojo (opcional), al mismo tiempo que la mantequilla derretida.

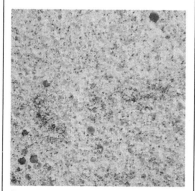

BIZCOCHO DE SEMILLAS DE AJONJOLÍ

• En la harina, incorporar $1/2$ taza (80 g) de semillas de ajonjolí tostadas.

BIZCOCHO DE SEMILLAS DE AMAPOLA

• En la harina, incorporar $1/2$ taza (80 g) de semillas de amapola.

BIZCOCHO DE ESPECIAS

• En la harina, incorporar 2 cdtas (10 g) de especias mixtas molidas (canela, clavo de olor, nuez moscada, etc).

BIZCOCHO DE TOMATE

• Agregar $1/4$ taza (60 ml) de pasta de tomate al mismo tiempo que la mantequilla.

BIZCOCHO DE HIERBAS MIXTAS

• Agregar $1/4$ taza (60 ml) de la mezcla de hierbas de su preferencia (albahaca, tomillo, etc.) antes de la mantequilla derretida.

Enrollados

• Para hacer un enrollado, seguir la receta básica del bizcocho esponjoso, reduciendo la mantequilla a 4 cdtas (20 g). Proceder de acuerdo al método básico. Todas las variaciones de bizcocho que se sugieren aquí se pueden aplicar. Se prepara como sigue:

▪ Enmantequillar una lata para hornear galletas de 15 x 10 pulg (38 x 25 cm). Cubrirla con papel encerado para hornear, enmantequillado. Ponerla aparte. Precalentar el horno a 375 °F (190 °C).

▪ Preparar el bizcocho siguiendo el método, pero reduciendo la mantequilla.

▪ Poner la mezcla en la lata. Esparcir la mezla uniformemente con una espátula. Hornear por unos 12 minutos.

▪ Sacar la lata del horno. Poner la mezcla en una toalla espolvoreada con azúcar — o con cacao para un enrollado de chocolate.

▪ Sacar el bizcocho del molde. Esperar 2-3 minutos, luego pelar con cuidado el papel encerado. (Si el papel se pega al bizcocho, humedecerlo con una brochita mojada con agua muy fría).

▪ Con un cuchillo con sierra, cortar finamente el borde de la corteza para que se pueda enrollar con más facilidad.

▪ Enrollar el bizcocho, incluyendo la toalla. Ponerlo a enfriar en una parrilla.

▪ Preparar la decoración. Proceder de acuerdo a alguna receta de las páginas siguientes.

Enrollado Rico y Famoso

8 PORCIONES	
1 taza	(250 g) queso crema, ablandado
2	plátanos maduros
1 cda	(15 g) ralladura de naranja
¹/₂ taza	(100 g) trocitos de chocolate
3 cdas	(45 ml) Grand Marnier
1	enrollado o bizcocho de trocitos de chocolate (p. 294)
2 tazas	(500 ml) crema de mantequilla con naranja (p. 331)
1	naranja, pelada, en rodajas finas
2 tazas	(500 ml) salsa de naranja (p. 416)

- En una batidora de tazón, batir el queso hasta que esté esponjoso. Agregar los plátanos. Batir a velocidad moderada. Incorporar la ralladura, el chocolate y el Grand Marnier.

- Desenrollar el bizcocho frío. Ponerle la mezcla uniformemente. Enrollarlo otra vez con cuidado.

- Cubrirlo con la crema de mantequilla con naranja. Decorar la parte superior con las rodajas de naranja. Refrigerar por 1 hora. Servir con salsa de naranja.

VARIACIÓN

- Usar un bizcocho de nueces. Reemplazar la ralladura con 3 cdas (30 g) de nueces picadas. Decorarlo con crema de mantequilla de cacahuate y chocolate (p. 331), y nueces.

Enrollado Cremoso de Frutas

8 PORCIONES	
2 tazas	(320 g) fresas, frambuesas o arándanos
1 taza	(250 ml) natilla (p. 412)
1 ¹/₂ taza	(375 ml) crema batida
1	enrollado o bizcocho de semillas de amapola (p. 295)
²/₃ taza	(160 ml) glacé de albaricoque (p. 414)

- En un tazón, mezclar la mitad de las frutas con la natilla y ¹/₂ taza (125 ml) de crema batida. Poner aparte.

- Desenrollar el bizcocho frío. Ponerle la mezcla uniformemente. Enrollarlo otra vez con cuidado.

- Colocar el resto de las frutas en la parte superior del bizcocho. Cubrir con el glacé.

- Usando una bolsa de pastelería con boquilla acanalada, decorar el enrollado con la crema batida. Refrigerarlo por 1 hora antes de servir.

VARIACIONES

- Humedecer el bizcocho con ¹/₄ taza (60 ml) de licor de fruta. Decorarlo con azúcar glass y rodajas de almendra.

Enrollado de Café Vienés

8 PORCIONES	
4 cdtas	(10 g) maicena
¹/₂ taza	(125 ml) café muy fuerte
2 oz	(60 ml) licor Irish Cream o coñac
1	enrollado o bizcocho de café (p. 294)
2 tazas	(500 ml) crema batida
1 cda	(15 g) canela molida
2 tazas	(500 ml) crema de mantequilla de moka (p. 331)
¹/₄ taza	(28 g) cacao
24	granos de café bañados en chocolate

- En una cacerola, diluir la maicena en el café. Calentar hasta que la mezcla se espese. Incorporar el licor Irish Cream. Poner aparte.

- Desenrollar el bizcocho frío. Ponerle la mezcla de café; esparcirla uniformente. Cubrirlo con la crema batida. Espolvorearlo con la canela. Enrollarlo otra vez con cuidado.

- Con una espátula, ponerle al bizcocho la crema de mantequilla de moka. Espolvorearlo con el cacao. Decorar cada porción con 3 granos de café bañados en chocolate. Servir con helado o coulis de frutas (pp. 414-415).

Enrollado de Chocolate Triple

8 PORCIONES	
1	enrollado o bizcocho de dulce de chocolate (p. 294)
¹/₂ taza	(125 ml) jalea de frambuesa
3 tazas	(750 ml) crema de mantequilla de chocolate (p. 331)
1 taza	(250 ml) rodajas finas de chocolate (p. 330)
2 tazas	(500 ml) salsa de chocolate (p. 416)

- Desenrollar el bizcocho frío. Ponerle capas sucesivas de jalea de frambuesa y un tercio de la crema de mantequilla de chocolate. Espolvorearlo con la rodajas finas de chocolate. Enrollarlo otra vez con cuidado.

- Con una espátula, ponerle al bizcocho el resto de la crema de mantequilla. Decorarlo con el resto de rodajas finas de chocolate. Servir con salsa de chocolate.

VARIACIONES
- Usar rodajas finas o trocitos de chocolate blanco. Decorar con almendras y cerezas. Variar los sabores de las jaleas de fruta.

Enrollado Suizo

8 PORCIONES

1	enrollado o bizcocho de vainilla *(p. 294)*
1 taza	(250 ml) jalea de fresa
1 ¹/₂ taza	(375 ml) crema Chantilly *(p. 413)*
¹/₂ taza	(60 g) azúcar glass

▪ Desenrollar el bizcocho frío. Ponerle capas sucesivas de jalea de fresa y crema Chantilly. Enrollarlo otra vez con cuidado.

▪ Espolvorearlo con azúcar glass. Servirlo con frutas frescas o ensalada de frutas, si se desea.

La receta se muestra al lado

ENROLLADO DE MIEL DE MAPLE

▪ En un tazón, batir 1 taza (250 ml) de crema espesa hasta que se formen picos suaves. Incorporar con cuidado ¹/₂ taza (125 ml) de miel de maple.

Reemplazar el bizcocho de vainilla con bizcocho de naranja, la jalea con miel de maple, y la crema Chantilly con crema batida con miel de maple. Espolvorear con ¹/₂ taza (57 g) de cacao. Servir con miel de maple, si se desea.

La receta se muestra al lado

Enrollado de Avellana

8 PORCIONES

1	enrollado o bizcocho de nueces *(p. 294)*
¹/₂ taza	(125 ml) pasta de avellana con chocolate comercial
2 tazas	(250 ml) crema Chantilly de chocolate *(p. 413)*
²/₃ taza	(120 g) avellanas

▪ Desenrollar el bizcocho frío. Cubrirlo con la pasta de avellana con chocolate, luego con ¹/₂ taza (125 ml) de crema Chantilly de chocolate. Enrollarlo otra vez con cuidado. Ponerle encima el resto de la crema Chantilly de chocolate. Decorarlo con avellanas.

Leño de Navidad

8 PORCIONES

1 taza	(250 ml) jalea de cereza o cerezas sin semilla de lata
1 oz	(30 ml) ron
1	enrollado o bizcocho de cacao *(p. 295)*
2 1/2 tazas	(625 ml) crema batida
2 tazas	(500 ml) crema de mantequilla de moka *(p. 331)*
1/4 taza	(60 ml) jarabe de chocolate comercial
1/4 taza	(28 g) cacao
6	hojas verdes de acebo de pasta de almendra *(p. 330)*
12	grosellas muy rojas o cerezas pequeñas
2-3	champiñones de merengue *(p. 330)*

- En un tazón, mezclar la jalea de cereza y el ron.

- Desenrollar el bizcocho frío. Ponerle la jalea. Cubrirlo con la mitad de la crema batida. Enrollarlo otra vez con cuidado.

- Cortar una rodaja diagonal de 1 a 2 pulg (2,5 a 5 cm) de uno de los extremos del enrollado. Ponerlo aparte para simular un nudo de árbol.

- Con una espátula, ponerle al bizcocho una capa de crema de mantequilla de moka; reservar 1/4 taza (60 ml) para cubrir el nudo. No poner dulce en los extremos del leño. Colocar el nudo sobre el leño. Cubrir los lados con el resto de crema de mantequilla de moka. Con una espátula,

hacer hendiduras en el nudo y el leño para imitar la corteza de un árbol.

- Con una espátula, poner el resto de la crema batida en los extremos del leño y sobre el nudo. Usando una bolsa de pastelería con una boquilla muy pequeña, poner una espiral de chocolate en la crema batida. Con un cuchillo pequeño, dibujar líneas perpendiculares a la espiral.

- Usando un cedazo, espolvorear ligeramente con cacao el perímetro del leño.

- Decorar con las hojas de acebo, las grosellas rojas y los champiñones de merengue.

VARIACIONES

- Usar diferentes sabores de bizcocho, crema o jalea. Variar las frutas.

- *Cortar una rodaja diagonal de 1 a 2 pulg (2,5 a 5 cm) de un extremo del rollo. Ponerlo aparte y usarlo para simular un nudo de árbol.*

- *Ponerle al bizcocho una capa de crema de mantequilla de moka; reservar un poco para cubrir el nudo.*

- *Colocar el nudo sobre el leño. Cubrir los lados con el resto de la crema de mantequilla de moka. Hacer hendiduras para imitar la corteza de un árbol.*

- *Poner una espiral de chocolate sobre la crema batida. Dibujar líneas perpendiculares a la espiral.*

Bizcocho Congelado

6 PORCIONES

1	bizcocho de naranja *(p. 294)*
2 oz	(60 ml) licor de naranja
1 $\frac{1}{4}$ taza	(300 ml) crema Chantilly *(p. 413)*
$\frac{3}{4}$ taza	(120 g) naranjas, peladas, sin corazón, en gajos
1 $\frac{1}{4}$ taza	(300 ml) crema Chantilly
	rodajas y ralladura de naranja

• Cortar el bizcocho en 2 capas. Poner la primera capa en el fondo de un molde de pastel de resorte de 9 pulg (23 cm). Humedecerla con 1 oz (30 ml) de licor de naranja. Ponerla aparte.

• En un tazón, mezclar 1 $\frac{1}{4}$ taza (300 ml) de crema Chantilly y las naranjas. Ponerlas sobre la primera capa. Cubrir con la segunda capa de bizcocho. Humedecer con el resto del licor. Sellar el molde de pastel con papel plástico. Ponerlo a congelar por lo menos 2 horas.

• Sacarlo del congelador. Soltar el sostén del molde. Sacar el bizcocho del molde. Cubrir la parte de arriba y los lados con 1 $\frac{1}{4}$ taza (300 ml) de crema Chantilly. Poner a congelar por más o menos 1 hora más.

• Antes de servir el bizcocho, decorarlo con la ralladura y las rodajas de naranja.

La receta se muestra arriba

BIZCOCHO CONGELADO DE CHOCOLATE

• Reemplazar el bizcocho de naranja con bizcocho de cacao *(p. 295)*, la primera parte de crema Chantilly con mousse de chocolate *(p. 399)*, y las naranjas con rodajas finas y rizos de chocolate *(p. 330)*, como se muestra al lado.

BIZCOCHO CONGELADO DE ARÁNDANO

• Reemplazar las naranjas con arándanos frescos o congelados, y el licor de naranja con licor de arándano. Decorar con arándanos frescos, como se muestra al lado.

Bizcocho Comida de Angel

6 PORCIONES

1	bizcocho de vainilla (p. 294)
2	claras de huevo
2 ¹/₂ tazas	(625 ml) crema Chantilly (p. 413)
12 oz	(341 ml) rodajas de melocotón de lata
	almendras tostadas

▪ Preparar el bizcocho siguiendo la receta básica. Batir las claras de huevo hasta que estén firmes. Incorporarlas con cuidado en la mezcla del bizcocho. Hornear.

▪ Sacar del horno. Cortar el bizcocho en 2 capas.

▪ Mezclar 1 taza (250 ml) de crema Chantilly y la mitad de los melocotones. Ponerlos sobre la primera capa del bizcocho. Cubrir con la segunda capa.

▪ Cubrir el bizcocho con el resto de crema Chantilly. Colocar encima el resto de los melocotones. Decorar los lados con las almendras tostadas. Refrigerar por lo menos 1 hora.

VARIACIONES

• Usar diferentes sabores de bizcocho. Darle sabor a la crema Chantilly con licor de almendra o de naranja. Variar las frutas. Decorar el perímetro del bizcocho con semillas de amapola.

Bizcocho Madeltorte

8-10 PORCIONES

1 ¹/₄ taza	(145 g) harina de pastel
1 cdta	(2 g) polvo de hornear
¹/₃ taza	(80 g) azúcar
¹/₂ taza	(125 g) mantequilla, ablandada
1	huevo, ligeramente batido

Cubierta

¹/₂ taza	(125 g) mantequilla, ablandada
¹/₂ taza	(60 g) azúcar fina
2	huevos
¹/₂ cdta	(2 ml) extracto de almendra
1 taza	(160 g) nueces, picadas fino

Glacé

¹/₂ taza	(125 ml) jalea de frambuesa
¹/₄ taza	(30 g) azúcar glass
1 cdta	(5 ml) jugo de limón

▪ En un tazón, mezclar los ingredientes secos. Agregar la mantequilla y el huevo. Poner la mezcla apretando el fondo de un molde de pastel de resorte. Tapar. Refrigerar por 30 minutos.

▪ Precalentar el horno a 350 °F (175 °C).

Cubierta

▪ En un tazón grande, hacer una crema con la mantequilla y el azúcar. Incorporar los huevos y el extracto de almendra. Agregar las nueces.

▪ Poner en el molde, encima de la mezcla enfriada. Hornear por 1 hora. Dejar que se enfríe 1 hora.

Glacé

▪ Ponerle jalea encima al bizcocho. En un tazón, mezclar el azúcar glass y el jugo de limón. Cubrir el pastel. Decorarlo con las frutas.

Bizcocho de Encaje de Naranja

8-10 PORCIONES

1 ¼ taza	(145 g) harina de pastel, cernida
³⁄₄ taza	(180 g) azúcar
2 cdtas	(5 g) polvo de hornear
½ cdta	(2 g) sal
¼ taza	(60 ml) aceite de maíz
3	yemas de huevo
⅓ taza	(80 ml) jugo de naranja
2 cdtas	(10 g) ralladura de naranja
3	claras de huevo
¼ cdta	(1 ml) crémor tártaro
2 tazas	(500 ml) crema de mantequilla de frambuesa *(p. 331)*
	frutas frescas

- Precalentar el horno a 325 °F (160 °C).

- En un tazón, mezclar los ingredientes secos. Hacer un pocito en el centro. Poner el aceite, las yemas de huevo, el jugo y la ralladura de naranja. Mezclar hasta que esté homogéneo. Poner aparte.

- En un segundo tazón, batir las claras de huevo y el crémor tártaro hasta que se formen picos suaves.

- Agregar esta mezcla con cuidado a la primera mezcla poniéndola sobre las claras de huevo. Ponerla en un molde rectangular o anular, no enmantequillado, de 9 pulg (23 cm). Hornear el bizcocho por 1 hora o hasta que se sienta elástico al tocarlo.

- Sacarlo del horno. Colocarlo en una parrilla o toalla espolvoreada con azúcar. Dejarlo que se enfríe antes de sacar del molde. Cubrirlo con la crema de mantequilla. Decorarlo con frutas frescas.

La receta se muestra arriba a la izquierda

Bizcocho de Plátano De Lujo

8-10 PORCIONES

2 cdas	(30 ml) jarabe de maíz
⅔ taza	(160 g) azúcar
2	huevos grandes, batidos
⅔ taza	(160 ml) aceite de girasol
⅔ taza	(160 ml) leche
2	plátanos, machacados
1 ¼ tazas	(145 g) harina
2 cdas	(14 g) cacao
1 cdta	(2 g) polvo de hornear
1 cdta	(2) bicarbonato de sodio

Glacé

¼ taza	(60 g) mantequilla, derretida
2 cdas	(30 ml) leche
	unas gotas de extracto de vainilla
3 tazas	(375 g) azúcar glass
3 cdas	(21 g) cacao

1	plátano, en rodajas
	jugo de limón

- Precalentar el horno a 350 °F (175 °C). Enmantequillar y enharinar un molde de pastel o de estrella de 9 x 13 pulg (23 x 33 cm).

- En un tazón grande, mezclar el jarabe de maíz, el azúcar, los huevos, el aceite, la leche y los plátanos.

- En un segundo tazón, cernir los ingredientes secos. Incorporarlos en la primera mezcla. Ponerlos en el molde de pastel. Hornear por 1 hora. Dejar que se enfríe.

Glacé

- En un tazón, mezclar la mantequilla, la leche y el extracto de vainilla. Agregar el azúcar glass y el cacao, mezclar hasta que esté homogéneo. Ponérsela encima al bizcocho.

- Sumergir las rodajas de plátano en el jugo de limón para evitar que se manchen. Colocarlas encima del bizcocho.

La receta se muestra arriba a la derecha

Bizcocho Volteado de Pera

8-10 PORCIONES

$1/4$ taza	(60 ml) manteca vegetal
14 oz	(398 ml) peras en mitades, de lata
$1/2$ taza	(60 g) azúcar morena
1	huevo
$1/2$ taza	(125 ml) leche
1 taza	(115 g) harina de todo uso
2 cdtas	(5 g) polvo de hornear
	pizca de sal

- Precalentar el horno a 375 °F (190 °C). Enmantequillar un molde de pastel hondo y redondo de 8 pulg (20 cm). Ponerlo aparte.

- En una cacerola, derretir la manteca vegetal. Ponerla en el fondo del molde. Colocar las mitades de pera. Agregar el azúcar morena.

- Batir el huevo y la leche. Cernir la harina, el polvo de hornear y la sal; mezclar bien. Ponerlos en el molde, encima de las mitades de pera.

- Hornear por más o menos 1 hora. Poner el bizcocho inmediatamente en un plato. Cuando esté todavía caliente, poner coulis de frutas *(pp. 414-415)* en el centro de las peras, si se desea. Decorar con las frutas de su preferencia.

La receta se muestra arriba a la izquierda

Bizcocho Volteado de Manzana

8-10 PORCIONES

$1/4$ taza	(60 g) mantequilla
$3/4$ taza	(85 g) azúcar morena
3	manzanas
$1/2$ cdta	(2 g) canela

Mezcla

$1/4$ taza	(60 g) mantequilla, derretida
$1/3$ taza	(80 g) azúcar
1	huevo
$1/4$ taza	(60 ml) melaza
1 taza	(115 g) harina
1 cdta	(2 g) polvo de hornear
$1/2$ cdta	(1 g) bicarbonato de sodio
$1/8$ cdta	(0,5 g) sal
$1/3$ taza	(80 ml) agua hirviendo

- Si se usa un horno convencional, precalentarlo a 325 °F (160 °C).

- En una cacerola, derretir la mantequilla y el azúcar morena. Cubrir el fondo de un plato cuadrado de pyrex de 9 pulg (23 cm).

- Pelar las manzanas, si se desea. Cortarlas en rodajas gruesas. Sacarles el centro. Ponerlas en el molde. Espolvorearlas con canela.

Mezcla

- En un tazón, hacer una crema con la mantequilla y el azúcar. Incorporar el huevo y la melaza. Poner aparte.

- En un segundo tazón, cernir los ingredientes secos. Incorporarlos en la primera mezcla. Revolviendo, incorporar el agua hirviendo. Ponerla en el molde, encima de las manzanas. Hornear en el horno convencional por 40 minutos, o 12 minutos en el horno de microondas, en ALTO.

- Sacar el bizcocho del horno. Darle vuelta inmediatamente en un plato. Dejarlo escurrir. Servir caliente.

La receta se muestra arriba a la derecha

Bizcocho de Plátano

8-10 PORCIONES

½ taza	(125 g) margarina
¼ taza	(60 g) azúcar
½ taza	(60 g) azúcar morena, bien apretada
2	huevos, batidos
1 cdta	(5 ml) extracto de vainilla
2 tazas	(230 g) harina
2 cdtas	(5 g) polvo de hornear
¼ cdta	(0,5 g) bicarbonato de sodio
¼ cdta	(1 g) sal
1 taza	(160 g) plátanos, machacados
1 taza	(250 ml) leche
½ taza	(80 g) nueces, picadas

Glacé

1⅓ taza	(115 g) azúcar glass
2 cdas	(30 ml) leche
¼ cdta	(1 ml) extracto de vainilla
	pizca de sal
	nueces, picadas

- Precalentar el horno a 350 °F (175 °C). Enmantequillar un molde de anillo de 10 pulg (25 cm). Ponerlo aparte.

- En un tazón, mezclar los primeros 3 ingredientes. Incorporar los huevos y la vainilla. Poner aparte.

- En un segundo tazón, cernir los ingredientes secos. Agregarlos a la primera mezcla, alternándolos con los plátanos y la leche. Incorporar las nueces.

- Poner en el molde. Hornear por 30-35 minutos.

- Dejar que se enfríe. Sacar del molde sobre un plato de servir. Poner aparte.

Glacé

- En un tazón, cernir el azúcar glass. Incorporar la leche, el extracto de vainilla y la sal.

- Ponerle el glacé al bizcocho. Decorarlo con nueces picadas.

La receta se muestra arriba a la izquierda

Bizcocho de Salsa de Manzana

8-10 PORCIONES

1¾ taza	(425 ml) salsa de manzana
1 taza	(250 g) azúcar
1 taza	(250 ml) mayonesa
½ taza	(125 ml) leche
1 cdta	(5 ml) extracto de vainilla
3 tazas	(345 g) harina de todo uso
2 cdtas	(5 g) bicarbonato de sodio
½ cdta	(2 g) sal
2 cdtas	(10 g) canela
½ cdta	(2 g) nuez moscada
1 taza	(160 g) nueces, picadas
½ taza	(80 g) pasas

- Precalentar el horno a 350 °F (175 °C). Enmantequillar y enharinar un molde de pastel de 9 pulg (23 cm). Ponerlo aparte.

- En una batidora de tazón, a baja velocidad, batir los primeros 5 ingredientes.

- En un segundo tazón, cernir la harina, el bicarbonato, la sal, la canela y la nuez moscada. Incorporarlos en la primera mezcla. Aumentar la velocidad. Batir por 2 minutos.

- Incorporar las nueces y las pasas. Ponerlas en el molde. Hornear por 30-35 minutos o hasta que al insertar un cuchillo en el medio, salga limpio.

- Dejar que se enfríe un poco. Servir caliente con helado o con crema batida, si se desea.

La receta se muestra arriba a la derecha

Bizcocho de Sueño

16 PORCIONES

2 tazas	(230 g) harina, cernida
1 taza	(125 g) azúcar morena
1 taza	(250 g) mantequilla, en pedazos

Decorado

2/3 taza	(160 ml) leche
1/3 cdta	(1,5 ml) extracto de vainilla
1 1/4 taza	(200 g) coco rallado
1/3 taza	(53 g) nueces
1/4 taza	(40 g) cerezas acarameladas, rojas y verdes, en rodajas

- Precalentar el horno a 350 °F (175 °C). Enmantequillar un molde cuadrado de pastel de 8 pulg (20 cm). Ponerlo aparte.

- En un tazón, mezclar la harina y el azúcar morena. Desmenuzar los pedazos de mantequilla hasta hacer una masa homogénea. Ponerla en el molde. Hornear por 10 minutos. Poner aparte.

Decorado

- En un tazón, mezclar todos los ingredientes. Ponerlos en el molde, encima de la primera mezcla.

- Hornear por alrededor de 20 minutos o hasta que el decorado se dore un poco. Dejar que se enfríe. Servir.

La receta se muestra arriba a la derecha

Bizcocho de Dátiles con Glacé de Coco

8-10 PORCIONES

1/2 taza	(125 g) mantequilla
1 taza	(250 g) azúcar
1 taza	(160 g) dátiles, cortados en pedazos
1 taza	(250 ml) agua hirviendo
1 cdta	(5 ml) extracto de vainilla
1	huevo
1 1/2 taza	(175 g) harina
1 cdta	(2 g) polvo de hornear
1/4 cdta	(0,5 g) bicarbonato de sodio

Glacé

1 taza	(112 g) azúcar morena
1/4 taza	(60 g) azúcar
6 cdas	(90 g) mantequilla
5 cdas	(50 g) coco rallado

- Precalentar el horno a 350 °F (175 °C).

- En un tazón, mezclar la mantequilla, el azúcar, los dátiles, el agua, el extracto de vainilla y el huevo. Poner aparte.

- En un segundo tazón, cernir los ingredientes secos. Incorporarlos en la primera mezcla.

- Ponerlos en un molde de pastel, no enmantequillado, de 9 pulg (23 cm) . Hornear por 35-40 minutos.

Glacé

- En una cacerola, a alta temperatura, hervir todos los ingredientes hasta que una gota que se deje caer en agua fría tenga la consistencia de una pelota suave. Poner el glacé sobre el bizcocho caliente. Decorar con las rodajas de dátiles, si se desea.

La receta se muestra arriba a la izquierda

Bizcocho de Papa con Chocolate

8 PORCIONES

1 taza	(250 g) mantequilla
1 ¹/₂ taza	(375 g) azúcar
4	huevos, batidos
3 oz	(90 ml) chocolate amargo
1 taza	(160 g) puré de papas, frío
1 cdta	(5 g) canela
1 cdta	(5 g) nuez moscada
2 tazas	(230 g) harina sin refinar, cernida dos veces
1 cdta	(2 g) bicarbonato de sodio
1 taza	(250 ml) leche agria
³/₄ taza	(120 g) nueces, picadas

- Precalentar el horno a 350 °F (175 °C). Enmantequillar un molde de chimenea. Ponerlo aparte.

- En un tazón, hacer crema la mantequilla. Incorporar vigorosamente el azúcar hasta que la mezcla esté ligera y esponjosa. Mezclar los huevos batidos. Poner aparte.

- En una cacerola doble, derretir el chocolate. Quitarlo del fuego. Dejar que se enfríe. Agregarlo a la primera mezcla con las papas, la canela y la nuez moscada.

- En un tazón, cernir la harina y el bicarbonato. Incorporarlos en la primera mezcla, alternando con la leche agria. Mezclar las nueces. Poner en el molde. Hornear por 45 minutos.

- Dejar que se enfríe. Sacar del molde. Servir con jalea de frambuesa y crema batida, si se desea.

Bizcocho de Tomate Sin Azúcar

8 PORCIONES

¹/₃ taza	(80 ml) aceite vegetal
1	huevo
¹/₂ taza	(80 g) puré de tomates o tomates sin semillas, picados grueso
¹/₂ cdta	(2 ml) extracto de vainilla
1 ¹/₂ taza	(175 g) harina de trigo integral, cernida
¹/₂ cdta	(1 g) bicarbonato de sodio
	pizca de sal de mar
¹/₈ cdta	(0,5 g) nuez moscada
¹/₄ cdta	(1 g) canela
¹/₂ taza	(80 g) nueces, picadas
2-3	tomates frescos, sin semillas, picados
	crema batida

- Precalentar el horno a 325 °F (160 °C). Enmantequillar y enharinar un molde de pastel de 9 pulg (23 cm). Ponerlo aparte.

- En un tazón, batir el aceite y el huevo. Agregar el puré de tomates y el extracto de vainilla. Poner aparte.

- En un segundo tazón, mezclar los demás ingredientes, menos la crema batida. Incorporarlos en la primera mezcla. Poner en el molde. Hornear por 50 minutos.

- Decorar con la crema batida. Servir.

La receta se muestra arriba

Bizcocho de Calabacita

8 PORCIONES	
3	huevos
1 ¹/₂ taza	(375 g) azúcar
1 ¹/₂ taza	(375 g) queso crema, ablandado
1 cdta	(5 ml) extracto de vainilla
3 tazas	(345 g) harina sin refinar, cernida dos veces
1 cda	(7 g) polvo de hornear
1 cdta	(5 g) sal
1 cdta	(5 g) nuez moscada
¹/₃ taza	(53 g) nueces, picadas
1 taza	(250 ml) aceite vegetal
2 tazas	(320 g) calabacita, rallada en crudo

Salsa de Limón

1	huevo
¹/₄ taza	(60 ml) jugo de limón
1 cda	(15 g) ralladura de limón
2 cdas	(14 g) harina de todo uso
1 taza	(250 g) azúcar
1 cdta	(5 g) mantequilla, derretida

- Precalentar el horno a 350 °F (175 °C). Enmantequillar un molde de pastel hondo y redondo. Ponerlo aparte.

- En un tazón, mezclar los huevos, el azúcar, el queso y el extracto de vainilla. Poner aparte.

- En un segundo tazón, cernir los ingredientes secos. Agregar las nueces. Incorporarlos en la primera mezcla, un tercio cada vez. Incorporar el aceite, en 2 pasos. Mezclar con cuidado la calabacita. Poner en el molde.

- Hornear por 1 hora. Dejar que se enfríe.

Salsa de Limón

- En un tazón, batir el huevo, el jugo y la ralladura de limón hasta que esté cremoso y homogéneo.

- En un segundo tazón, mezclar la harina y el azúcar. Incorporarlos en la primera mezcla. Agregar la mantequilla derretida.

- Poner en una cacerola. Revolviendo, llevar a ebullición. Tapar. Quitar del fuego. Dejar que se enfríe, revolviendo ocasionalmente . Ponerle la salsa al bizcocho.

La receta se muestra arriba a la derecha Arriba a la izquierda: Bizcocho de Zanahoria de la Nueva Era, Bizcocho de Zanahoria

Bizcocho de Zanahoria de la Nueva Era

8-10 PORCIONES	
1 ¹/₄ taza	(200 g) zanahorias crudas, ralladas fino
1 taza	(112 g) azúcar morena
¹/₂ taza	(125 ml) aceite
2	huevos
1 ¹/₂ taza	(165 g) harina
1 cdta	(2 g) polvo de hornear
1 cdta	(2 g) bicarbonato de sodio
¹/₂ cdta	(2 g) sal
¹/₂ cdta	(2 g) canela
¹/₂ cdta	(2 g) nuez moscada
¹/₂ cdta	(2 g) jengibre
³/₄ taza	(180 ml) salsa de manzana
¹/₄ taza	(40 g) pasas

Glacé

¹/₄ taza	(60 g) mantequilla
¹/₂ taza	(125 g) queso crema, ablandado
¹/₂ cdta	(2 ml) extracto de vainilla
2 ¹/₂ tazas	(312 g) azúcar glass

- Precalentar el horno a 350 °F (175 °C). Enmantequillar un molde de 9 pulg (23cm). En un tazón, mezclar las zanahorias y el azúcar. Incorporar el aceite, luego los huevos. En otro tazón, cernir los ingredientes secos. Agregar todo a la vez a la primera mezcla. Incorporar la salsa de manzana y las pasas. Poner en el molde. Hornear por 30-35 minutos.

Glacé

- En un tazón, mezclar todos los ingredientes. Batirlos hasta que la mezcla esté homogénea. Ponerle el glacé al bizcocho frío.

Anillo de Fresa con Ruibarbo

8 PORCIONES

5 cdas	(75 ml)	manteca vegetal
³/₄ taza	(180 g)	azúcar
2		huevos
2 tazas	(230 g)	harina de pastel
1 cdta	(2 g)	polvo de hornear
		pizca de sal
3 cdas	(45 ml)	leche
¹/₂ cdta	(2 ml)	extracto de vainilla
1 taza	(160 g)	ruibarbo, en cubitos
¹/₂ taza	(80 g)	fresas, en rodajas

- Precalentar el horno a 375 °F (190 °C). Enmantequillar y enharinar un molde de chimenea. Ponerlo aparte.

- En un tazón, batir la manteca vegetal y el azúcar hasta que la mezcla esté cremosa y homogénea. Batirle los huevos, uno por uno.

- En un segundo tazón, cernir la harina, el polvo de hornear y la sal.

- En un tercer tazón, mezclar la leche y el extracto de vainilla. Incorporar los ingredientes secos en la primera mezcla, alternando con leche saborizada con vainilla. Agregar el ruibarbo y la fresas. Poner en el molde. Hornear por 40 minutos.

La receta se muestra a la izquierda, en la página opuesta

VARIACIONES

- Bañar con miel de maple. Reemplazar el ruibarbo con arándanos.

Bizcocho de Frutas

2 BIZCOCHOS

¹/₂ taza	(80 g)	almendras, en tiras finas
2 tazas	(320 g)	cerezas, en caramelo
1 taza	(250 g)	ralladura de frutas, en caramelo, picada
2 tazas	(320 g)	pasas
1 taza	(160 g)	grosellas
1 taza	(250 ml)	licor de frutas, de su gusto
2 tazas	(230 g)	harina
¹/₂ cdta	(1 g)	bicarbonato de sodio
¹/₂ cdta	(2 g)	sal
1 cdta	(5 g)	clavo de olor
1 cdta	(5 g)	canela
1 cdta	(5 g)	pimienta de Jamaica
³/₄ taza	(180 ml)	melaza
³/₄ taza	(180 ml)	jugo de manzana
1 taza	(250 g)	mantequilla
2 tazas	(225 g)	azúcar morena
6		huevos

- En un tazón, poner a remojar en el licor las almendras y las frutas por 24 horas.

- Precalentar el horno a 275 °F (135 °C). Enmantequillar y colocar papel encerado en el molde que prefiera (ver los tamaños más adelante).

- En un tazón, cernir los ingredientes secos. Poner aparte.

- En un segundo tazón, mezclar la melaza y el jugo de manzana. Poner aparte.

- En un tercer tazón, batir la mantequilla, el azúcar y los huevos. Incorporar los ingredientes secos, alternandolos con la mezcla de melaza. Agregar las frutas y el licor. Poner en los moldes.

- Hornear por 2 horas si es un molde de barra de pan de 8 ¹/₂ x 4 ¹/₂ x 2 ¹/₂ pulg (21 x 11 x 6 cm); 3 horas si es un molde anular de 10 pulg (25 cm), o 1 hora a 300 °F (150° C) si es molde de panecillos.

- Sacar del horno. Sacar el bizcocho del molde. Dejarlo reposar 10 minutos antes de pelar el papel encerado. Cuando el bizcocho se enfríe, envolverlo en un paño remojado con licor, luego en papel de aluminio. Ponerlo a enfriar.

Nota : Es mejor si se prepara por lo menos 3 meses antes. Se conserva bien hasta por un año.

La receta se muestra arriba

Bizcocho de Calabaza

8-10 PORCIONES	
3 tazas	(345 g) harina sin refinar, cernida dos veces
2 cdtas	(5 g) bicarbonato de sodio
$^1/_4$ cdta	(1 g) sal
1 cdta	(5 g) canela
$^1/_2$ cdta	(2 g) clavo de olor
$^1/_2$ taza	(125 g) margarina
$^3/_4$ taza	(70 g) azúcar morena
2	huevos, batidos
2 tazas	(360 g) calabaza, machacada

Glacé de Coco

$^1/_4$ taza	(28 g) azúcar morena
5 cdas	(56 g) harina
$^1/_4$ cdta	(1 g) sal
3	yemas de huevo, batidas
2 tazas	(500 ml) leche
1 taza	(160 g) coco rallado
$^1/_2$ cdta	(2 ml) extracto de vainilla

- Precalentar el horno a 325 °F (160 °C). Enmantequillar y enharinar un molde de pastel de 9 x 5 pulg (23 x 13 cm). Ponerlo aparte.

- En un tazón, cernir los ingredientes secos. Ponerlos aparte.

- En un segundo tazón, batir la margarina y el azúcar hasta que la mezcle esté cremosa y homogénea. Incorporarle los huevos. Incorporar los ingredientes secos, alternándolos con la calabaza machacada. Poner en el molde. Hornear por 1 hora. Sacar del molde y ponerlo en una parrilla.

Glacé de Coco

- En una cacerola, mezclar el azúcar, la harina y la sal. Incorporar las yemas de huevo. Incorporar gradualmente la leche. Revolviendo, llevar a ebullición.

- Fuera del calor, agregar el coco y el extracto de vainilla. Dejar que se enfríe, revolviendo ocasionalmente para evitar que se forme una costra. Poner el glacé al pastel.

La receta se muestra arriba a la derecha

Bizcocho de Frutas Rápido y Fácil

8 PORCIONES	
4 tazas	(640 g) frutas frescas, congeladas o de lata
2	huevos
2 cdtas	(10 ml) extracto de vainilla
1 ¼ taza	(135 g) azúcar morena
¾ taza	(180 ml) aceite
1 taza	(115 g) harina
1 cdta	(2 g) levadura en polvo
½ cdta	(2 g) sal
2 cdtas	(10 g) canela

- Precalentar el horno a 350 °F (175 °C). Enmantequillar y ponerle papel encerado a un molde de pastel de 8 x 12 pulg (20 x 30 cm).

- En un tazón, mezclar las frutas, los huevos, el extracto de vainilla, el azúcar y aceite.
- En un segundo tazón, cernir los ingredientes secos. Incorporarlos en la mezcla líquida.
- Hornear por unos 50 minutos. Dejar que el bizcocho se enfríe en el molde.

VARIACIONES
- A la mezcla, agregarle coco rallado, nueces picadas o dátiles. Ponerle un glacé hecho con 3 oz (90 g) de queso crema, 1 cdta (5 g) de mantequilla, 1 cdta (5 ml) de extracto de vainilla y 1 ½ taza (190 g) de azúcar glass. Servir con coulis *(pp. 414-415)* o salsa de natilla *(p. 413)*.

La receta se muestra arriba

Bizcocho de Zanahoria

8 PORCIONES	
¾ taza	(28 g) harina
1 cdta	(2 g) polvo de hornear
½ cdta	(1 g) bicarbonato de sodio
¾ taza	(70 g) azúcar morena
½ taza	(125 ml) aceite
2	huevos
1 taza	(160 g) zanahorias crudas, ralladas

Salsa de Caramelo

1 taza	(250 ml) jarabe de maíz
1 taza	(112 g) azúcar morena
½ taza	(125 g) mantequilla, ablandada
1 ½ cda	(11 g) maicena
1 taza	(250 ml) crema espesa

- En un tazón, cernir la harina, el polvo de hornear y el bicarbonato. Poner aparte.

- En un segundo tazón, mezclar el azúcar morena, el aceite y los huevos. Incorporar los ingredientes secos y las zanahorias. Ponerlos en un plato de pyrex no enmantequillado. Poner en el horno microondas por unos 5 minutos en MEDIO, luego por 2 minutos en ALTO. Dejar reposar por 8 minutos.

Salsa de Caramelo
- En un tazón para microondas, mezclar todos los ingredientes, menos la crema. Hornear por 5 minutos, en ALTO.

- Incorporar la crema. Ponérsela al bizcocho inmediatamente o dejar que se enfríe.

Bizcocho de Moka

8 PORCIONES

¹/₄ taza	(60 g) azúcar
¹/₂ taza	(125 ml) café fuerte
2 oz	(60 ml) licor Irish Cream
1	bizcocho de café (p. 294) **o bizcocho de cacao** (p. 295)
1 ¹/₄ taza	(300 ml) crema de mantequilla de moka (p. 331)
1 ¹/₄ taza	(300 ml) crema Chantilly de chocolate (p. 413)
¹/₄ taza	(40 g) granos de café tostados
¹/₄ taza	(30 g) azúcar glass

- Disolver el azúcar en el café. Agregarle el licor Irish Cream. Poner aparte.
- Cortar el bizcocho en 3 capas. Ponerle a la primera capa ¹/₂ taza (60 ml) de la mezcla de café. Bañarla con la mitad de la crema de mantequilla. Ponerle encima la segunda capa. Echarle ¹/₄ taza (60 ml) de la mezcla de café. Bañarla con el resto de crema de mantequilla. Cubrir con la tercera capa de bizcocho, luego con el resto de la mezcla de café.
- Ponerle crema Chantilly de chocolate a la parte de arriba y los lados del bizcocho. Decorarlo con granos de café. Espolvorearlo con azúcar glass. Refrigerarlo por lo menos 1 hora antes de servir.

La receta se muestra arriba a la izquierda

Bizcocho del Diablo

8 PORCIONES

1	bizcocho de cacao (p. 295)
1	bizcocho de trocitos de chocolate (p. 294)
1 ¹/₂ taza	(375 ml) crema de mantequilla de chocolate (p. 331)
1 ¹/₂ taza	(375 ml) crema Chantilly de chocolate (p. 413)
¹/₂ taza	(125 ml) rodajas finas de chocolate (p. 330)
¹/₃ taza	(37 g) cacao
1 ¹/₂ taza	(375 ml) salsa de chocolate (p. 416)

- Cortar cada bizcocho en 2 capas. Ponerle ¹/₂ taza (125 ml) de crema de mantequilla de chocolate a la primera capa de cacao. Cubrir con capas sucesivas de bizcocho de trocitos de chocolate, ¹/₂ taza (125 ml) de crema de mantequilla de chocolate, el segundo bizcocho de trocitos de chocolate, luego ¹/₂ taza (125 ml) de crema de mantequilla de chocolate. Terminar con la segunda capa del bizcocho de cacao. Refrigerar por lo menos 1 hora.
- Sacar del refrigerador. Cubrir la parte de arriba y los lados del bizcocho con crema Chantilly de chocolate y rodajas finas de chocolate. Espolvorear con cacao. Poner espirales de crema Chantilly al bizcocho, si se desea. Servir con salsa de chocolate.

La receta se muestra arriba a la derecha

Bizcocho Selva Negra

8 PORCIONES	
14 oz	(398 ml) cerezas Bing de lata
1/2 taza	(125 g) azúcar
1 cda	(7 g) maicena
2 oz	(60 ml) kirsch
1	bizcocho de dulce de chocolate *(p. 294)* o bizcocho de cacao *(p. 295)*
2 1/2 tazas	(625 ml) crema Chantilly *(p. 413)*
8	cerezas frescas
1 taza	(250 ml) rodajas finas de chocolate *(p. 330)*
2 cdas	(15 g) azúcar glass

- Escurrir las cerezas; reservar el jugo.

- En una cacerola pequeña, derretir el azúcar en un poco de jugo de cereza.

- En un tazón pequeño, diluir la maicena en el resto del jugo de cereza. Incorporarla en la cacerola. Revolviendo, llevar a ebullición. Quitar del fuego. Dejar que se enfríe. Agregar el kirsch.

- Cortar el bizcocho en 3 capas. Con una brochita de pastelería, untar un tercio del jarabe de cereza a la primera capa. Cubrir con 2/3 taza (160 ml) de crema Chantilly, luego con la mitad de las cerezas.

- Cubrir con la segunda capa de bizcocho. Untarle el segundo tercio del jarabe de cereza. Cubrirla con 2/3 taza (160 ml) de crema Chantilly, luego con el resto de las cerezas. Terminar con la tercera capa del bizcocho, lugo con el resto del jarabe de cereza.

- Bañar la parte de arriba y los lados del bizcocho con crema Chantilly. Usando una bolsa de pastelería con boquilla acanalada, ponerle espirales de crema batida al bizcocho. Ponerle una cereza fresca a cada espiral. Decorar los lados del bizcocho con rodajas finas de chocolate. Ponerle unas cuantas rodajas encima. Espolvorearlo con azúcar glass.

- Refrigerar por más o menos 1 hora antes de servir.

La receta se muestra en la página opuesta

- *Cubrir con la segunda capa del bizcocho. Untarla con el segundo tercio del jarabe de cereza.*

- *Usando una bolsa de pastelería con boquilla acanalada, ponerle al bizcocho espirales de crema batida.*

- *Cubrir con la crema Chantilly, luego con las cerezas.*

- *Decorar los lados del bizcocho con rodajas finas de chocolate.*

■ Usando una bolsa de pastelería con boquilla corriente, poner una corona de pasta de choux a lo largo del borde de la corteza. Empezando del centro, poner al bizcocho una espiral de pasta de choux.

Saint-Honoré

8 PORCIONES	
1 lb	(450 g) pasta escamosa *(p. 335)*
2	huevos, batidos
2 tazas	(500 ml) pasta de choux *(p. 356)*
2 oz	(60 ml) Grand Marnier
3 tazas	(750 ml) crema Chantilly *(p. 412)*
1 ¹/₂ taza	(375 ml) natilla *(p. 412)*
9	cortezas de choux *(p. 356)*
1 ¹/₂ taza	(375 ml) crema batida
¹/₂ taza	(100 g) chocolate semidulce, derretido
1 taza	(250 ml) melocotones de lata, escurridos
2 cdas	(30 g) ralladura de naranja

azúcar glass
(opcional)

■ Precalentar el horno a 400 °F (205 °C).

■ Con la pasta escamosa hacer un círculo de 9 pulg (23 cm) de ancho por ¹/₄ pulg (0,5 cm) de grosor. Enmantequillar, y luego humedecer una lata para hornear galletas. Pasar la masa a la lata.

■ Pincharla con un tenedor. Untarle huevo batido.

■ Usando una bolsa de pastelería con boquilla corriente, poner una corona de pasta de choux a lo largo del borde de la corteza de pastel. Empezando del centro, ponerle al bizcocho una espiral de pasta de choux. Untarle huevo batido. Hornear por 20 minutos. Dejar que se enfríe.

■ En un tazón, mezclar el Grand Marnier, la mitad de la crema Chantilly y toda la natilla. Poner aparte.

■ Con un lápiz, hacer un agujero bajo cada choux. Usando una bolsa de pastelería con boquilla corriente, rellenarlos con la crema de Grand Marnier.

■ Poner una capa de crema de Grand Marnier en el centro del bizcocho frío.

■ Sumergir las bases de los chouxs en el chocolate. Ponerlos alrededor de la corona; reservar 1 choux para decorar el centro. Colocar los melocotones sobre la capa de crema. Cubrir con el resto de la crema de Grand Marnier, luego con la crema Chantilly. Espolvorear con la ralladura de naranja. Poner el último choux en el centro del Saint-Honoré. Espolvorear con azúcar glass, si se desea. Servir inmediatamente o refrigerar.

■ Con un lápiz hacer un agujero bajo cada choux. Usando una bolsa de pastelería con boquilla corriente, rellenarlos con la crema de Grand Marnier.

- *Sumergir la base de los chouxs en el chocolate. Ponerlos alrededor de la corona; reservar 1 choux para decorar el centro.*

- *Cubrir con el resto de la crema de Grand Marnier , luego con crema Chantilly.*

Saint-Honoré de Chocolate

- Reemplazar la crema Chantilly con crema Chantilly de chocolate *(p. 413)*.
- Reemplazar los melocotones con $^2/_3$ taza (160 ml) de rodajas finas de chocolate *(p. 330)*, y la ralladura de naranja con $^1/_4$ taza (40 g) de coco rallado.
- Sumergir las coronas de choux en 2 tazas (400 g) de chocolate derretido.

La receta se muestra arriba

Saint-Honoré de Sorpresa

- Reemplazar el licor con 3 cdas (45 ml) de granadina. Colorear la crema Chantilly con 2 gotas de colorante rojo de alimentos.
- Reemplazar los melocotones con $^2/_3$ taza (140 g) de chocolates bañados en caramelo, y la ralladura de naranja con $^1/_2$ taza (125 ml) de rodajas finas de chocolate *(p. 330)*. ¡El bizcocho perfecto para el cumpleaños de un niño!

Saint-Honoré con Nueces

- A la natilla, agregarle $^1/_4$ taza (28 g) de polvo de almendra. Decorar con $^1/_2$ taza (80 g) de almendras, avellanas, nueces o pistachos partidos.

Pasteles de Queso

Pastel de Queso de la Mañana

Corteza

³/₄ taza	(85 g) harina de todo uso o harina de trigo integral
3 cdas	(30 g) azúcar morena
1 cda	(15 g) ralladura fina de naranja
6 cdas	(90 g) mantequilla
1	yema de huevo, batida

Relleno

2 ¹/₂ tazas	(625 g) queso crema, ablandado
1 cda	(15 g) ralladura fina de naranja
1 taza	(250 g) azúcar
¹/₂ cdta	(2 ml) azahar o extracto de vainilla
3	huevos
¹/₄ taza	(60 ml) jugo de naranja
2	naranjas grandes, peladas, sin corazón, en gajos
1 taza	(250 ml) glacé de naranja (p. 414)

Corteza

- Precalentar el horno a 400 °F (205 °C). Enmantequillar el fondo de un molde de pastel de resorte. Ponerlo aparte.

- En un tazón, mezclar la harina, el azúcar morena y la ralladura de naranja. Incorporar la mantequilla, mezclándola hasta que se ponga granulada. Incorporar la yema de huevo.

- Poner apretado un tercio de la corteza en el fondo del molde. Envolver el resto, ponerla aparte. Hornear la corteza del fondo (sin los lados del molde) por uno 7 minutos o hasta que se dore. Sacarla del horno.

- Enmantequillar los lados del molde. Juntarlos con el fondo. Poner un borde de corteza de 2 pulg (5 cm). Poner aparte.

Relleno

- Bajar la temperatura del horno a 375 °F (190 °C).

- En un tazón grande, batir el queso y la ralladura de naranja hasta que la mezcle esté cremosa y homogénea. Incorporar el azúcar, el azahar, los huevos y el jugo de naranja. Poner en el molde. Hornear por 40-50 minutos.

- Sacar el relleno del horno. Dejar que se enfríe por 15 minutos. Soltar el resorte. Pasar un cuchillo a los lados del molde. Dejar que se enfríe 30 minutos. Quitar el sostén del molde. Dejar que se enfríe 1 hora más. Decorar con los gajos de naranja. Cubrir con glacé de naranja. Refrigerar por 1 hora. Decorar con menta fresca antes de servir, si se desea.

Pastel de Queso Clásico

Corteza

1 ¹/₂ taza	(170 g) miga de galletas de trigo
3 cdas	(30 g) azúcar morena
¹/₂ taza	(125 g) mantequilla, derretida

Relleno

1 taza	(250 ml) requesón
1 lb	(450 g) queso crema, ablandado
1 taza	(250 g) azúcar
2 cdas	(14 g) harina de todo uso
2 cdtas	(10 ml) extracto de vainilla
3	huevos
¹/₄ taza	(60 ml) leche
1 taza	(250 ml) crema ácida
1 taza	(160 g) fresas, en rodajas

Corteza

- Enmantequillar un molde de pastel de resorte de 8 pulg (20 cm). Ponerlo aparte.

- En un tazón, mezclar la miga de galleta, el azúcar morena y la mantequilla. Poner la mezcla apretando los lados y el fondo del molde. Ponerlo aparte.

Relleno

- Precalentar el horno a 375 °F (190 °C).

- En un tazón grande, batir el requesón hasta que esté suave y homogéneo. Incorporar el queso crema, el azúcar, la harina y el extracto de vainilla. Incorporar los huevos. Con una espátula, agregar la leche. Poner en el molde.

- Hornear por 45-55 minutos.

- Sacar del horno. Ponerle al pastel la crema ácida. Dejarlo que se enfríe 30 minutos antes de sacarlo del molde. Refrigerarlo por 3-4 horas. Decorar con las fresas. Servir.

La receta se muestra en la página opuesta

VARIACIONES

- Reemplazar las fresas con arándanos o kiwis.

- Espolvorear el pastel con coco rallado.

Pastel de Queso con Avellanas

8-10 PORCIONES	
Corteza	
1 taza	(115 g) miga de galletas de trigo
³/₄ taza	(120 g) nueces, picadas
¹/₃ taza	(38 g) azúcar morena
¹/₃ taza	(80 g) margarina o mantequilla, derretida
Relleno	
1 ¹/₂ taza	(375 g) queso crema, ablandado
³/₄ taza	(180 ml) pasta de avellana con chocolate comercial
3	huevos
3 cdas	(45 ml) crema espesa
²/₃ taza	(160 ml) yogurt sin sabor

Corteza

• Enmantequillar un molde de pastel de resorte. En un tazón, mezclar la miga de galleta, las nueces, el azúcar y la mantequilla. Poner apretado en los lados y el fondo del molde.

Relleno

• Precalentar el horno a 350 °F (175 °C).

• En un tazón, batir el queso hasta formar picos suaves. Incorporar ¹/₂ taza (125 ml) de la pasta de avellana con chocolate. Agregar los huevos y la crema, mezclando ligeramente. Poner en el molde. Hornear por 35-45 minutos. Enfriar el pastel en una parrilla por 15 minutos. En un tazón, mezclar el yogurt y el resto de la avellana con chocolate. Untarle al pastel. Quitar el sostén del molde. Dejar que el pastel se enfríe 90 minutos.

La receta se muestra al lado a la izquierda

Pastel de Queso Choco-Coco

8-10 PORCIONES	
Corteza	
1 taza	(115 g) miga de galletas de trigo
²/₃ taza	(106 g) coco rallado
¹/₃ taza	(125 g) mantequilla
2 cdas	(14 g) cacao
Relleno	
2 ¹/₂ tazas	(675 g) queso crema, ablandado
1 ¹/₂ taza	(375 g) azúcar
2 cdas	(14 g) harina
4	huevos
¹/₃ taza	(80 ml) crema espesa
1 cda	(15 ml) extracto de vainilla
¹/₂ taza	(100 g) chocolate semidulce, derretido
¹/₃ taza	(53 g) coco rallado
2 oz	(60 g) chocolate
2 cdtas	(10 ml) manteca vegetal

Corteza

• Enmantequillar un molde de pastel de resorte. En un tazón, mezclar la miga de galleta, el coco, la mantequilla y el cacao. Poner la mezcla apretado en los lados y el fondo del molde.

Relleno

• Precalentar el horno a 325 °F (165 °C).

• En un tazón grande, batir el queso hasta hacer una crema homogénea. Ponerlo aparte.

• En un segundo tazón, mezclar el azúcar y la harina. Incorporarlos en el queso. Agregar los huevos; mezclar bien.

• En un tercer tazón, mezclar la crema y el extracto de vainilla. Incorporar el chocolate derretido y el coco rallado.

• Poner en el molde. Hornear por aproximadamente 1 hora.

• Enfriar el pastel en una parrilla por 15 minutos. Soltar el resorte. Pasar un cuchillo a los lados del molde. Dejar que se enfríe por 30 minutos. Soltar el sostén del molde. Refrigerar por 2 horas.

• Mientras tanto, en una cacerola pequeña, derretir el chocolate y la manteca vegetal. Sacar el pastel del refrigerador. Ponerle encima el chocolate, en una espiral. Con un cuchillo, decorar el pastel trazando líneas atravesadas. Refrigerar por 15 minutos antes de servir.

La receta se muestra arriba a la derecha

Pastel de Queso de Un Minuto

8-10 PORCIONES

Corteza

1 ¹/₂ taza	(170 g) miga de galletas de trigo
¹/₄ taza	(28 g) azúcar morena
¹/₂ taza	(125 g) mantequilla o margarina, derretida

Relleno

¹/₃ taza	(80 ml) jugo de frutas
1 ¹/₂	sobre de gelatina sin sabor
1 taza	(250 g) queso crema, ablandado
²/₃ taza	(160 ml) azúcar
1 taza	(250 ml) requesón, escurrido
1 cda	(15 ml) extracto de vainilla
1 taza	(250 ml) crema batida
3	kiwis, en rodajas
1	naranja, pelada, sin corazón, en gajos
1	manzana, en rodajas
¹/₄ taza	(40 g) pacanas

Corteza

- Precalentar el horno a 350 °F (175 °C). Enmantequillar un molde de pastel de resorte. Poner aparte.

- En un tazón, mezclar la miga de galleta, el azúcar y la mantequilla. Poner la mezcla apretando los lados y el fondo del molde. Hornear por unos 9 minutos. Poner aparte a enfriar.

Relleno

- En una cacerola pequeña, revolviendo, calentar el jugo de frutas y la gelatina hasta que la gelatina se disuelva completamente. Ponerlos aparte.

- En un tazón, batir el queso crema y el azúcar hasta que se formen picos suaves. Incorporar el requesón. Poner aparte.

- Cuando la mezcla de la gelatina esté todavía líquida, agregarle la vainilla. Ponerla en la mezcla del queso, batiendo vigorosamente. Con una espátula, incorporar con cuidado la crema batida. Ponérsela a la corteza. Refrigerar por 2-3 horas (o congelar por 1 hora). Sacar el pastel del molde. Decorarlo con las frutas y las pacanas.

VARIACIONES
- Variar las combinaciones de fruta (frambuesas, grosellas rojas y arándanos, como se muestra arriba) y los jugos de fruta.

- Reemplazar el jugo de frutas con agua o leche, y los sobres de gelatina con la gelatina en polvo de su gusto. Decorar con nueces picadas.

Pastel de Queso de Ron con Moka

8-10 PORCIONES

Corteza

1 ¹/₂ taza	(170 g) galletitas de avena, desmenuzadas
¹/₃ taza	(80 g) mantequilla o margarina
2 cdtas	(5 g) cacao

Relleno

2 cdas	(10 g) café instantáneo
2 oz	(60 ml) ron oscuro
2 ³/₄ tazas	(680 g) queso crema, ablandado
1 taza	(112 g) azúcar morena
²/₃ taza	(126 g) chocolate semidulce, derretido, tibio
2 cdas	(14 g) harina de todo uso
1 cda	(15 ml) extracto de vainilla
3	huevos
1 ¹/₂ taza	(375 ml) crema ácida
¹/₂ taza	(80 g) pistachos o almendras

Corteza

- Enmantequillar un molde de pastel de resorte. Ponerlo aparte.

- En un tazón pequeño, mezclar la miga de galleta, la mantequilla y la crema. Poner la mezcla apretando los lados y el fondo del molde, a 1 ¹/₂ pulg (3,75 cm) de la parte de arriba. Poner aparte.

Relleno

- Precalentar el horno a 375 °F (190 °C).

- En un tazón, disolver el café en el ron. Poner aparte.

- En una batidora de tazón, batir ligeramente el queso crema, el azúcar, el chocolate y la harina. Incorporar el extracto de vainilla y los huevos. Mezclar a baja velocidad.

- Con una espátula, incorporar la mezcla de ron y café. Poner en el molde.

- Hornear por 45-55 minutos o hasta que el centro del pastel se asiente.

- Sacar del horno. Dejar que se enfríe por 10 minutos. Aflojar el pastel pasando un cuchillo por los lados del molde. Soltar el sostén del molde. Dejar que se enfríe por 2 horas. Cubrir el pastel con la crema ácida. Decorarlo con pistachos o almendras. Refrigerar por lo menos 2 horas antes de servir.

VARIACIONES

- Decorar el pastel con crema batida espolvoreada con cacao.

- Servir el pastel con una salsa o coulis *(pp. 414-417)*.

Pastel de Queso con Melocotones

6 PORCIONES

Corteza

³/₄ taza	(84 g)	harina
3 cdas	(30 g)	azúcar morena
2 cdas	(30 g)	ralladura de naranja
¹/₄ taza	(60 g)	mantequilla
1		yema de huevo, batida

Relleno

3 ¹/₂ tazas	(875 ml)	melocotones de lata
2 tazas	(500 g)	queso crema, ablandado
¹/₂ taza	(125 g)	azúcar
2 cdas	(14 g)	harina
4		huevos
¹/₂ taza	(125 ml)	jugo de melocotón
1 cdta	(5 ml)	extracto de vainilla
²/₃ taza	(160 ml)	glacé de albaricoque *(p. 414)*

▪ Precalentar el horno a 375 °F (190 °C).

Corteza

▪ Enmantequillar el fondo de un molde de pastel de resorte. Ponerlo aparte.

▪ En un tazón, mezclar la harina, el azúcar y la ralladura de naranja. Agregar la mantequilla; mezclarla hasta que se ponga granulada.

▪ Incorporar la yema de huevo. Poner apretado un tercio de la corteza en el fondo del molde. Envolver el resto y ponerlo aparte.

▪ Hornear el fondo de la corteza (sin los lados) por unos 6 minutos o hasta que se dore. Sacarla del horno. Dejar que se enfríe.

▪ Enmantequillar los lados del molde. Adherirlos al fondo. Colocar la corteza a 2 pulg (5 cm) de la parte de arriba. Poner aparte.

Relleno

▪ Reservar 3 mitades de melocotón para decorar. Picar fino las demás.

▪ En un tazón grande, batir el queso hasta que se ponga cremoso.

▪ En un segundo tazón, combinar el azúcar y la harina. Incorporarlos en el queso. Mezclar los huevos. Incorporar los melocotones picados, el jugo de melocotón y el extracto de vainilla, batiendo ligeramente. Poner en el molde. Hornear por 40-50 minutos.

▪ Dejar que se enfríe por 15 minutos. Sacar del molde. Decorar el pastel con las rodajas de melocotón. Cubrirlo con glacé de albaricoque. Refrigerar por 3-6 horas.

VARIACIONES

● Usar naranjas, sin cáscara ni corazón (como se muestra arriba), albaricoques, nectarinas o litchis. Variar los jugos de fruta. Decorar con almendras.

Pastel de Queso de Frambuesa Que Se Derrite en la Boca

8-10 PORCIONES

Corteza

³/₄ taza	(84 g) harina de todo uso
3 cdas	(45 g) azúcar
1 cdta	(5 g) ralladura fina de limón
6 cdas	(90 g) mantequilla o margarina
1	yema de huevo, batida
4	gotas de extracto de vainilla

Relleno

24 oz	(675 g) queso crema, ablandado
1 cda	(15 g) ralladura de limón
1 taza	(250 g) azúcar
2 cdas	(14 g) harina de todo uso
2	huevos
1	yema de huevo
1 cdta	(5 ml) extracto de vainilla
¹/₄ taza	(60 ml) leche
3 tazas	(480 g) frambuesas
1 taza	(250 ml) glacé de frambuesa *(p. 414)*

- Precalentar el horno a 375 °F (190 °C).

Corteza

- Enmantequillar el fondo de un molde de pastel de resorte. Ponerlo aparte.

- En un tazón, mezclar la harina, el azúcar y la ralladura de limón. Agregar la mantequilla, mezclarla hasta que esté granulada. Poner aparte.

- En un segundo tazón, batir la yema de huevo y el extracto de vainilla. Incorporarlos en la corteza de pastel. Poner un tercio apretando el fondo del molde. Envolver el resto, ponerlo aparte.

- Hornear la corteza del fondo (sin los lados del molde) alrededor de 6 minutos o hasta que se dore bien. Sacarla del horno. Dejarla enfriar.

- Enmantequillar los lados del molde. Adherirlos al fondo. Poner la corteza, a 2 pulg (5 cm) de la parte de arriba. Ponerla aparte.

Relleno

- En un tazón grande, batir el queso y la ralladura de limón hasta que estén cremosos. Incorporar el azúcar y la harina. Batirlos. Poner aparte.

- En un segundo tazón, mezclar 2 huevos, la yema de huevo y el extracto de vainilla. Incorporarlos en la mezcla de queso. Con una espátula, mezclar con cuidado la leche. Poner en la corteza. Hornear por 30-40 minutos.

- Sacar del horno. Dejar enfriar por 30 minutos. Soltar el sostén del molde. Poner a enfriar el pastel por 30 minutos más. Envolverlo. Refrigerarlo por 2-3 horas.

- Sacar el pastel del refrigerador. Decorarlo con frambuesas. Cubrirlo con glacé de frambuesa. Regresar el pastel al refrigerador hasta que el glacé se asiente. Servir.

VARIACIÓN

- Cubrir las frambuesas con 1 ¹/₂ taza (375 ml) de crema Chantilly *(p. 413)*.

Pastel de Queso de Trocitos de Chocolate

8-10 PORCIONES

Corteza

1 ²/₃ taza	(190 g) miga de galletas de trigo
¹/₃ taza	(53 g) nueces, picadas
¹/₂ taza	(125 g) mantequilla o margarina, derretida

Relleno

2 ³/₄ tazas	(675 g) queso crema, ablandado
1 taza	(250 g) azúcar
2 cdas	(14 g) harina de todo uso
3 cdas	(21 g) cacao
1 cdta	(5 ml) extracto de vainilla
2	huevos
1	yema de huevo
¹/₄ taza	(60 ml) crema espesa
²/₃ taza	(126 g) trocitos de chocolate
1 taza	(250 ml) glacé de fresa *(p. 414)*
12	cerezas
	rodajas finas de chocolate *(p. 330)*

Corteza

▪ Enmantequillar el fondo de un molde de pastel de resorte. Ponerlo aparte.

▪ En un tazón, mezclar la miga de galleta de trigo, las nueces y la mantequilla. Poner la mezcla apretando los lados y el fondo del molde, a 2 pulg (5 cm) de la parte de arriba. Poner aparte.

Relleno

▪ Precalentar el horno a 375 °F (190 °C).

▪ En un tazón grande, batir el queso crema, el azúcar, la harina y el cacao hasta que la mezcla esté cremosa y homogénea.

▪ Incorporar el extracto de vainilla y los huevos, batiendo ligeramente. Con una espátula, mezclar la crema y los trocitos de chocolate. Ponerlos en el molde. Hornear por 40-50 minutos.

▪ Sacar el pastel del horno. Dejarlo enfriar por 15 minutos. Soltar el resorte. Pasar un cuchillo por los lados del molde. Dejar enfriar por 30 minutos. Soltar el sostén del molde. Cubrir el pastel con glacé de fresa. Decorarlo con cerezas rojas y rodajas finas de chocolate. Refrigerarlo por lo menos 4 horas.

VARIACIÓN

▪ Decorar con fresas frescas bañadas con chocolate derretido y crema Chantilly de chocolate *(p. 413)*, como se muestra arriba.

TORTAS DE FRUTAS

Torta de Fresa, Receta Básica

8 PORCIONES

1	bizcocho de vainilla de 9 pulg (23 cm) (p. 294)
¹/₂ taza	(125 ml) jarabe con sabor de Grand Marnier (p. 414)
1 taza	(250 ml) natilla (p. 412)
3 tazas	(480 g) fresas frescas, enjuagadas, peladas
3 tazas	(750 ml) crema Chantilly (p. 413)
²/₃ taza	(160 ml) glacé de fresa (p. 414)

- Cortar el bizcocho en 2 capas iguales. Untar cada capa con el jarabe. Adornar la primera capa con natilla. Cubrir con 2 tazas (320 g) de fresas, luego con 1 taza (250 ml) de crema Chantilly. Cubrir con la segunda capa de bizcocho. Con una espátula, ponerle a la torta crema Chantilly.

- Sumergir el resto de las fresas en el glacé de fresa. Ponerlas haciendo una corona encima de la torta. Usando una espátula o bolsa de pastelería con boquilla acanalada, decorar el centro de la torta con el resto de la crema Chantilly.

- Refrigerar o servir inmediatamente.

Torta de Coco con Plátano

8 PORCIONES

1	bizcocho de nueces (p. 294)
¹/₂ taza	(125 ml) jarabe de ron (p. 414)
3	plátanos, en rodajas
1 taza	(160 g) cerezas marrasquinas
²/₃ taza	(160 ml) glacé de albaricoque (p. 414)
1 taza	(115 g) coco rallado, tostado

- Preparar la torta siguiendo la receta básica, pero reemplazando el bizcocho de vainilla con bizcocho de nueces, el jarabe de Grand Marnier con jarabe de ron, las fresas con plátanos y cerezas, y el glacé de fresa con glacé de albaricoque.

- Colocar 2 rodajas de plátano y la mitad de las cerezas sobre la natilla. Adornar la parte de arriba del pastel con el resto de la fruta. Cubrir con glacé de albaricoque. Espolvorear la torta con el coco.

Torta de Chocolate con Pera

8 PORCIONES

1	bizcocho de dulce de chocolate (p. 294)
2 ¹/₂ tazas	(625 ml) mitades de pera de lata
¹/₂ taza	(125 ml) jarabe de ron (p. 414)
1 taza	(250 ml) natilla (p. 412)
3 tazas	(750 ml) crema Chantilly de chocolate (p. 413)
4 oz	(115 g) chocolate semidulce
¹/₄ taza	(60 g) mantequilla

- Preparar la torta siguiendo la receta básica pero reemplazando el bizcocho de vainilla con bizcocho de chocolate. Poner aparte 8 mitades de pera para decorar. Con una brochita untar 2 capas de pastel con jarabe de ron. Untar la primera capa con natilla, el resto de las peras y la crema Chantilly de chocolate. Cubrir con una segunda capa de pastel. Cubrirla con crema Chantilly de chocolate.

- En una cacerola doble, derretir el chocolate. Agregar la mantequilla. Mezclar fuera del calor.

- Sumergir las 8 mitades de pera reservadas en el chocolate derretido. Colocarlas simétricamente sobre la torta. Adornarla con crema Chantilly de chocolate.

La receta se muestra arriba

Torta de Arándano

8 PORCIONES

1	bizcocho de semillas de amapola *(p. 295)*
3 ½ tazas	(560 g) arándanos
⅔ taza	(160 ml) glacé de albaricoque *(p. 414)*
2 cdas	(30 g) semillas de amapola

- Preparar la torta siguiendo la receta básica pero reemplazando el bizcocho de vainilla con bizcocho de semillas de amapola, las fresas con arándanos, y el glacé de fresa con glacé de albaricoque. Colocar los arándanos en el centro de la torta. Cubrirlos con glacé de albaricoque. Espolvorear los lados de la torta con semillas de amapola.

La receta se muestra arriba a la izquierda

Torta de Piña

8 PORCIONES

1	bizcocho de naranja *(p. 294)*
18	rodajas de piña de lata
½ taza	(56 g) cacao

- Preparar la torta siguiendo la receta básica pero reemplazando el bizcocho de vainilla con bizcocho de naranja, las fresas con piña, y el glacé de fresa con cacao.
- Reservar 6 rodajas de piña para decorar. Colocarlas en la parte de arriba de la torta. Espolvorear la torta con cacao.

La receta se muestra arriba a la derecha

Torta de Melocotón y Almendra

8 PORCIONES

1	bizcocho de nueces *(p. 294)*
3 tazas	(750 ml) mitades de melocotón de lata, escurridas
½ taza	(125 ml) miel
¾ taza	(84 g) almendra en polvo

- Preparar la torta siguiendo la receta básica pero reemplazando el bizcocho de vainilla con bizcocho de nueces, las fresas con melocotones, y el glacé de fresa con miel.
- Reservar 8 mitades de melocotón para decorar. Sumergirlas en miel. Espolvorearlas con el polvo de almendra. Colocarlas en la parte de arriba de la torta.

Torta de Frambuesa

8 PORCIONES

1	receta básica de torta
3 ½ tazas	(560 g) frambuesas frescas
⅔ taza	(106 g) almendras en rodajas

- Preparar la torta siguiendo la receta básica pero reemplazando las fresas con frambuesas.
- Colocar las frambuesas en el centro de la torta. Cubrirlas con glacé de fresa. Adornar los lados con las rodajas de almendra.

CHARLOTTES

Charlotte de Crema Bávara

ALREDEDOR DE 3 ½ TAZAS (875 ML)	
1 taza	(250 ml) leche
1 taza	(250 g) azúcar
4	yemas de huevo
1	sobre de gelatina sin sabor
3 cdas	(45 ml) agua fría
½ cdta	(2 ml) extracto de vainilla o de otra clase
1 taza	(250 ml) crema batida

- En una cacerola, hervir la leche y la mitad del azúcar.

- En un tazón, batir las yemas de huevo con el resto del azúcar. Agregar leche hirviendo. Ponerlas en la cacerola; poner la cacerola al fuego. Con una espátula de madera, revolver hasta que la crema se espese. No dejar que hierva.

- Mientras tanto, en un tazón, poner la gelatina a que haga espuma en agua fría. Agregársela a la crema. Dejar enfriar. Para resultados más rápidos, sumergir el fondo de la cacerola en un tazón con agua muy fría, revolviendo suavemente hasta que la crema se enfríe.

- Cuando la crema empiece a espesarse, agregarle el extracto de vainilla. Incorporar la crema batida.

Nota : La charlotte deberá estar lista para recibir la crema bávara, ya que la gelatina se cuaja completamente en pocos minutos.

CREMA BÁVARA DE FRESA
- En la leche hirviendo, incorporar ½ taza (125 ml) de puré de fresas.

CREMA BÁVARA DE CAFÉ
- En la leche hirviendo, incorporar 3 cdas (30 g) de café instantáneo.

CREMA BÁVARA DE CHOCOLATE
- Antes de hervir la leche, mezclar ¼ taza (28 g) de cacao.

CREMA BÁVARA CON KIRSCH
- A la receta básica, incorporarle 1 oz (30 ml) de kirsch al mismo tiempo que el extracto de vainilla.

Charlotte Rusa al Estilo Americano

8-10 PORCIONES	
1	bizcocho de vainilla (p. 294) o bizcocho comercial de 9 pulg (23 cm)
3 cdas	(45 ml) jalea de frambuesa o arándano
3 tazas	(750 ml) crema liviana con sabor a Grand Marnier (p. 413)
36	dedos de dama (p. 447)
1 ¼ taza	(200 g) ensalada de frutas o fruta fresca
1 ½ taza	(375 ml) crema Chantilly (p. 413)

- Cortar el bizcocho en 2 capas iguales. A la primera capa, untarle jalea, luego un poco de crema liviana. Cubrir con el segundo bizcocho. Cubrir la parte de arriba y los lados con crema liviana.

- Cortar una punta de los dedos de dama. Rodear la charlotte con galletitas paradas, con la punta redonda hacia arriba. Agregar otra capa de crema liviana a la parte de arriba de la charlotte. Poner una capa de ensalada de frutas o fruta fresca. Poner chorritos de crema Chantilly sobre la fruta. Decorar con fruta fresca, si se desea.

Charlotte de Fresa con Coco

	8-10 PORCIONES
1	bizcocho de vainilla (p. 294)
1/4 taza	(60 ml) jalea de fresa
2/3 taza	(53 g) coco rallado
2 tazas	(500 ml) crema bávara de fresa (p. 326)
3	gotas de colorante de alimentos rojo (opcional)
2 tazas	(500 ml) crema Chantilly (p. 413)
36	dedos de dama de cacao (p. 447)
3/4 taza	(120 g) fresas frescas

■ Cortar el bizcocho en 2 capas iguales.

■ Poner la primera capa en el fondo de un molde. Untarla con jalea. Espolvorearla con la mitad de coco rallado. Cubrirla con crema bávara. Poner encima una segunda capa de torta. Refrigerar por 1 hora.

■ Sacar del refrigerador. Sacar del molde. Agregar el colorante de alimentos a la crema Chantilly, si se desea.

■ Con una espátula, ponerle crema Chantilly a la charlotte. Rodear la charlotte con una fila de dedos de dama. Usando una bolsa de pastelería, ponerle el resto de crema Chantilly. Decorarla con fresas. Espolvorearla con el resto de coco rallado.

Charlotte de Chocolate con Café

	8-10 PORCIONES
1 oz	(30 ml) ron
1/4 taza	(60 ml) miel
1	bizcocho de cacao (p. 295)
2 tazas	(500 ml) crema bávara de café (p. 326)
2 tazas	(500 ml) crema Chantilly de chocolate (p. 413)
36	cigarros (p. 360)
	rodajas finas de chocolate (p. 330)

■ En un tazón, mezclar el ron y la miel. Cortar el bizcocho en 2 capas iguales. Poner la primera capa en el fondo de un molde. Untarle la mezcla de ron. Cubrirla con crema bávara de café. Ponerle encima la segunda capa de bizcocho.

■ Poner a que se asiente en el refrigerador por 1 hora. Sacar del refrigerador. Sacarlo del molde.

■ Con una espátula, ponerle a la charlotte crema Chantilly de chocolate. Rodearla con una fila de cigarros bien apretados. Usando una bolsa de pastelería, ponerle encima el resto de la crema Chantilly. Decorarla con rodajas finas de chocolate.

CHARLOTTE DE CHOCOLATE CON CAFÉ Y PLÁTANOS

■ Antes de poner la crema bávara, cubrir la primera capa de bizcocho con rodajas de plátano. Agregar una segunda capa de plátano antes de cubrir la charlotte con crema Chantilly de chocolate.

Charlottes Individuales

2 tazas	(500 ml) bizcocho *(p. 294)* o bizcocho comercial, en cubitos
5 cdas	(75 ml) jarabe de kirsch *(p. 414)*
¼ taza	(60 ml) jalea de frambuesa
2 tazas	(500 ml) crema liviana *(p. 413)*
9	dedos de dama *(p. 447)*
1 ½ taza	(375 ml) crema Chantilly *(p. 413)*
6	frambuesas
6	hojas de menta

▪ En el fondo de 6 copas de postre, colocar unos cuantos pedazos de pastel humedecidos con jarabe de kirsch.

▪ Poner 2 cdtas (10 ml) de jalea de frambuesa en cada copa. Usando una cuchara o bolsa de pastelería, llenar tres cuartos con crema liviana. Cortar por la mitad los dedos de dama. Colocar 3 dedos de dama a los lados de cada copa, con la punta redondeada hacia arriba. Usando una bolsa de pastelería con una boquilla acanalada mediana, ponerle un chorrito de crema Chantilly a cada charlotte. Decorar con una frambuesa y una hoja de menta.

VARIACIONES
• Usar diferentes sabores de jalea y cualquier otra fruta fresca o enlatada.

Charlottes Pequeñas de Manzana y Nueces

2 tazas	(500 ml) bizcocho de vainilla *(p. 294)* o bizcocho de cacao *(p. 295)*, en cubitos
2 tazas	(500 ml) salsa de manzana
1 cda	(10 g) canela molida
2 tazas	(500 ml) crema liviana *(p. 413)*
24	dedos de dama *(p. 447)*
1 taza	(250 ml) crema Chantilly *(p. 413)*
½ taza	(80 g) nueces, picadas

▪ En capas sucesivas, dividir los cubitos de bizcocho, la salsa de manzana, la canela y la crema liviana en 8 moldes o copas de postre. Cortar por la mitad los dedos de dama. Poner 6 dedos de dama a los lados de cada copa, con la punta redondeada hacia arriba.

▪ Usando una bolsa de pastelería con una boquilla acanalada mediana, ponerle un chorrito de crema Chantilly a cada charlotte. Espolvorear con 1 cda (10 g) de las nueces picadas. Servir.

VARIACIONES
• Humedecer los cubitos de bizcocho con licor. Adornar el fondo de las copas con fruta seca picada o pan dulce de chocolate picado. Reemplazar la salsa de manzana con jalea o puré de ruibarbo, melocotón o peras, y las nueces con avellanas o almendras.

Charlotte St-Placide

8-10 PORCIONES	
1	enrollado suizo (p. 298)
1 taza	(250 ml) mitades de albaricoque de lata
2 tazas	(500 ml) crema bávara de fresa (p. 326)
1 taza	(160 g) albaricoques, cortados en trocitos
1 taza	(250 ml) crema Chantilly (p. 413)
¹/₂ taza	(80 g) almendras tostadas, desmenuzadas
1	bizcocho de cacao, de ³/₄ pulg (1,75 cm) de grosor (p. 295)
¹/₂ taza	(125 ml) glacé de albaricoque (p. 414)

- Cortar el enrollado en rodajas de ¹/₂ pulg (1,25 cm) de grosor.
- Cubrir el interior de un molde hondo redondo con rodajas de pastel, alternando con mitades de albaricoque.
- En un tazón, mezclar la crema bávara y los albaricoques. Ponerlos en el molde.
- En un segundo tazón, mezclar la crema Chantilly con la mitad de las almendras. Ponerlas en el molde. Ponerles encima el bizcocho de cacao. Refrigerar por 1 hora. Sacar del molde. Cubrir la charlotte con glacé de albaricoque. Espolvorearla con migas de almendra.

VARIACIONES
- Reemplazar los albaricoques con peras, litchis o coco rallado.

Charlotte de las Islas

8-10 PORCIONES	
1	bizcocho de cacao (p. 295)
¹/₄ taza	(60 ml) jalea de fresa
1	sobre de gelatina sin sabor
2 tazas	(500 ml) yogurt de fresa, a temperatura ambiente
¹/₂ taza	(80 g) higos secos, picados
2 tazas	(500 ml) crema Chantilly (p. 413)
24	barquillos bañados en chocolate
¹/₂ taza	(80 g) higos frescos, en rodajas

- Cortar el bizcocho en 2 capas iguales. Poner la primera capa en un molde. Untarle jalea. Ponerla aparte.
- En un tazón, disolver la gelatina en un poco de agua. Incorporar el yogurt, revolviendo vigorosamente. Agregar los higos. Ponerlos sobre el bizcocho en el molde. Cubrir con la segunda capa de bizcocho. Refrigerar por 1 hora.
- Sacar del refrigerador. Sacar del molde. Con una espátula, untarle crema Chantilly. Poner los barquillos alrededor de la charlotte. Usando una bolsa de pastelería, ponerle chorritos de crema Chantilly. Decorarla con higos frescos. Servir.

VARIACIONES
- Decorar con fresas frescas. Variar los sabores de yogurt.

Charlotte Royal

8-10 PORCIONES	
18	rodajas de enrollado suizo de ¹/₂ pulg (1,25 cm) de grosor (p. 298)
1 taza	(160 g) ensalada de frutas, escurrida
2 tazas	(500 ml) crema bávara con kirsch (p. 326)
1	bizcocho de su gusto, de 9 pulg (23 cm) de ancho por ¹/₂ pulg (1,25 cm) de grosor (pp. 294 -295)
¹/₂ taza	(125 ml) glacé de albaricoque (p. 414)
	hojas de menta fresca
	coulis de fresa, frambuesa o arándano (p. 415)

- Cubrir el interior de un molde hondo redondo de 9 pulg (1,25 cm) con rodajas de pastel. Ponerlo aparte.
- En un tazón, mezclar la ensalada de frutas y la crema bávara. Ponerlas en el molde, sobre el pastel. Cubrir con bizcocho. Refrigerar por 3 horas.
- Sacar el pastel del molde sobre una superficie. Untar todo el pastel con glacé de albaricoque. Decorarlo con la menta fresca. Servir la charlotte con fruta fresca o coulis.

La receta se muestra arriba

DECORACIONES Y GLACÉS

Decoraciones con Azúcar Glass

- Poner tiras de papel lado a lado encima del pastel. Usando un colador fino, espolvorear con azúcar glass.

- Quitar con cuidado las tiras de papel.

- Para resultados más originales, puede hacer sus propios cortes de papel o usar un rollo de papel decorativo.

Hojas de Acebo de Pasta de Almendra

- Colorear un poco de pasta de almendra poniéndole unas cuantas gotas de colorante de alimentos verde. Pasarle el rodillo para tener un grosor de $^{1}/_{8}$ pulg (0,25 cm)

- Cortar la pasta en rectángulos de 1 x 2 pulg (2,5 x 5 cm). Con un cortador de pastelería pequeño, cortar los bordes para imitar el acebo.

- Con un cuchillo, hacer marcas en ángulo recto para imitar las nervaduras de las hojas.

Champiñones de Merengue

- Usando una bolsa de pastelería, dibujar los tallos y las cabecitas de los champiñones en una lata para hornear galletas cubierta con papel de pastelería. Secar en el horno por 30 minutos a 175 °F (85 °C).

- Hacer un agujerito debajo de cada cabecita de champiñón. Poner unas cuantas gotas de chocolate derretido. Unir las cabecitas con los tallos. Dejar que el chocolate se asiente.

- Decorar los champiñones con chocolate derretido, azúcar glass, jalea, etc.

Rizos y Rodajas Finas de Chocolate

- En una lata de hornear, poner 1 $^{1}/_{2}$ taza (300 g) de chocolate derretido. Esparcirlo uniformemente con una espátula angosta. Dejarlo que se endurezca.

- Con una espátula grande, raspar el chocolate del fondo del molde para hacer rizos y rodajas finas.

Crema de Mantequilla

ALREDEDOR DE 2 TAZAS (500 ML)

1 taza	(250 g) mantequilla sin sal
4 tazas	(500 g) azúcar glass
3	yemas de huevo
$^1/_4$ taza	(60 ml) crema espesa
2 cdtas	(10 ml) extracto de vainilla

▪ En un tazón grande, hacer una crema con la mantequilla por unos 8 minutos o hasta que esté ligeramente esponjosa. Mientras se bate, cernir e incorporar poco a poco el azúcar glass. Agregar los huevos uno por uno, batiendo vigorosamente entre uno y otro. Incorporar la crema y la vainilla. Continuar batiendo hasta que esté homogéneo.

CREMA DE MANTEQUILLA DE CHOCOLATE

- En una cacerola doble, derretir 5 oz (140 g) de chocolate amargo. Dejarlo enfriar hasta que se entibie. Agregar el chocolate a la crema de mantequilla. Batir hasta que esté homogéneo.

CREMA DE MANTEQUILLA DE CACAHUATE Y CHOCOLATE

- En una cacerola doble, derretir 4 oz (115 g) de chocolate amargo. Dejarlo enfriar hasta que se entibie. Incorporar el chocolate en la crema de mantequilla. Agregar $^1/_3$ taza (80 ml) de mantequilla de cacahuate. Batir hasta que esté homogéneo.

CREMA DE MANTEQUILLA DE MOKA

- En una cacerola doble, derretir 2 oz (60 g) de chocolate amargo. Dejarlo enfriar hasta que se entibie. Disolver 3 cdas (30 g) de café instantáneo en 3 cdas (45 ml) de agua caliente. Dejar enfriar hasta que se entibie.

Reemplazar la crema y la vainilla de la receta básica con estos ingredientes.

CREMA DE MANTEQUILLA DE NARANJA

- En la receta básica para crema de mantequilla, reemplazar la crema espesa con 1 cda (15 g) de ralladura de naranja, 2 cdas (30 ml) de Grand Marnier y 2 cdas (30 ml) de jugo de naranja.

CREMA DE MANTEQUILLA DE FRAMBUESA

- En la receta básica para crema de mantequilla, reemplazar la crema espesa con 5 cdas (50 g) de frambuesas y 1 cda (15 ml) de jugo de limón.

Las recetas que se muestran arriba, de izquierda a derecha :
Crema de Mantequilla de Naranja,
Crema de Mantequilla de Chocolate,
Crema de Mantequilla de Frambuesa,
Crema de Mantequilla de Moka

Los pasteles tienen la poco deseable reputación de contener demasiada grasa y calorías. La corteza de pastel tiene mucha grasa. Para hacer que sus pasteles sean más ligeros, usted puede eliminar la corteza superior, y aun mejor, reemplazar la corteza del fondo con una de barquillo de trigo integral.

Póngale atención al Pastel de Yogurt con Azúcar (p. 336), una receta original e interesante, especialmente cuando evitamos la corteza de arriba. Decórela con un enrejado de tiras sobre el relleno. La Tarta de Manzanas St-Louis (p. 343) es otra buena selección en la cual la crema de la pasta se puede hacer más liviana reduciendo la cantidad de azúcar y usando leche descremada.

PASTELES

PASTELES DE FRUTA Y TARTAS

Pasta de Corteza Corta

PARA 2 PASTELES U 8 TARTAS	
5 cdas	(75 ml) agua fría
1 cda	(15 g) azúcar
1 cdta	(5 g) sal
²/₃ taza	(160 ml) manteca vegetal
2 tazas	(230 g) harina

- En un tazón, disolver el azúcar y la sal en el agua.

- En un segundo tazón, mezclar la manteca vegetal y la harina hasta tener una consistencia granulada. Hacer un pocito en el centro.

- Poner la mezcla líquida en el pocito. Mezclarla con cuidado, sin amasarla.

- Sellar la masa con papel plástico. Refrigerarla por lo menos 15 minutos.

Pasta de Corteza de Azúcar

PARA 2 PASTELES U 8 TARTAS	
¹/₂ taza	(125 g) mantequilla
1 taza	(125 g) azúcar glass
1	huevo pequeño
3	gotas de extracto de vainilla
1 ¹/₄ taza	(145 g) harina

- En una batidora de tazón, hacer una crema con la mantequilla. Incorporar el azúcar glass, mezclando hasta tener una consistencia granulada. Mezclar el huevo y el extracto de vainilla.

- Con una espátula, incorporar la harina sin mezclarla demasiado.

- Envolver la masa. Refrigerarla.

Preparación y Horneado de Pasteles y Tartas

- Precalentar el horno a 400 °F (205 °C). Enmantequillar un molde de pastel o varios moldes de tarta.

- Sacar la masa del refrigerador. Pasarle el rodillo y dividirla en dos cortezas de 9 pulg (23 cm). Envolver el exceso de masa. Refrigerarlo.

- Enharinar una superficie limpia y uniforme. Formar una bola con la masa. Pasarle el rodillo con suavidad. Si la masa tiende a pegarse, enharinar un poco el rodillo. Pasar el rodillo hasta lograr un grosor de ¹/₈ pulg (0,25 cm).

- Enrollar la masa alrededor del rodillo, para ponerla con más facilidad en el molde de pastel. Desenrollarla sobre el molde.

- Levantar el molde. Ponerlo a nivel de la superficie de trabajo, para que la masa se acomode sola en el molde.

- Con el borde sin filo de un cuchillo, recortar el exceso de masa.

- Para cubrir los moldes con mayor facilidad, colocarlos en estrella. Ponerles encima la corteza. Pasar el rodillo sobre los moldes para recortar el exceso de masa. Apretar la masa para que se pegue a los moldes.

- Puede hacer el tipo de orilla que prefiera: con los dedos, como se muestra arriba, o con un cuchillo, como se muestra abajo. Dejar reposar la masa por 15 minutos antes de hornearla. Hornearla por unos 15 minutos.

Pasta Escamosa

ALREDEDOR DE 2 LBS (900 g)

½ taza	(125 g) mantequilla
2 ½ tazas	(290 g) harina de todo uso
1 cdta	(5 g) sal
1 taza	(250 ml) agua muy fría

Formado

1 ¼ taza	(300 g) mantequilla, fría, en un cuadrado de 4 pulg (10 cm)

- En un tazón, hacer una crema con la mantequilla. Incorporar la harina y la sal; mezclar hasta tener una consistencia granulada. Hacer un pocito en el centro. Ponerle el agua. Con una espátula, poner poco a poco la harina en el agua.

- Con la manos, amasar 4-5 veces hasta que la masa esté homogénea y no se pegue más en las manos. Hacer una bola.

- Pasar la masa a una lata para hornear galletas enharinada. Cubrirla con papel plástico. Refrigerarla por lo menos 20 minutos.

Amasando la Pasta

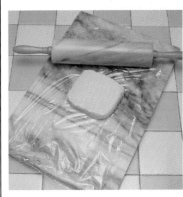

1. Sacar la mantequilla y la masa del refrigerador.

2. Hacer un corte en cruz profundo en la masa.

3. Con las manos, doblar hacia afuera cada sección.

4. Pasarle un rodillo a la masa para formar una cruz. Poner el cuadrado de mantequilla en el centro.

5. Doblar las 4 secciones de la masa para sellar la mantequilla.

6. Enharinarla un poco. Pasarle el rodillo y formar un rectángulo de 15 x 8 pulg (40 x 20 cm). Con una brochita de pastelería, quitar el exceso de harina.

7. Doblar el rectángulo, llevando los dos extremos hacia el centro, para formar un cuadrado de 8 pulg (20 cm). Quitar otra vez el exceso de harina.

8. Doblar la masa en 2 para hacer 4 capas.

9. Envolverla. Refrigerarla por lo menos 45 minutos.

- Sacar la masa del refrigerador. Repetir los pasos del 6 al 9 para hacer 8 capas de masa. Para resultados aun más escamosos, pasar el rodillo una tercera vez. Regresar la masa al refrigerador. Refrigerarla por lo menos 8 horas antes de hornearla.

Pastel del Campo

6-8 PORCIONES	
2	cortezas de pastel de 9 pulg (23 cm) (p. 334)
$1/3$ taza	(80 ml) jalea de frambuesa
$1/2$ taza	(125 ml) copos de avena
$1\,1/2$ taza	(170 g) azúcar morena
	pizca de sal
$1/2$ taza	(100 g) trocitos de chocolate semidulce
$2/3$ taza	(160 ml) leche
2 cdas	(30 g) mantequilla, derretida

- Precalentar el horno a 350 °F (175 °C). Poner una corteza de pastel en un molde.
- Untarle jalea a la corteza. Ponerla aparte.
- En un tazón, mezclar los copos de avena, el azúcar morena, la sal y los trocitos de chocolate. Incorporar la leche y la mantequilla derretida. Ponerlos en la corteza.
- Con una brochita, humedecer las orillas de la masa. Cubrir con la segunda corteza. Apretar las orillas para sellarla.
- Hornear por 25 minutos. Servir el pastel caliente o refrigerado. Adornarlo con helado o yogurt, si se desea.

Pastel de Miel de Maple

6-8 PORCIONES	
$1/2$ taza	(57 g) maicena
$1/2$ taza	(125 ml) agua
3	yemas de huevo
2 tazas	(225 g) azúcar morena
$1\,1/2$ taza	(375 ml) miel de maple
$1/2$ taza	(125 g) mantequilla
$1/3$ taza	(53 g) nueces, picadas
1 cdta	(5 ml) extracto de vainilla
1	corteza de pastel (p. 334) o corteza de miga de galletas de trigo, de 9 pulg (23 cm), horneada
	crema batida
	nueces, picadas

- En un tazón, diluir la maicena en el agua. Mezclar las yemas de huevo.
- En una cacerola, a calor moderado, derretir el azúcar morena en la miel de maple. Incorporar la maicena, mezclando hasta que esté espeso y cremoso. A fuego bajo, continuar cocinando por 3 minutos; revolviendo.
- Fuera del calor, mezclar la mantequilla, las nueces picadas y el extracto de vainilla. Ponerlos en corteza. Refrigerar por 2 horas. Adornar con la crema batida y las nueces picadas. Servir.

VARIACIÓN
- Reemplazar las nueces con grosellas.

Pastel de Yogurt con Azúcar

6-8 PORCIONES	
2	cortezas de pastel de 9 pulg (23 cm) (p. 334)
$1\,3/4$ taza	(196 g) azúcar morena
1 taza	(250 ml) yogurt sin sabor
4 cdtas	(9 g) harina de todo uso
4 cdtas	(20 g) mantequilla
1	huevo
1 cdta	(5 ml) extracto de vainilla
2	huevos, batidos

- Precalentar el horno a 350 °F (175 °C). Poner una corteza de pastel en un molde. Ponerlo aparte.
- En un tazón, mezclar el azúcar morena y el yogurt. Poner aparte.
- En un segundo tazón, mezclar la harina, la mantequilla, el huevo y el extracto de vainilla. Incorporarlos en la primera mezcla. Ponerlos en la corteza.
- Cubrir con la otra corteza. Hacer unos cuantos cortes en la parte de arriba para que salga el vapor de la cocción. Untar la corteza con los huevos batidos. Hornearla por unos 50 minutos.

Pastel de Nueces

6-8 PORCIONES

1	corteza de pastel de 9 pulg (23 cm) (p. 334)
1 1/3 taza	(150 g) azúcar morena
1/2 taza	(125 ml) leche condensada
2	huevos
2 cdas	(14 g) harina de todo uso
2 cdtas	(10 ml) extracto de vainilla
1 cda	(15 g) mantequilla, derretida
2/3 taza	(106 g) nueces

- Precalentar el horno a 350 °F (175 °C). Poner una corteza de pastel en un molde. Ponerlo aparte.

- En un tazón, mezclar el azúcar morena y la leche condensada. Incorporar los huevos, la harina, el extracto de vainilla y la mantequilla derretida. Ponerlos en la corteza. Colocar encima las nueces.

- Hornear por 25-30 minutos.

PASTEL DE AZÚCAR CON MANZANA

- Sobre el pastel colocarle círculos concéntricos de rodajas delgadas de manzana. Hornear.

Pastel de Azúcar

6-8 PORCIONES

1	corteza de pastel de 9 pulg (23 cm) (p. 334)
2 cdas	(14 g) maicena
2 cdas	(14 g) harina
3/4 taza	(180 ml) crema ligera
1 1/4 taza	(145 g) azúcar morena
2/3 taza	(160 ml) crema espesa
1 cdta	(5 ml) extracto de vainilla
4 cdtas	(20 g) mantequilla
	crema batida (opcional)

- Precalentar el horno a 350 °F (175 °C). Poner una corteza de pastel en un molde. Ponerlo aparte.

- En un tazón, mezclar la maicena, la harina y la mitad de la crema ligera. Batir hasta que la mezcla esté cremosa. Ponerla aparte.

- En una cacerola, mezclar el azúcar morena, la crema espesa y el resto de la crema ligera. Llevar a ebullición.

- Batiendo vigorosamente, incorporar la mezcla de maicena y harina. Fuera del calor, mientras se bate, raspar los lados del molde. Regresar al fuego. Continuar batiendo hasta que esté burbujeando.Fuera del calor, incorporar la vainilla y la mantequilla. Poner en el molde. Hornear por 20-30 minutos. Dejar enfriar un poco o totalmente. Servir con crema batida, si se desea.

La receta se muestra arriba, en la fotografía superior

VARIACIÓN

- Cubrir con una corteza o tiras de masa formando una rejilla, como se muestra arriba, en la fotografía inferior.

Pastel de Dulce de Chocolate

6-8 PORCIONES

1	corteza de pastel de 9 pulg (23 cm) *(p. 334)*
6 oz	(165 g) chocolate oscuro sin endulzar
1 taza	(250 g) mantequilla
1 ½ taza	(375 g) azúcar
⅓ taza	(37 g) harina de todo uso
7	huevos
1 cdta	(5 ml) extracto de vainilla

- Precalentar el horno a 350 °F (175 °C).

- Enmantequillar y enharinar un molde de pastel de resorte. Ponerle una corteza. Hornearla por 15 minutos. Dejarla enfriar.

- En una cacerola doble, derretir el chocolate y la mantequilla, revolviendo frecuentemente. Dejar enfriar.

- En un tazón, batir el azúcar, la harina, los huevos y el extracto de vainilla hasta que la mezcla esté homogénea y cremosa. Incorporarla en la mezcla de chocolate. Poner en corteza. Hornear por 25-35 minutos. Dejar enfriar el pastel. Sacarlo del molde.

La receta se muestra en la página opuesta a la izquierda

VARIACIÓN

- Reemplazar la vainilla con 4 gotas de azahar y 3 cdas (45 g) de ralladura de naranja.

Pastel de Chocolate de Un Minuto

6-8 PORCIONES

2 tazas	(500 ml) leche
⅔ taza	(160 g) azúcar
4 oz	(115 g) chocolate amargo
4	yemas de huevo
2 cdas	(14 g) maicena
2 cdas	(30 g) mantequilla
1 cdta	(5 ml) extracto de vainilla
1	corteza de pastel de 9 pulg (23 cm), horneada *(p. 334)*
2 tazas	(500 ml) crema batida
2 cdas	(14 g) cacao

- En una cacerola, calentar 1 ½ taza (375 ml) de leche y la mitad del azúcar.

- Mientras tanto, en una cacerola doble, derretir el chocolate. Incorporarlo en la leche caliente.

- En un tazón, combinar el resto del azúcar y las yemas de huevo. Agregar el resto de la leche y la maicena, mezclando hasta que esté cremoso y homogéneo. Batiendo, poner la leche hirviendo.

- Cuando la mezcla empiece a burbujear, quitarla del fuego. Mezclar la mantequilla y la vainilla. Poner en la corteza horneada.

- Dejar enfriar el pastel. Decorarlo con crema batida. Espolvorearlo con cacao.

La receta se muestra arriba a la derecha

VARIACIONES

- Agregar ⅔ taza (106 g) de coco rallado al mismo tiempo que la mantequilla y la vainilla.

- Reemplazar la crema batida con el helado de su gusto.

Pastel de Mantequilla de Cacahuate

8-10 PORCIONES

1	corteza de miga de galletas de trigo
2 ¹/₂ tazas	(625 g) mantequilla de cacahuate fina
2 ¹/₂ tazas	(625 g) queso crema, ablandado
2 tazas	(500 g) azúcar
3 cdas	(45 g) mantequilla, derretida
2 cdtas	(10 ml) extracto de vainilla
¹/₂ cdta	(2 g) canela molida
1 ¹/₂ taza	(375 ml) crema batida
³/₄ taza	(150 g) chocolate semidulce, picado fino
5 cdas	(75 ml) café fuerte, caliente
	cacahuates

- Poner una corteza de miga de galletas de trigo en un molde de pastel de resorte de 9 pulg (23 cm). Ponerlo aparte.

- En un procesador de alimentos, batir la mantequilla de cacahuate, el queso crema, el azúcar, la mantequilla derretida, el extracto de vainilla y la canela por 2-3 minutos o hasta que esté homogéneo.

- Con una espátula, incorporar crema batida un poco cada vez. Ponerla en la corteza. Alisar la superficie con una espátula. Refrigerar por 3-5 horas o hasta que el relleno se asiente.

- En una cacerola doble, derretir el chocolate y el café; mezclar bien. Dejar que el chocolate se enfríe por unos 5 minutos. Poner la mezcla tibia en el pastel frío. Refrigerar por 15-25 minutos.

- Sacar del molde usando un cuchillo pequeño calentado en agua caliente. Pasar el cuchillo a los lados del molde. Soltar el resorte. Adornar el pastel con los cacahuates. Servir.

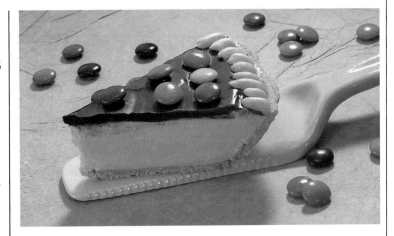

VARIACIONES
- Decorar el pastel con dulces de chocolate, como se muestra arriba.
- Usar mantequilla de cacahuate con trocitos.

Pastel Volteado de Pistacho

6-8 PORCIONES	
2	cortezas de pastel de 9 pulg (23 cm) (p. 334)
⅓ taza	(80 ml) agua
½ taza	(56 g) azúcar morena
¼ taza	(60 ml) miel
¼ taza	(60 g) mantequilla
2 tazas	(320 g) pistachos, picados
½ taza	(125 ml) crema espesa
⅓ taza	(80 ml) jalea de frambuesa
1 oz	(30 ml) licor de grosellas negras
	pistachos

- Poner una corteza en un molde de pastel, de manera tal que la masa se salga un poco del borde del molde.

- En una cacerola, llevar a ebullición el agua, el azúcar morena y la miel. Mezclar hasta que el azúcar morena se disuelva. Bajar el fuego. Cocer a fuego lento por 25 minutos.

- Incorporar la mantequilla, los pistachos y la crema. Cocer a fuego lento por lo menos 15 minutos. Ponerlos en la corteza.

- Precalentar el horno a 400 °F (205 °C).

- Humedecer las orillas de la masa. Cubrir con la segunda corteza, en forma de que la masa se salga un poco del borde del molde. Apretar los bordes. Hornear por 30-35 minutos. Dejar enfriar. Sacar el pastel del molde.

- En una cacerola, derretir la jalea y el licor de grosellas negras. Untárselos al pastel. Decorarlo con los pistachos.

VARIACIÓN
- Reemplazar la jalea de frambuesa con jalea de grosellas negras.

Pastel Volteado de Pera y Pastis

6-8 PORCIONES

3 cdas	(45 g) mantequilla
¼ taza	(60 g) azúcar
16	mitades de pera de lata
2 oz	(60 ml) Pastis
1	corteza de pasta escamosa *(p. 335)*
	helado de vainilla (opcional)

- Precalentar el horno a 350 °F (175 °C). Enmantequillar un molde de pastel resistente a llamas de 8 pulg (20,5 cm) de ancho por 2 pulg (5 cm) de hondo. Espolvorearlo con azúcar.

- En el fondo del molde, colocar un círculo de peras, con la parte redondeada hacia abajo. A calor muy alto, caramelizar las peras y el azúcar, rotando ocasionalmente el molde. Quitarlo del fuego a los 3 minutos.

- Poner el Pastis. Regresar calor. Flamear. Quitar del calor cuando se apaguen las llamas. Cubrir con la corteza. Apretar los bordes. Hornear por 25-35 minutos.

- Sacar del horno. Dejar que se enfríe hasta que esté tibio. Inclinar un poco el molde sobre un tazón para recoger el jarabe de la cocción. Ponerlo aparte.

- Voltear el pastel sobre un plato. Servirlo caliente con el jarabe de la cocción y helado de vainilla, si se desea.

VARIACIONES
- Reemplazar las peras y el Pastis con melocotones y licor de naranja (como se muestra en la página opuesta), piñas y ron (como se muestra abajo a la derecha), manzanas y kirsch, fresas y vodka, etc.

Pastel de Calabaza

6-8 PORCIONES

1	corteza de pastel de 9 pulg (23 cm) (p. 334)
1 taza	(160 g) calabaza, cocida
³/₄ taza	(120 g) coco rallado
¹/₂ taza	(125 g) azúcar
	pizca de nuez moscada molida
¹/₂ cdta	(2 g) canela molida
¹/₄ cdta	(1 g) pimienta de Jamaica
2 cdas	(30 g) mantequilla, derretida
¹/₂ cdtas	(2 ml) extracto de vainilla
2	huevos, ligeramente batidos
1 taza	(250 ml) leche, caliente
1 taza	(250 ml) crema batida

- Precalentar el horno a 350 °F (190 °C). Poner una corteza de pastel en un molde. Ponerlo aparte.

- En un tazón, mezclar la calabaza, el coco rallado y el azúcar. Agregar las especias.

- En un segundo tazón, mezclar la mantequilla, el extracto de vainilla, los huevos y la leche. Incorporarlos en la mezcla de calabaza. Poner en la corteza. Hornear por 40-50 minutos.

- Dejar enfriar el pastel. Decorarlo con crema batida.

Tarta de Manzana con Ruibarbo

6-8 PORCIONES

1	corteza de pastel de 9 pulg (23 cm) (p. 334)
3 tazas	(480 g) ruibarbo, cortado en pedazos
²/₃ taza	(160 g) azúcar
¹/₄ taza	(60 ml) agua
³/₄ taza	(180 ml) crema espesa
¹/₂ taza	(125 g) azúcar
4	huevos
¹/₄ taza	(28 g) harina de todo uso
1 cdta	(5 ml) extracto de vainilla
1 cdta	(5 ml) ron oscuro
2	manzanas, peladas, en rodajas muy finas
¹/₂ taza	(125 ml) glacé de albaricoque (p. 414)

- Precalentar el horno a 350 °F (175 °C). Poner una corteza en un molde de resorte.

- En una cacerola, llevar a ebullición el ruibarbo, ²/₃ taza (75 g) de azúcar y el agua. Tapar. Hervir por 5 minutos. Quitar del fuego. Dejar enfriar.

- En un tazón, batir a medias la crema. Agregar el resto del azúcar, los huevos, la harina, el extracto de vainilla y el ron. Batir totalmente. Incorporar el ruibarbo cocido. Poner en la corteza. Cubrir con las rodajas de manzana.

- Hornear por 35 minutos. Bajar la temperatura del horno a 300 °F (150 °C). Hornear por 5 minutos. Sacar la tarta del horno. Dejarla enfriar. Cubrirla con glacé de albaricoque.

Tarta de Manzana St-Louis

6-8 PORCIONES

1	corteza de pastel de 9 pulg (23 cm) *(p. 334)*
³/₄ taza	(180 ml) natilla *(p. 412)*
2	manzanas, peladas, en rodajas finas
¹/₂ taza	(125 ml) glacé de albaricoque *(p. 414)*

- Precalentar el horno a 375 °F (190 °C). Poner una corteza de pastel en un molde. Ponerlo aparte.

- Poner la natilla en la corteza. Colocar círculos concéntricos de manzana sobre la natilla.

- Hornear por 30 minutos. Dejar enfriar la tarta por 10 minutos. Cubrirla con el glacé de albaricoque.

La receta se muestra arriba a la izquierda y a la derecha

VARIACIONES

- Saborizar la natilla con licor de almendra. Adornar la tarta con rodajas de almendra tostada.

Pastel de Crema de Manzana

6-8 PORCIONES

1	corteza de pastel de 9 pulg (23 cm) *(p. 334)*
4	manzanas, peladas, en rodajas finas
2	yemas de huevo
4 cdtas	(20 g) azúcar
2	gotas de extracto de vainilla
²/₃ taza	(160 ml) crema espesa
¹/₂ taza	(125 ml) glacé de albaricoque *(p. 414)* (opcional)

- Precalentar el horno a 375 °F (190 °C). Poner una corteza de pastel en un molde. Ponerlo aparte.

- Colocar círculos concéntricos de manzana en la corteza. Hornear por 20 minutos.

- Mientras tanto, en un tazón, mezclar las yemas de huevo, el azúcar y el extracto de vainilla. Incorporar la crema.

- Sacar el pastel del horno. Cubrirlo con la mezcla de crema. Regresarlo al horno por unos 20 minutos o hasta que la parte de arriba se dore bien. Dejarlo enfriar por 10 minutos.

- Sacarlo del molde. Cubrirlo con glacé de albaricoque, si se desea.

VARIACIONES

- Decorar el pastel con rodajas de almendra o queso Cheddar rallado.

Tarta de Lima

6-8 PORCIONES	
4	huevos
2	yemas de huevo
1 taza	(250 g) azúcar
1 taza	(250 ml) jugo de lima
2	gotas de colorante de alimentos verde (opcional)
1 taza	(250 g) mantequilla, derretida
1	corteza de pastel de 9 pulg (23 cm), *(p. 334)* horneada

- Precalentar el horno a 300 °F (150 °C).

- En un tazón, batir vigorosamente los huevos y el azúcar. Batir e incorporar el jugo de lima, el colorante de alimentos y la mantequilla derretida. Ponerlos en la corteza.

- Hornear por 20 minutos o hasta que el relleno se asiente. Dejar enfriar la tarta. Servir.

Pastel de Merengue de Limón

6-8 PORCIONES	
	jugo de 5 limones
	ralladura de 5 limones
1 ¼ taza	(300 g) azúcar
6	yemas de huevo
⅓ taza	(80 g) mantequilla, derretida
1	corteza de pastel de 9 pulg (23 cm), *(p. 334)* horneada
3 tazas	(750 ml) merengue sin hornear *(p. 358)*

- En una cacerola, mezclar el jugo y la ralladura de limón con el azúcar. Revolviendo, llevar a ebullición. Quitar del fuego. Dejar enfriar.

- En un tazón, batir los huevos, incorporando gradualmente la mezcla de limón. En una cacerola doble, revolviendo ocasionalmente, cocinar por unos 45 minutos o hasta que esté espeso y cremoso. Fuera del calor, incorporar la mantequilla. Dejar enfriar completamente. Poner la mezcla en la corteza.

- Precalentar el horno en ASAR.

- Usando una bolsa de pastelería con boquilla acanalada, ponerle chorritos de merengue al pastel. Dorarlo ligeramente en el horno por 1-2 minutos. Servir.

VARIACIONES

- Colorear el merengue con 2 gotas de colorante de alimentos amarillo. Después de cocinar, espolvorearlo con coco rallado, azúcar glass o cacao. Reemplazar el limón con lima.

Pastel de Naranja

6-8 PORCIONES

1	corteza de pastel de 9 pulg (23 cm) *(p. 334)*
1/3 taza	(37 g) maicena
3	yemas de huevo
2/3 taza	(160 ml) jugo de naranja
3 cdas	(45 g) ralladura de naranja
1 1/3 taza	(330 g) azúcar
2/3 taza	(160 ml) jugo de albaricoque
2	gotas de colorante de alimentos anaranjado (opcional)
2/3 taza	(106 g) naranja, pelada, sin corazón, en gajos
2/3 taza	(106 g) mitades de albaricoque
2 cdas	(30 ml) jugo de limón
2 cdas	(30 g) mantequilla nueces, picadas
2 tazas	(500 ml) merengue sin hornear *(p. 358)*

- Precalentar el horno a 350 °F (175 °C). Poner una corteza en un molde de resorte. Hornearla por 20-30 minutos. Ponerla aparte.

- En un tazón, mezclar la maicena y las yemas de huevo hasta que esté cremoso. Poner aparte.

- En un segundo tazón, mezclar el jugo de naranja, la ralladura de naranja, el azúcar, el jugo de albaricoque y el colorante de alimentos, si se desea. Incorporar 1/2 taza (125 ml) del líquido en la mezcla de maicena y huevo. Poner aparte.

- En una cacerola, hervir el resto del líquido. Incorporarlo a la mezcla de maicena y huevo. Revolver hasta que espese.

- Fuera del calor, agregar la fruta. Revolviendo suavemente con una espátula, dejar hervir otra vez. Fuera del calor, mezclar el jugo de limón y la mantequilla. Dejar enfriar.

- Precalentar el horno en ASAR.

- Poner el relleno tibio en la corteza. Espolvorearlo con las nueces picadas. Cubrir con merengue. Dorar ligeramente en el horno por 1-2 minutos. Sacar el pastel del molde.

VARIACIONES
- Reemplazar las nueces con almendras, y el merengue con crema batida (no asarla en el horno). Decorar con fruta.

Tarta de Frutas del Jardín

6-8 PORCIONES

1	**corteza de pastel de 9 pulg (23 cm)**, *(p. 334)* **horneada**
¹/₂ taza	**(125 ml) jalea de frambuesa**
1 ¹/₂ taza	**(375 ml) natilla** *(p. 412)*
2 tazas	**(320 g) fruta fresca**
2 tazas	**(500 ml) crema Chantilly** *(p. 413)*
¹/₂ taza	**(80 g) almendras en rodajas**

▪ En la corteza fría, poner capas sucesivas de jalea de frambuesa, natilla y fruta.

▪ Usando una bolsa de pastelería con boquilla acanalada, adornar con la crema Chantilly. Espolvorear la tarta con las rodajas de almendra. Refrigerarla por unos 20 minutos. Servir.

VARIACIONES

• Usar una corteza de bizcocho comercial.

• Reemplazar la jalea de frambuesa con otros sabores de jalea (manzana, fresa, arándano), etc.

• Espolvorear el pastel con coco rallado, semillas de amapola, cacahuates picados, trocitos o rodajas finas de chocolate, etc.

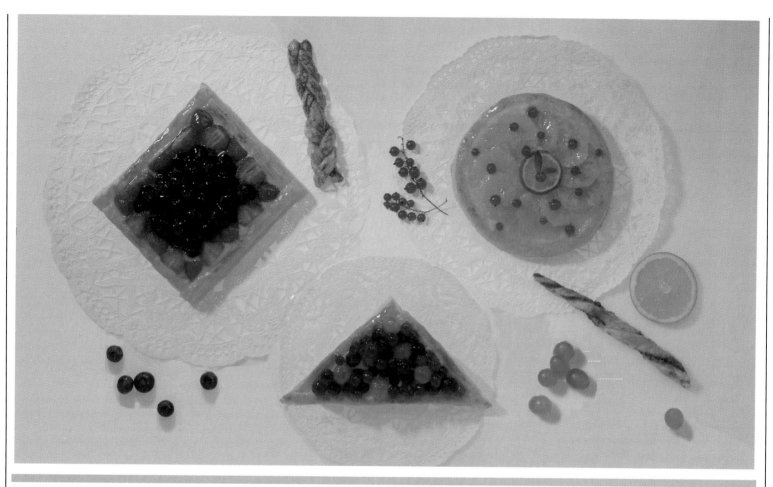

Pastelillos de Frutas de la Estación

6 PORCIONES	
1 lb	(450 g) pasta de choux (p. 335)
1	huevo, batido
1 ¹/₂ taza	(375 ml) natilla (p. 412)
1 ¹/₂ taza	(240 g) fruta fresca
¹/₂ taza	(125 ml) glacé de albaricoque (p. 414)

- Precalentar el horno a 375 °F (190 °C).

- Pasarle el rodillo a la masa hasta tener un grosor de ¹/₈ pulg (0,25 cm). Usando un cortador de pastelería, cortarla en cuadrados, triángulos, etc. Con un tenedor, pinchar la masa. Ponerla aparte.

- Pasarle el rodillo a los cortes de masa para hacer tiras de ¹/₂ pulg (1,25 cm) de ancho, del largo necesario para rodear cada pastelillo.

- Humedecer los pastelillos y las tiras que los rodean. Apretar con suavidad las tiras sobre las orillas de los pastelillos para que se peguen.

- Pasarlos a una lata para hornear galletas ligeramente humedecida. Untar las tiras con huevo batido. Dejar reposar por 15 minutos.

- Hornear por 15-20 minutos. Revisar con frecuencia para asegurarse que la corteza no se queme.

- Sacar del horno. Dejar enfriar completamente. Rellenar los pastelillos con natilla. Adornarlos con fruta. Untarles el glacé. Refrigerar por lo menos 2 horas. Servir.

La receta se muestra arriba

Tarta de Pera con Glacé de Chocolate

6-8 PORCIONES	
4 tazas	(1 L) agua
1 ¹/₂ taza	(375 g) azúcar
10	peras frescas, peladas, sin corazón, en mitades a lo largo
¹/₂ taza	(125 ml) jalea
1	corteza de pastel de 9 pulg (23 cm), (p. 334) horneada
10 oz	(280 g) chocolate oscuro semidulce
2 cdas	(30 g) mantequilla
¹/₂ taza	(125 ml) crema espesa

■ En una cacerola, a fuego alto, llevar a ebullición el agua y el azúcar. Agregar las peras. A fuego bajo, cocinar por 20 minutos. Quitar del fuego. Tapar. Dejar reposar por 1 hora.

■ Ponerle jalea a la corteza. Colocar círculos concéntricos de peras sobre la jalea.

■ En una cacerola doble, derretir el chocolate. Incorporar la mantequilla y la crema. Calentar un poco. Rociar las peras con la mezcla. Servirlas tibias.

Pastel de Frutas con Angelitos (Malvaviscos)

6-8 PORCIONES	
Corteza	
1 ¹/₂ taza	(190 g) miga de galletas de trigo
¹/₂ taza	(125 g) margarina o mantequilla, derretida
¹/₄ taza	(28 g) azúcar morena
Adorno	
24	angelitos (malvaviscos)
¹/₄ taza	(60 ml) leche
1 ¹/₂ taza	(240 g) frutas frescas o congeladas, escurridas
¹/₃ taza	(67 g) trocitos de chocolate dulce
¹/₂ taza	(125 ml) crema batida
1 taza	(250 ml) crema Chantilly de chocolate (p. 413)

■ Precalentar el horno a 350 °F (175 °C).

■ En un tazón, mezclar los ingredientes de la corteza. Ponerlos apretando el fondo de un molde de pastel de 9 pulg (23 cm). Hornear por 7-9 minutos.

■ En una cacerola doble, derretir los angelitos en la leche, revolviendo constantemente. Incorporar la fruta y los trocitos de chocolate. Dejar enfriar totalmente. Con una espátula, incorporar la crema batida. Ponérsela a la corteza.

■ Refrigerar por 3-5 horas. Cubrir el pastel con crema Chantilly de chocolate. Servir.

VARIACIONES
● Reemplazar la crema Chantilly con cacao, fresas o frambuesas.

Tartas con Natilla de Almendra

---

8 TARTAS

2 oz	(60 g) pasta de almendra
5 cdas	(75 g) azúcar
2	huevos (1 huevo separado)
¹/₄ taza	(60 g) mantequilla
¹/₂ cdta	(2 ml) extracto de almendra
³/₄ taza	(85 g) harina
¹/₄ taza	(60 ml) crema espesa
1	receta básica de pasta de corteza de azúcar (p. 334)
8 cdtas	(40 ml) jalea de frambuesa
1 taza	(160 g) frutas secas y cerezas en caramelo
¹/₂ taza	(125 ml) glacé de albaricoque (p. 414)

- Precalentar el horno a 325 °F (160 °C).

- En una batidora de tazón, a velocidad moderada, hacer una crema con la pasta de almendra, el azúcar y una clara de huevo, hasta que esté homogénea. Agregar gradualmente la mantequilla. Raspando los lados, mezclar hasta hacer una pasta suave. Gradualmente incorporar el resto de los huevos y el extracto de almendra.

- Agregar toda la harina de una vez. A velocidad baja, mezclar hasta que se absorba la harina. No mezclar demasiado. Mezclar con cuidado la crema. Refrigerar.

- Poner la corteza en moldes. Poner 1 cdta (5 ml) de jalea en cada molde. Cubrir con la mezcla fría de almendra. Hornear por 15-20 minutos.

- Sacar del horno. Adornar las tartas con la fruta seca y las cerezas. Cubrirlas con glacé de albaricoque. Servir.

La receta se muestra arriba

Variaciones de Tarta

---

8 TARTAS

1	receta básica de pasta de corteza de azúcar (p. 334)
	relleno de su gusto para un pastel de 9 pulg (23 cm)

- Precalentar el horno a 325 °F (160 °C). Poner las cortezas en los moldes. Ponerlos aparte.

- Preparar el relleno de su gusto. Ponerlo en los moldes. Hornear por 15-20 minutos.

- Dejar enfriar totalmente. Adornar las tartas con crema batida y cacao, si se desea.

La receta que se muestra arriba : Tartas de Miel de Maple (relleno en la p. 336)

Tartas de Nueces

8 TARTAS	
1	receta básica de pasta de corteza de azúcar (p. 334)
3 cdas	(45 g) mantequilla
$^1/_3$ taza	(37 g) harina de todo uso
1 taza	(250 ml) miel de maple
1 taza	(250 ml) agua caliente
$^1/_2$ cdta	(2 ml) extracto de vainilla
	nueces
1 taza	(250 ml) crema batida
$^1/_4$ taza	(28 g) cacao

▪ Precalentar el horno a 350 °F (175 °C). Poner cortezas en moldes de tarta. Hornearlas por 15 minutos.

▪ En una cacerola, derretir la mantequilla. Agregar la harina. Mezclar hasta que la mantequilla se absorba. Agregar la miel y el agua caliente. Revolviendo, llevar a ebullición. Bajar el fuego. Cocer a fuego lento por 7 minutos o hasta que la mezcla se espese y se vuelva transparente. Revolver ocasionalmente.

▪ Quitar la mezcla del fuego. Dejarla enfriar completamente. Mezclarle el extracto de vainilla. Ponerla en los moldes.

▪ Adornar cada tarta con nueces, 2 cdas (30 ml) de crema batida y cacao. Servir.

VARIACIONES

• A la miel de maple, agregarle $^1/_2$ taza (80 g) de grosellas.

Tartas de Fruta

8 TARTAS	
1	receta básica de pasta de corteza de azúcar (p. 334)
$1^3/_4$ taza	(430 ml) natilla (p. 412)
$1^1/_4$ taza	(200 g) frutas frescas o congeladas, escurridas
$^2/_3$ taza	(160 ml) glacé de albaricoque (p. 414)

▪ Precalentar el horno a 375 °F (190 °C). Poner cortezas en moldes de tarta. Hornearlas por unos 15 minutos. Sacarlas del horno. Dejarlas enfriar completamente.

▪ Adornar las tartas con la natilla. Decorarlas con fruta. Cubrirlas con glacé de albaricoque.

VARIACIÓN

• Poner 1 cdta (5 ml) de jalea en el fondo de cada corteza horneada. Adornar con natilla.

Tartas Bávaras

8 TARTAS

1	receta básica de pasta de corteza de azúcar *(p. 334)*
1	caja pequeña de gelatina en polvo de frambuesa
1 taza	(250 ml) agua hirviendo
1 taza	(250 ml) leche
1/4 taza	(60 ml) crema ácida
8	cerezas marrasquinas

- Precalentar el horno a 400 °F (205 °C).

- Pasarle el rodillo y recortar la masa. Ponerla en 8 moldes de tarta. Hornear por unos 15 minutos.

- En un tazón, disolver la gelatina en polvo en el agua hirviendo. Dejar enfriar hasta que se entibie. Mezclar la leche. Dejar reposar hasta que la mezcla esté medio cuajada. Ponerla en moldes. Refrigerar hasta que la gelatina esté bastante firme.

- Adornar cada tarta con crema ácida. Decorarla con una cereza.

VARIACIONES
- Usar diferentes sabores de gelatina en polvo, y frutas de acuerdo a la estación.

Tartas de Fruta de Un Minuto

8 TARTAS

1	receta básica de pasta de corteza de azúcar *(p. 334)*
2 tazas	(500 ml) pudín instantáneo de vainilla
4	mandarinas o clementinas, peladas, sin corazón, en gajos
2	peras, en rodajas
2	melocotones, en rodajas
1	kiwi, en rodajas
3/4 taza	(180 ml) jalea de manzana

- Precalentar el horno a 400 °F (205 °C).

- Pasarle el rodillo y recortar la masa. Ponerla en 8 moldes de tarta. Hornearla por unos 15 minutos.

- Preparar el pudín instantáneo siguiendo las instrucciones del paquete. Dividirlo en las cortezas.

- Cubrir con la mandarinas, y las rodajas de pera, melocotón y kiwi.

- En una cacerola, derretir la jalea de manzana. Con una brochita, untársela a la fruta. Refrigerar por 1 hora. Servir.

La receta se muestra arriba

VARIACIONES
- Variar la fruta, los sabores de pudín y de jalea.
- Adornar con crema batida y vermicelli de chocolate.

Flan de Frambuesa

6-8 PORCIONES

1 taza	(160 g) frambuesas congeladas, escurridas
1	corteza de pastel de 9 pulg (23 cm), *(p. 334)* horneada

Natilla

2 tazas	(500 ml) leche
½ taza	(125 g) azúcar
4	huevos
1 cdta	(5 ml) extracto de vainilla
	cacao

- Precalentar el horno a 325 °F (160 °C).

- Poner las frambuesas en la corteza fría. Ponerla aparte.

- En una cacerola, calentar la leche y el azúcar hasta que la mezcla esté humeante. Batir ligeramente los huevos y el extracto de vainilla. Colar y poner las frambuesas en la corteza.

- Hornear por unos 45 minutos. Dejar enfriar o refrigerar. Espolvorear el flan con cacao. Servir.

FLAN DE MELOCOTÓN

- Reemplazar las frambuesas con 7 mitades de melocotón de lata, y el extracto de vainilla con extracto de ron.

FLAN DE ARÁNDANO

- Reemplazar las frambuesas con arándanos frescos o congelados, y el extracto de vainilla con licor de grosellas negras.

FLAN DE TRES FRUTAS

- Reemplazar las frambuesas con 1 kiwi fresco en rodajas, 4 mitades de pera de lata y 8 mitades de albaricoque de lata. Reemplazar el extracto de vainilla con extracto de almendra.

- *Poner las frambuesas en la corteza fría.*

- *En una cacerola, calentar la leche y el azúcar hasta que la mezcla esté humeante. Batir ligeramente los huevos y el extracto de vainilla.*

- *Colar y poner las frambuesas en la corteza.*

- *Dejar enfriar o refrigerar. Espolvorear el flan con cacao. Servir.*

Chouxs, babás, donas y crema batida...aquí encontramos algo que satisfacerá el paladar de todos los amantes de las cosas dulces. ¡Pero no nos podemos permitir comer demasiado de ellos! Desafortunadamente, todas esas delicias están cargadas de grasa y azúcar.

Si usted está tratando de mantener bajo el consumo de calorías no deseadas, trate de poner estas delicias al final de una comida en la que el plato principal fue especiamente bajo en su contenido de calorías.

REPOSTERÍAS

CHOUXS

Pasta de Choux

ALREDEDOR DE 18 CHOUXS O 10 ÉCLAIRS		
1 taza	(250 ml) agua	
$^1/_2$ taza	(125 g) mantequilla o manteca vegetal	
$^1/_2$ cdta	(2 g) sal	
1 cda	(15 g) azúcar	
1 taza	(115 g) harina de todo uso	
4	huevos	
1	huevo, batido	

- Precalentar el horno a 400 °F (205 °C).

- En una cacerola, llevar a ebullición el agua, la mantequilla, la sal y el azúcar. Quitar del fuego.

- Poner de una vez toda la harina. Con una espátula de madera, revolverla hasta que esté bien mezclada.

- Regresar al fuego para secar la pasta. Mezclar constantemente para evitar que se queme.

- Quitar del fuego. Pasar la pasta a un tazón. Dejarla enfriar 5 minutos, revolviendo ocasionalmente.

- Incorporar los huevos uno por uno, hasta que la pasta esté homogénea y brillante.

- Usando una bolsa de pastelería con una boquilla acanalada mediana, formar chouxs de 1 pulg (2,5 cm) o éclairs de 4 x 1 pulg (10 x 2,5 cm) en una lata para hornear galletas, enmantequillada.

- Untar la pasta ligeramente con los huevos batidos. (No dejar que caiga huevo en la lata para hornear galletas.) Hornear por 25-30 minutos. Dejar que los chouxs se enfríen completamente antes de rellenarlos.

- *Poner de una vez toda la harina.*

- *Con una espátula de madera, revolver hasta que esté bien mezclado.*

- *Incorporar los huevos uno por uno, hasta que la pasta esté homogénea y brillante.*

- *Usando una bolsa de pastelería con una boquilla acanalada mediana, formar los chouxs en una lata para hornear galletas, enmantequillada.*

- *Formar éclairs de 4 x 1 pulg (10 x 2,5 cm) en una lata para hornear galletas, enmantequillada.*

Éclairs de Chocolate

10 ÉCLAIRS

10	éclairs, horneados, enfriados
2 tazas	(500 ml) crema Chantilly de chocolate *(p. 413)*
²/₃ taza	(75 g) cacao

- Cortar cada éclair por la mitad, a lo largo.

- Usando una bolsa de pastelería con boquilla acanalada, poner 3 cdas (45 ml) de crema Chantilly de chocolate en la primera mitad. Cubrir con la segunda mitad de éclair.

- Usando un colador, espolvorear los éclairs con cacao. Servir.

VARIACIÓN

- Espolvorear con azúcar glass y cacao.

Repollitos de Crema

18 CHOUXS

18	chouxs, horneados, enfriados
1 ³/₄ taza	(425 ml) crema Chantilly *(p. 413)*
6 oz	(165 g) chocolate semidulce
¹/₂ taza	(80 g) coco rallado

- Con un lápiz, hacer un agujero en cada choux. Usando una bolsa de pastelería con una boquilla muy pequeña, rellenar los chouxs con crema Chantilly. Ponerlos aparte.

- En una cacerola doble, derretir el chocolate. Sumergir las coronas de choux en el chocolate derretido. Espolvorearlos inmediatamente con coco rallado.

VARIACIÓN

- Rellenar los éclairs con natilla de sabores *(p. 412)*. Sumergirlos en chocolate blanco. Espolvorearlos con vermicelli de chocolate.

MERENGUES

Merengue Perfecto, Receta Básica

3 TAZAS (750 ML)

$^1/_2$ taza	(125 ml) claras de huevo
$^2/_3$ taza	(160 g) azúcar
$^1/_2$ taza	(62 g) azúcar glass
	pizca de crémor tártaro
2	gotas de extracto de vainilla

- Precalentar el horno a 250 °F (120 °C).

- En una batidora de tazón grande, mezclar todos los ingredientes, menos el extracto de vainilla. (Asegurarse de que el tazón esté bien seco y que no queden residuos de la yema de huevo en las claras). A velocidad máxima, batir por 3-5 minutos o hasta que el merengue suba y forme picos suaves.

- Agregar el extracto de vainilla. A baja velocidad, mezclar por 7 minutos o hasta que el merengue esté homogéneo, brillante y firme.

- Formar rosetas, espirales o tazas.

VARIACIÓN

- Al merengue, agregarle algunas gotas de colorante de alimentos, al mismo tiempo que el extracto de vainilla.

- Mezclar todos los ingredientes, menos el extracto de vainilla.

- A velocidad máxima, batir hasta que el merengue suba y forme picos suaves.

- Batir una vez más hasta que el merengue esté homogéneo, brillante y firme.

Rosetas

- Usando una bolsa de pastelería con boquilla acanalada, formar 24 rosetas de merengue pequeñas en una lata para hornear galletas. Hornear por 30 minutos. Dejar enfriar completamente.

Espirales

- Usando una bolsa de pastelería con boquilla acanalada, formar 10 espirales de merengue en una lata para hornear galletas. Hornear por 30 minutos. Dejar enfriar completamente. Adornar.

Tazas

- Usando una bolsa de pastelería con boquilla acanalada, formar seiscírculos de merengue de 2 $^1/_2$ pulg (5 cm) en una lata para hornear galletas.

- En círculos concéntricos, poner más merengue en y alrededor de cada círculo. Darles forma de tazas, de 1 $^1/_2$ pulg (3,75 cm) de alto. Hornear por 30 minutos.

Rosetas de Crema

18 ROSETAS	
36	rosetas, horneadas, enfriadas
2 tazas	(500 ml) crema Chantilly (p. 413)
$^1/_4$ taza	(28 g) cacao

• Poner 2 cdas (30 ml) de crema Chantilly en el medio de 2 bases de rosetas frías. Repetir hasta que todas las rosetas estén unidas en pares. Espolvorearlas con cacao.

VARIACIÓN
• Usar crema Chantilly de chocolate (p. 413).

Espirales de Chocolate

10 ESPIRALES	
8 oz	(225 g) chocolate semidulce
10	espirales, horneadas, enfriadas
$^1/_2$ taza	(80 g) coco rallado

• En una cacerola doble, derretir el chocolate. Sumergir las espirales en el chocolate derretido. Espolvorear cada espiral con 1 cda (10 g) de coco rallado.

VARIACIONES
• Reemplazar el extracto de vainilla con extracto de almendra, naranja o limón. Espolvorear con almendras, avellanas o nueces picadas.

Merengues de Fiesta

6 TAZAS	
6	tazas, horneadas, enfriadas
1 $^1/_2$ taza	(375 ml) natilla (p. 412)
$^3/_4$ taza	(180 ml) pasta de avellana y chocolate comercial
1 $^1/_2$ taza	(240 g) frambuesas

• Poner en cada taza $^1/_4$ taza (60 ml) de natilla. Cubrirla con capas sucesivas de la pasta de avellana y chocolate, luego con las frambuesas.

VARIACIONES
• Servir con el coulis (pp. 414-415) o salsa de natilla (p. 413) de su gusto. Variar la fruta: arándanos, fresas, etc. Adornar con crema Chantilly (p. 413) o espolvorear con cacao, coco rallado o nueces picadas.

BARQUILLOS

Pasta de Barquillo

8 BARQUILLOS GRANDES O 12 PEQUEÑOS

¹/₄ taza	(60 g) mantequilla
³/₄ taza	(90 g) azúcar glass
4	claras de huevo
³/₄ taza	(85 g) harina de todo uso
¹/₂ cdta	(2 ml) extracto de almendra

• Precalentar el horno a 375 °F (190 °C). Enmantequillar latas para hornear galletas. Ponerlas aparte.

• En una cacerola, derretir la mantequilla. Dejarla enfriar hasta que se entibie.

• En un tazón, batir el resto de los ingredientes. Incorporar la mantequilla tibia, revolviendo hasta que la mezcla esté homogénea.

• En una lata para hornear galletas, poner 3 cdas (45 ml) de pasta para hacer un barquillo de unas 5 pulg (12,5 cm) de diámetro. Poner 2 barquillos por lata. Hornear por 12-15 minutos.

• Sacar del horno. Con una espátula, levantar los barquillos. Ponerlos sobre un rodillo para que al enfriarse tengan una forma redonda, o darles forma de tulipanes, conos o cigarros.

Nota : Los barquillos se conservan por mucho tiempo si se les almacena en un lugar seco.

VARIACIONES

• Hacer barquillos más pequeños, usando 2 cdas (30 ml) de pasta por cada uno.

• Espolvorear cada barquillo con 1 cda (10 g) de rodajas de almendra. Doblarlos en dos.

▪ *En un lata para hornear galletas, poner la pasta.Con una cuchara, esparcirla uniformemente.*

▪ *Poner los barquillos sobre un rodillo para que al enfriarse tengan una forma redonda.*

Haciendo Barquillos

Tulipanes

▪ *Al sacar los barquillos del horno, ponerlos sobre moldes de panecillos, tazas de sopa o voltearlos sobre vasos, para que formen las tazas. Enrizar las orillas para crear formas de flores. Dejarlos enfriar.*

Conos

▪ *Enrollar cada barquillo alrededor de una cuchara de madera, para crear una forma de cono. Dejarlos enfriar.*

Cigarros

▪ *Enrollar cada barquillo alrededor del mango de una cuchara de madera, para formar los cigarros.*

Tulipanes de Chocolate con Fresas

4 TULIPANES	
4	tulipanes
1 taza	(250 ml) natilla *(p. 412)*
1 taza	(160 g) fresas frescas, lavadas, peladas, en rodajas
¹/₂ taza	(125 ml) salsa de chocolate *(p. 416)*
¹/₂ taza	(125 ml) crema Chantilly *(p. 413)*

▪ Poner en cada tulipán ¹/₄ taza (60 ml) de natilla y ¹/₄ taza (40 g) de fresas. Cubrir con 2 cdas (30 ml) de salsa de chocolate.

▪ Usando una bolsa de pastelería o una cuchara, decorar con un chorrito de crema Chantilly.

VARIACIONES
● Usar crema Chantilly de chocolate *(p. 413)*. Variar la fruta, los sabores de natilla *(p. 412)* y las salsas *(pp. 416-417)*. Espolvorear con nueces.
● Usar tulipanes como copas de postre para helado, sorbete o pudín.

Conos de Chocolate con Frutas

4 CONOS	
3 oz	(90 g) chocolate oscuro semidulce
4	conos
1 taza	(160 g) ensalada de frutas, escurrida
1 taza	(250 ml) crema Chantilly *(p. 413)*

▪ En una cacerola doble, derretir el chocolate. Sumergir las puntas de los conos en el chocolate derretido.

▪ En un tazón, mezclar la ensalada de frutas y la crema Chantilly. Poner en los conos.

VARIACIÓN
● Reemplazar el chocolate oscuro con chocolate blanco.

Cigarros de Chocolate

4 CIGARROS	
3 oz	(90 g) chocolate semidulce
4	cigarros

▪ En una cacerola doble, derretir el chocolate. Sumergir las puntas de los cigarros en el chocolate derretido.

▪ Los cigarros son ideales para acompañar helado, sorbete o pudín.

VARIACIONES
● Usando una bolsa de pastelería con una boquilla muy pequeña, rellenar los cigarros con crema batida o cualquier otro relleno.

EMPANADAS

Relleno de Fruta

3 TAZAS (750 ML)

¹/₃ taza	(37 g) maicena
2 tazas	(500 ml) jugo de frutas
¹/₂ taza	(125 ml) azúcar
1 cdta	(5 ml) extracto de vainilla
1 cdta	(5 g) canela
1 taza	(160 g) frutas frescas o congeladas, en trozos

- En un tazón, diluir la maicena en ¹/₂ taza (125 ml) de jugo de frutas. Ponerla aparte.

- En una cacerola, calentar el resto del jugo de frutas, el azúcar, el extracto de vainilla y la canela. Agregar la fruta. Llevar a ebullición. Hervir la mezcla por 1 minuto.

- Agregar la mezcla de jugo de frutas y maicena. Revolviendo vigorosamente, hervir hasta que la mezcla burbujee. Fuera del calor, continuar revolviendo por 2 minutos. Dejar enfriar.

Empanadas de Fruta

12 EMPANADAS

2 lbs	(900 g) pasta escamosa (p. 335)
3 tazas	(750 ml) relleno de fruta
1	huevo, batido

- Precalentar el horno a 350 °F (175 °C).

- Pasarle el rodillo a la pasta escamosa para tener un grosor de ¹/₄ pulg (0,5 cm). Cortar óvalos de 4 x 6 pulg (9 x 14 cm). Con una brochita de pastelería, humedecer las orillas de los óvalos con agua. Poner ¹/₄ taza (60 ml) de relleno de fruta en el centro de cada uno. Doblar las empanadas, apretando las orillas para sellarlas. Con un cuchillo, hacer cortes pequeños en las orillas .

- Pasar las empanadas a una lata para hornear galletas, enmantequillada y humedecida. Con una brochita, untar las empanadas con huevo batido. Dejarlas reposar por 15 minutos antes de cocinarlas. Hornear por 20 minutos. Dejarlas enfriar.

VARIACIONES
- Con un lápiz, hacer un agujero en las empanadas horneadas, y luego enfriadas. Usando una bolsa de pastelería, rellenarlas con crema Chantilly (p. 413).

- Decorarlas con crema Chantilly. Ponerles fruta fresca o servirlas con un coulis (pp. 414-415).

- *Pasarle el rodillo a la pasta escamosa para tener un grosor de ¹/₄ pulg (0,5 cm). Cortar óvalos de 4 x 6 pulg (9 x 14 cm).*

- *Con una brochita de pastelería, humedecer las orillas de los óvalos con agua.*

- *Poner ¹/₄ taza (60 ml) de relleno de fruta en el centro de cada óvalo de pasta.*

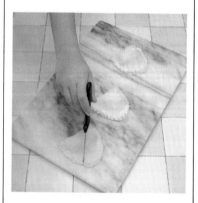

- *Doblar las empanadas, apretando las orillas para sellarlas. Con un cuchillo, hacer cortes pequeños en las orillas.*

SAVARINES Y BABÁS

Pasta de Savarin

1 SAVARIN	
1	sobre de levadura activa seca
$^1/_2$ taza	(125 ml) agua o leche tibia
3	huevos
2 cdas	(30 g) azúcar
1 cdta	(5 g) sal
1 $^5/_8$ taza	(190 g) harina de todo uso
7 cdas	(105 g) mantequilla, derretida, enfriada

■ Precalentar el horno a 375 °F (190 °C). Enmantequillar un molde de savarin. Ponerlo aparte.

■ En un tazón, mezclar la levadura con $^1/_4$ taza (60 ml) de agua. Ponerla aparte.

■ En una batidora de tazón, batir los huevos, el resto del agua, el azúcar y la sal. A baja velocidad, incorporando la harina, mezclar por 5 minutos. A alta velocidad, batir hasta que la masa se desprenda de los lados del tazón. Agregar la mantequilla derretida, en un chorrito fino. Poner la masa en el molde de savarin.

■ Cubrir la masa con una toalla de platos húmeda. Ponerla en un lugar caliente y húmedo, sin viento. Dejar que la mesa suba por más o menos 1 hora o hasta que llegue al doble del tamaño.

■ Hornear la pasta por 25-30 minutos o hasta que al insertar un cuchillo en el centro salga limpio.

■ Sacar la pasta del horno. Dejarla reposar 10 minutos en una parrilla. Sacarla del molde. Dejarla enfriar.

■ *A alta velocidad, batir hasta que la masa se desprenda de los lados del tazón. Agregar la mantequilla derretida, en un chorrito fino.*

■ *Poner la masa en el molde de savarin.*

■ *Dejar que la masa suba por más o menos 1 hora o hasta que doble su tamaño.*

Pasta de Babá

10 BABÁS GRANDES O 20 PEQUEÑAS	
$^1/_2$ taza	(80 g) grosellas
4 oz	(125 ml) ron
1	receta básica de pasta de savarin

■ Poner a remojar las grosellas en ron por 2 horas.

■ Precalentar el horno a 375 °F (190 °C). Enmantequillar un molde para 10 panecillos o 20 moldes de babá.

■ Preparar la pasta de savarin, incorporando las grosellas al mismo tiempo que la mantequilla derretida.

■ Llenar dos tercios de cada molde con pasta de savarin. Dejar que la masa suba por 30 minutos en un lugar caliente y húmedo.

■ Hornear la pasta por 15-20 minutos. Ponerla a enfriar en una parrilla por 20 minutos.

Savarin

8-10 PORCIONES	
1	savarin, enfriado
1 ½ taza	(375 ml) jarabe de ron *(p. 414)*
2 tazas	(320 g) frambuesas frescas
³/₄ taza	(180 ml) glacé de albaricoque *(p. 414)*
¹/₄ taza	(30 g) azúcar glass

■ Con un tenedor, pinchar el savarin para que luego se remoje bien con el jarabe.

■ Ponerle el jarabe de ron al savarin, ½ taza (125 ml) cada vez. Repetir dos veces, con 15 minutos de intervalo.

■ Adornar el centro del savarin con frambuesas enteras. Cubrir la fruta y el savarin con glacé de albaricoque. Espolvorearlo con azúcar glass. Servir.

VARIACIONES

• Adornar el savarin con otra fruta. Espolvorear con nueces picadas, rodajas de almendra, pistachos o coco rallado.

Babás

10 BABÁS GRANDES O 20 PEQUEÑAS	
10	babás grandes, enfriadas
	ó
20	babás pequeñas, enfriadas
1 taza	(250 ml) jarabe de ron *(p. 414)*
³/₄ taza	(180 ml) glacé de albaricoque *(p. 414)*
¹/₄ taza	(30 g) azúcar glass

■ Humedecer las babás con jarabe de ron. Cubrirlas con glacé de albaricoque. Espolvorearlas con azúcar glass.

VARIACIONES

• Servir las babás con crema batida y salsa de caramelo de nueces *(p. 416)*. Servirlas en un coulis *(pp. 414-415)*, con fruta fresca al lado. Espolvorearlas con nueces picadas o coco rallado.

DONAS

Donas de Chocolate con Coco

ALREDEDOR DE **2** DOCENAS

1	sobre de levadura activa seca
1 taza	(250 ml) agua tibia
1 cdta	(5 g) sal
¼ taza	(60 g) azúcar
1	huevo
½ cdta	(2 ml) extracto de limón
5 tazas	(575 g) harina
¼ taza	(60 g) mantequilla o manteca vegetal
	aceite
2 tazas	(400 g) chocolate semidulce, derretido
¼ taza	(40 g) coco rallado

- En un tazón, diluir la levadura en la mitad del agua. Ponerla aparte.

- En un segundo tazón, disolver la sal y el azúcar en el resto del agua. Incorporar el huevo y el extracto de limón. Mezclar la harina y la mantequilla. Agregar la levadura diluida.

- Amasar la mezcla por unos 8 minutos. Dejarla que suba por 30 minutos.

- Golpear la masa con el puño para sacarle el aire y detener la fermentación. Dejarla que suba 10 minutos más. Con un cortador de galletas, cortar ruedas de 3 pulg (7,5 cm). Pasar las donas a una lata para hornear galletas ligeramente enharinada. Ponerlas en un lugar caliente y cerrado por 30 minutos.

- Calentar el aceite a 400 °F (205 °C). Freír las donas. Dejarlas enfriar. Sumergir un lado en el chocolate derretido. Espolvorearlas con coco rallado.

VARIACIÓN

- Con un lápiz, hacer un agujero en un lado de las donas. Usando una bolsa de pastelería con boquilla pequeña, rellenar las donas con salsa de manzana o jalea. Espolvorearlas con azúcar glass y canela.

Donas de Limón

ALREDEDOR DE **2** DOCENAS

¼ taza	(60 g) azúcar
½ cdta	(2 g) sal
1 taza	(250 ml) leche
2	huevos
	ralladura de 2 limones
2 ½ tazas	(290 g) harina
1 cda	(7 g) polvo de hornear
¼ taza	(60 g) mantequilla
	aceite

- En un tazón, disolver el azúcar y la sal en la leche. Incorporar los huevos y la ralladura de limón, batiendo ligeramente. Poner aparte.

- En un segundo tazón, cernir la harina y el polvo de hornear. Incorporar la mantequilla. Mezclarla con cuidado hasta que tome una consistencia granulada. Hacer un pocito en el centro. Agregar la mezcla líquida, revolviendo hasta que esté cremosa.

- Pasarle un rodillo a la masa hasta tener un grosor de ¼ pulg (0,5 cm). Cortar la masa con un cortador de donas o con cortadores de dos tamaños diferentes.

- Calentar el aceite a 400 °F (205 °C). Freír las donas hasta que tomen un bonito color dorado. Dejarlas enfriar. Espolvorearlas con azúcar, azúcar glass, canela, cacao o azúcar cristalizada comercial.

- *Mezclar hasta que la pasta esté cremosa.*

- *Pasarle un rodillo a la masa hasta tener un grosor de ¼ pulg (0,5 cm). Cortar la masa con un cortador de donas o con cortadores de dos tamaños diferentes.*

- *Freír las donas en aceite a 400 °F (205 °C), hasta que tomen un bonito color dorado.*

FRUTAS ENMASCARADAS

Frituras de Ruibarbo

6 PORCIONES

2	yemas de huevo
1 taza	(250 ml) cerveza sin gas, a temperatura ambiente
1 cda	(15 g) mantequilla, derretida
1 cdta	(5 ml) extracto de vainilla
1 $\frac{1}{4}$ taza	(145 g) harina de todo uso
3 cdas	(45 g) azúcar
$\frac{1}{4}$ cdta	(1 g) sal
2	claras de huevo
1 taza	(125 g) azúcar glass
2 tazas	(500 ml) aceite vegetal
6	tallos de ruibarbo, en pedazos pequeños

- En un tazón, batir las yemas de huevo, la cerveza, la mantequilla y el extracto de vainilla. Poner aparte.
- En un segundo tazón, cernir la harina, el azúcar y la sal. Incorporarlos en la primera mezcla. Revolver hasta tener una pasta homogénea. Tapar. Refrigerar por 1 hora.
- En un tercer tazón, batir las claras de huevo y 2 cdas (15 g) de azúcar glass hasta que se formen picos.
- Sacar la pasta del refrigerador. Incorporarle con cuidado las claras de los huevos batidas. Poner aparte.
- En una cacerola, calentar el aceite a 360 °F (180 °C).
- Espolvorear el ruibarbo con el resto del azúcar glass. Sumergirlo en la mezcla. Freírlo por 3 minutos o hasta que se dore bien.
- Escurrirlo en una toalla de papel para absorber el exceso de aceite. Espolvorearlo con azúcar blanca o morena. Servir caliente.

VARIACIÓN

- Reemplazar el ruibarbo con rodajas de piña espolvoreadas con cacao y azúcar glass.

Manzanas en Caramelo

6 PORCIONES

6	manzanas
6	palitos de madera
2 tazas	(500 g) azúcar
1 $\frac{1}{2}$ taza	(375 ml) jarabe de maíz
1 taza	(250 ml) agua
2 cdas	(15 g) canela molida
6	gotas de salsa Tabasco
6	gotas de colorante de alimentos rojo (opcional)

- Lavar y secar las manzanas a golpecitos. Quitarles los tallos. Insertarles los palitos hasta un tercio de su tamaño.
- En una cacerola, mezclar el azúcar, el jarabe de maíz, el agua, la canela, la salsa Tabasco y colorante de alimentos, si se desea. Llevar a ebullición, revolviendo a intervalos regulares. Poner un termómetro de dulces en la mezcla. Sin revolver, hervir hasta que la temperatura llegue a 300 °F (150 °C). Quitar del fuego.
- Sumergir cada manzana en el dulce, rotándolas rápidamente para bañarlas por completo. Mantener suspendidas las manzana sobre la cacerola para escurrirles el exceso de dulce.
- Colocarlas en una lata de hornear cubierta con papel de aluminio. Dejar que el dulce se endurezca. Servir.

Fruta con Chocolate Doble

	14 DULCES
14	pedazos de fruta fresca
6 oz	(165 g) chocolate oscuro semidulce
1 ¹/₂ oz	(45 g) chocolate blanco
³/₄ taza	(180 ml) crema liviana con sabor de Grand Marnier *(p. 413)*
	menta fresca (opcional)

- Forrar el interior de una lata de hornear con papel encerado. Ponerla aparte.

- Lavar la fruta con agua fría. Secarla a golpecitos. Ponerla aparte.

- En una cacerola doble, derretir el chocolate oscuro.

- Sumergir la fruta dos tercios en el chocolate. Colocarla en la lata de hornear. Ponerla aparte.

- En una cacerola doble, derretir el chocolate blanco. Sumergir la fruta sosteniéndola en la punta de un tenedor. Bañar la fruta con chocolate, en un movimiento en zigzag.

- Refrigerar por unos 10 minutos o hasta que el chocolate se endurezca.

- Servir la fruta en una bandeja con crema liviana al lado. Decorar con hojas de menta, si se desea.

Mordiscos de Amor

	24 DULCES
24	cerezas frescas, con sus tallos
12 oz	(375 ml) ron blanco
1 lb	(450 g) chocolate semidulce

- Lavar las cerezas con agua fría. Escurrirlas. Secarlas a golpecitos.

- En una jarra grande de conservas, colocar las cerezas sin amontonarlas. Poner el ron. Sellar herméticamente. Dejar las cerezas en remojo por 15 días en el refrigerador.

- Sacarlas del refrigerador. Escurrirlas. Secarlas a golpecitos con una toalla de papel. Ponerlas aparte.

- En una cacerola doble, derretir el chocolate. Sumergir las cerezas hasta la mitad en el chocolate derretido. Colocarlas en papel encerado. Esperar que el chocolate se asiente. Sumergir las cerezas una vez más en chocolate derretido. Refrigerarlas hasta que el chocolate se endurezca.

DULCES

Trufas de Chocolate

	ALREDEDOR DE **40** TRUFAS	
$1/4$ taza	(60 g) mantequilla	
$3/4$ taza	(180 ml) crema espesa	
1 cda	(15 g) azúcar	
2 cdtas	(10 ml) brandy	
7 oz	(190 g) chocolate semidulce, rallado	
1 oz	(30 g) chocolate amargo, rallado	
	cacao, azúcar glass o azúcar granulada	

- En una cacerola, mezclar la mantequilla, la crema y el azúcar. Llevar a ebullición.

- Fuera del calor, agregar el brandy y los dos chocolates. Mezclar hasta que el chocolate se derrita completamente.

- Refrigerar por 3-4 horas o hasta que la pasta esté bastante firme.

- Hacer bolitas, usando 1 cda (15 ml) de pasta para cada una. Rodarlas en cacao, azúcar glass o azúcar granulada. Refrigerarlas o ponerlas a congelar en un recipiente hermético.

La receta se muestra en la página opuesta, al lado izquierdo

Brownies de Angelitos

	30 CUADRADOS	
$1/2$ taza	(125 g) mantequilla	
$1/4$ taza	(28 g) cacao	
1 taza	(250 g) azúcar	
2	huevos	
$1/2$ cdta	(2 ml) extracto de vainilla	
$3/4$ taza	(84 g) harina de todo uso	
$1/2$ cdta	(1 g) polvo de hornear	
$1/4$ cdta	(1 g) sal	
$3/4$ taza	(120 g) nueces, picadas	
20	angelitos (malvaviscos) grandes	

- Precalentar el horno a 350 °F (175 °C). Enmantequillar una lata de hornear de 9 x 13 pulg(23 x 33 cm).

- En una cacerola grande, derretir la mantequilla. Incorporar el cacao. Fuera del calor, mezclar el azúcar, los huevos y el extracto de vainilla. Poner aparte.

- En un tazón, cernir la harina, el polvo de hornear y la sal. Agregarlos a la mezcla de cacao. Incorporar las nueces. Esparcir la mezcla uniformemente en la lata. Hornear por 20 minutos.

- Sacar la mezcla del horno 7 minutos antes de que se termine de cocer. Cubrirla con los angelitos. Regresarla al horno para que se derritan los angelitos.

- Dejarla enfriar por 15 minutos. Cortarla en cuadrados. Servir.

La receta se muestra arriba

Rosas de Dulce de Mantequilla

	8 ROSAS	
$3/4$ taza	(180 g) mantequilla	
$1 1/4$ taza	(140 g) azúcar morena	
$1/2$ taza	(80 g) nueces, picadas	
2 tazas	(230 g) harina	
1 cda	(7 g) polvo de hornear	
$1/2$ cdta	(2 g) sal	
$1/4$ taza	(60 ml) manteca vegetal	
$7/8$ taza	(210 ml) leche	

- Precalentar el horno a 425 °F (220 °C). Enmantequillar 8 tazas grandes de un molde de panecillos. Poner aparte.

- En un tazón, hacer una crema con la mantequilla y el azúcar morena. Mezclar las nueces. Poner 1 cda (15 ml) de la mezcla en cada taza. Poner aparte el resto.

- En un tazón, cernir la harina, el polvo de hornear y la sal. Mezclar la manteca vegetal hasta tener una consistencia granulada. Hacer un pocito en el centro. Ponerle la leche. Con un tenedor, mezclar con cuidado hasta tener una masa suave.

- Enharinar una superficie limpia y uniforme. Pasarle el rodillo a la masa hasta tener un cuadrado de 12 pulg (30 cm) de ancho por $1/4$ pulg (0,5 cm) de grosor. Ponerle a la masa el resto de la mezcla de caramelo. Enrollar la masa.

- Cortarla en 8 ruedas. Colocar las ruedas sobre el caramelo de las tazas de panecillos.

- Hornear las rosas por unos 20 minutos. Sacarlas del molde inmediatamente.

La receta se muestra arriba

Barritas de Fruta Celestiales

18 BARRITAS

1ra capa

¹/₃ taza	(80 g) mantequilla
¹/₃ taza	(38 g) azúcar morena, bien empacada
¹/₂ taza	(57 g) harina de todo uso
³/₄ taza	(120 g) arroz inflado comercial
¹/₄ cdta	(0,5 g) bicarbonato de sodio

2da capa

2	huevos
¹/₄ taza	(60 ml) crema espesa
1 cdta	(5 ml) extracto de vainilla
¹/₂ taza	(56 g) azúcar morena
¹/₂ taza	(80 g) pasas
¹/₂ taza	(80 g) cerezas rojas, en mitades
¹/₂ taza	(80 g) nueces, picadas
¹/₂ taza	(80 g) coco rallado

3ra capa

¹/₂ taza	(100 g) trocitos de chocolate semidulce
¹/₄ taza	(60 g) mantequilla
1 ¹/₄ taza	(200 g) arroz inflado comercial

1ra capa

- En un tazón, hacer una crema con la mantequilla y el azúcar morena. Incorporar la harina, el arroz y el bicarbonato de sodio. Poner la mezcla apretando el fondo de una lata de hornear cuadrada de 9 pulg (23 cm). Ponerla aparte.

2da capa

- Precalentar el horno a 350 °F (175 °C).

- En un tazón grande, batir los huevos, la crema y el extracto de vainilla. Incorporar el azúcar morena. Mezclar la fruta y las nueces. Poner esta mezcla encima de la primera mezcla en la lata. Hornear por 12-15 minutos.

3ra capa

- En una cacerola doble, derretir los trocitos de chocolate. Incorporar la mantequilla en cuanto se derrita el chocolate. Mezclar el arroz.

- Sacar las barras del horno. Con una espátula, cubrirlas con la mezcla de chocolate. Refrigerar por 1 hora.

- Cortarlas en barritas de 4 ¹/₂ x 1 pulg (10 x 2,5 cm).

Cuadrados Crujientes de Nueces

24 CUADRADOS	
1 taza	(250 g) **mantequilla de cacahuate**
1 taza	(112 g) **azúcar morena**
1 taza	(250 ml) **jarabe de maíz**
1 taza	(160 g) **nueces**
2 tazas	(320 g) **arroz inflado comercial**
2 tazas	(500 ml) **hojuelas de maíz comerciales**
1/2 taza	(100 g) **trocitos de chocolate**
1/2 taza	(100 g) **trocitos de caramelo**

- Enmantequillar una lata de hornear.

- En una cacerola grande, llevar a ebullición la mantequilla de cacahuate, el azúcar morena y el jarabe de maíz. Hervir por 2 minutos.

- Fuera del calor, mezclar las nueces y el cereal. Poner la mezcla en la lata de hornear. Ponerla aparte.

- En una cacerola doble, derretir los trocitos de chocolate y de caramelo. Esparcir esta pasta uniformemente sobre la primera mezcla. Refrigerar por 20 minutos antes de cortar los cuadrados.

VARIACIONES

- Usar mantequilla de cacahuate con trocitos, avellanas, almendras, pistachos, etc.

Cuadrados de Miel de Maple

16 CUADRADOS	
1/2 taza	(125 g) **mantequilla**
1 taza	(115 g) **harina de todo uso**
1/2 taza	(56 g) **azúcar morena**
2/3 taza	(76 g) **azúcar morena**
1 taza	(250 ml) **miel de maple**
2	**huevos, batidos**
1/4 taza	(60 g) **mantequilla, derretida**
1/2 cdta	(2 g) **sal**
1/2 taza	(80 g) **nueces, picadas**
1/2 cdta	(2 ml) **extracto de vainilla o de miel de maple**
3 cdas	(21 g) **harina**

- Precalentar el horno a 350 °F (175 °C). Enmantequillar una lata de hornear cuadrada de 8 pulg (20,5 cm).

- En un tazón, mezclar la harina y 1/2 taza (56 g) de azúcar morena. Ponerlas apretando el fondo de la lata. Hornear por 20 minutos.

- En una cacerola, mezclar 2/3 taza (76 g) de azúcar morena y la miel de maple. Llevar a ebullición. Cocer a fuego lento por 5 minutos.

- Quitar del fuego. Dejar enfriar. Agregar los huevos. Incorporar el resto de los ingredientes. Ponerlos sobre la primera mezcla. Hornear por 30 minutos.

- Dejar enfriar. Cortar en cuadrados o usar un cortador de galletas.

Cuadrados de Avena con Chocolate

16 CUADRADOS	
¹/₄ taza	(60 g) mantequilla
2 tazas	(500 g) azúcar
¹/₂ taza	(57 g) cacao
¹/₂ taza	(125 ml) leche
1 cdta	(5 ml) extracto de vainilla
2 tazas	(500 ml) copos de avena
¹/₄ taza	(60 ml) pasta de avellana y chocolate comercial

- Enmantequillar una lata de hornear cuadrada de 8 pulg (20,5 cm). Ponerla aparte.

- En una cacerola, mezclar todos los ingredientes, menos los copos de avena y la pasta de avellana y chocolate. Calentar hasta que se derrita el azúcar. Hervir por 1 minuto.

- Fuera del calor, mezclar los copos de avena y la pasta de avellana y chocolate. Ponerlos en la lata. Refrigerar por 20 minutos antes de cortar los cuadrados.

Cuadrados de Dátiles Saludables

36 CUADRADOS	
1 ¹/₂ taza	(375 ml) agua
2 tazas	(320 g) dátiles, picados
1 cda	(15 ml) jugo de limón
³/₄ taza	(180 g) mantequilla
1 taza	(112 g) azúcar morena
³/₄ taza	(84 g) harina de trigo integral
¹/₂ taza	(57 g) harina de todo uso
³/₄ taza	(180 ml) hojuelas de salvado
¹/₂ taza	(125 ml) copos de avena
¹/₂ cdta	(1 g) bicarbonato de sodio
¹/₂ cdta	(2 g) sal

- Precalentar el horno a 400 °F (205 °C). Enmantequillar una lata de hornear cuadrada de 9 pulg (23 cm). Ponerla aparte.

- En una cacerola, llevar a ebullición el agua, los dátiles y el jugo de limón. Bajar el fuego. Revolviendo, cocer a fuego lento hasta que la mezcla se espese un poco. Ponerla aparte.

- En un tazón, hacer una crema con la mantequilla y el azúcar morena. Incorporar el resto de los ingredientes.

- Poner dos tercios de la mezcla apretando el fondo de la lata. Cubrir con la mezcla de dátiles. Poner encima el tercio restante.

- Hornear por 25 minutos o hasta que se dore bien. Sacar del horno. Dejar reposar por 15 minutos antes de cortar los cuadrados.

Dulces Divinos

24 DULCES

1 taza	(250 ml) mermelada
1	enrollado o bizcocho de naranja *(p. 294)*
1 lb	(450 g) pasta de almendra comercial
1 oz	(30 ml) Grand Marnier
6	gotas de colorante de alimentos amarillo (opcional)
1	gota de colorante de alimentos rojo (opcional)
$^1/_4$ taza	(60 ml) agua caliente
2 tazas	(250 g) azúcar glass
$^1/_4$ taza	(60 ml) miel de maple pistachos, en mitades

- Untar con mermelada el bizcocho frío. Ponerlo aparte.

- En un tazón grande, humedecer la pasta de almendra con Grand Marnier. Ponerla aparte.

- Diluir el colorante de alimentos en el agua caliente, si se desea. Mezclar el azúcar glass y la miel de maple. Poner aparte.

- Pasarle el rodillo a la pasta de almendra y hacerla del tamaño del bizcocho. Ponerla sobre el bizcocho. Con un cuchillo de sierra, recortar $^1/_2$ pulg (1 cm) del borde alrededor del bizcocho para tener orillas rectas y regulares. Cortar 24 rectángulos.

- Poner una parrrilla de hornear sobre una lata para hornear galletas. Pasar algunos pedazos de bizcocho a la parrilla. Bañarlos con el jarabe. Decorarlos con pistachos. Repetir con los otros pedazos de bizcocho, sacando cada vez jarabe de la lata .

VARIACIONES

- Usar sabores diferentes de bizcocho *(pp. 294-295)* y mermelada. Variar los licores, colorantes de alimentos y aderezos. Cortar en triángulos, cuadrados o usar un cortador de galletas.

- Untar con mermelada el bizcocho frío.

- *Pasarle el rodillo a la pasta de almendra y hacerla del tamaño del bizcocho.*

- *Con un cuchillo de sierra, recortar $^1/_2$ pulg (1 cm) del borde alrededor del bizcocho para tener orillas rectas y regulares. Cortar 24 rectángulos.*

- *Colocar algunos pedazos de bizcocho en la parrilla. Bañarlos con jarabe.*

Medias Lunas de Avellana

24 DULCES

¹/₃ taza	(40 g) azúcar glass
1 taza	(250 ml) pasta de almendra
5	gotas de colorante de alimentos rojo (opcional)
¹/₂ taza	(125 ml) pasta de avellana y chocolate comercial
4 oz	(115 g) chocolate semidulce

- Espolvorear una superficie limpia y uniforme con azúcar glass. Amasar la pasta de almendra. Incorporar el colorante de alimentos, si se desea.

- Pasarle el rodillo a la pasta de almendra; hacer un rectángulo de ¹/₄ pulg (0,5 cm) de grosor. Cortar el rectángulo en 2 partes iguales. Esparcir uniformemente la pasta de avellana y chocolate sobre la primera mitad. Cubrir con la segunda mitad. Refrigerar por 5-10 minutos.

- En una cacerola doble, derretir el chocolate.

- Sacar la pasta del refrigerador. Con un vaso, cortarla en círculos, luego, usando un cuchillo, cortarla en medias lunas.

- Sumergir un lado de las medias lunas en el chocolate derretido. Ponerlas a escurrir en un lata para hornear galletas. Ponerlas aparte hasta que se endurezca el chocolate. Espolvorearlas con azúcar glass o rodajas de avellana, si se desea. Servir.

Bolitas de Higo con Chocolate

24 DULCES

¹/₂ taza	(125 g) mantequilla
1 taza	(112 g) azúcar morena
1	huevo, batido
1 cdta	(5 ml) extracto de vainilla
1 taza	(160 g) higos, picados
2 tazas	(320 g) arroz inflado comercial
12 oz	(350 g) chocolate semidulce
¹/₄ taza	(40 g) coco rallado

- En una cacerola, hacer una crema con la mantequilla y el azúcar morena. Incorporar el huevo y el extracto de vainilla. Mezclar los higos.

- A calor moderado, revolviendo, cocinar por 5-7 minutos o hasta que se derritan el azúcar morena y la mantequilla.

- Fuera del calor, mezclar el arroz. Dejar enfriar un poco. Hacer las bolitas, usando 2 cdas (30 ml) de la mezcla para cada una. Refrigerarlas.

- En una cacerola doble, derretir el chocolate. Mezclar el coco.

- Sacar las bolitas del refrigerador. Usando un tenedor, sumergir cada bolita en el chocolate. Escurrirlas. Ponerlas a enfriar en una lata para hornear galletas.

Caramelos de Fruta Seca

	20 DULCES	
1 taza	(160 g)	dátiles
1 taza	(160 g)	grosellas
1/2 taza	(80 g)	nueces
1/3 taza	(53 g)	coco rallado
10		cerezas rojas, en mitades
1 taza	(250 g)	azúcar

■ En un triturador de carne o procesador de alimentos, picar todos los ingredientes, menos las cerezas; hacer una pasta pegajosa y granulada. Usarla para hacer bolitas pequeñas.

■ Poner media cereza en cada bolita. Rodarlas en azúcar. Servir las bolitas inmediatamente o refrigerar.

Bolitas de Ron con Coco

	24 DULCES	
1 taza	(250 ml)	pasta de almendra
3/4 taza	(120 g)	coco rallado
1/2 oz	(15 ml)	ron
1 cda	(7 g)	cacao
6 oz	(165 g)	chocolate semidulce

■ En un tazón grande, mezclar la pasta de almendra, 1/2 taza (80 g) de coco rallado, el ron y el cacao hasta que esté bien mezclado. Hacer 24 bolitas.

■ En una cacerola doble, derretir el chocolate. Usando un tenedor, sumergir las bolitas en el chocolate. Escurrirlas en una lata para hornear galletas. Cuando el chocolate esté todavía tibio, espolvorearlo con el resto de coco rallado. Dejar que el chocolate se endurezca por 5 minutos. Servir.

Bolitas de Café Irlandés

	24 DULCES	
2 cdtas	(5 g)	café instantáneo
1/2 oz	(15 ml)	licor Irish Cream
1 taza	(250 ml)	pasta de almendra, a temperatura ambiente
6 oz	(165 g)	chocolate semidulce
1/4 taza	(50 g)	vermicelli de chocolate

■ En un tazón, diluir el café en el licor. Incorporar la pasta de almendra, mezclando hasta que absorba todo el líquido. Hacer 24 bolitas. Ponerlas aparte.

■ En una cacerola doble, derretir el chocolate. Usando un tenedor, sumergir las bolitas en el chocolate. Escurrirlas en un lata para hornear galletas. Espolvorearlas con vermicelli de chocolate. Dejar que el chocolate se endurezca por 5 minutos. Servir.

VARIACIONES
• Usar licores diferentes.

Dulces de Almendra con Chocolate

	24 DULCES	
1/4 taza	(30 g)	azúcar glass
1 taza	(250 ml)	pasta de almendra
8 oz	(225 g)	chocolate semidulce
24		almendras blancas

■ Espolvorear una superficie limpia y uniforme con azúcar glass. Pasarle el rodillo a la pasta de almendra; hacer un rectángulo de 1/2 pulg (1,25 cm) de grosor. Cortarlo en 24 cuadrados pequeños.

■ En una cacerola doble, derretir el chocolate. Usando un tenedor, sumergir los cuadrados en el chocolate derretido.

■ Escurrirlos en una lata para hornear galletas. Decorarlos con una almendra. Dejar que el chocolate se endurezca. Servir.

CREPAS, DULCES, SOUFFLÉS, MOUSSES...

Estas deliciosas crepas son una selección nutritiva cuando escogemos un relleno de fruta, queso, o nueces, en lugar de uno de chocolate y crema batida. Bañe su crepa con un jarabe de fruta o yogurt en lugar de una salsa de caramelo o de chocolate. Usted también puede reemplazar la jalea de ciertas crepas con una compota de frutas.

En esta sección, le presentamos mousses ligeros y deliciosos, sin grasa y sin azúcar adicional. Si tiene el cuidado de enjuagar la fruta enlatada usada en la receta para el Mousse de Tutti-Frutti (p. 400), el contenido de azúcar será reducido.

CREPAS

Crepas, Receta Básica

ALREDEDOR DE **20** CREPAS	
1 taza	(115 g) harina de todo uso
¹/₂ cdta	(2 g) sal
¹/₄ taza	(60 g) azúcar
1 ¹/₃ taza	(330 ml) leche
2	huevos, batidos extracto de vainilla
2 cdas	(30 g) mantequilla, derretida

- En un tazón, cernir la harina. Hacer un pocito en el centro. Ponerla aparte.

- En un segundo tazón, diluir la sal y el azúcar en la leche. Incorporar los huevos batidos. Mezclar unas gotas de extracto de vainilla.

- Poner la mezcla en el centro del pocito. Con un batidor, incorporar gradualmente la mezcla líquida en la harina hasta que la pasta esté cremosa y homogénea.

- Mezclar la mantequilla derretida. Refrigerar por más o menos 1 hora.

- En una sartén, poner 2-3 cdas (30-45 ml) de mezcla para cada crepa. A fuego alto, cocinar las crepas. Voltearlas una vez cuando la superficie empiece a burbujear, y se vea que las crepas se sueltan de la sartén. Cocinar el segundo lado por más o menos 1 minuto.

Nota : Las crepas se pueden conservar congeladas hasta por unos 2 meses.

CREPAS DE CÍTRICO
- Agregar 2 cdas (30 g) de ralladura de fruta cítrica a la mezcla.

CREPAS DE CHOCOLATE
- Reemplazar ¹/₄ taza (28 g) de harina con ¹/₂ taza (56 g) de cacao.

- *Poner el líquido en el pocito. Mezclar con un batidor.*

- *En una sartén, poner 2-3 cdas (30-45 ml) de la mezcla para cada crepa.*

- *A fuego alto, cocinar las crepas. Voltearlas una vez cuando la superficie empiece a burbujear, y se vea que las crepas se sueltan de la sartén. Cocinar el segundo lado por más o menos 1 minuto.*

- *Las crepas se pueden hacer de diferentes sabores (sencillas o de chocolate), y formas: de cuatro u ocho dobleces, cuadradas, enrolladas, ...*

- *Para hacer bultos de crepa, primero poner el relleno en el centro de las crepas. Doblar las orillas para contener el relleno. Atarlas con tiras de cáscara de naranja.*

Crepas de Naranja con Queso

10 PORCIONES	
1 taza	(250 ml) requesón
¹/₂ taza	(125 g) queso crema, ablandado
1	huevo
1 cda	(15 g) azúcar
1 cda	(15 g) ralladura de naranja
10	crepas *(p. 380)*
2 cdtas	(10 g) mantequilla azúcar glass
2 tazas	(500 ml) salsa de naranja *(p. 416)*

- En un tazón grande, mezclar el queso y el requesón, el huevo, el azúcar y la ralladura de naranja hasta que esté homogéneo.

- Dividir la mezcla para ponerla a cucharadas en el centro de las crepas. Doblar dos lados de cada crepa hacia el centro. Sujetar arriba los otros dos lados, como haciendo un bulto. Poner aparte.

- En una sartén grande, a calor moderado, derretir la mantequilla. Poner las crepas en la sartén. Dorar ligeramente ambos lados por unos 2 minutos. Espolvorear las crepas con azúcar glass. Servirlas calientes con salsa de naranja.

Crepas de Dulce de Nueces

6 PORCIONES	
¹/₃ taza	(80 g) queso crema, ablandado
³/₄ taza	(180 g) queso Ricotta
²/₃ taza	(67 g) trocitos de chocolate dulce
2 cdas	(30 g) ralladura de naranja
6	crepas *(p. 380)*
¹/₂ taza	(80 g) nueces, picadas fino

- Si se usa un horno convencional, precalentarlo a 350 °F (175 °C).

- En un tazón, batir el queso crema por 2 minutos. Incorporar el queso Ricotta. Agregar los trocitos de chocolate y la ralladura de naranja. Ponerle a cada crepa.

- Doblar en cuatro las crepas. Espolvorearlas con las nueces picadas. Pasarlas a una lata para hornear galletas. Cocinarlas en el horno de microondas por 2 minutos en ALTO, o por 5 minutos en el horno convencional. Servirlas calientes.

Crepas Barbary

6 PORCIONES	
¹/₂ taza	(125 ml) jalea de frambuesa
6	peras frescas o de lata, peladas, sin corazón, picadas fino
6	crepas (p. 380)
1 ¹/₂ taza	(375 ml) salsa de chocolate (p. 416)
¹/₂ taza	(80 g) coco rallado

- Ponerle a las crepas capas sucesivas de jalea y luego las peras.
- Enrollar las crepas. Ponerles encima la salsa de chocolate. Espolvorearlas con coco rallado. Servir.

La receta se muestra arriba

VARIACIONES
- Reemplazar las peras con litchis, plátanos o kiwis.

Crepas de Helado con Almendras y Arándanos

6 PORCIONES	
1 taza	(250 ml) helado de vainilla
6	crepas (p. 380)
¹/₂ taza	(80 g) almendras en rodajas
³/₄ taza	(120 g) arándanos frescos
	azúcar glass

- Poner cantidades iguales de helado en el centro de cada crepa. Espolvorearlas con las rodajas de almendra. Dividir los arándanos en las crepas.
- Doblar cada crepa. Espolvorearlas con azúcar glass. Servir.

VARIACIONES
- Variar los sabores de helado de acuerdo a su gusto.

Crepas Lucifer

6 PORCIONES

3 cdas	(45 g) mantequilla
3 cdas	(45 g) azúcar
1/3 taza	(80 ml) jugo de naranja
2 cdas	(30 ml) jugo de limón
6	crepas *(p. 380)*
2 cdas	(30 g) ralladura de naranja
2 oz	(60 ml) Grand Marnier

- En una sartén grande, derretir la mantequilla y el azúcar. Agregar los jugos de naranja y limón. Cocer a fuego lento por 7 minutos.

- Doblar en cuatro las crepas. Ponerlas en la sartén. Cocinarlas por 2 minutos. Agregarles la ralladura de naranja. Ponerlas aparte.

- En una cacerola pequeña, calentar el Grand Marnier. Ponérselo a las crepas. Flamear, revolviendo en la sartén hasta que se apaguen las llamas.

La receta se muestra arriba

VARIACIONES
- Reemplazar el jugo de naranja con jugo de cerezas, el jugo de limón con 2 cdas (30 g) de ralladura de limón, y el Grand Marnier con jerez.

- Reemplazar el jugo de naranja con jugo de fruta de la pasión, el jugo de limón con 3 cdas (30 g) de coco rallado, y el Grand Marnier con brandy.

Crepas Comida de Angel

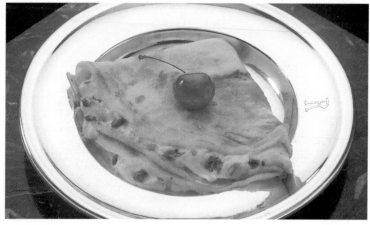

4 PORCIONES

1 taza	(250 g) queso crema, ablandado
1/4 taza	(28 g) azúcar morena
3/4 taza	(120 g) dátiles, picados
4	crepas *(p. 380)*
2 oz	(60 ml) Jerez, caliente
4	cerezas rojas

- En un tazón, batir el queso y el azúcar morena. Mezclar los dátiles. Dividir la mezcla en las crepas.

- Doblar en cuatro las crepas.

- Ponerlas en una sartén. Calentarlas. Ponerles el Jerez. Flamear. Decorar cada crepa con una cereza. Servirlas calientes.

La receta se muestra arriba

VARIACIONES
- Reemplazar los dátiles con 1/2 taza (80 g) de higos o albaricoques secos, y 1/4 taza (40 g) de nueces picadas.

Crepas de Verano

8 PORCIONES	
¹/₂	cantalupo, en rodajas finas
¹/₂	melón dulce, en rodajas finas
8	crepas *(p. 380)*
1 taza	(250 ml) miel
2 cdas	(20 g) jengibre fresco, rallado
	canela molida
	bolitas de melón

• Dividir las rodajas de cantalupo y melón dulce en las crepas. Rociar la fruta con miel. Espolvorearla con jengibre.

• Doblar las crepas. Espolvorearlas con canela.

• Adornar con bolitas de melón, hechas con un boleador de melón.

Crepas de Frambuesa con Menta

6 PORCIONES	
1 taza	(250 ml) crema batida
¹/₃ taza	(53 g) menta fresca, picada grueso
6	crepas *(p. 380)*
1 ¹/₄ taza	(200 g) frambuesas frescas
	azúcar glass

• En un tazón, mezclar con cuidado la crema batida y la menta.

• Dividir las frambuesas, luego la crema batida, en las crepas.

• Doblar las crepas. Espolvorearlas con azúcar glass. Refrigerarlas o servirlas inmediatamente.

Crepas de Chocolate y Fresa

---

6 PORCIONES

---

¹/₄ taza	(60 ml) jalea de fresa
6	crepas de chocolate *(p. 380)*
³/₄ taza	(180 ml) crema Chantilly *(p. 413)*
¹/₂ taza	(80 g) fresas frescas, en rodajas
¹/₄ taza	(40 g) plátano, en rodajas
	azúcar glass
	coulis de arándano y fresa *(p. 415)*

■ Ponerle cantidades iguales de jalea a cada crepa. Ponerlas aparte.

■ En un tazón, mezclar la crema Chantilly, y las rodajas de fresa y plátano. Dividir la mezcla en las crepas.

■ Enrollar las crepas. Espolvorearlas con azúcar glass. Servirlas con coulis.

La receta se muestra arriba

VARIACIÓN
● Servirlas con salsa de chocolate *(p. 416).*

Crepas Volteadas Frías

---

8 PORCIONES

---

¹/₂ taza	(80 g) fresas frescas, en rodajas
¹/₂ taza	(100 g) trocitos de chocolate dulce
12	crepas *(p. 380)*
¹/₂ taza	(60 ml) jarabe con sabor de Grand Marnier *(p. 414)*
1 ¹/₂ taza	(375 ml) helado de fresa, ablandado
2 cdas	(30 g) ralladura de naranja

■ En un tazón, mezclar las fresas y los trocitos de chocolate. Poner aparte.

■ Poner una crepa en el fondo de un molde de pastel un poco más grande que las crepas.

■ Bañar la crepa con 1 cdta (5 ml) de jarabe de Gran Marnier. Ponerle 2 cdas (30 ml) de helado. Espolvorearla con 1 cda (15 ml) de la mezcla de fresa y trocitos de chocolate. Cubrir con una crepa.

■ Repetir hasta terminar de usar todos los ingredientes.

■ Congelar por 2-3 horas. Sacar del congelador. Sacar del molde en una fuente (si se necesita, sumergir el fondo del molde por 30 segundos en agua caliente).

■ Espolvorear con ralladura de naranja. Cortar en cuñas triangulares. Servir con la salsa de su gusto *(pp. 416-417).*

Torta de Crepas

8-10 PORCIONES	
1 ¹/₂ taza	(375 ml) pasta de avellana y chocolate comercial
3 cdas	(45 g) ralladura de limón
1 cda	(15 g) mantequilla
1 taza	(160 g) avellanas o nueces de nogal, picadas
¹/₂ taza	(56 g) azúcar morena
6	crepas (p. 380)
6	crepas de chocolate (p. 380)
1 taza	(250 ml) crema ácida o yogurt sin sabor

- En un tazón, mezclar la pasta y la ralladura de limón. Ponerlas aparte.

- En una sartén, derretir la mantequilla. Agregar las avellanas y el azúcar morena. Mezclar hasta que el azúcar morena se derrita y se caramelice. Poner aparte.

- Poner una crepa sencilla en un plato de postre. Cubrirla con 2 cdas (30 ml) de la mezcla de pasta de avellana, luego con 2 cdas (30 ml) de la mezcla caramelizada. Ponerle encima una crepa de chocolate. Repetir este procedimiento hasta que todas las crepas formen un pila. Cubrir la torta con crema ácida. Servir.

La receta se muestra arriba

Crepas con Relleno de Manzana

6 PORCIONES	
1 taza	(160 g) manzanas, en trozos
1 taza	(250 ml) salsa de manzana
2 cdtas	(10 g) canela
6	crepas (p. 380)
3 cdas	(30 g) nueces, picadas
1 taza	(250 ml) crema batida

- En un tazón, mezclar las manzanas, la salsa de manzana y la canela. Dividir la mezcla en las crepas.

- Enrollar las crepas. Decorar cada crepa con las nueces picadas y crema batida.

Crepas de las Islas

6 PORCIONES	
28 oz	(796 ml) mitades de albaricoque de lata
1 cda	(15 g) ralladura de limón
1/3 taza	(80 g) mantequilla o margarina
2 cdas	(30 g) azúcar
2 oz	(60 ml) ron oscuro
	pizca de sal
6	crepas (p. 380)
2 oz	(60 ml) licor de naranja

- Poner aparte 12 mitades de albaricoque.

- En un tazón, machacar el resto de los albaricoques y su jarabe con la ralladura de limón. Ponerlos en una sartén grande. Agregar la mantequilla, el azúcar, el ron y la sal. A calor moderado, cocer a fuego lento por 2 minutos.

- Doblar en cuatro las crepas. Ponerlas en la sartén. Dividir los albaricoques que se reservaron en las crepas. Cocinarlas hasta que estén bastante calientes.

- En una cacerola, calentar el licor de naranja por 30 segundos. Ponérselo a las crepas. Flamearlas. Servir.

VARIACIONES
- Reemplazar los albaricoques con ciruelas (como se muestra al lado), melocotones, nectarinas, o peras (como se muestra abajo a la derecha. Variar los licores.

PASTELES SUAVES

Pastel Suave de Encaje de Plátano

8 PORCIONES	
$^1/_2$	sobre de gelatina sin sabor
	agua
1 taza	(160 g) plátanos maduros, machacados
1 cda	(15 ml) jugo de limón
1 cda	(15 g) ralladura de limón
2	claras de huevo
$^1/_3$ taza	(80 g) azúcar
1 taza	(250 ml) crema batida
2 tazas	(100 g) cubos de pan blanco
$^2/_3$ taza	(106 g) puré de castañas
$^1/_3$ taza	(80 ml) jarabe de chocolate comercial
1 $^1/_2$ taza	(375 ml) crema de mantequilla de cacahuate y chocolate *(p. 331)*
1 cda	(7 g) cacao
$^1/_2$ taza	(80 g) avellanas

Crema de Encaje de Plátano
- Siguiendo las instrucciones del paquete, poner la gelatina a espumar en un poco de agua. Ponerla aparte.

- En un tazón grande, mezclar los plátanos machacados con el jugo y la ralladura de limón. Ponerlos aparte.

- En la parte de arriba de una cacerola doble, batir las claras de huevo y el azúcar para hacer un merengue espumoso. Agregar la gelatina. Batir la mezcla hasta que la gelatina se disuelva. Quitarla de la cacerola doble. Dejar que se enfríe.

- Con una espátula, incorporar la crema batida en el merengue, alternando con el puré de plátano. Refrigerar por más o menos 1 hora.

Confección
- En un tazón grande, poner la mitad de los cubos de pan. Ponerles encima la mitad del puré de castañas. Poner la crema de encaje de platano. Cubrir con el resto de los cubos de pan. Refrigerar por más o menos 1 hora.

- Sacar del refrigerator. Untarle el resto del puré de castañas al pan. Bañar con jarabe de chocolate. Usando una espátula o bolsa de pastelería, poner la crema de mantequilla de cacahuate y chocolate por todo el pastel. Espolvorearlo con cacao. Decorarlo con las avellanas. Refrigerar 1 hora más. Servir.

Pastel Suave de Café con Amaretto

6 PORCIONES	
2 tazas	(500 ml) bizcocho de vainilla *(p. 294)*, en cubos
3 oz	(90 ml) licor de almendra
3 tazas	(750 ml) natilla de café *(p. 412)*, tibia
1 taza	(250 ml) crema batida
$^1/_3$ taza	(53 g) almendras tostadas en rodajas

- En un tazón, humedecer la mitad de los cubos de bizcocho con la mitad del licor de almendra. Cubrir con la mitad de la natilla, el resto de los cubos de bizcocho, luego con el resto de la natilla. Refrigerar por 1 hora.

- Usando una bolsa de pastelería de boquilla acanalada, cubrir el pastel con crema batida. Decorarlo con almendras. Refrigerarlo por 3 horas. Servir.

Pastel Suave de Naranja

6 PORCIONES	
2 tazas	(500 ml) bizcocho de vainilla *(p. 294)*, en cubos
$^2/_3$ taza	(106 g) albaricoques secos, en trozos
2 tazas	(500 ml) natilla de naranja *(p. 412)*
$^1/_3$ taza	(80 ml) mermelada de naranja
$^3/_4$ taza	(120 g) naranjas, peladas, sin corazón, en gajos
1 taza	(250 ml) crema batida
2 cdas	(30 g) ralladura de naranja
$^1/_4$ taza	(40 g) almendras tostadas en rodajas

▪ En un tazón grande, poner capas sucesivas de la mitad de los cubos de bizcocho, la mitad de los albaricoques y la mitad de la natilla de naranja. Cubrir con la mermelada. Repetir los 3 primeros pasos. Colocar la mitad de los gajos de naranja sobre la natilla.

▪ Cubrir con una capa de crema batida. Decorar con el resto de los gajos de naranja, la ralladura de naranja y las rodajas de almendra. Refrigerar.

La receta se muestra arriba

VARIACIONES

• Decorar con nueces o frutas (frescas o secas) diferentes. Reemplazar la mermelada con jalea.

Sorpresa de Pastel Suave

6-8 PORCIONES	
2 tazas	(230 g) galletitas de sandwich de chocolate y vainilla, desmenuzadas
1 taza	(250 ml) natilla de chocolate *(p. 412)*
1 taza	(250 ml) helado de vainilla
1 taza	(250 ml) crema Chantilly *(p. 413)*
$^1/_2$ taza	(100 g) chocolates cubiertos con caramelo

▪ Mezclar las galletitas desmenuzadas, la natilla y el helado.

▪ Ponerlos en un tazón de servir. Tapar. Poner a congelar por más o menos 1 hora.

▪ Sacar del congelador. Adornar con crema Chantilly. Espolvorear con los chocolates cubiertos con caramelo.

▪ Servir inmediatamente para que el pastel esté un poco congelado.

Pastel Suave Escarchado

6-8 PORCIONES

1	bizcocho de naranja (p. 294)
2 tazas	(500 ml) crema liviana con sabor a Grand Marnier (p. 413)
1 taza	(250 ml) sorbete de fresa (p. 406)
$^3/_4$ taza	(120 g) fresas, en rodajas
$^1/_2$ taza	(125 ml) jalea de fresas
1 taza	(250 ml) crema batida
$^1/_3$ taza	(37 g) cacao
1 $^1/_3$ taza	(375 ml) salsa de natilla (p. 413)

- Cortar el bizcocho en cubos muy pequeños.
- En un tazón grande, mezclar los cubos de bizcocho con la crema liviana saborizada.
- En un tazón de servir grande, poner la mitad de la mezcla del bizcocho. Cubrirla con cucharadas pequeñas de sorbete, alternando con las rodajas de fresa. Poner encima el resto de la mezcla del bizcocho. Usando una bolsa de pastelería, adornar con crema batida.
- Tapar. Refrigerar por 2-3 horas.
- Sacar el pastel del refrigerador unos 15 minutos antes de servirlo.
- Dividirlo en porciones. Espolvorear con cacao. Decorar con hojas de menta y fresas enteras, si se desea. Servir con salsa de natilla.

Pastel Suave del Campo

6 PORCIONES

2 tazas	(500 ml) pan de pasas (p. 421), cortado en cubos de 1 pulg (2,5 cm)
1 taza	(160 g) fresas frescas
$^1/_2$ taza	(56 g) azúcar morena
1 taza	(250 ml) crema espesa
2 tazas	(500 ml) crema Chantilly (p. 413)

- En un tazón, poner capas sucesivas de la mitad de los cubos de pan, un tercio de las fresas, la mitad del azúcar morena, la mitad de la crema y la mitad de la crema Chantilly. Repetir los primeros 4 pasos.

- Usando una espátula o bolsa de pastelería con boquilla, poner la segunda mitad de la crema Chantilly. Refrigerar por 2 horas. Servir.

La receta se muestra arriba

VARIACIÓN

- Reemplazar el pan de pasas con pan de trigo integral o de centeno.

Pastel Suave de Galleta de Trocitos de Chocolate

6 PORCIONES	
2 ¹/₄ tazas	(260 g) galletitas de trocitos de chocolate, desmenuzadas
²/₃ taza	(67 g) trocitos de chocolate dulce
2 tazas	(500 ml) natilla, caliente (p. 412)
1 taza	(250 ml) crema Chantilly de chocolate (p. 413)
¹/₄ taza	(40 g) coco rallado

▪ En un tazón, poner capas sucesivas de un tercio de las galletitas desmenuzadas, la mitad de los trocitos de chocolate y la mitad de la natilla. Repetir todos los 3 pasos. Cubrir con el resto de las galletitas. Refrigerar por 1 hora.

▪ Usando una bolsa de pastelería de boquilla acanalada, decorar con la crema Chantilly de chocolate. Espolvorear con el coco. Refrigerar por 1 hora. Servir.

VARIACIONES

• Reemplazar los trocitos de chocolate con rodajas de fresa, arándanos enteros, pasas o dátiles.

Pastel Suave Selva Negra

6 PORCIONES	
1 ¹/₂ taza	(375 ml) bizcocho de cacao (p. 295), en cubos
²/₃ taza	(106 g) cerezas Bing
¹/₃ taza	(80 ml) jarabe con sabor a Grand Marnier (p. 414) o miel de maple
2 tazas	(500 ml) crema Chantilly (p. 413)
¹/₂ taza	(125 ml) rodajas finas de chocolate (p. 330)

▪ En un tazón, poner capas sucesivas de la mitad de los cubos de bizcocho de cacao, la mitad de las cerezas, la mitad de jarabe y la mitad de la crema Chantilly. Repetir los primeros 3 pasos.

▪ Usando una espátula o bolsa de pastelería de boquilla acanalada, poner el resto de la crema Chantilly. Decorar con las rodajas finas de chocolate. Refrigerar por 2 horas. Servir.

Pastel Suave de Piña

1	sobre de gelatina sin sabor
1 taza	(250 ml) jugo de piña
1	cajita pequeña de gelatina en polvo de piña
1 taza	(250 ml) agua hirviendo
1	pastel comida de ángel comercial
2 tazas	(500 ml) crema espesa
19 oz	(540 ml) trozos de piña de lata
	hojas de menta (opcional)

- En un tazón, poner la gelatina a espumar en el jugo de piña. Ponerla aparte.

- En un segundo tazón, disolver la gelatina en polvo en el agua hirviendo. Incorporarla en la mezcla de gelatina y jugo de piña. Dejar que se enfríe hasta que esté medio cuajada.

- Mientras tanto, cortar el pastel comida de ángel en cubitos pequeños. Ponerlo aparte.

- Batir la crema. Incorporarla a la gelatina medio cuajada.

- En el fondo de un molde de chimenea enmantequillado, poner capas sucesivas de la mitad de los cubos de pastel, la mitad de los trozos de piña y la mitad de la mezcla de crema batida y gelatina. Repetir todos los 3 pasos. Refrigerar por unas 4 horas.

- Sacar del refrigerator. Sacar el pastel del molde sobre una fuente de servir. Adornarlo con hojas de menta, si se desea. Servir.

VARIACIONES

- Usar otros sabores de gelatina en polvo y otras frutas.

Pastel Suave de Frutas

1 ⅓ taza	(330 ml) pastel de frutas (p. 308), en cubos
2 tazas	(500 ml) crema liviana saborizada (p. 413)
¾ taza	(180 ml) crema Chantilly (p. 413)
	hojas de menta (opcional)

- En un tazón grande, poner capas sucesivas de la mitad de los cubos del pastel de frutas y la mitad de la crema liviana. Repetir ambos pasos.

- Usando una bolsa de pastelería de boquilla acanalada, adornar con crema Chantilly. Refrigerar por 8 horas. Decorar con menta, si se desea. Servir.

La receta se muestra arriba

Pastel Suave de Chocolate con Jerez

6 PORCIONES	
1 taza	(115 g) galletitas de almendra, desmenuzadas
2 oz	(60 ml) Jerez
1 ½ taza	(375 ml) bizcocho de cacao *(p. 295)*, en cubitos pequeños
1 ¼ taza	(300 ml) natilla de chocolate *(p. 412)*
½ taza	(125 ml) jalea, de su gusto
1 ¾ taza	(425 ml) crema Chantilly de chocolate *(p. 413)*
	azúcar glass (opcional)

■ En un tazón, humedecer la mitad de la galletitas de almendra con Jerez. Ponerlas aparte.

■ En un tazón grande, poner capas sucesivas de cubitos de bizcocho, natilla de chocolate y jalea. Cubrir con una parte de la miga de las galletitas de almendra, luego con la mitad de la crema Chantilly de chocolate. Espolvorear con el resto de miga de las galletitas.

■ Usando una bolsa de pastelería de boquilla acanalada, ponerle al pastel el resto de la crema Chantilly de chocolate. Usando un colador, espolvorearlo con azúcar glass, si se desea. Refrigerar por 8 horas. Servir.

VARIACIONES

• Variar los sabores de bizcocho y los licores.

Pastel Suave de Nueces con Miel de Maple

4 PORCIONES	
2 tazas	(500 ml) panecillos de Génova *(p. 424)*, cortados en cubos de ½ pulg (1,25 cm)
¾ taza	(180 ml) miel de maple
1 ¾ taza	(425 ml) natilla, caliente *(p. 412)*
1 taza	(250 ml) crema Chantilly *(p. 413)*
¼ taza	(40 g) nueces, picadas

■ En un tazón, humedecer los cubos de panecillo con miel de maple.

■ En un tazón grande, poner capas sucesivas de la mitad de los cubos de panecillo y la mitad de la natilla. Repetir ambos pasos. Dejar que se enfríe.

■ Usando una bolsa de pastelería de boquilla acanalada, dibujar en el pastel rosetas o zigzags de crema Chantilly. Decorarlo con nueces picadas. Refrigerar por 12 horas. Servir.

SOUFFLÉS

Soufflé de Chocolate

4 PORCIONES		
2 cdas	(14 g)	maicena
$^3/_4$ taza	(180 ml)	leche
4 oz	(115 g)	chocolate amargo
$^1/_2$ taza	(125 g)	azúcar
1 cdta	(5 ml)	extracto de vainilla
4		yemas de huevo
5		claras de huevo
$^1/_4$ cdta	(1 ml)	crémor tártaro

- Precalentar el horno a 350 °F (175 °C). Enmantequillar y ponerle azúcar a un molde de soufflé.

- Diluir la maicena en $^1/_4$ taza (60 ml) de leche. Ponerla aparte.

- En una cacerola, revolviendo, calentar el resto de la leche, el chocolate, el azúcar y el extracto de vainilla. Agregar la maicena diluida. A calor alto, batir vigorosamente por 2 minutos o hasta que la mezcla se espese y empiece a burbujear. Quitarla del fuego. Dejar que la mezcla se enfríe totalmente.

- En un tazón, batir las yemas de huevo por unos 5 minutos. Agregar 3 cdas (45 ml) de la mezcla de chocolate. Incorporarla al chocolate de la cacerola. Poner aparte. En un segundo tazón, batir las claras de huevo y el crémor tártaro hasta que se formen picos firmes. Con un batidor, incorporar con suavidad a la mezcla de chocolate.

- Poner en el molde de soufflé. Hornear 45-50 minutos. Servir con crema batida, si se desea.

Soufflé Frío de Naranja y Chocolate

4 PORCIONES		
Capa de Chocolate		
1		sobre de gelatina sin sabor
2 cdas	(30 g)	azúcar
2		huevos, separados
$^3/_4$ taza	(180 ml)	leche
3 cdas	(37 g)	chocolate de leche, picado fino
Capa de Naranja		
1		sobre de gelatina sin sabor
2 cdas	(30 g)	azúcar
2		huevos, separados
$^3/_4$ taza	(180 ml)	jugo de naranja
1 cdta	(5 g)	ralladura de naranja
$^1/_4$ taza	(60 g)	azúcar

Capa de Chocolate

- En una cacerola, mezclar la gelatina y el azúcar.

- En un tazón, batir las yemas de huevo y la leche. Combinarlas con la gelatina. A fuego bajo, revolviendo, calentar por 3-4 minutos o hasta que la mezcla se espese y la gelatina se disuelva.

- Fuera del calor, agregar el chocolate. Revolverlo hasta que se derrita. Ponerlo aparte.

(continúa en la página siguiente)

Capa de Naranja

- En una cacerola, mezclar la gelatina y 2 cdas (30 g) de azúcar.

- En un tazón, batir las yemas de huevo con el jugo y la ralladura de naranja. Incorporarlos en la gelatina. A fuego bajo, revolviendo, calentar por 3-4 minutos o hasta que la mezcla se espese y la gelatina se disuelva.

- Quitar del fuego. Dejar que se enfríe hasta que la gelatina empiece a cuajarse.

Confección

- En un tazón, batir 4 claras de huevo y $^{1}/_{4}$ taza (60 g) de azúcar hasta formar picos suaves. Dividir la mezcla en dos partes.

- Con una espátula, incorporar con suavidad la primera mitad en la mezcla de chocolate y la segunda mitad en la mezcla de naranja.

- Poner la mezcla de chocolate en un molde de soufflé. Cubrirla con la capa de naranja. Refrigerar por 1 hora hasta que el soufflé se asiente.

- Adornarlo con los gajos de naranja bañados en chocolate.

La receta se muestra en la página opuesta, en la fotografía de arriba

Soufflé Milanés Frío

4-6 PORCIONES	
2 tazas	(500 ml) crema liviana
1 cda	(15 g) gelatina
$^{1}/_{4}$ taza	(60 ml) jugo de limón
3	huevos, separados
1 taza	(250 g) azúcar
1	ralladura de limón
	almendras en rodajas
	pistachos

- En un tazón, batir la crema. Ponerla aparte en el refrigerador.

- Poner un collar de papel para hornear de 2 pulg (5 cm) en el borde de un molde de soufflé.

- En un tazón, disolver la gelatina en la mitad del jugo de limón. Ponerla aparte.

- En la parte de arriba de una cacerola doble, batir las yemas de huevo, el azúcar, la segunda mitad del jugo y la ralladura de limón hasta que la mezcla se espese. Agregar la gelatina disuelta. Dejar que se enfríe.

- En un segundo tazón, batir las claras de huevo hasta que formen picos. Incorporarlas a las yemas de huevo, alternando con crema batida. Poner en el molde. Refrigerar por 1 hora hasta que el soufflé se asiente.

- Quitar el collar de papel. Decorar alrededor con rodajas de almendras y pistachos.

La receta se muestra arriba, en la fotografía superior

VARIACIONES

- Reemplazar el limón con limas. Decorar con cacao, avellanas, coco o semillas de amapola.

La receta se muestra arriba, en la fotografía inferior

Soufflé de Grand Marnier

4 PORCIONES	
³/₄ taza	(180 ml) leche
¹/₃ taza	(80 g) azúcar
	ralladura de 1 naranja
3 cdas	(45 g) mantequilla
¹/₃ taza	(37 g) harina
4	huevos, separados
1 oz	(30 ml) Grand Marnier
2 cdas	(30 ml) jugo de naranja
	azúcar glass

• Precalentar el horno a 375 °F (190 °C). Enmantequillar y ponerle azúcar a 4 ramequines.

• En una cacerola, hervir la leche, el azúcar y la ralladura de naranja. Poner aparte.

• En una segunda cacerola, derretir la mantequilla. Con un batidor, mezclar la harina hasta hacer una pasta suave.

• Batir la leche hirviendo en la mezcla de harina. Llevar a ebullición. Cocinar por 1-2 minutos hasta que se espese. Quitar del fuego. Dejar que se enfríe por 2-3 minutos. Agregar las yemas de huevo, el Grand Marnier y el jugo de naranja. Poner aparte.

• En un tazón, batir las claras de huevo hasta que formen picos. Con una espátula, incorporar la primera mezcla. Llenar los ramequines, hasta ¹/₂ pulg (1,25 cm) del borde. Hornear por 15-20 minutos. Unos 5 minutos antes de terminar la cocción, espolvorear el soufflé con azúcar glass.

Soufflé de Plátano con Litchis

4 PORCIONES	
2 cdas	(30 g) mantequilla
2 cdas	(14 g) maicena
	pizca de sal
1 taza	(160 g) plátanos, machacados
¹/₃ taza	(53 g) litchis, picados
¹/₂ oz	(15 ml) ron oscuro
1 cda	(15 ml) jugo de lima
1 cdta	(5 g) ralladura de lima
3	yemas de huevo
¹/₂ taza	(125 g) azúcar
5	claras de huevo

• Precalentar el horno a 350 °F (175 °C). Enmantequillar y ponerle azúcar a 4 ramequines o un molde de soufflé.

• En una cacerola, derretir la mantequilla con la maicena y la sal. Agregar los plátanos machacados y los litchis. A calor bajo, revolviendo, cocinar por 3 minutos o hasta que la mezcla se espese. Agregar el ron, y el jugo y ralladura de lima. Quitar del fuego. Poner aparte.

• En un tazón, batir las yemas de huevo y el azúcar. Incorporar la mezcla de frutas. Poner aparte.

• En un segundo tazón, batir las claras de huevo hasta que formen picos. Con una espátula, incorporarlas con cuidado a la primera mezcla. Ponerla en el molde de soufflé. Hornear por unos 35 minutos (o 25 minutos en los ramequines).

Soufflé de Melocotón y Almendra

4 PORCIONES	
¹/₂ taza	(125 ml) claras de huevo
¹/₃ taza	(80 g) azúcar
	pizca de crémor tártaro (opcional)
4	yemas de huevo
1 taza	(160 g) melocotones, machacados
3 cdas	(21 g) maicena
¹/₃ taza	(53 g) almendras blancas en rodajas
2 cdas	(30 ml) jugo de limón
	pizca de sal
¹/₂ oz	(15 ml) licor de almendra
2	gotas de colorante de alimentos anaranjado (opcional)
	azúcar glass

• Precalentar el horno a 375 °F (190 °C). Enmantequillar y ponerle azúcar a 4 ramequines o un molde de soufflé.

• En un tazón, batir los primeros 3 ingredientes hasta que formen picos.

• En un segundo tazón, combinar el resto de ingredientes, menos el azúcar glass. Incorporar con suavidad las claras de huevo. Poner en el molde de soufflé. Hornear por 35 minutos (o 25 minutos en los ramequines).

• Sacar el soufflé del horno con cuidado. Espolvorearlo con azúcar glass. Servir.

La receta se muestra arriba

VARIACIONES

• Reemplazar los melocotones con albaricoques o mangos.

Soufflé de Ciruela

4 PORCIONES	
	agua
2 tazas	(320 g) ciruelas secas sin semilla
1 cda	(15 g) mantequilla
1 cda	(7 g) harina
	ralladura de 1 limón
¹/₂ cdta	(2 g) canela
4	claras de huevo
¹/₂ cdta	(2 g) sal
¹/₂ taza	(125 g) azúcar
	azúcar glass (opcional)

• En el agua, remojar las ciruelas por 3-4 horas.

• Precalentar el horno a 400 °F (205 °C). Enmantequillar y ponerle azúcar a un molde de soufflé. Ponerlo aparte.

• Escurrir las ciruelas. Ponerlas en un tazón. Hacerlas puré. Mezclar la mantequilla, la harina, la ralladura de limón y la canela. Poner aparte.

• En un segundo tazón, batir las claras de huevo y la sal hasta que se formen picos firmes. Incorporarlas con suavidad a la mezcla anterior. Poner la mezcla en el molde de soufflé.

• Hornear por 30 minutos. Servir caliente, espolvorear con azúcar glass, si se desea.

VARIACIONES

• Reemplazar las ciruelas con otras frutas secas.

Mousses, GELATINAS Y PUDINES

Mousse de Cereza con Queso

8 PORCIONES	
1 lb	(450 g) queso crema, ablandado
1	cajita pequeña de gelatina en polvo de lima
2 tazas	(500 ml) agua hirviendo
1 taza	(250 ml) agua fría
2 ½ tazas	(400 g) cerezas, sin semillas
1	cajita pequeña de gelatina en polvo de cereza
1 taza	(250 ml) jugo de cerezas

- En un procesador de alimentos, batir el queso crema hasta que esté homogéneo. Ponerlo aparte.

- Disolver la gelatina de lima en 1 taza (250 ml) de agua hirviendo. Agregar el agua fría y las cerezas. Incorporar el queso crema.

- Poner en un molde de resorte o dividir en copas de postre. Refrigerar.

- Disolver la gelatina de cereza en 1 taza (250 ml) de agua hirviendo. Agregar el jugo de cerezas. Dejar que se enfríe.

- Sacar la primera mezcla del refrigerador. Ponerle encima la gelatina de cereza. Refrigerar por lo menos 1 hora más antes de servir.

Mousse de Café

4 PORCIONES	
1	sobre de gelatina sin sabor
¾ taza	(180 ml) agua
2 cdtas	(5 g) café instantáneo
¾ taza	(180 g) azúcar
4	yemas de huevo
1 ½ taza	(375 ml) crema batida
¼ taza	(60 ml) crema ácida
12	granos de café

- En un tazón, disolver la gelatina en un poco de agua.

- En una cacerola, calentar el agua, el café instantáneo y el azúcar. Incorporar batiendo la gelatina disuelta y las yemas de huevo.

- Quitar del fuego. Sumergir el fondo de la cacerola en agua fría para que se enfríe más rápido. Batir la mezcla hasta que se enfríe. Incorporar la crema batida en cuanto la gelatina empiece a cuajarse.

- Poner la mezcla en copas de postre. Refrigerar por 15 minutos.

- Adornar cada taza con 1 cda (15 ml) de crema ácida y 3 granos de café. Servir.

La receta se muestra arriba

VARIACIONES

- Adornar con crema Chantilly de chocolate (p. 413), como se muestra. Espolvorear con azúcar glass o cacao. Decorar con coco rallado o nueces picadas.

Mousse de Miel de Maple

4 PORCIONES

³/₄ taza	(180 ml) miel de maple
1	sobre de gelatina sin sabor
3 cdas	(45 ml) agua fría
3	yemas grandes de huevo
2 tazas	(500 ml) crema espesa
¹/₂ oz	(15 ml) ron oscuro
¹/₄ taza	(40 g) almendras tostadas

- En una cacerola de fondo pesado, a fuego bajo, calentar la miel de maple.

- Mientras tanto, en un tazón, disolver la gelatina en el agua fría. Dejarla reposar por 5 minutos. Sumergir el fondo del tazón en agua caliente hasta que la gelatina se disuelva completamente.

- Revolviendo, incorporar la miel de maple. Quitar del fuego. Poner aparte.

- En un segundo tazón, batir las yemas de huevo hasta que estén cremosas. Incorporar la miel de maple. Batir hasta que la mezcla se enfríe.

- En un tercer tazón, batir la crema. Incorporar la miel de maple; reservar un poco de crema batida para decorar. Poner en un tazón grande o copas de postre individuales. Refrigerar por 2 horas o hasta que el mousse se asiente.

- Poner el ron oscuro en el resto de la crema batida. Adornar el mousse. Espolvorearlo con almendras tostadas.

Mousse de Chocolate

6 PORCIONES

1	sobre de gelatina sin sabor
¹/₄ taza	(60 ml) agua
3	claras de huevo
¹/₃ taza	(80 g) azúcar
1	gota de colorante de alimentos rojo (opcional)
4 oz	(115 g) chocolate semidulce
2 tazas	(500 ml) crema batida

- En un tazón pequeño, disolver la gelatina en el agua. Ponerla aparte.

- En un cacerola doble, calentar las claras de huevo y el azúcar hasta que el azúcar se disuelva totalmente.

- En una batidora de tazón, batir las claras de huevo hasta que formen picos. Agregar la gelatina disuelta y el colorante de alimentos.

- En una cacerola, a fuego bajo, derretir el chocolate. Incorporarlo en la mezcla de clara de huevo. Con una espátula, incorporar con cuidado la mitad de la crema batida. Poner la mezcla en copas de postre. Refrigerar por 20 minutos.

- Decorar cada copa con un chorrito de crema batida. Espolvorear con cacao o rodajas finas de chocolate, si se desea.

VARIACIONES

- Decorar con fresas, cerezas, frambuesas o plátanos bañados con azúcar glass o cacao.

Mousse de Tutti Frutti

4 PORCIONES	
¹/₂	plátano
6	mitades de pera de lata, escurridas
6	mitades de melocotón de lata, escurridas
1 cdta	(5 ml) jugo de limón
1	sobre de gelatina sin sabor
2 cdas	(30 ml) agua
2	claras de huevo
	frutas frescas
	hojas de menta fresca

■ En un procesador de alimentos, hacer puré las frutas con el jugo de limón. Ponerlas aparte.

■ En una cacerola pequeña, disolver la gelatina en el agua. Calentar por unos momentos.

■ En una batidora de tazón, batir los huevos hasta que se formen picos. Incorporar con suavidad el puré de frutas y la gelatina.

■ Poner la mezcla en copas de postre. Decorar con frutas frescas y menta. Servir.

Mousse de Arándanos con Plátano

4 PORCIONES	
1 ¹/₂	sobre de gelatina sin sabor
¹/₄ taza	(60 ml) jugo de naranja
1 ¹/₂ taza	(240 g) arándanos
3	plátanos, machacados
3 cdas	(45 ml) yogurt sin sabor

■ En una cacerola pequeña, disolver la gelatina en el jugo de naranja. Calentar por unos momentos.

■ En una batidora de tazón, mezclar todos los ingredientes y hacer un mousse cremoso y homogéneo.

■ Dividir la mezcla en copas de postre. Decorar con frutas frescas, si se desea. Servir.

VARIACIONES
• Decorar con nueces. Servir con pastelillos o barquillos.

Mousse de Ruibarbo

8 PORCIONES	
2 tazas	(320 g) ruibarbo, en cubos
$\frac{1}{4}$ taza	(60 g) azúcar
2	sobres de gelatina sin sabor
$\frac{1}{4}$ taza	(60 ml) agua fría
$\frac{1}{4}$ taza	(60 ml) agua hirviendo
3 tazas	(750 ml) helado de vainilla
1 cdta	(5 g) ralladura de limón
$\frac{1}{2}$ cdta	(2 g) nuez moscada

- En una cacerola, cocinar el ruibarbo y el azúcar por 10 minutos.
- En un tazón, disolver la gelatina en el agua fría. Agregar el agua hirviendo. Mezclar hasta que la gelatina se disuelva completamente. Incorporar el ruibarbo endulzado. Dejar que se enfríe un poco. Mezclar el resto de los ingredientes. Refrigerar por 1 hora.
- Adornar con crema batida y tiritas finas de ruibarbo, si se desea.

Mousse de Fresa

6 PORCIONES	
1 $\frac{1}{2}$	sobre de gelatina sin sabor
3 tazas	(480 g) fresas congeladas, escurridas al descongelarlas (reservar el jarabe)
1 taza	(250 ml) yogurt sin sabor
1 taza	(250 ml) crema espesa
$\frac{1}{4}$ taza	(60 g) azúcar

Salsa de Fresas

	agua
1 cda	(7 g) maicena
2 cdtas	(10 g) ralladura de naranja

- En un tazón, disolver la gelatina en $\frac{1}{4}$ taza (60 ml) del jarabe de fresas. Dejarla reposar por 5 minutos. Sumergir el fondo del tazón en agua caliente hasta que la gelatina se disuelva completamente. Incorporar las fresas y el yogurt. Poner aparte.
- En un segundo tazón, batir la crema y el azúcar. Agregarlas a las fresas en cuanto la gelatina empiece a cuajarse. Poner en copas de postre. Refrigerar.

Salsa de Fresas

- Agregar el agua suficiente al resto del jarabe de fresas para hacer 1 taza (250 ml) de líquido.
- Ponerlo en la cacerola. Calentar a fuego bajo. Agregar la maicena diluida en un poco de agua. Mezclar hasta que salsa se espese. Agregar la ralladura de naranja. Dejar que la salsa se enfríe hasta que esté tibia. Dividirla en copas de postre.

Molde de Frutas

12 PORCIONES

2	cajas de gelatina en polvo de lima
2	cajas de gelatina en polvo de fresa
2	cajas de gelatina en polvo de naranja
	agua
1 taza	(160 g) bolitas de melón dulce
1 taza	(160 g) fresas, en mitades
1 taza	(160 g) naranjas, peladas, sin corazón, en gajos

- Disolver individualmente cada sabor de gelatina en 1 ½ taza (375 ml) de agua (no seguir las instrucciones de los paquetes). Poner la de lima en un molde de resorte. Cubrirla con bolitas de melón hechas con un boledor de melón. Refrigerar por 30-50 minutos o hasta que la gelatina se cuaje.

- Sacarla del refrigerador. Proceder de la misma manera con los otros sabores y frutas. Refrigerar por 30-50 minutos entre capas. Cuando se complete todo el molde, refrigerar por 2 horas.

- Sumergir el molde por 15 segundos en agua caliente para vaciarlo más fácil. Quitarle el sostén. Voltearlo en una fuente de servir. Sacarlo del molde. Cortar con un cuchillo previamente calentado en agua caliente.

La receta se muestra arriba

VARIACIONES

- Variar las frutas y los sabores de gelatina en polvo.

Copas de Albaricoque

6 PORCIONES

12	mitades de albaricoque de lata, escurridas — reservar ³/₄ taza (180 ml) del jarabe
1 ½	sobre de gelatina sin sabor
2 tazas	(500 ml) agua
2 oz	(60 ml) licor de naranja

- Poner 2 mitades de albaricoque en cada copa de postre.

- En un tazón, disolver la gelatina en el agua. Si se necesita, calentar un poco.

- Mezclar el jarabe de albaricoque y el licor de naranja. Ponerlos en las copas sobre los albaricoques. Refrigerar por 2 horas.

- Sacar después de sumergir el fondo de las copas por 15 segundos en agua caliente.

La receta se muestra arriba, encima del molde de frutas

VARIACIONES

- Servir con un coulis *(pp. 414-415)*, salsa de natilla *(p. 413)* o crema batida.

- Reemplazar 2 mitades de albaricoque con 1 mitad de melocotón.

Sorpresas de Cereza

12 DULCES	
1	caja de gelatina en polvo de fresa
1 ¹/₂ taza	(375 ml) agua
12	cerezas rojas, con su tallo

- En un tazón, disolver la gelatina en el agua.
- Poner las cerezas en los compartimientos de una bandeja de cubos de hielo. Cubrirlas con la gelatina diluida. Refrigerar hasta que se cuaje.
- Sacar después de sumergir el fondo de la bandeja por 15 segundos en agua caliente.

La receta se muestra arriba a la izquierda

Litchis con Naranja

8 PORCIONES	
1	caja de gelatina en polvo de naranja
1 ¹/₂ taza	(375 ml) agua
8	litchis
	ralladura de 3 naranjas

- En un tazón, disolver la gelatina en el agua.
- Rodar cada litchi en la ralladura de naranja. Ponerlos en el centro de copas de postre. Ponerles encima gelatina diluida. Refrigerar hasta que cuaje.
- Sacarlos después de sumergir el fondo de las copas por 15 segundos en agua caliente.

Crema de Frutas Bávara

8 PORCIONES	
1	caja de gelatina en polvo, del sabor de su gusto
1	sobre de gelatina sin sabor
4 tazas	(1 L) helado de vainilla
	frutas frescas, de su gusto

- En un tazón, preparar la gelatina de fruta siguiendo las instrucciones del paquete. Incorporar la gelatina sin sabor.
- En un segundo tazón, ablandar el helado. Incorporar la gelatina. Agregar las frutas.
- Poner la mezcla en ramequines pequeños. Refrigerar por lo menos 4 horas o hasta que cuaje.

La receta se muestra arriba a la derecha

Cantalupos Rellenos

4 PORCIONES	
2	cantalupos maduros
1	caja de gelatina en polvo, del sabor de su gusto
	agua
2 tazas	(320 g) uvas rojas, en mitades
	crema Chantilly *(p.413)*

- Cortar los cantalupos por la mitad. Sacarles las semillas.
- Preparar la gelatina en polvo siguiendo las instrucciones del paquete. Dividir las uvas en las mitades de melón. Cubrir con gelatina. Refrigerar por 30-60 minutos o hasta que cuaje. Sacar del refrigerador. Adornar con crema Chantilly.

Tarta de Dulce de Mantequilla

10 PORCIONES		
¹/₄ taza	(60 g)	mantequilla
³/₄ taza	(180 g)	azúcar
1		huevo
1 ¹/₂ taza	(170 g)	harina
1 cda	(7 g)	polvo de hornear
¹/₂ cdta	(2 g)	sal
³/₄ taza	(180 ml)	leche
¹/₂ cdta	(2 ml)	extracto de vainilla
¹/₂ taza	(80 g)	coco rallado

Salsa

2 tazas	(225 g)	azúcar morena
1 taza	(250 ml)	agua
2 cdtas	(10 g)	mantequilla

■ Precalentar el horno a 350 °F (175 °C).

■ En un tazón, batir la mantequilla. Incorporar el azúcar y el huevo. En un segundo tazón, cernir la harina, el polvo de hornear y la sal. Poner aparte.

■ En un tercer tazón, mezclar la leche y el extracto de vainilla. Incorporarlos en la primera mezcla, alternando con los ingredientes secos.

■ Poner la mezcla en un molde de pastel cuadrado de 8 pulg (20,5 cm). Espolvorear con coco. Hornear por 25-30 minutos o hasta que la tarta esté bien dorada.

Salsa

■ En una cacerola, revolviendo, calentar todos los ingredientes por 8-10 minutos. Servir la salsa con la tarta, caliente o fría.

Pudín de Plátano

4-6 PORCIONES		
1 cda	(7 g)	maicena
2 tazas	(500 ml)	leche
¹/₂ taza	(80 g)	coco rallado
2		plátanos, en rodajas
3		yemas de huevo
¹/₂ taza	(125 g)	azúcar
1 cdta	(5 ml)	extracto de vainilla
2 cdas	(30 g)	ralladura de naranja
1		receta básica de merengue *(p. 358)*

■ Precalentar el horno a 450 °F (230 °C).

■ En un tazón, diluir la maicena en un poco de leche. Ponerla aparte.

■ En una cacerola pequeña, calentar el resto de la leche. Agregar la maicena diluida. Dejar que la mezcla se espese. Agregar el coco rallado y las rodajas de plátano. Cocinar por 1 minuto. Poner aparte.

■ En un tazón, batir las yemas de huevo, el azúcar, el extracto de vainilla y la ralladura de naranja. Incorporarlos en la mezcla caliente.

■ Poner la mezcla en un molde cuadrado. Cubrirla con merengue. Hornear por 3 minutos o hasta que el merengue esté bien dorado. Servir.

Pudín de Arroz con Piña

6-8 PORCIONES	
1 taza	(250 ml) crema espesa
¹/₂ taza	(125 ml) agua
¹/₂ taza	(80 g) arroz instantáneo
14 oz	(398 ml) piña machacada de lata, bien escurrida
¹/₂ taza	(125 g) azúcar
	fresas, en rodajas
	semillas de amapola

- En un tazón, batir la crema hasta que forme picos firmes. Refrigerarla.

- En una cacerola, hervir el agua. Agregar el arroz. Cocerlo por 5 minutos. Quitarlo del fuego. Dejarlo que se enfríe. Refrigerarlo.

- En un tazón, mezclar todos los ingredientes, menos las fresas y las semillas de amapola.

- Dividir la mezcla en copas de postre. Adornarlas con fresas frescas. Espolvorearlas con semillas de amapola.

VARIACIONES
- Usar otras frutas o ensalada de frutas bien escurrida.

Crema Caliente de Licor de Naranja

4 PORCIONES	
2	huevos
3-4	yemas de huevo
1 ¹/₂ taza	(375 ml) crema ligera
¹/₄ taza	(60 g) azúcar
1 ¹/₂ oz	(45 ml) licor de naranja
4 cdtas	(20 g) ralladura de naranja
1 ¹/₃ taza	(215 g) albaricoques, en trozos
2 cdas	(20 g) azúcar morena

- Precalentar el horno a 325 °F (160 °C).

- En un tazón, batir los huevos, la crema y el azúcar. Incorporar el licor y ralladura de naranja. Poner aparte.

- Poner ¹/₃ taza (80 ml) de trozos de albaricoque en cada uno de 4 ramequines. Cubrir con la mezcla de huevo. Hornear por 35 minutos.

- Sacar del horno. Dejar que se enfríe un poco.

- Mientras tanto, subir la temperatura del horno a ASAR.

- Espolvorear la crema con el azúcar morena. Asar por 3-5 minutos hasta que se caramelice. Servir tibia la crema.

VARIACIONES
- Usar piña, plátanos, frambuesas y licores diferentes.

SORBETES

Sorbete de Toronja

3 TAZAS (750 ML)

¹/₂ taza	(125 ml) leche en polvo
2 tazas	(500 ml) jugo de toronja
1 taza	(160 g) toronjas rosadas, peladas, sin corazón, en gajos

- En un tazón, mezclar la leche en polvo y el jugo de toronja. Poner a congelar por unas 2 horas o hasta que la mezcla se endurezca.

- En una licuadora, batir el jugo y los gajos de toronja congelados hasta que esté homogéneo. Poner en un recipiente hermético. Poner a congelar hasta que la mezcla se endurezca de nuevo. Dejar que el sorbete se ablande un poco antes de servir.

VARIACIONES

- Usar jugo de naranja y una naranja, pelada y sin corazón (como se muestra al lado); o jugo de limón y una lima, pelada y sin corazón. Para sorbete de lima y limón, agregar ¹/₂ taza (62 g) de azúcar glass para rebajar lo ácido.
- Agregar 1-2 cdas (15-30 ml) de licor de naranja o Pastis.

(Ver la técnica del sorbete en la p. 92)

Sorbete de Fresa

2 ¹/₂ TAZAS (625 ML)

1 taza	(250 ml) jugo de fresa, frambuesa o de mezcla de frutillas
2 tazas	(320 g) fresas congeladas
¹/₂ taza	(62 g) azúcar glass
1 cda	(15 ml) jugo de limón
¹/₂ oz	(15 ml) vodka

- En un procesador de alimentos, mezclar todos los ingredientes hasta que la mezcla esté homogénea. Ponerla en un recipiente hermético. Ponerla a congelar por 2 horas.

- Sacarla del congelador. Batirla otra vez. Regresarla al congelador hasta que esté firme. Servir con frutas o barquillos, si se desea.

Sorbete de Melón

3 TAZAS (750 ML)	
2 tazas	(160 g) cantalupo
2 tazas	(160 g) melón dulce
2 cdas	(30 ml) jugo de limón
1 oz	(30 ml) Pastis (opcional)
²/₃ taza	(80 g) azúcar glass

- En un procesador de alimentos, mezclar todos los ingredientes hasta que la mezcla esté homogénea. Ponerla en un recipiente hermético. Ponerla a congelar por unas 2 horas. Batirla otra vez en un procesador de alimentos.

- Ponerla a congelar 2 horas más. Servir.

La receta se muestra arriba a la izquierda

Sorbete de la Pasión

4 PORCIONES	
1 ¹/₄ taza	(300 g) azúcar
	jugo de 2 naranjas
	jugo de 2 limas
	pulpa de 2 frutas de la pasión maduras
1	clara de huevo
¹/₂ cdta	(2 ml) extracto de vainilla

- En una cacerola, llevar a ebullición el azúcar y los jugos de fruta. Cocer a fuego lento por 5 minutos. Dejar que se enfríe.

- Hacer puré las frutas de la pasión. Incorporarle el jarabe de las frutas.

- Poner en un recipiente hermético. Poner a congelar por 2 horas. Sacar del congelador. Batir la clara de huevo y la vainilla hasta que se formen picos firmes. Incorporarlos en el sorbete. Servir.

Sorbete Terrine

9 PORCIONES	
¹/₂	receta de sorbete de fresa *(p. 406)*
¹/₂	receta de yogurt congelado de plátano con kiwi *(p. 408)*
¹/₂	receta de sorbete de la pasión

- Forrar el interior de un molde de pan con papel encerado.

- Poner capas sucesivas de los 3 sabores de sorbete. Cubrir con papel de aluminio. Poner a congelar por 3 horas.

- Sumergir el fondo del molde por unos 15 segundos en agua caliente. Voltearlo en una superficie plana. Sacar el sorbete del molde.

- Cortarlo de arriba hacia abajo en rodajas de 1 pulg (2,5 cm) de grosor. Envolverlas con cuidado. Ponerlas a congelar.

La receta se muestra arriba a la derecha

VARIACIONES

- Usar sabores de sorbete diferentes.

- Decorar con una hoja de menta. Servir con el coulis de su gusto *(pp. 414-415)*.

POSTRES CONGELADOS

Yogurt Congelado de Frambuesa

ALREDEDOR DE 2 ¹/₂ TAZAS (625 ML)

1 ¹/₂ taza	(375 ml) yogurt sin sabor
2 tazas	(360 g) frambuesas
¹/₂ taza	(125 g) azúcar
1 cda	(15 ml) jugo de limón
¹/₂ cda	(7 g) ralladura de limón
¹/₂ oz	(15 ml) Grand Marnier u otro licor (opcional)

- En un procesador de alimentos, mezclar todos los ingredientes hasta que la mezcla esté cremosa. Ponerla en un recipiente hermético grande. Ponerla a congelar alrededor de 2 horas o hasta que la mezcla se vea granulada pero no congelada sólida.

- Ponerla otra vez en el procesador de alimentos. Molerla hasta que esté cremosa. Ponerla a congelar otra vez para que se endurezca.

- Antes de servir, dejar que se ablande por unos 10 minutos. Molerla otra vez para una textura más cremosa, si se desea.

- Servir en tulipanes *(p. 360)* o un coulis de frutas *(pp. 414-415)*, o con frutas frescas y menta, si se desea.

YOGURT CONGELADO DE MELOCOTÓN Y ALBARICOQUE
- Reemplazar las frambuesas con melocotones y albaricoques sin semillas.

YOGURT CONGELADO DE PLÁTANO Y KIWI
- Reemplazar las frambuesas con rodajas de plátano y kiwi. Darle sabor con ron.

YOGURT CONGELADO DE MORAS Y ARÁNDANOS
- Reemplazar las frambuesas con arándanos y moras.

YOGURT CONGELADO DE PIÑA Y PERA
- Reemplazar las frambuesas con rodajas de piña y pera. Escurrir bien las frutas antes de ponerlas en la receta.

YOGURT CONGELADO DE CEREZA
- Reemplazar las frambuesas con cerezas frescas sin semillas.

Yogurt Congelado con Nueces

ALREDEDOR DE 2 ¹/₂ TAZAS (625 ML)

1 ¹/₂ taza	(375 ml) yogurt sin sabor
¹/₂ taza	(125 ml) pasta de avellana y chocolate comercial
¹/₂ taza	(80 g) nueces
¹/₄ taza	(60 g) azúcar
2 cdas	(30 ml) jugo de naranja
1 cda	(15 g) ralladura de naranja

- En un procesador de alimentos, mezclar todos los ingredientes. Seguir la receta del yogurt congelado de frambuesa.

VARIACIONES
- Usar almendras, avellanas, coco rallado, nueces, pacanas o pistachos.

Mousse Congelado de Queso con Chocolate y Nueces

ALREDEDOR DE 4 TAZAS (1 L)

4	yemas de huevo
¹/₄ taza	(60 g) azúcar
1 taza	(250 g) queso Ricotta, a temperatura ambiente
²/₃ taza	(135 g) chocolate semidulce, derretido, a temperatura ambiente
2 tazas	(500 ml) crema batida
³/₄ taza	(120 g) nueces, picadas

- Forrar el interior de un molde de pan de 8 x 4 pulg (20,5 x 10 cm) con papel encerado.

- En una batidora de tazón, batir las yemas de huevo y el azúcar hasta que la mezcla esté homogénea. Ponerla aparte.

- En un tazón, batir el queso y el chocolate derretido. Incorporar la mezcla de yema de huevo, batiéndola constantemente.

- Incorporar con suavidad la crema batida y ¹/₂ taza (80 g) de nueces. Ponerlas en el molde. Poner a congelar por lo menos 4 horas.

- Solamente cuando se esté listo para servir, sacar el mousse sumergiendo rápidamente el fondo del molde en agua caliente. Ponerlo en una fuente de servir. Quitar el papel encerado. Espolvorear con el resto de nueces picadas.

- Cortar el mousse. Servirlo con un coulis *(pp. 414-415)* o una salsa *(pp. 416-417)*.

Con las manecillas del reloj, de arriba a la izquierda:
Sabores de Yogurt Congelado :
Frambuesa, Plátano y Kiwi, Moras y Arándanos, Melocotón y Albaricoque, Piña y Pera, Cereza

... POSTRES CONGELADOS...

JALEAS Y MERMELADAS

Jalea de Fresas del Jardín

ALREDEDOR DE 5 TAZAS (1,25 L)

1 cda	(15 ml) agua caliente	
¹/₂ cdta	(2 ml) jugo de limón	
¹/₂ cdta	(2 ml) vinagre blanco	
4 tazas	(640 g) fresas, sin cáliz	
3 tazas	(750 g) azúcar	

- En una cacerola, llevar a ebullición el agua, el jugo de limón y el vinagre. Agregar las fresas. Tapar. Quitar del fuego. Dejar en remojo por 2 minutos.

- Agregar el azúcar. Volver a hervir. A calor moderado, cocer por unos 20 minutos.

Jalea de Arándano y Ruibarbo

ALREDEDOR DE 8 TAZAS (2 L)

8 tazas	(1,28 kg) arándanos frescos	
4 tazas	(640 g) ruibarbo, en trozos de ¹/₂ pulg (1,25 cm)	
1 taza	(250 ml) agua	
4 tazas	(1 kg) azúcar	

- En una cacerola grande, mezclar la frutas y el agua. A fuego moderado, cocer sin tapar por 10-12 minutos.

- Agregar el azúcar, mezclándola un poco. Llevar a ebullición. Hervir sin tapar por unos 10 minutos.

Jalea de Albaricoque con Nueces

ALREDEDOR DE 6 TAZAS (1,5 L)

8 tazas	(1,28 kg) albaricoques, sin semillas, en trozos	
4 tazas	(1 kg) azúcar	
1 ¹/₂ taza	(240 g) nueces, picadas	
2 cdas	(30 ml) jugo de limón	

- En una cacerola grande, mezclar todos los ingredientes. Llevar a ebullición. Hervir sin tapar alrededor de 10 minutos o hasta que se espese como jalea.

Jalea de Ruibarbo

ALREDEDOR DE 8 TAZAS (2 L)

6 tazas	(960 g) ruibarbo	
4 tazas	(1 kg) azúcar	
2	naranjas, peladas, sin corazón, picadas grueso	
¹/₂ taza	(125 ml) jugo de limón	
1 cda	(15 g) ralladura de limón	

- En un tazón, combinar el ruibarbo y el azúcar. Dejarlos reposar por toda la noche.

- En una cacerola grande, sin tapa, cocer todos los ingredientes por unos 10 minutos o hasta que la mezcla se espese.

Jalea de Ruibarbo y Fresas

ALREDEDOR DE 10 TAZAS (2,5 L)

6 tazas	(960 g) fresas frescas, peladas, machacadas	
4 tazas	(640 g) ruibarbo, trozos de ¹/₂ pulg (1,25 cm)	
6 tazas	(1,5 kg) azúcar	

- En una cacerola grande, hervir las frutas. A calor moderado, cocer sin tapar por 15 minutos.

- Agregar el azúcar, mezclándola un poco. Hervir sin tapa por unos 10 minutos o hasta que se espese como jalea.

- Poner en jarras calientes esterilizadas. Dejar que se enfríen un poco. Sellarlas.

VARIACIÓN
- Reemplazar las fresas y el ruibarbo con 8 tazas (1,28 kg) de frambuesas machacadas y 1 1/2 taza (240 g) de coco.

Mermelada de Calabaza

ALREDEDOR DE 4 TAZAS (1 L)

3	naranjas sin pelar, en gajos	
1	limón sin pelar, en gajos	
2 tazas	(500 g) azúcar	
3 tazas	(480 g) pulpa de calabaza, sin semillas	

- En un procesador de alimentos, picar las frutas cítricas. Ponerlas aparte.

- En una cacerola grande, llevar a ebullición el azúcar y la calabaza. Agregar las frutas cítricas.

- A calor moderado, revolviendo a menudo, cocer sin tapar por 45-50 minutos hasta que la mezcla se espese.

Mermelada de Pera y Almendra

ALREDEDOR DE 6 TAZAS (1,5 L)

10 tazas	(1,6 kg) peras, en rodajas	
6 tazas	(1,5 kg) azúcar	
	jugo y ralladura de 2 limones	
1 1/2 taza	(240 g) almendras blancas en rodajas	
1 cdta	(5 g) jengibre, picado	

- En una cacerola grande, alternando ingredientes, poner las peras, el azúcar, el jugo y ralladura de limón, y las almendras.

- Agregar el jengibre. Llevar a ebullición. Revolviendo frecuentemente, hervir sin tapar por 45-50 minutos hasta que se espese.

Natilla

ALREDEDOR DE 1 $^3/_4$ TAZA (425 ML)

2 tazas	(500 ml) leche
$^2/_3$ taza	(160 g) azúcar
3	yemas de huevo
$^1/_4$ taza	(28 g) maicena
2 cdas	(30 g) mantequilla sin sal
$^1/_2$ cdta	(2 ml) extracto de vainilla

- En una cacerola, calentar la leche y el azúcar. Poner aparte.

- En un tazón, batir las yemas de huevo y la maicena. Diluirlas en $^1/_3$ taza (80 ml) de la mezcla de leche caliente. Poner aparte.

- Llevar a ebullición el resto de la leche endulzada. Batirla en la mezcla de yema de huevo.

- Ponerla en la cacerola. Cocer por más o menos 1 minuto, batiendo vigorosamente.

- Fuera del calor, incorporar batiendo la mantequilla y la vainilla hasta que la mezcla esté cremosa y homogénea. Dejar que se enfríe hasta que esté tibia. Refrigerar.

NATILLA DE CAFÉ
- A la leche caliente, ponerle 2 cdas (10 g) de café instantáneo.

NATILLA DE CHOCOLATE
- A la leche caliente, ponerle 3 cdas (21 g) de cacao.

NATILLA DE ALMENDRA
- A la leche caliente, ponerle 1 cdta (5 ml) de extracto de almendra. A la natilla refrigerada, agregarle 3 cdas (30 g) de rodajas de almendras tostadas.

NATILLA DE RON CON PASAS
- A la leche caliente, ponerle 1 cdta (5 ml) extracto de ron y 3 cdas (30 g) de pasas.

NATILLA DE NARANJA
- A la leche caliente, ponerle la ralladura de 2 naranjas.

NATILLA DE PERA
- A la leche caliente, ponerle 1 cdta (5 ml) de brandy de pera. A la natilla refrigerada, agregarle 3 cdas (45 ml) de peras de lata, picadas.

Con las manecillas del reloj, de abajo a la izquierda,
Sabores de Natilla : Sencilla, de Chocolate, de Café, de Naranja

Crema Batida de Almendra

ALREDEDOR DE 2 ¹/₂ TAZAS (625 ML)

2 tazas	(500 ml) crema espesa
¹/₂ cdta	(2 ml) extracto de almendra
3 cdas	(30 g) almendras tostadas en rodajas

■ Refrigerar la crema y una batidora de tazón.

■ En la batidora de tazón, a velocidad moderada, batir la crema por unos cuantos minutos. Agregar el extracto. A velocidad alta, batir hasta que se formen picos firmes. Incorporar las almendras.

CREMA BATIDA DE CHOCOLATE

• Reemplazar el extracto y las almendras con 2 cdas (30 ml) de jarabe de chocolate comercial.

La receta se muestra arriba, en la fila superior

Crema Chantilly

ALREDEDOR DE 2 ¹/₂ TAZAS (625 ML)

2 tazas	(500 ml) crema espesa
¹/₂ taza	(62 g) azúcar glass
¹/₂ cdta	(2 ml) extracto de vainilla

■ Refrigerar la crema y una batidora de tazón.

■ En la batidora de tazón, a velocidad moderada, batir todos ingredientes por unos cuantos minutos. Aumentar la velocidad a alta; batir hasta que se formen picos firmes. Refrigerar la crema Chantilly que no se utilice.

La receta se muestra arriba, fotografía de abajo a la izquierda

CREMA CHANTILLY DE CHOCOLATE

• Incorporar con suavidad ¹/₃ taza (37 g) de cacao en la mezcla batida.

Salsa de Natilla

ALREDEDOR DE 2 ¹/₂ TAZAS (625 ML)

2 tazas	(500 ml) leche
4	yemas de huevo
¹/₂ taza	(125 g) azúcar
1 cdta	(5 ml) extracto de vainilla

■ En un cacerola doble, hervir la leche. Ponerla aparte.

■ En una batidora de tazón, a velocidad alta, batir el resto de los ingredientes hasta que la mezcla esté espesa y cremosa. Incorporar la leche. Revolviendo, cocer hasta que la salsa se espese.

■ Pasar la salsa caliente por un colador. Servirla caliente o fría.

SALSA DE NATILLA DE NARANJA

• Reemplazar el extracto de vainilla con extracto de naranja.

Crema Liviana

ALREDEDOR DE 2 TAZAS (500 ML)

1 taza	(250 ml) crema batida
1 taza	(250 ml) natilla *(p. 412)*

■ En un tazón, mezclar la crema batida y la natilla hasta que la mezcla esté homogénea.

La receta se muestra arriba, fotografía de abajo a la derecha

CREMA LIVIANA CON SABOR

• A la mezcla, ponerle 1 oz (30 ml) del licor o bebida alcohólica de su gusto.

COULIS Y SALSAS

Glacé de Albaricoque

ALREDEDOR DE **1** TAZA (250 ML)

³/₄ taza	(180 ml) jalea de albaricoque
3 cdas	(45 ml) agua

- Con una espátula, escurrir la jalea de albaricoque sobre una cacerola pequeña.
- A fuego bajo, derretir la jalea. Dejar que se enfríe por 2 minutos. Revolverla en el agua.
- Con una brochita de pastelería, poner el glacé en el pastel, babá o repostería de su gusto. (Si el glacé está demasiado espeso para ponerlo con facilidad, agregarle un poco de agua; si está muy líquido ponerle un poco de jalea colada).

La receta se muestra en la página de enfrente

VARIACIONES

- Usar jalea de fresa, frambuesa, cereza o de otras frutas. Agregar unas cuantas gotas de colorante de alimentos rojo o amarillo, si se desea.
- Reemplazar el agua con ron o cualquier otra bebida alcohólica o licor.

Jarabe de Ron

ALREDEDOR DE **1 1/2** TAZA (375 ML)

³/₄ taza	(180 ml) agua
1 taza	(250 g) azúcar
1	gajo de naranja
3 oz	(90 ml) ron oscuro

- En una cacerola, llevar a ebullición el agua, el azúcar y la naranja. Sin revolver, cocer a fuego lento por 3 minutos.
- Quitar del fuego. Dejar que el jarabe se enfríe por 5 minutos. Agregarle el ron. Sacar el gajo de naranja.

VARIACIONES

- Reemplazar el gajo de naranja con medio limón, y el ron con Grand Marnier, kirsch o cualquier otro licor.

Coulis de Uva Verde

ALREDEDOR DE **3** TAZAS (750 ML)

²/₃ taza	(160 ml) agua
³/₄ taza	(180 g) azúcar
2 tazas	(320 g) uvas verdes
2 cdas	(30 ml) jugo de limón
2 cdas	(14 g) maicena

- En una cacerola, llevar a ebullición el agua y el azúcar. Agregar las uvas y el jugo de limón. Cocer a fuego lento por 3 minutos.
- Diluir la maicena en un poco de agua. Ponerla en la cacerola. Cocer por 1 minuto, revolviendo constantemente.
- Para un coulis más fino, poner la mezcla en la licuadora, luego colarla. Servir el coulis frío.

Coulis de Ciruela

ALREDEDOR DE **3** TAZAS (750 ML)

²/₃ taza	(160 ml) agua
³/₄ taza	(180 g) azúcar
2 tazas	(500 ml) ciruelas de lata
2 cdas	(30 ml) jugo de limón
2 cdas	(14 g) maicena

- En una cacerola, llevar a ebullición el agua y el azúcar. Agregar las ciruelas y el jugo de limón. Cocer a fuego lento por 3 minutos.
- Diluir la maicena en un poco de agua. Ponerla en una cacerola. Cocer por 1 minuto, revolviendo constantemente.
- Para un coulis más fino, poner la mezcla en la licuadora, luego colarla. Servir el coulis frío.

Coulis de Fresa y Arándano

ALREDEDOR DE **3** TAZAS (**750** ML)

$^2/_3$ taza	(160 ml)	agua
$^3/_4$ taza	(180 g)	azúcar
1 taza	(160 g)	fresas
1 taza	(160 g)	arándanos
2 cdas	(30 ml)	jugo de arándano
2 cdas	(14 g)	maicena

- En una cacerola, llevar a ebullición el agua y el azúcar. Agregar las frutas y el jugo de arándano. Cocer a fuego lento por 3 minutos.

- Diluir la maicena en un poco de agua. Ponerla en la cacerola. Cocer por 1 minuto, revolviendo constantemente.

- Para un coulis más fino, poner la mezcla en la licuadora, luego colarla. Servir el coulis frío.

Coulis de Melocotón y Mango

ALREDEDOR DE **3** TAZAS (**750** ML)

$^2/_3$ taza	(160 ml)	agua
$^3/_4$ taza	(180 g)	azúcar
1 taza	(160 g)	melocotones, picados
1 taza	(160 g)	mangos, picados
2 cdas	(30 ml)	jugo de melocotón
2 cdas	(14 g)	maicena

- En una cacerola, llevar a ebullición el agua y el azúcar. Agregar las frutas y el jugo. Cocer a fuego lento por 3 minutos.

- Diluir la maicena en un poco de agua. Ponerla en la cacerola. Cocer por 1 minuto, revolviendo constantemente.

- Para un coulis más fino, poner la mezcla en la licuadora, luego colarla. Servir el coulis frío.

Coulis de Kiwi

ALREDEDOR DE **3** TAZAS (**750** ML)

$^2/_3$ taza	(160 ml)	agua
$^3/_4$ taza	(180 g)	azúcar
2 tazas	(320 g)	kiwis maduros, pelados
2 cdas	(30 ml)	jugo de naranja
2 cdas	(14 g)	maicena

- En una cacerola, Llevar a ebullición el agua y el azúcar. Agregar los kiwis y el jugo de naranja. Cocer a fuego lento por 3 minutos.

- Diluir la maicena en un poco de agua. Ponerla en la cacerola. Cocer por 1 minuto, revolviendo constantemente.

- Para un coulis más fino, poner la mezcla en la licuadora, luego colarla. Servir el coulis frío.

Coulis de Arándano y Cereza

ALREDEDOR DE **3** TAZAS (**750** ML)

$^2/_3$ taza	(160 ml)	agua
$^3/_4$ taza	(180 g)	azúcar
1 taza	(160 g)	arándanos
1 taza	(160 g)	cerezas
2 cdas	(30 ml)	jugo de cerezas
2 cdas	(14 g)	maicena

- En una cacerola, Llevar a ebullición el agua y el azúcar. Agregar las frutas y el jugo de cerezas. Cocer a fuego lento por 3 minutos.

- Diluir la maicena en un poco de agua. Ponerla en la cacerola. Cocer por 1 minuto, revolviendo constantemente.

- Para un coulis más fino, poner la mezcla en la licuadora, luego colarla. Servir el coulis frío.

Salsa de Chocolate

ALREDEDOR DE 1 TAZA (250 ML)

12 oz	(350 g) chocolate semidulce
1 cda	(7 g) cacao
1 taza	(250 ml) crema espesa

- En un cacerola doble, revolviendo, calentar todos los ingredientes para hacer una salsa fina y homogénea.
- Servirla caliente o tibia.

SALSA DE CHOCOLATE PIRATA
- Fuera del calor, agregar 3 cdas (45 ml) de ron oscuro a la salsa cocida.

Salsa de Nueces con Caramelo

ALREDEDOR DE 2 TAZAS (500 ML)

$^1/_3$ taza	(80 g) mantequilla
$^2/_3$ taza	(120 g) nueces, picadas
1 $^1/_4$ tazas	(135 g) azúcar morena
1 $^1/_4$ tazas	(300 ml) crema espesa

- En una cacerola, a fuego moderado, derretir la mantequilla. Revolviendo, tostar las nueces por unos 7 minutos o hasta que se doren bien.
- Incorporar revolviendo el azúcar morena y la crema. A fuego bajo, cocer a fuego lento por unos 3 minutos, revolviendo constantemente. Quitar del fuego. Dejar que se enfríe un poco. Servir.

Salsa de Grand Marnier

ALREDEDOR DE 1 1/2 TAZA (375 ML)

1 taza	(250 ml) leche
1	huevo
3 cdas	(45 g) azúcar
	pizca de sal
1 oz	(30 ml) Grand Marnier
$^1/_4$ taza	(40 g) pistachos (opcional)

- En una cacerola doble, batiendo vigorosamente, calentar la leche, el huevo, el azúcar y la sal hasta que la mezcla se espese.
- Fuera del calor, agregar el Grand Marnier. Incorporar pistachos, si se desea.

Salsa de Naranja

ALREDEDOR DE 2 TAZAS (500 ML)

2 cdas	(14 g) maicena
2 tazas	(500 ml) jugo de naranja
$^3/_4$ taza	(180 g) azúcar
1 $^1/_2$ taza	(240 g) naranjas, peladas, sin corazón, en gajos

- En un tazón, disolver la maicena en $^1/_3$ taza (80 ml) de jugo de naranja.
- En una cacerola, llevar a ebullición el resto del jugo de naranja y el azúcar. Fuera del calor, incorporar batiendo la maicena diluida.
- Volver a hervir. Quitar del fuego. Dejar que se enfríe un poco. Incorporar los gajos de naranja. Servir.

Salsa de Limón

ALREDEDOR DE **1 1/2** TAZA (375 ML)

¹/₂ taza	(125 ml)	agua
¹/₃ taza	(80 g)	azúcar
¹/₃ taza	(80 g)	ralladura de limón
1 cda	(7 g)	maicena
1 taza	(250 ml)	jugo de limón

• En una cacerola, hervir el agua, el azúcar y la ralladura de limón por 5 minutos.

• Mientras tanto, disolver la maicena en el jugo de limón. Revolviendo, incorporarla en la mezcla líquida hirviendo en un chorrito fino. Cocer la salsa hasta que se espese, revolviendo constantemente.

• Quitar la salsa del fuego. Dejar que se enfríe. Servir.

Salsa de Nueces con Miel de Maple

ALREDEDOR DE **2** TAZAS (500 ML)

1 taza	(250 ml)	agua
1 taza	(250 ml)	miel de maple
1 cda	(7 g)	maicena
2		gotas de extracto de vainilla
¹/₂ taza	(80 g)	nueces, picadas

• En una cacerola, hervir el agua. Agregar la miel de maple.

• En un tazón pequeño, disolver la maicena en 1 cda (15 ml) de agua fría. Incorporarla en la mezcla líquida. Cocer por 4 minutos o hasta que la salsa se espese.

• Mezclar el extracto de vainilla y las nueces. Servir la salsa caliente o fría.

Salsa Picante

ALREDEDOR DE **2** TAZAS (500 ML)

2 tazas	(500 ml)	leche
¹/₂ taza	(125 g)	azúcar
1		rajita de canela
1		yema de huevo
1 cda	(7 g)	maicena
1 cdta	(5 g)	jengibre
		pizca de nuez moscada

• En una cacerola, hervir la leche y el azúcar. Agregar la canela.

• En un tazón, batir la yema de huevo y la maicena. Incorporar 3 cdas (45 ml) de leche caliente. Revolver en la cacerola. A fuego bajo, cocer por 2 minutos o hasta que la salsa se espese.

• Agregar las especias, mezclándolas bien. Servir la salsa fría.

Salsa de Café Moka

ALREDEDOR DE **2** TAZAS (500 ML)

2 tazas	(500 ml)	café fuerte
¹/₂ taza	(125 g)	azúcar
1 cda	(7 g)	cacao
2 cdas	(14 g)	maicena
3 cdas	(45 ml)	agua fría

• En una cacerola, hervir el café, el azúcar y el cacao.

• Mientras tanto, disolver la maicena en el agua. Incorporarla en la mezcla líquida. Cocer por 4 minutos o hasta que la salsa se espese. Servirla caliente o fría.

¿Cómo se puede resistir el aroma incomparable del pan caliente hecho en casa? Cómalo sin preocuparse de las calorías que no desea: el pan contribuye a una dieta bien balanceada.

Los panes y panecillos que contienen harina de trigo integral, salvado, nueces, verduras, y frutas secas son una fuente excelente y deliciosa de fibra. Para desayuno, bocadillos, o para postre, ¡qué manera más agradable de completar su consumo de fibra diaria!

En esta sección encontramos una sabrosa Barra de Pan de Salvado (p. 422), la que recomendamos por la fibra dietética que contiene. No sólo es buena para su salud, también tiene un sabor fantástico.

PANES

PANES

Pan Blanco Clásico, Receta Básica

1 BARRA	
1	sobre de levadura
2 cdas	(30 g) azúcar
¹/₄ taza	(60 ml) agua tibia
1 taza	(250 ml) leche
1 cdta	(5 g) sal
3 cdas	(45 g) mantequilla
3 tazas	(345 g) harina de todo uso
2 cdas	(30 ml) aceite
1	huevo, batido

- Precalentar el horno a 375 °F (190 °C).

- En un tazón grande, disolver la levadura y 4 pizcas de azúcar en el agua. Dejar reposar por 10 minutos.

- En una cacerola, hervir la leche por 1 minuto. Quitarla del fuego. Agregar el resto del azúcar, la sal y la mantequilla. Dejar que se enfríe.

- Incorporar a la levadura diluida. Agregar la harina. Mezclar hasta tener una masa homogénea y pegajosa.

- Enharinar una superficie limpia y plana. Agregando harina según sea necesario, amasar alrededor de 10 minutos o hasta que la masa esté homogénea y no se pegue en las manos.

- En un tazón de acero inoxidable, poner el aceite. Poner la masa. Rodar la masa en el aceite para que no se seque. Cubrirla con papel encerado. Dejar que suba por 1 hora en un lugar caliente y húmedo.

- Apelmazar la masa. Ponerla en un molde sin enmantequillar de 9 x 5 pulg (23 x 13 cm). Dejar que la masa suba hasta los tres cuartos del molde. Untarle huevo batido. Hornear por 30-40 minutos. Sacar del horno. Dejar reposar el pan por 10 minutos antes de sacarlo del molde.

VARIACIONES

PAN DE ARÁNDANO
- A la harina, ponerle 1 taza (250 ml) de arándanos.

PAN DE NUECES
- A la harina, ponerle ³/₄ taza (180 ml) de nueces picadas.

PAN TEMPRANERO
- A la harina, ponerle ²/₃ taza (106 g) de albaricoques secos y 3 cdas (45 g) de ralladura de limón.

PAN DEL ABUELO
- A la harina, ponerle 1 taza (160 g) de higos secos, picados en trozos grandes.

PAN DE FRAMBUESA
- A la harina, ponerle 1 taza (160 g) de frambuesas frescas en mitades. Aumentar el azúcar a ¹/₄ taza (60 g).

PAN DE SEMILLAS DE AJONJOLÍ
- A la harina, ponerle ¹/₂ taza (80 g) de semillas de ajonjolí tostadas.

PAN DE SEMILLAS DE AMAPOLA
- A la harina, ponerle ¹/₂ taza (80 g) de semillas de amapola.

PAN CON TROCITOS DE CHOCOLATE
- A la harina, ponerle 1 taza (200 g) de trozos grandes de chocolate semidulce, o 1 taza (200 g) de trocitos.

PAN DE COCO
- A la harina, ponerle ³/₄ taza (120 g) de coco rallado.

PAN DE CAFÉ
- A la leche caliente, ponerle ¹/₄ taza (15 g) de café instantáneo.

PAN DE MANZANA CON CANELA
• En una sartén, a calor alto, derretir 1 cdta (5 g) de mantequilla. Sofreír 1 taza (160 g) de cubos de manzana y 2 cdtas (10 g) de canela. Incorporarlas en la receta básica al mismo tiempo que la harina.

PAN DE NARANJA Y ZANAHORIA
• A la harina, ponerle 1 taza (160 g) de zanahoria rallada y ¹/₄ taza (60 g) de ralladura de naranja.

PAN DE TOMATE
• A la leche caliente, ponerle 3 cdas (45 ml) de pasta de tomate. A la harina, ponerle ³/₄ taza (180 ml) de cubitos pequeños de tomate, sin semillas.

PAN DE PASAS
• A la harina, ponerle ³/₄ taza (120 g) de pasas.

PAN DE ESPECIAS
• A la harina, ponerle 1 cda (15 g) de especias mixtas molidas (canela, clavo de olor, nuez moscada, pimienta).

PAN DE CHOCOLATE
• Poner ¹/₂ taza (56 g) de cacao al mismo tiempo que la harina. Aumentar la mantequilla a ¹/₄ taza (60 g) y el azúcar a 3 cdas (45 g).

PAN DE CEBOLLA VERDE
• En una sartén, derretir 2 cdas (30 g) de mantequilla y 1 cda (10 g) de azúcar morena. Sofreír 1 1/2 taza (375 g) de cebollas verdes picadas fino. Incorporarlas en la receta básica al mismo tiempo que la harina.

Bollitos de Pan Perfectos

9 BOLLITOS	
2 ¹/₂ tazas	(290 g) harina
1 cdta	(5 g) sal
2 cdas	(30 g) azúcar
1	sobre de levadura
	pizca de azúcar
³/₄ taza	(180 ml) agua tibia
2 cdas	(30 ml) aceite
1	huevo, batido
2 cdas	(14 g) harina de trigo integral

• Precalentar el horno a 400 °F (205 °C).

• En un tazón, cernir la harina, la sal y 2 cdtas (10 g) de azúcar.

• En un tazón grande, disolver la levadura y el resto del azúcar en agua tibia. Esperar 10 minutos. Agregar todos los ingredientes cernidos a la vez. Mezclar hasta que la masa esté homogénea.

• Enharinar una superficie limpia y plana. Amasar por unos 5 minutos.

• En un tazón de acero inoxidable, poner el aceite. Agregar la masa. Rodar la masa en el aceite para que no se seque. Cubrirla con papel encerado. Dejar que suba por 1 hora en un lugar caliente y húmedo.

• Apelmazar la masa. Hacer 9 bolitas. Ponerlas en una lata de hornear untada con aceite, a una distancia de 2 pulg (5 cm). Dejar que la masa suba en un lugar caliente y húmedo hasta que llegue al doble de su tamaño. Untarle huevo batido. Espolvorearla con harina de trigo integral. Hornear por unos 10 minutos.

VARIACIONES
• Reemplazar la harina de trigo integral con queso, coco, o almendras, rallados; semillas (calabaza, girasol, hinojo, eneldo, cilantro) o granos de pimienta.

• Espolvorear la lata con semillas o nueces.

Pan de Trigo Integral

1 BARRA	
1	sobre de levadura
7 cdas	(105 ml) agua tibia
5 cdas	(75 ml) leche
1 cdta	(5 ml) melaza
1 taza	(115 g) harina de trigo integral
$^1/_4$ taza	(40 g) trigo integral
3 cdas	(21 g) harina de todo uso
1 cda	(10 g) azúcar morena
1 cdta	(5 g) sal
1 cda	(15 g) mantequilla

• Precalentar el horno a 375 °F (190 °C). Enmantequillar un molde de 9 x 5 pulg (23 x 13 cm). Ponerlo aparte.

• En un tazón grande, disolver la levadura en el agua. Agregar la leche y la melaza. Dejar reposar por 10 minutos.

• En un segundo tazón, mezclar el resto de los ingredientes, menos la mantequilla. Incorporar la levadura diluida.

• Amasar ligeramente. Agregar la mantequilla. Amasar por 5 minutos. Dejar que la masa suba por 1 hora.

• Apelmazar la masa. Ponerla en el molde. Dejarla que suba hasta la parte de arriba del molde. Espolvorearla con 1 cdta (5 ml) de harina.

• Hornear por 20-30 minutos. Sacar del horno. Dejar que el pan se enfríe 10 minutos antes de sacarlo del molde.

Barra de Pan de Salvado

1 BARRA	
1	sobre de levadura
1 taza	(250 ml) agua
4 cdtas	(20 g) azúcar
1 cdta	(5 g) sal
1 taza	(115 g) harina de trigo integral
2 $^1/_2$ tazas	(290 g) harina de todo uso
3 cdas	(21 g) salvado
1 cda	(15 g) mantequilla

• Precalentar el horno a 200 °F (95 °C). Poner una cacerola con agua caliente en la parrilla de abajo. Enmantequillar un molde de 9 x 5 pulg (23 x 13 cm). Ponerlo aparte.

• En una taza, disolver la levadura en $^1/_2$ taza (125 ml) de agua tibia. Ponerla aparte.

• En una segunda taza, poner el resto del agua tibia. Disolver el azúcar y la sal. Poner aparte.

• En un tazón, mezclar ligeramente las dos clases de harina, el salvado y la mantequilla. Incorporar las 2 mezclas líquidas.

• Amasar hasta que se entibie la masa. Agregarle un poco de harina. Dejar que suba en el horno por 20 minutos.

• Sacar la masa del tazón. Apelmazarla. Ponerla en el molde. Regresarla al horno hasta que llegue al doble de su tamaño.

• Sacar del horno el molde y la cacerola con agua. Subir la temperatura a 375 °F (190 °C). Regresar el molde al horno. Hornearlo en la parrilla de arriba por 30 minutos.

Trenza de Pan de Huevo

1 BARRA	
2	sobres de levadura
1 taza	(250 ml) agua tibia
$^1/_3$ taza	(80 ml) leche
2 cdtas	(10 g) sal
3 cdas	(45 g) azúcar
3 cdas	(45 g) mantequilla, derretida
2	huevos, batidos
4 tazas	(460 g) harina de todo uso

- Precalentar el horno a 200 °F (95 °C). Poner una cacerola con agua caliente en la parrilla de abajo.

- En un tazón grande, disolver la levadura en el agua tibia. Dejarla reposar por 10 minutos. Incorporar el resto de los ingredientes, menos los huevos y la harina.

- Mezclar tres cuartos del huevo batido. Amasar la harina. Ponerla en el horno. Dejar que la masa suba por 30 minutos.

- Apelmazar la masa. Dejarla que suba en el horno por 15 minutos más.

- Dividir la masa en 3 rollos. Trenzarlos. Ponerlos en una lata de hornear enmantequillada. Regresar al horno hasta que la trenza llegue al doble de su tamaño.

- Sacar del horno el pan y la cacerola con agua. Subir la temperatura a 375 °F (190 °C). Untarle al pan el resto del huevo batido. Regresar la trenza al horno. Hornearla en la parrilla de arriba por 20-30 minutos.

Pan de Cebada con Cerveza

1 BARRA	
1	sobre de levadura
1 taza	(250 ml) agua tibia
1 cdta	(5 g) sal
1 cda	(10 g) azúcar morena
3 cdas	(30 g) cebada
1 cda	(15 g) mantequilla
4 tazas	(460 g) harina de todo uso
1 cda	(15 g) mantequilla
1 cda	(15 ml) cerveza
2 cdas	(30 ml) aceite

- Precalentar el horno a 200 °F (95 °C). Poner una cacerola con agua caliente en la parrilla de abajo. Enmantequillar un molde de pan o uno redondo de 9 x 5 pulg (23 x 13 cm). Ponerlo aparte.

- En un tazón grande, disolver la levadura en el agua. Dejarla que haga espuma por 5 minutos.

- Incorporar el resto de los ingredientes, menos el aceite. Amasar con un poco de harina por 5 minutos. Poner la masa en el horno. Dejarla que suba por 1 hora. Apelmazarla. Dejar que suba por 30 minutos.

- Bañar la masa con aceite. Ponerla en el molde. Regresarla al horno. Dejarla que suba hasta que llegue al doble de su tamaño. Sacar del horno el pan y la cacerola con agua. Subir la temperatura a 375 °F (190 °C). Regresar el pan al horno. Hornearlo en la parrilla de arriba por 45 minutos. Dejarlo reposar por 10 minutos antes de sacarlo del molde.

VARIACIONES

- Reemplazar el azúcar morena con $^1/_4$ taza (60 ml) de melaza.

Barra de Cereza con Nueces

1 BARRA	
2 tazas	(230 g) harina
1 taza	(250 g) azúcar
1 cda	(7 g) polvo de hornear
¹/₂ cdta	(2 g) sal
2	huevos
¹/₄ taza	(60 ml) jugo de cereza
³/₄ taza	(180 ml) leche
3 cdas	(45 ml) aceite vegetal o de girasol
¹/₄ cdta	(1 ml) extracto de almendra
1 taza	(250 ml) cerezas sin semillas de lata, escurridas, en mitades
¹/₂ taza	(80 g) nueces, picadas

- Precalentar el horno a 350 °F (175 °C). Enmantequillar un molde de 9 x 5 pulg (23 x 13 cm).
- En un tazón, cernir los ingredientes secos. Hacer un pocito en el centro. Poner aparte.
- En un segundo tazón, batir los huevos, el jugo de cereza, la leche, el aceite y el extracto de almendra. Ponerlos en el pocito. Batir vigorosamente para hacer una masa homogénea y cremosa. Ponerla aparte.
- Rodar ligeramente las cerezas y las nueces en la harina. Incorporarlas en la masa.
- Hornear por más o menos 1 hora.

VARIACIÓN
- Reemplazar las cerezas con frambuesas.

Panecillos de Génova

6 PANECILLOS	
6 cdas	(90 g) mantequilla
1 taza	(250 g) azúcar
1 taza	(115 g) almendra en polvo
4	huevos grandes
1 oz	(30 ml) ron
¹/₂ cdta	(2 ml) extracto de vainilla
¹/₂ taza	(57 g) harina
2 cdtas	(5 g) polvo de hornear
1 cdta	(2 g) maicena

- Precalentar el horno a 350 °F (175 °C). Enmantequillar un molde de panecillos dulces. Ponerlo aparte.
- En un tazón, batir los primeros 3 ingredientes. Revolviendo, agregar los huevos, uno por uno. Poner aparte.
- En un segundo tazón, combinar el ron y el extracto de vainilla. Incorporarlos en la primera mezcla. Poner aparte.
- En un tercer tazón, cernir los ingredientes secos. Incorporarlos en la mezcla líquida.
- Poner la masa en las tazas del molde. Hornear por 30-35 minutos. Servir los panecillos calientes o fríos.

Pan del Trampero

2 BARRAS

1 cdta	(5 g) azúcar
¹/₂ taza	(125 ml) agua tibia
1	sobre de levadura
2 tazas	(500 ml) agua hirviendo
3 cdas	(45 g) mantequilla
1 taza	(250 ml) copos de avena
2 cdtas	(10 g) sal
¹/₂ taza	(125 ml) melaza
1 taza	(115 g) harina de trigo integral
4 tazas	(460 g) harina de todo uso
2 cdas	(30 ml) aceite

■ Precalentar el horno a 200 °F (95 °C). Poner una cacerola con agua caliente en la parrilla de abajo. Untar con aceite una lata para hornear galletas. Ponerla aparte.

■ En un tazón pequeño, mezclar el azúcar, el agua tibia y la levadura. Dejar que haga espuma por 15 minutos.

■ En un tazón grande, poner el agua hirviendo, la mantequilla, los copos de avena y la sal. Revolverlos un poco. Incorporar la levadura. Gradualmente agregar la melaza, la harina de trigo integral y 2 tazas (230 g) de la harina de todo uso hasta que la masa esté homogénea y pegajosa.

■ Enharinar una superficie limpia y plana con 1 taza (115 g) de harina de todo uso. Extender la masa. Amasarla por unos 10 minutos.

■ Cuando la masa absorba completamente esa harina, agregarle la harina restante en 2 pasos. La masa estará lista cuando ya no se pegue en los dedos.

■ Pasarla a la lata para hornear galletas. Bañarla con aceite. Ponerla en la parrilla de arriba del horno. Dejarla que suba por unos 90 minutos. Sacarla del horno. Apelmazarla. Amasarla 5 minutos más. Regresarla al horno por 20 minutos.

■ Ponerle aceite a 2 moldes de 9 x 5 pulg (23 x 13 cm) o 12 x 3 ¹/₂ pulg (30,5 x 9 cm).

■ Sacar la masa del horno. Dividirla en dos. Ponerla en los moldes. Ponerlos aparte.

■ Sacar del horno la cacerola con agua. Subir la temperatura del horno a 375 °F (190 °C). Regresar el pan al horno. Hornearlo por más o menos 1 hora. Dejarlo reposar 10 minutos antes de sacarlo del molde. Servirlo caliente o frío.

Nota : Este pan muy nutritivo se conserva bien si se le envuelve en papel de aluminio, o en una bolsa plástica sellada.

Pan de Dátiles Saludable

1 BARRA	
1 taza	(250 ml) hojuelas de salvado
1 ¹/₂ taza	(240 g) dátiles, picados
1 ¹/₂ taza	(375 ml) agua hirviendo
¹/₂ taza	(57 g) harina de todo uso
¹/₂ taza	(57 g) harina de trigo integral
¹/₂ cdta	(1 g) bicarbonato de sodio
1 cdta	(2 g) polvo de hornear
¹/₂ cdta	(2 g) sal
1	huevo
¹/₄ taza	(60 ml) melaza

- Precalentar el horno a 300 °F (150°C). Enmantequillar un molde de pan. Ponerlo aparte.

- En un tazón, poner las hojuelas de salvado, los dátiles y el agua hirviendo. Dejar reposar por 30 minutos.

- En un segundo tazón, cernir el resto de los ingredientes secos. Poner aparte.

- En un tercer tazón, batir el huevo. Agregar la melaza. Batir hasta que la mezcla se espese. Incorporar gradualmente los ingredientes secos, alternando con la mezcla de salvado y dátiles. Poner en el molde.

- Hornear el pan por 50-60 minutos. Sacarlo del horno. Dejar que se enfríe un poco. Sacarlo del molde. Servir.

Pan de Maíz

1 BARRA	
1 taza	(115 g) harina de todo uso
¹/₄ taza	(60 g) azúcar
4 cdtas	(10 g) polvo de hornear
4 cdtas	(20 g) sal
1 taza	(115 g) harina de maíz
1	huevo
1 taza	(250 ml) leche
¹/₄ taza	(60 g) mantequilla, derretida

- Precalentar el horno a 375 °F (190 °C). Enmantequillar un molde de pan de 9 x 5 pulg (23 x 13 cm). Ponerlo aparte.

- En un tazón, cernir los primeros 4 ingredientes. Mezclar la harina de maíz. Hacer un pocito en el centro. Poner aparte.

- En un segundo tazón, batir el huevo. Incorporar la leche y la mantequilla. Poner el líquido en el centro del pocito. Con una espátula, empujar la harina hacia el centro del tazón. Mezclarla hasta tener una masa homogénea.

- Poner la masa en el molde. Cubrirla con papel encerado. Dejarla reposar por 20 minutos.

- Hornear por 25-30 minutos. Servir el pan caliente o frío.

PAN DE MAÍZ CON MANZANA

- Seguir la receta del pan de maíz. Cubrir la masa con 2 manzanas, peladas y en rodajas. Espolvorearla con 2 cdas (20 g) de azúcar morena y 1 cdta (5 g) de canela. Hornear como se indica en la receta.

Pan de Semillas de Amapola de Un Minuto

1 BARRA	
2 cdas	(30 ml) manteca vegetal
1 taza	(250 g) azúcar
1	huevo
$^2/_3$ taza	(160 ml) leche
1 cdta	(5 ml) extracto de vainilla
1 $^1/_2$ taza	(170 g) harina de trigo integral
2 cdtas	(5 g) polvo de hornear
$^1/_2$ cdta	(2 g) sal
$^1/_4$ taza	(40 g) semillas de amapola

- Precalentar el horno a 350 °F (175 °C). Enmantequillar un molde de pan de 9 x 5 x 3 pulg (23 x 13 x 7 cm). Ponerlo aparte.

- En un tazón, hacer una crema la manteca vegetal. Incorporar el azúcar y el huevo.

- En un segundo tazón, batir la leche y el extracto de vainilla. Poner aparte.

- En un tercer tazón, mezclar el resto de los ingredientes. Incorporar gradualmente la manteca vegetal, alternando con la leche con vainilla. Ponerlos en el molde.

- Hornear por 50-60 minutos o hasta que la corteza se dore. Sacar el pan del horno. Dejar que se enfríe por 10 minutos antes de sacarlo del molde.

Pan de Queso

1 BARRA	
2 tazas	(230 g) harina de todo uso
4 cdtas	(10 g) polvo de hornear
1 $^1/_2$ cdta	(7 g) sal
1 taza	(160 g) queso Cheddar medio, rallado
2	huevos
1 taza	(250 ml) leche
$^1/_4$ taza	(60 ml) aceite vegetal

- Precalentar el horno a 350 °F (175 °C). Enmantequillar un molde de pan de 9 x 5 pulg (23 x 13 cm). Ponerlo aparte.

- En un tazón, cernir los ingredientes secos. Incorporar el queso. Hacer un pocito en el centro. Poner aparte.

- En un segundo tazón, batir los huevos. Incorporar la leche y aceite, batiendo constantemente. Poner la mezcla líquida en el centro del pocito.

- Con una espátula, empujar con cuidado la harina hacia el centro del tazón. Mezclarla con una cuchara de madera. No amasarla. Poner la masa en el molde. Cubrirla con papel encerado. Dejarla reposar por 20 minutos.

- Hornear por 50-60 minutos. Sacar del molde. Servir el pan caliente, frío o tostado.

VARIACIONES
- Usar queso Cheddar añejo o queso Suizo.

REPOSTERÍAS DANESAS

Reposterías Danesas Rápidas

6-8 REPOSTERÍAS

¹/₄ taza	(60 g) mantequilla
¹/₂ taza	(56 g) azúcar morena
2 cdas	(30 ml) jarabe de maíz
¹/₂ taza	(80 g) nueces, en mitades
¹/₄ taza	(40 g) cerezas marrasquinas, en cuartos
10 oz	(280 g) masa de bollitos de mantequilla comercial

- Poner un vaso en el centro de un plato redondo para microondas de 9 pulg (23 cm). Poner mantequilla alrededor del vaso. Derretirla en el horno por 30-45 segundos, en ALTO.

- Sacarla del horno. Espolvorear la mantequilla con azúcar morena. Mezclar con cuidado el jarabe de maíz. Adornar con nueces y cerezas. Poner los bollitos encima, formando pétalos. Hornear por 6-8 minutos, en MEDIO.

- Sacar del horno. Quitar el vaso. Poner las reposterías en una fuente de servir. Dejarlas reposar por unos cuantos minutos para que les caiga encima y alrededor el jarabe de maíz. Servirlas tibias.

Reposterías Danesas Individuales

2 DOCENAS

¹/₃ taza	(80 g) azúcar
1 cdta	(5 g) sal
³/₄ taza	(180 ml) agua
1	sobre de levadura
5	huevos
2 ¹/₂ tazas	(290 g) harina
1 ¹/₄ taza	(300 g) mantequilla
1	huevo, batido

- En un tazón, disolver el azúcar y la sal en la mitad del agua.

- En un segundo tazón, disolver la levadura en el resto del agua. Mezclarla con los huevos y la harina. Agregarle el agua con el azúcar y la sal.

- Amasar hasta que la mezcla se deslice de los lados del tazón. Agregar la mantequilla en trocitos pequeños. Continuar amasando hasta que la masa esté cremosa. Pasarla a un tazón. Dejarla reposar por lo menos 12 horas.

- Precalentar el horno a 200 °F (95 °C). Poner una cacerola con agua caliente en la parrilla de abajo. Enmantequillar las tazas de un molde de panecillos dulces pequeños.

- Dividir la masa en 24 porciones. Ponerla en las tacitas. Dejar que la masa suba en el horno por unos 45 minutos.

- Sacar del horno las reposterías y la cacerola con agua. Subir la temperatura a 375 °F (190 °C). Untar las reposterías con huevo batido. Regresarlas al horno. Hornear por 30 minutos.

Reposterías Grandes de Frutas

2 REPOSTERÍAS GRANDES

1	receta básica de reposterías danesas individuales	
3 cdas	(45 g) mantequilla derretida o natilla *(p. 412)*	
1 taza	(160 g) frutas acarameladas, picadas	
1 taza	(250 ml) jalea de albaricoque	
¹/₂ taza	(80 g) coco rallado o vermicelli de chocolate	

- Precalentar el horno a 350 °F (175 °C). Enmantequillar 2 moldes redondos de 9 pulg (23 cm. Poner en cada molde 1 ¹/₄ taza (300 ml) de masa de repostería. Ponerlos aparte.

- Pasarle el rodillo al resto de la masa para hacer una pieza de 23 ¹/₂ pulg (60 cm) de largo por 14 pulg (36 cm) de ancho.

- Con una brochita, untar la pieza de masa con la mantequilla derretida o la natilla. Espolvorearla con las frutas acarameladas. Enrollarla. Cortarla en rodajas de 1 pulg (2,5 cm) de ancho. Ponerla plana en los moldes, dejando espacio para que se extienda. Dejarla que suba.

- Hornear por 40 minutos. Sacar las reposterías de los moldes. Untarles jalea de albaricoque. Espolvorearlas con coco o vermicelli de chocolate.

La receta se muestra arriba

VARIACIONES

- Reemplazar las frutas acarameladas con frutas secas (plátanos, albaricoques, manzanas) o nueces.

Danesa Jiffy

12 REPOSTERÍAS

1	sobre de levadura seca activa
$^1/_4$ taza	(60 g) azúcar
$^1/_4$ taza	(60 ml) agua tibia
$^3/_4$ taza	(180 ml) leche parcialmente descremada
3 $^1/_4$ tazas	(375 g) harina de todo uso
$^1/_4$ cdta	(2 g) sal
$^2/_3$ taza	(160 g) mantequilla, derretida
1	huevo, ligeramente batido
$^2/_3$ taza	(76 g) azúcar morena
1 cda	(15 g) canela molida
$^1/_2$ taza	(80 g) pasas
$^1/_2$ taza	(80 g) nueces, picadas
	miel (opcional)

- Precalentar el horno a 375 °F (190 °C).

- En un tazón, mezclar la levadura y la mitad del azúcar en un poco de agua. Poner aparte.

- En una cacerola, calentar el resto del agua y la leche. Incorporarlas en la mezcla de levadura. Agregar el resto del azúcar, la harina, la sal, $^1/_4$ taza (60 g) de mantequilla y el huevo. Mezclar hasta que la masa se deslice de los lados del tazón.

- Amasar en una superficie limpia enharinada hasta que la masa esté homogénea y elástica. Taparla. Dejar que suba por 10 minutos.

- Pasarle el rodillo a la masa para hacer un cuadrado de 14 pulg (38 cm). Untarle el resto de la mantequilla. Ponerla aparte.

- En un tazón, mezclar el azúcar morena y la canela. Ponérselas a la masa. Espolvorearla con pasas y nueces. Enrollarla. Cortarla en 12 rodajas.

- Ponerlas en las tazas de un molde grande de panecillos dulces. Dejar que la masa suba hasta que llegue al doble de su tamaño. Hornear por 18-20 minutos.

- Sacar el molde del horno. Sacar las reposterías del molde. Dejar que se enfríen.

- En una cacerola, calentar la miel. Ponérsela con una brochita a las reposterías, si se desea.

VARIACIONES
- Reemplazar las pasas con salsa de manzana, jalea de fresa o frambuesa, o con frambuesas enteras.

PANECILLOS DULCES

Panecillos Volteados de Trigo Integral

12 PANECILLOS GRANDES		
$^1/_2$ taza	(56 g)	azúcar morena
$^1/_4$ taza	(60 g)	margarina
$^1/_2$ taza	(80 g)	nueces, picadas
2		huevos
$^3/_4$ taza	(180 ml)	leche
$^1/_2$ taza	(125 g)	margarina, derretida
1 $^1/_2$ taza	(170 g)	harina de todo uso
1 taza	(115 g)	harina de trigo integral
$^1/_3$ taza	(40 g)	azúcar glass
2 cdas	(15 g)	bicarbonato de sodio
1 cdta	(5 g)	canela molida
$^1/_2$ cdta	(2 g)	sal

- Precalentar el horno a 400 °F (205 °C). Enmantequillar o poner tazas de papel en las tazas de un molde de panecillos.

- Poner 2 cdtas (5 g) de azúcar morena y 1 cdta (5 g) de margarina en cada taza. Derretir en el horno por unos 2 minutos. Sacar del horno. Dividir las nueces en las tazas. Ponerlas aparte.

- En un tazón, batir los huevos con un tenedor. Agregar la leche y la margarina derretida. Poner aparte.

- En un segundo tazón, cernir los ingredientes secos. Agregar la mezcla de huevo, revolviendo sólo lo necesario para humedecer los ingredientes secos.

- Llenar las tazas con la mezcla, con una cuchara. Hornear por unos 20 minutos. Sacar del horno. Voltear los moldes inmediatamente en una parrilla. Servir los panecillos calientes.

Panecillos Para la Hora del Café

8 PANECILLOS GRANDES		
1		huevo
1 $^1/_4$ taza	(300 ml)	leche
$^1/_2$ taza	(125 g)	margarina, derretida
2 $^1/_2$ tazas	(290 g)	harina
$^1/_2$ taza	(67 g)	azúcar glass
1 cda	(7 g)	polvo de hornear
1 cdta	(5 g)	sal
$^1/_4$ taza	(28 g)	azúcar morena
$^1/_4$ taza	(40 g)	nueces, picadas
1 cda	(7 g)	harina
1 cda	(15 g)	margarina
1 cdta	(5 g)	canela

- Precalentar el horno a 400 °F (205 °C). Enmantequillar o poner tazas de papel en las tazas de un molde de panecillos. Poner aparte.

- En un tazón, batir el huevo. Mezclar la leche y la margarina derretida. Poner aparte.

- En un segundo tazón, mezclar la harina, el azúcar glass, el polvo de hornear y la sal. Agregar la mezcla de huevo, revolviendo sólo lo necesario para humedecer los ingredientes secos.

- En un tercer tazón, mezclar el azúcar morena, las nueces, la harina, la margarina y la canela. Poner aparte.

- Poner la primera mezcla en las tazas del molde hasta que estén medio llenas. Poner 1 cda (15 ml) de la mezcla de azúcar morena y nueces en el centro de cada panecillo. Llenar las tazas con el resto de la mezcla. Hornear por unos 20 minutos.

Panecillos de Naranja y Zanahoria

6 PANECILLOS GRANDES

1 taza	(115 g)	harina
1/2 taza	(80 g)	pasas
1/4 taza	(28 g)	salvado de trigo
1/4 taza	(28 g)	azúcar morena
1/2 cdta	(1 g)	polvo de hornear
		pizca de sal
1		huevo
1/3 taza	(80 ml)	aceite
1/4 taza	(60 g)	margarina, derretida
1/4 taza	(60 ml)	melaza
2 cdas	(30 ml)	jugo de naranja
2 cdtas	(10 g)	ralladura de naranja
1 taza	(160 g)	zanahorias, ralladas

Capa de Nueces

3 cdas	(30 g)	nueces, picadas
3 cdas	(30 g)	azúcar morena
1/4 cdta	(1 g)	canela

- Enmantequillar o poner tazas de papel doble en un molde de panecillos para microondas. Ponerlo aparte.

- En un tazón grande, mezclar los ingredientes secos.

- En un segundo tazón, batir el huevo, el aceite, la margarina, la melaza y el jugo de naranja. Incorporar la ralladura de naranja y las zanahorias. Mezclar con los ingredientes secos. Llenar las tazas a dos tercios. Poner aparte.

- En un tazón, mezclar los ingredientes de la capa. Dividir en los panecillos.

- En un horno de microondas, hornear 6 panecillos a la vez, 2 minutos en ALTO. Rotar a medias el molde después de 1 minuto. Dejar reposar por 5 minutos antes de servir.

Panecillos de Avena del Jardín

12 PANECILLOS GRANDES

1 1/2 taza	(375 ml)	copos de avena de cocción rápida
1 1/2 taza	(375 ml)	leche
1		huevo
1/2 taza	(125 g)	margarina, derretida
1 taza	(115 g)	harina de todo uso
1 taza	(115 g)	harina de trigo integral
1/2 taza	(56 g)	azúcar morena
1 cda	(7 g)	polvo de hornear
1 cdta	(5 g)	sal
1 cdta	(5 g)	canela
1/2 cdta	(2 g)	nuez moscada
1 taza	(160 g)	zanahorias, ralladas
1 taza	(160 g)	calabacita, rallada

- Precalentar el horno a 400 °F (205 °C). Enmantequillar o poner tazas de papel en las tazas de un molde de panecillos. Ponerlo aparte. En un tazón, poner los copos de avena y la leche. Dejar reposar por 5 minutos. Mezclar el huevo y la margarina. Poner aparte.

- En un segundo tazón, mezclar las dos clases de harina, el azúcar morena, el polvo de hornear y las especias. Incorporar los ingredientes líquidos, revolviendo sólo lo necesario para humedecer los ingredientes secos. Mezclar las verduras. Llenar con la mezcla las tazas del molde. Hornear por unos 20 minutos.

VARIACIÓN

- Reemplazar una de las verduras con remolacha (betabel) rallada.

Panecillos Parmesanos Deliciosos

12 PANECILLOS PEQUEÑOS	
1	huevo
1 taza	(250 ml) leche
$^{1}/_{2}$ taza	(125 ml) yogurt sin sabor
$^{1}/_{2}$ taza	(125 g) margarina, derretida
2 $^{1}/_{2}$ tazas	(290 g) harina
1 cda	(7 g) polvo de hornear
1 cdta	(5 g) sal
$^{1}/_{2}$ taza	(80 g) queso Parmesano, rallado
$^{1}/_{4}$ taza	(60 g) azúcar
$^{1}/_{2}$ cdta	(2 ml) albahaca seca

■ Precalentar el horno a 400°F (205 °C). Enmantequillar o poner tazas de papel en un molde de panecillos dulces. Ponerlo aparte.

■ En un tazón, batir el huevo con un tenedor. Mezclar la leche, el yogurt y la margarina. Poner aparte.

■ En un segundo tazón, mezclar la harina, el polvo de hornear, la sal, el Parmesano, el azúcar y la albahaca. Agregar la mezcla líquida, revolviendo sólo lo necesario para humedecer los ingredientes secos.

■ Llenar con la mezcla las tazas del molde. Hornear por unos 20 minutos.

Panecillos de Manzana y Cheddar

12 PANECILLOS GRANDES	
1	huevo
1 $^{1}/_{4}$ taza	(300 ml) leche
$^{1}/_{4}$ taza	(60 g) margarina, derretida
2 $^{1}/_{2}$ tazas	(290 g) harina
$^{1}/_{4}$ taza	(30 g) azúcar glass
1 cda	(7 g) polvo de hornear
1 cdta	(5 g) sal
1 taza	(160 g) manzana sin pelar, rallada
1 $^{1}/_{2}$ taza	(240 g) queso Cheddar añejo, rallado

■ Precalentar el horno a 400 °F (205 °C). Enmantequillar o poner tazas de papel en las tazas de un molde de panecillos. Ponerlo aparte.

■ En un tazón, batir el huevo, la leche y la margarina. Poner aparte.

■ En un segundo tazón, mezclar la harina, el azúcar glass, el polvo de hornear y la sal. Incorporar los ingredientes líquidos, revolviendo sólo lo necesario para humedecer los ingredientes secos. Agregar la manzana y 1 taza (160 g) de queso.

■ Llenar hasta arriba las tazas del molde. Espolvorearlas con el resto de queso Cheddar. Hornear por unos 20 minutos.

Panecillos de Mermelada y Queso

8 PANECILLOS GRANDES

2 tazas	(230 g) harina
2 cdtas	(5 g) polvo de hornear
1/4 cdta	(1 g) sal
1/3 taza	(80 g) margarina
2/3 taza	(75 g) azúcar morena
1	huevo
2 cdtas	(10 g) ralladura de naranja
2/3 taza	(160 ml) leche
1/2 taza	(125 g) queso de crema, ablandado
2 cdas	(15 g) azúcar glass
1/2 taza	(125 ml) mermelada de naranja
3 cdas	(30 g) nueces, picadas

- Precalentar el horno a 375 °F (190 °C). Enmantequillar o poner tazas de papel en las tazas de un molde de panecillos. Ponerlo aparte.

- En un tazón, mezclar la harina, el polvo de hornear y la sal. Poner aparte.

- En un segundo tazón, batir la margarina y el azúcar morena. Incorporar el huevo y la ralladura de naranja. Mezclar gradualmente la mezcla de harina y la leche. Poner aparte.

- En un tercer tazón, mezclar el queso crema y el azúcar glass. Poner aparte.

- Llenar hasta la mitad las tazas del molde con la primera mezcla. En el centro de cada panecillo, poner 4 cdtas (20 ml) de la mezcla de queso, luego 1 cda (15 ml) de mermelada.

- Llenar las tazas del molde con el resto de la mezcla. Adornar con nueces picadas. Hornear por 25-30 minutos.

La receta se muestra arriba

VARIACIONES

- Reemplazar la mermelada con jalea de ciruela, frambuesa o arándano, como se muestra arriba.

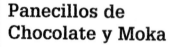

Panecillos de Chocolate y Moka

8 PANECILLOS GRANDES	
1 taza	(200 g) trocitos de chocolate semidulce
1 cda	(5 g) café instantáneo
1/4 taza	(60 g) margarina
1 1/4 taza	(300 ml) leche
1	huevo
2 1/2 tazas	(290 g) harina
1/3 taza	(40 g) azúcar glass
1 cda	(7 g) polvo de hornear
1/2 cdta	(2 g) sal

■ Precalentar el horno a 400 °F (205 °C). Enmantequillar o poner tazas de papel en las tazas de un molde de panecillos. Ponerlo aparte.

■ En una cacerola, a fuego bajo, calentar la mitad de los trocitos de chocolate con el café, la margarina y la leche. Batir hasta que la mezcla esté homogénea. Dejar que se enfríe.

■ En un tazón grande, batir el huevo. Incorporar los ingredientes secos. Agregar la mezcla de chocolate fría, revolviendo sólo lo necesario para humedecer la mezcla. Mezclar con cuidado el resto de los trocitos de chocolate.

■ Llenar con la mezcla las tazas del molde. Hornear por unos 20 minutos.

Panecillos Daneses de Queso Crema

8 PANECILLOS GRANDES	
1	huevo
1 3/4 taza	(425 ml) leche
1/2 taza	(125 g) margarina, derretida
1 cdta	(5 g) ralladura de limón
2 1/2 tazas	(290 g) harina
1 cdta	(2 g) polvo de hornear
1 cda	(15 g) sal
1/2 taza	(125 g) azúcar
1/2 taza	(125 g) queso crema, ablandado
2 cdas	(15 g) azúcar glass
1 cda	(15 ml) jugo de limón

■ Precalentar el horno a 400 °F (205 °C). Enmantequillar o poner tazas de papel en las tazas de un molde de panecillos. Ponerlo aparte.

■ En un tazón, batir el huevo. Mezclar la leche, la margarina y la ralladura de limón.

■ En un segundo tazón, mezclar la harina, el polvo de hornear, la sal y el azúcar. Incorporar la mezcla líquida, revolviendo sólo lo necesario para humedecer los ingredientes secos.

■ En un tercer tazón, mezclar el queso crema, el azúcar glass y el jugo de limón hasta que esté cremoso. Poner aparte.

■ Llenar hasta la mitad las tazas del molde con la primera mezcla. Poner 1 cdta (5 ml) de la mezcla de queso en el centro de cada panecillo. Llenar las tazas del molde con el resto de la mezcla. Hornear por 20 minutos.

Panecillos de Salvado con Pasas

8 PANECILLOS GRANDES	
2 ¹/₂ tazas	(625 ml) hojuelas de salvado
1 taza	(250 ml) leche parcialmente descremada
1	huevo, batido
¹/₄ taza	(60 g) margarina, derretida
²/₃ taza	(160 ml) melaza
1 taza	(115 g) harina
1 cdta	(5 g) sal
¹/₂ taza	(80 g) pasas

• Precalentar el horno a 400 °F (205 °C). Enmantequillar o poner tazas de papel en las tazas de un molde de panecillos. Ponerlo aparte.

• En un tazón, remojar las hojuelas de salvado en la leche hasta que se ablanden. Agregar el huevo batido, la margarina y la melaza. Poner aparte.

• En un segundo tazón, mezclar los ingredientes secos. Con un tenedor, incorporarlos en la mezcla líquida. Poner en las tazas. Hornear por 20 minutos.

VARIACIÓN
• Reemplazar las pasas con 1 1/2 taza (240 g) de trocitos de manzana seca.

Panecillos de Piña y Zanahoria

12 PANECILLOS	
2 tazas	(230 g) harina
¹/₃ taza	(38 g) azúcar morena
1 cda	(7 g) polvo de hornear
2 cdas	(30 g) azúcar
¹/₂ cdta	(2 g) canela
¹/₂ cdta	(2 g) jengibre
¹/₂ cdta	(2 g) nuez moscada
¹/₂ cdta	(2 g) clavo de olor
¹/₂ cdta	(2 g) sal
1 taza	(250 ml) trozos de piña de lata, en su jugo
	leche
1	huevo, batido
³/₄ taza	(120 g) zanahorias, ralladas fino
¹/₃ taza	(80 ml) aceite
¹/₂ cdta	(2 ml) extracto de vainilla

• Precalentar el horno a 400 °F (205 °C). Enmantequillar o poner tazas de papel en las tazas de un molde de panecillos. Ponerlo aparte.

• En un tazón, mezclar los ingredientes secos. Hacer un pocito en el centro. Poner aparte.

• Escurrir la piña en un segundo tazón, reservar el jarabe. Agregarle leche suficiente al jugo de la piña para hacer ³/₄ taza (180 ml) de líquido.

• Incorporar el huevo, las zanahorias, el aceite, el extracto de vainilla y los trozos de piña en la mezcla de jugo y leche. Poner los ingredientes secos todos a la vez. Con un tenedor, mezclar hasta que la mezcla esté bien húmeda.

• Ponerla en tazas. Hornear por 20-25 minutos.

Panecillos de Yogurt

12 PANECILLOS	
1 taza	(250 ml) yogurt sin sabor o crema ácida
1 cdta	(2 g) bicarbonato de sodio
1/2 taza	(125 g) mantequilla
2	huevos
1 cdta	(5 ml) extracto de vainilla
2 tazas	(230 g) harina
1/2 cdta	(1 g) polvo de hornear
1/2 cdta	(2 g) sal
1 taza	(250 g) azúcar
3/4 taza	(150 g) trocitos de chocolate

Capa

1/4 taza	(50 g) trocitos de chocolate
2 cdas	(20 g) nueces, picadas
2 cdas	(20 g) azúcar morena
1 cdta	(5 g) canela molida

- Precalentar el horno a 350 °F (175 °C). Enmantequillar varios moldes de panecillos. Ponerlos aparte.

- En un tazón, mezclar el yogurt y el bicarbonato. Poner aparte.

- En un segundo tazón, batir la mantequilla. Agregar los huevos uno por uno, luego el extracto de vainilla. Poner aparte.

- En un tazón grande, mezclar la harina, el polvo de hornear, la sal y la azúcar. Poner la mezcla de yogurt, revolviendo sólo lo necesario para humedecer los ingredientes secos. Mezclar ligeramente los trocitos de chocolate. Poner la mezcla en las tazas de los moldes.

- Mezclar los ingredientes de la capa. Ponerle cantidades iguales a los panecillos. Hornear por 30-35 minutos.

Panecillos de Naranja y Chocolate

12 PANECILLOS GRANDES	
1	huevo
1 taza	(250 ml) leche
1/2 taza	(125 g) margarina, derretida
1/2 cdta	(2 g) ralladura de naranja
1/4 taza	(60 ml) jugo de naranja
1 1/2 taza	(170 g) harina de todo uso
1 taza	(115 g) harina de trigo integral
1/2 taza	(67 g) azúcar glass
1 cda	(7 g) polvo de hornear
1/2 cdta	(2 g) sal
1/2 taza	(100 g) trocitos de chocolate semidulce

- Precalentar el horno a 400 °F (205 °C). Enmantequillar o poner tazas de papel en las tazas de un molde de panecillos. Ponerlo aparte.

- En un tazón, batir el huevo. Mezclar la leche, la margarina, la ralladura y jugo de naranja. Poner aparte.

- En un tazón grande, mezclar las dos clases de harina, el azúcar glass, el polvo de hornear y la sal. Poner los ingredientes líquidos, revolviendo sólo lo necesario para humedecer los ingredientes secos. Mezclar ligeramente los trocitos de chocolate.

- Llenar con la mezcla las tazas del molde. Hornear por unos 20 minutos.

La receta se muestra arriba

Panecillos de Miel de Maple y Muchos Granos

18 PANECILLOS

1 taza	(250 ml) copos de avena
3/4 taza	(85 g) germen de trigo
1/2 taza	(57 g) salvado natural
1/2 cdta	(2 g) sal
1/2 cdta	(2 g) canela molida
1 taza	(250 ml) suero de leche o leche agria
3/4 taza	(180 ml) miel de maple
2	huevos, batidos
1/2 taza	(125 ml) aceite
1 taza	(115 g) harina
2 cdtas	(5 g) polvo de hornear
1 cdta	(2 g) bicarbonato de sodio
1/2 taza	(80 g) pasas

- Precalentar el horno a 375 °F (190 °C). Enmantequillar varios moldes de panecillos dulces. Ponerlos aparte.

- En un tazón, mezclar los primeros 6 ingredientes. Dejar reposar por 15 minutos. Agregar la miel de maple, los huevos y el aceite. Poner aparte.

- En un segundo tazón, mezclar la harina, el polvo de hornear y el bicarbonato. Incorporarlos en la primera mezcla, revolviendo sólo lo necesario para humedecerla. Agregar las pasas.

- Llenar hasta tres cuartos las tazas de los moldes. Hornear por 20-25 minutos. Sacar del horno. Dejar reposar los panecillos por 10 minutos antes de sacarlos de los moldes.

Panecillos de Arándano con Ralladura de Limón

12 PANECILLOS

1 cda	(15 ml) jugo de limón
1 taza	(250 ml) leche
1	huevo, batido
1/4 taza	(60 ml) aceite vegetal
1/4 taza	(60 ml) melaza
1 taza	(115 g) salvado natural
3/4 taza	(85 g) harina de trigo integral
3/4 taza	(85 g) harina
1 1/2 cdta	(3 g) polvo de hornear
1/2 cdta	(1 g) bicarbonato de sodio
1/3 taza	(56 g) azúcar morena, empacada
1 1/2 cdta	(7 g) ralladura de limón
1 taza	(160 g) arándanos frescos o congelados

- Precalentar el horno a 375 °F (190 °C). Enmantequillar o poner tazas de papel en un molde de panecillos dulces. Ponerlo aparte.

- En un tazón, mezclar el jugo de limón y la leche. Poner a agriar la leche por 1 minuto. Incorporar batiendo el huevo, el aceite vegetal y la melaza. Poner aparte.

- En un segundo tazón, mezclar los ingredientes secos. Incorporar la mezcla líquida y los arándanos, revolviendo sólo lo necesario para humedecer los ingredientes secos.

- Poner la mezcla en las tazas del molde. Hornear por 20-25 minutos o hasta que los panecillos se sientan firmes al tocarlos.

GALLETAS

Galletas de Avena con Frutas Secas

ALREDEDOR DE 2 DOCENAS

¹/₃ taza	(80 ml) manteca vegetal
¹/₂ taza	(125 g) azúcar
¹/₂ taza	(56 g) azúcar morena
1	huevo
¹/₂ taza	(57 g) harina de todo uso
¹/₂ cdta	(1 g) bicarbonato de sodio
¹/₄ cdta	(1 g) sal
¹/₄ taza	(40 g) ciruelas, picadas
¹/₂ taza	(80 g) grosellas
¹/₂ taza	(57 g) harina de avena

• En un tazón, hacer una crema con la manteca vegetal, el azúcar blanca y el azúcar morena. Incorporar batiendo el huevo. Poner aparte.

• En un segundo tazón, cernir la harina de todo uso, el bicarbonato y la sal. Incorporarlos en la mezcla líquida. Agregar las ciruelas, las grosellas y la harina de avena; mezclar bien.

• Hacer 2 rollitos con la masa. Envolverlos con papel encerado. Refrigerarlos por 1 hora.

• Precalentar el horno a 350 °F (175 °C). Enmantequillar un lata para hornear galletas.

• Sacar la masa del refrigerador. Cortar cada rollito en 12 galletas. Ponerlas en la lata. Hornear por unos 15 minutos.

Galletas de Naranja

ALREDEDOR DE 1 ¹/₂ DOCENA

2 tazas	(230 g) harina
4 cdtas	(10 g) polvo de hornear
	pizca de sal
1 taza	(250 g) azúcar
1	huevo, batido
¹/₂ taza	(125 g) mantequilla, ablandada
	ralladura de 1 naranja
¹/₄ taza	(60 ml) jugo de naranja
18	almendras enteras

• Precalentar el horno a 375 °F (190 °C).

• En un tazón, cernir los ingredientes secos. Agregar el resto de ingredientes, menos las almendras. Mezclar para hacer una masa homogénea.

• Pasarle el rodillo a la masa hasta tener una pieza de ¹/₄ pulg (0,5 cm) de grosor. Cortar las galletas con un cortador de galletas o con un cuchillo. Poner una almendra en cada galleta.

• Hornear por 10 minutos.

VARIACIONES

• Reemplazar la ralladura y jugo de naranja con ralladura y jugo de toronja, limón o lima.

ALREDEDOR DE 3 DOCENAS

2 ¹/₂ tazas	(290 g) harina
¹/₂ taza	(125 g) azúcar
1	huevo
1 taza	(250 g) mantequilla

Decoración

3	huevos, batidos
¹/₂ taza	(125 g) azúcar
1 ¹/₂ taza	(170 g) almendra en polvo
20	cerezas acarameladas, en mitades

• Precalentar el horno a 425 °F (220 °C). Enmantequillar un lata para hornear galletas. Ponerla aparte.

• En un tazón grande, cernir la harina. Hacer un pocito en el centro. Ponerle el azúcar y el huevo. Poner aparte.

• Picar fino la mantequilla. Espolvorearla con harina. Con un mezclador de pastelería o dos cuchillos usados como tijeras, mezclar hasta que la masa esté granulada. Envolverla. Refrigerarla por 30 minutos.

• Enharinar una superficie limpia y plana. Pasarle el rodillo a la masa hasta tener un grosor de ¹/₈ pulg (0,25 cm). Usando un vaso con la orilla enharinada, cortar la masa en ruedas. Colocarlas en la lata.

• Untar cada galleta con huevo batido. Espolvorearlas con azúcar y almendra en polvo. Decorarlas con media cereza.

• Hornear por unos 8 minutos. Servir.

VARIACIONES

• Cortar la masa en cuadrados, triángulos, en formas de diamante o media luna.

• Espolvorear las galletas horneadas con cacao. Sumergirlas en chocolate derretido o untarles miel. Decorarlas con pistachos picados o rodajas de almendra.

• Hacer sandwiches de pares de galletas con jalea.

Las recetas se muestran en la página opuesta

Dedales de Jalea

¹/₂ taza	(56 g) azúcar morena, empacada
2 cdas	(30 g) azúcar
¹/₂ taza	(125 ml) manteca vegetal
1	huevo
¹/₄ taza	(60 ml) agua fría
¹/₂ cdta	(2 ml) extracto de vainilla
1 ¹/₂ taza	(170 g) harina de todo uso
¹/₂ cdta	(1 g) bicarbonato de sodio
1 cdta	(5 g) sal
1 taza	(160 g) coco rallado
1 ¹/₂ taza	(375 ml) jalea, de su gusto
¹/₃ taza	(40 g) azúcar glass

- Precalentar el horno a 375 °F (190 °C). Enmantequillar una lata para hornear galletas. Ponerla aparte.

- En un tazón, hacer una crema con el azúcar morena, el azúcar blanca y la manteca vegetal. Mezclar el huevo, el agua y el extracto de vainilla. Poner aparte.

- En un segundo tazón, mezclar la harina, el bicarbonato, la sal y el coco. Incorporarlos en la primera mezcla.

- Poner la masa en una lata para hornear galletas, apretándola para hacer rueditas gruesas. Usando la parte trasera de una cuchara, hacer una cavidad profunda en el centro de cada galleta. Rellenarlas con 1 cda (15 ml) de jalea.

- Hornear por 10-12 minutos. Sacarlas del horno. Espolvorearlas con azúcar glass.

Galletas de Almendra

¹/₂ taza	(125 ml) manteca vegetal
¹/₂ taza	(125 g) azúcar
2 cdas	(30 ml) jarabe de maíz
2 cdas	(30 ml) extracto de almendra
2	huevos
1 ¹/₂ taza	(170 g) harina de todo uso
³/₄ cdta	(3 g) bicarbonato de sodio
¹/₄ cdta	(1 g) sal
24	mitades de almendra

- Precalentar el horno a 375 °F (190 °C).

- En un tazón, hacer una crema con la manteca vegetal y el azúcar. Incorporar el jarabe, el extracto de almendra y 1 huevo.

- En un segundo tazón, cernir la harina, el bicarbonato y la sal. Incorporarlos en la mezcla líquida. Mezclar hasta que la masa esté homogénea y se deslice por los lados del tazón.

- Hacer aproximadamente 24 bolitas de 1 pulg (2,5 cm). Ponerlas en una lata para hornear galletas no enmantequillada. Poner aparte.

- En un tazón pequeño, batir el resto del huevo. Sumergir las 24 mitades de almendra en el huevo batido. Poner con cuidado una mitad en cada galleta. Hornear por 15-20 minutos.

Galletas de Nueces con Chocolate

1 taza	(250 ml) manteca vegetal
1 taza	(112 g) azúcar morena, empacada
¹/₂ taza	(125 g) azúcar
2	huevos
1 cdta	(5 ml) extracto de vainilla
3 cdas	(45 g) ralladura de naranja
2 tazas	(230 g) harina de trigo integral
1 cdta	(2 g) bicarbonato de sodio
¹/₂ cdta	(2 g) sal
1 taza	(160 g) nueces, picadas
1 taza	(200 g) trocitos de chocolate

- Precalentar el horno a 375 °F (190 °C).

- En un tazón, hacer una crema con la manteca vegetal, el azúcar morena y el azúcar blanca. Mezclar los huevos, el extracto de vainilla y la ralladura de naranja.

- En un segundo tazón, cernir la harina, el bicarbonato y la sal. Incorporarlos en la mezcla líquida. Agregar las nueces y los trocitos de chocolate.

- Hacer con la masa bolitas de 1 pulg (2,5 cm). Ponerlas en una lata para hornear galletas no enmantequillada. Usando el fondo de un vaso bañado con azúcar glass, hacer rueditas planas iguales. Hornear por 8-10 minutos.

Galletas con Trocitos de Manzana

¹/₂ taza	(125 g) mantequilla
1 ¹/₂ taza	(170 g) azúcar morena
1	huevo
2 tazas	(320 g) manzanas, en trocitos pequeños
¹/₂ taza	(80 g) albaricoques secos, en trozos
¹/₄ taza	(60 ml) jugo de manzana
¹/₂ cdta	(2 ml) jugo de limón
2 tazas	(230 g) harina de trigo integral
1 cdta	(2 g) bicarbonato de sodio
¹/₂ cdta	(2 g) sal
¹/₄ cdta	(1 g) clavo de olor molido
¹/₂ cdta	(2 g) canela

- Precalentar el horno a 350 °F (175 °C). Enmantequillar una lata para hornear galletas. Ponerla aparte.

- En un tazón, hacer una crema con la mantequilla, el azúcar morena y el huevo. Mezclar las manzanas, los albaricoques, el jugo de manzana y el jugo de limón.

- En un segundo tazón, cernir los ingredientes secos. Incorporarlos a la primera mezcla.

- Poner la masa en la lata, usando 2 cdas (30 ml) de masa por cada galleta. Hornearlas por 10-12 minutos. Servirlas tibias.

Galletas de Mantequilla de Cacahuate

ALREDEDOR DE 3 DOCENAS	
¹/₂ taza	(125 ml) manteca vegetal
¹/₂ taza	(125 g) azúcar
¹/₂ taza	(56 g) azúcar morena
¹/₂ taza	(125 g) mantequilla de cacahuate
1	huevo
¹/₂ cdta	(2 ml) extracto de vainilla
1 ³/₄ taza	(200 g) harina de todo uso
1 cdta	(2 g) bicarbonato de sodio
¹/₂ cdta	(2 g) sal
36	cacahuates

▪ Precalentar el horno a 375 °F (190 °C). Enmantequillar una lata para hornear galletas. Ponerla aparte.

▪ En un tazón, hacer una crema con la manteca vegetal, el azúcar blanca y el azúcar morena. Incorporar la mantequilla de cacahuate, el huevo y el extracto de vainilla.

▪ En un segundo tazón, cernir la harina, el bicarbonato y la sal. Incorporarlos en la primera mezcla. Mezclarlos bien para hacer una masa homogénea.

▪ Hacer con la masa bolitas de 1 pulg (2,5 cm). Usando un tenedor previamente sumergido en agua caliente, aplanar un poco las bolitas. Decorar cada una con un cacahuate. Hornearlas por 10-12 minutos.

Delicia de Frutas Secas

ALREDEDOR DE 2 DOCENAS	
2 ¹/₂ tazas	(290 g) harina de todo uso
1 cdta	(2 g) polvo de hornear
¹/₂ cdta	(1 g) bicarbonato de sodio
¹/₂ cdta	(2 g) sal
¹/₃ taza	(80 g) mantequilla, ablandada
1 taza	(250 g) azúcar
2	huevos
3 cdas	(45 ml) leche
1 taza	(160 g) nueces, picadas
1 taza	(160 g) dátiles, picados
¹/₂ taza	(80 g) cerezas acarameladas, picadas

▪ Precalentar el horno a 375 °F (190 °C). Enmantequillar una lata para hornear galletas. Ponerla aparte.

▪ En un tazón, cernir la harina, el polvo de hornear, el bicarbonato y la sal. Poner aparte.

▪ En un segundo tazón, mezclar la mantequilla, el azúcar, los huevos y la leche. Incorporarles los ingredientes cernidos. Mezclar las nueces, los dátiles y las cerezas.

▪ Hacer con la masa bolitas de 1 pulg (2,5 cm). Ponerlas en la lata. Hornear por 12 minutos.

▪ Sacar del horno. Dejar que las galletas se enfríen. Servir.

VARIACIONES
• Usar frutas acarameladas y nueces diferentes.

Galletas de Pasas

1 taza	(250 ml) agua
1 taza	(160 g) pasas
4 tazas	(460 g) harina de todo uso
1 ½ cdta	(3 g) polvo de hornear
1 cdta	(2 g) bicarbonato de sodio
1 cdta	(5 g) sal
1 taza	(250 ml) aceite
2 tazas	(500 g) azúcar
3	huevos
1 cdta	(5 ml) extracto de vainilla

- Precalentar el horno a 220 °F (425 °C). Enmantequillar 2 latas para hornear galletas. Ponerlas aparte.
- En una cacerola, llevar a ebullición el agua y las pasas.
- En un tazón, cernir la harina, el polvo de hornear, el bicarbonato y la sal. Poner aparte.
- En un segundo tazón, batir el aceite, el azúcar, los huevos y el extracto de vainilla por 2 minutos. Incorporar gradualmente las 2 primeras mezclas. No sobremezclar. Poner la masa en las latas, usando 2 cdas (30 ml) de masa por cada galleta. Hornear en la parrilla de más arriba por 10 minutos.
- Sacar las galletas del horno. Dejar que se enfríen.

Galletas de las Praderas

⅓ taza	(38 g) azúcar morena
⅓ taza	(80 g) mantequilla, ablandada
½ taza	(125 ml) crema espesa
1	huevo, batido
½ taza	(57 g) harina
1 ½ taza	(375 ml) copos de avena
½ taza	(125 g) semillas de girasol
½ taza	(80 g) pasas
⅔ taza	(130 g) trocitos de chocolate
½ taza	(80 g) almendras en rodajas

- Precalentar el horno a 350 °F (175 °C). Enmantequillar una lata para hornear galletas. Ponerla aparte.
- En un tazón, mezclar el azúcar morena y la mantequilla. Agregar la crema y el huevo. Batir hasta que la mezcla se espese. Incorporar el resto de los ingredientes; mezclar bien.
- Poner la masa en la lata, usando 2 cdas (30 ml) de masa por cada galleta.
- Hornear en la parrilla de más arriba por 20 minutos.

VARIACIONES

- Usar trocitos de chocolate blanco o de algarrobo. Reemplazar las almendras con nueces picadas.

Galletas de Trocitos de Chocolate

2 tazas	(500 g) mantequilla
$^3/_4$ taza	(180 g) azúcar
$^3/_4$ taza	(75 g) azúcar morena
3	huevos
4 tazas	(460 g) harina de todo uso
2 cdtas	(5 g) bicarbonato de sodio
1 cda	(15 g) sal
2 $^1/_2$ tazas	(500 g) trocitos de chocolate

- Precalentar el horno a 350 °F (175 °C).

- En un tazón, hacer una crema con la mantequilla. Incorporar el azúcar blanca, el azúcar morena y los huevos. Poner aparte.

- En un segundo tazón, cernir la harina, el bicarbonato y la sal. Incorporarlos en la mezcla de mantequilla. Agregar los trocitos de chocolate.

- Hacer rollos con la masa. Cortarlos en rueditas de $^1/_2$ pulg (1,25 cm) de grueso. Para no quemar las galletas, duplicar el grosor de la lata (poniendo 2 latas, una sobre la otra) o bajar la temperatura del horno. Hornear por 6 minutos. Servir.

La receta se muestra arriba

GALLETAS DE CHOCOLATE Y JALEA

- Antes de ponerlas en el horno, hacer una cavidad profunda en el centro de cada ruedita de masa. Llenar la cavidad con la jalea o mermelada de su gusto.

La receta se muestra al lado

Galletas de Granola

ALREDEDOR DE **4** DOCENAS

³/₄ taza	(180 g) mantequilla o margarina
1 ¹/₂ taza	(170 g) azúcar morena
3	huevos
1 cdta	(5 ml) extracto de vainilla
1 taza	(115 g) harina de todo uso
1 taza	(250 ml) copos de avena
¹/₄ taza	(28 g) germen de trigo
1 cdta	(2 g) bicarbonato de sodio
¹/₂ cdta	(2 g) sal
³/₄ taza	(120 g) coco rallado
³/₄ taza	(120 g) higos secos, picados
¹/₂ taza	(80 g) nueces, picadas

- Precalentar el horno a 350 °F (175 °C). Enmantequillar varios moldes para hornear galletas. Ponerlos aparte.

- En un tazón, hacer una crema con la mantequilla y el azúcar morena. Mezclar los huevos y el extracto de vainilla. Poner aparte.

- En un segundo tazón, mezclar la harina, los copos de avena, el germen de trigo, el bicarbonato y la sal. Incorporarlos en la primera mezcla. Mezclar el coco, los higos y las nueces.

- Poner la masa en las latas. Hornear por 12-15 minutos.

La receta se muestra arriba

Galletas de Masa

ALREDEDOR DE **1** DOCENA

¹/₄ taza	(60 g) mantequilla
¹/₄ taza	(28 g) azúcar morena
¹/₂ taza	(125 ml) crema ácida
2 tazas	(230 g) harina de todo uso
2 cdtas	(5 g) polvo de hornear
¹/₂ cdta	(1 g) bicarbonato de sodio
¹/₂ cdta	(2 g) sal
²/₃ taza	(160 ml) decoración de su gusto: nueces, frutas secas, pedazos de chocolate
1	huevo, batido
	azúcar glass o cacao

- Precalentar el horno a 375 °F (190 °C). Enmantequillar una lata para hornear galletas. Ponerla aparte.

- En un tazón, hacer una crema con la mantequilla y el azúcar morena. Mezclar la crema ácida.

- En un segundo tazón, cernir la harina, el polvo de hornear, el bicarbonato y la sal. Incorporarlos en la primera mezcla. Mezclarlos bien para hacer una masa homogénea.

- Pasarle un rodillo a la masa. Cortar las galletas con un cuchillo o un cortador de galletas. Cubrirlas con la decoración de su gusto. Untarles huevo batido. Ponerlas en la lata. Hornear por 12 minutos. Espolvorear con azúcar glass o cacao antes de servir las galletas.

Mantecados

1 taza	(250 g) mantequilla sin sal, ablandada
1 $\frac{1}{4}$ taza	(300 g) azúcar
1	huevo
3	yemas de huevo
1 cda	(15 ml) extracto de almendra
2 $\frac{3}{4}$ tazas	(315 g) harina de todo uso
$\frac{1}{2}$ taza	(56 g) maicena
	nueces o frutas acarameladas, picadas

■ Precalentar el horno a 350 °F (175 °C).

■ En una batidora de tazón grande, batir la mantequilla y el azúcar. Incorporar el huevo entero, las yemas de huevo y el extracto de almendra; batir bien.

■ En un segundo tazón, cernir la harina y la maicena. Incorporarlas gradualmente en la primera mezcla, revolviendo constantemente para hacer una masa homogénea.

■ Usando una bolsa de pastelería de boquilla acanalada, poner chorritos de masa en una lata para hornear galletas no enmantequillada, a una distancia de 1 pulg (2,5 cm). Decorar con nueces o frutas acarameladas. Hornear por 10-12 minutos o hasta que las galletas se doren bien. Dejar que se enfríen.

Galletas Enrolladas de Mantequilla

$\frac{3}{4}$ taza	(180 g) mantequilla con sal, ablandada
1 $\frac{1}{4}$ taza	(300 g) azúcar
3	yemas de huevo
1 cdta	(5 ml) extracto de almendra
2 $\frac{1}{2}$ tazas	(290 g) harina, cernida

■ Precalentar el horno a 350 °F (175 °C). Enmantequillar una lata para hornear galletas. Ponerla aparte.

■ En una batidora de tazón grande, hacer una crema con la mantequilla y $\frac{3}{4}$ taza (180 g) de azúcar. Incorporar las yemas de huevo y el extracto de almendra. Mezclar la harina. Tapar. Refrigerar por 40 minutos.

■ Sacar la masa del refrigerador. Hacer dos rollos de 1 $\frac{1}{2}$ pulg (3,75 cm) de ancho. Rodarlos en el resto del azúcar. Sellarlos con papel plástico. Refrigerarlos por 20 minutos más.

■ Cortar los rollos en rodajas de $\frac{1}{4}$ pulg (0,5 cm) de grosor. Ponerlas en la lata para hornear galletas. Hornear por unos 10 minutos. Dejar que las galletas se enfríen. Servir.

VARIACIÓN

• Rodar los rollos en almendra en polvo, en lugar de azúcar.

Dedos de Dama

ALREDEDOR DE 4 DOCENAS

8	yemas de huevo
1	huevo
2 tazas	(500 ml) merengue, en picos firmes *(p. 358)*
1 ¹/₄ taza	(170 g) harina

• Precalentar el horno a 425 °F (220 °C).

• En un tazón, batir las yemas de huevo y el huevo. Con un batidor, incorporar gradualmente el merengue, alternando con harina. No sobremezclar. Usando una bolsa de pastelería con boquilla sencilla, poner dedos de 3 pulg (7,5 cm) de largo en una lata para hornear galletas no enmantequillada, espaciándolos 1 pulg (2,5 cm). Para un borde charlotte, espaciarlos solamente ¹/₄ pulg (0,5 cm). Hornear por 5-8 minutos.

• Dejar que las galletas se enfríen.

DEDOS DE DAMA DE CACAO
• Reducir la harina a ³/₄ taza (85 g) y agregar ¹/₄ taza (28 g) de cacao.

DEDOS DE DAMA BAÑADOS EN CHOCOLATE
• Sumergir los dedos de dama fríos en ¹/₂ taza (100 g) de chocolate derretido.

Haciendo Dedos de Dama

• *Usando una bolsa de pastelería con boquilla sencilla, poner dedos de 3 pulg (7,5 cm) de largo en una lata para hornear galletas no enmantequillada, espaciándolos 1 pulg (2,5 cm)*

Borde Charlotte

• *En una lata para hornear galletas, espaciar los dedos solamente ¹/₄ pulg (0,5 cm), para que las galletas formen una franja al hornearse.*

• *Borde Charlotte y dedos de dama horneados.*

DEDOS DE DAMA BAÑADOS EN CHOCOLATE
• Sumergir los dedos de dama fríos en el chocolate derretido.

Galletas de Queso

ALREDEDOR DE 1 DOCENA

4 tazas	(460 g) harina
4 cdtas	(10 g) polvo de hornear
2 cdtas	(10 g) sal
¹/₄ taza	(60 g) mantequilla
¹/₃ taza	(53 g) queso Cheddar, rallado
1 ¹/₂ taza	(375 ml) leche
¹/₃ taza	(53 g) queso Parmesano, rallado

• En un tazón, cernir la harina, el polvo de hornear y la sal. Agregar la mantequilla, mezclándola hasta que esté granulada. Incorporar el queso Cheddar. Poner la leche. Mezclar hasta que la masa se deslice por los lados del tazón. Refrigerarla por 1 hora.

• Precalentar el horno a 400 °F (205 °C). Enmantequillar una lata para hornear galletas. Ponerla aparte.

• En una superficie enharinada, pasarle el rodillo a la masa hasta tener un grosor de ¹/₂ pulg (1,25 cm). Cortarla en cuadrados con un cuchillo o un cortador de galletas. Ponerlos en la lata. Espolvorear los cuadrados con el queso Parmesano. Hornear por unos 15 minutos.

VARIACIONES
• Usar quesos diferentes.

MENÚS

Para que un menú sea bien balanceado, debe incluir por lo menos una ración de cada grupo de la Guía Alimenticia Canadiense: productos de granos, frutas y verduras, productos lácteos, carnes y sustitutos. Los alimentos de alto contenido de grasa y azúcar no se incluyen en la Guía Alimenticia Canadiense. Esto no significa que los tenemos que eliminar de nuestro menú; sólo trate de consumirlos con moderación.

En este capítulo descubra menús maravillosos e innovadores compuestos de recetas de este libro. Estamos seguros que sus familiares e invitados se levantarán de la mesa con sonrisas de satisfacción y y ofrecerán muchas felicitaciones al cocinero o la cocinera.

COMO PLANEAR LOS MENÚS

UNAS PALABRAS DEL CHEF

El siguiente capítulo está dedicado a simplificar el arte de crear menús para toda clase de ocasión. Esos menús aparecen bajo 4 encabezamientos : menús estándar; menús con tema; buffets; y menús saludables.

*Todas las recetas que se presentan en **¿Qué Cocinar?** ayudarán a crear su reputación como persona de paladar refinado y como chef.*

Sin embargo, por sí mismas la calidad y la originalidad de las recetas que usted sirva, no garantizan el éxito. Usted también debe aprender a planear sus menús basándose en algunas reglas sencillas las cuales se presentan aquí para su beneficio.

GUÍA PARA UN MENÚ DE ÉXITO

La forma en que una comida sabe en una cosa, ¡la forma en que luce es algo diferente! Debido a que todos "comemos" primero con nuestros ojos, los platos deben ser atractivos – deben estimular nuestro apetito con un juego de colores, formas y texturas.

Menús Estándar

QUE HACER

- *Variar el color de las salsas que se sirven en una comida.*

- *Usar varios aderezos, tanto para un mismo plato como para toda la comida.*

- *Combinar platos que requieren diferentes métodos de cocina.*

QUE NO HACER

- *No debe servir nunca más de un plato de la misma carne, ave, pescado o marisco.*

- *No debe usar nunca aderezos similares en una misma comida.*

Por ejemplo : *El Abadejo al Estilo Griego (p. 203) y los Champiñones Griegos (p. 248)*

- *No debe combinar nunca un plato con una salsa de la misma familia.*

Por ejemplo : *mayonesa y salsa tártara*

- *No debe incluir nunca dos platos de naturaleza parecida.*

Por ejemplo : *Sopa de Puerros (p. 30) y Puerros Alfredo (p. 257)*

- *No debe planear nunca un menú con platos que requieren la misma preparación.*

Por ejemplo : *Bolitas de Huevo (p. 21) y Guiso de Albóndigas (p. 188)*

Menús con Tema

Aunque las reglas básicas que se definen en los Menús Estándar le permiten planear con confianza los menús para todos los días, algunas veces se pueden ignorar. Por su propia naturaleza, un menú con tema requiere alguna repetición de ingredientes y métodos de preparación.

• Un menú de verano puede incluir más de un plato asado al carbón.

• Un menú de verano puede contener muchos platos en los cuales las verduras y frutas en cosecha juegan un papel importante.

• Un menú del tipo festival, por definición, requiere varios platos que usan ingredientes similares.

Buffets

Los buffets también se gobiernan con reglas diferentes. Aquí prevalecen consideraciones estéticas.

Por un lado, los colores, las decoraciones, y los aderezos, deben ser variados. Por el otro lado, ya que se sirven muchos platos, cualquier intento para evitar la repetición de ingredientes y métodos de preparación no es solo futil, sino también inútil. Por lo tanto, la regla básica es **armonía**: armonía de colores; armonía de presentación; armonía de sabores.

UNAS PALABRAS DE LA DIETISTA

Consumir comidas saludables y balanceadas se ha convertido en una meta positiva para muchos de nosotros, y es una meta que se puede lograr con facilidad escogiendo nuestra comida de entre los 4 grupos de alimentos. Cuando planeamos los menús, solamente necesitamos agregar o sacar algunos alimentos de cada uno de los grupos para comer en forma saludable.

Veamos como se puede modificar un menú estándar para obtener elementos nutritivos de los 4 grupos de alimentos.

Menú Estándar

Sopa de Puerro
30
Pollo en Salsa de Melocotón
104
Ensalada Verde Adornada
272

SE VUELVE

Menú Saludable

Sopa de Puerro
30
Pollo en Salsa de Melocotón
104
Pasta de Espinaca
267
Ensalada Verde Adornada
272
Yogurt Congelado de Frambuesa
408

PLANEANDO UN MENÚ SALUDABLE

de acuerdo a los 4 grupos de alimentos

3 porciones de Verduras y Frutas

1 porción de Carne y Alternativas

1 porción de Productos de Granos

1 porción de Productos Lácteos

Menús saludables

Para que un menú se considere como saludable, debe cumplir los 4 requisitos siguientes. Debe :

- incluir alimentos de los 4 grupos de alimentos,
- ser de bajo contenido de grasa,
- ser de contenido alto de las vitaminas y minerales necesarios,
- ser de contenido alto de glúcidos complejos y fibra.

Menú Saludable

EJEMPLO 1

Sopa para Buena Salud

30

Ternera con Cebollines

147

Arroz con Espinaca y Queso

76

Zanahorias Glacé

246

Cuadrados de Dátiles Saludables

373

Los 4 grupos de alimentos

Para sentirse bien acerca de usted mismo/a, coma bien, y coma en forma saludable.

Disfrute todos los días de una variedad de alimentos de cada grupo, y consuma con mayor frecuencia alimentos con bajo contenido de grasa.

Productos de Granos

Escoja más a menudo productos de grano integral y enriquecidos.

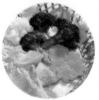

Verduras y Frutas

Escoja con mayor frecuencia verduras de color verde oscuro y anaranjado, y frutas anaranjadas.

Productos Lácteos

Escoja más a menudo productos lácteos de menor contenido de grasa.

Carne y Alternativas

Escoja más a menudo carnes, aves, y pescados, más magros, y además, legumbres.

Otros alimentos

Otros alimentos y bebidas, que no son parte de ninguno de los grupos de alimentos, también le pueden dar sabor y hacer que disfrute más sus menús. Sin embargo, algunos de ellos son de contenido alto de grasas o calorías.

Consuma esos alimentos con moderación.

¿Cuántas porciones de cada grupo de alimentos necesita usted?

Debido a que las personas necesitan diferentes cantidades de alimentos, lo que se debe escoger de los 4 grupos de alimentos debe incluir :

Productos de Granos
5-12 porciones por día

Verduras y Frutas
5-10 porciones por día

Carne y Alternativas
2-3 porciones por día

Productos Lácteos
2-4 porciones por día

Niños de 4-9 años : 2-3 porciones
Jóvenes de 10-16 años : 3-4 porciones
Adultos : 2-4 porciones
Mujeres embarazadas y lactantes : 3-4 porciones

La cantidad de porciones que usted necesita todos los días de los 4 grupos de alimentos y de otros alimentos depende de su edad, el tamaño de su cuerpo, su sexo y su nivel de actividad. Esa cantidad aumenta durante el embarazo y la lactancia.

Menú Saludable

EJEMPLO **2**

Fondue de Tomate
75

Salmón al Horno
197

Flores de Brócoli Picantes
244

Papas en Salsa Mornay
261

Ensalada de Frutas
277

¡Demasiadas porciones!

¡Esto puede parecer como demasiada comida! Empiece revisando sus necesidades reales. Puede ser que usted ya está consumiendo más porciones de las que cree. Por ejemplo, un plato de espaguetis puede contar como 3-4 porciones de productos de granos, y una "cajita" de jugo como 2 porciones de verduras y frutas.

¿Qué es una porción ?

Existe una regla empírica para determinar una porción sencilla de cada alimento de los 4 grupos de alimentos.

Por ejemplo, en productos de granos :
1 rodaja de pan = 1 porción;
1 bagel, pan de pita o bollito de pan = 2 porciones.

Las porciones de la Carne y Alternativas varían en tamaño. Por ejemplo :
1 porción = 2-4 oz (50-100 g) de carne, ave o pescado.

Asimismo, las porciones para niños deben ser más pequeñas que las porciones para adultos.

Energía = Calorías

Usted necesita comida para obtener energía. La energía se mide en Calorías, Kilocalorías (kcal) o Kilojoules (kJ). Por lo tanto, mientras más calorías usted consume, tiene más energía. Si usted escoge los alimentos y determina las porciones usando la información que se provee en este capítulo, usted obtendrá entre 1800-3200 calorías por día.

Si usted no come mucho, es importante que escoja sus alimentos con cuidado. Por ejemplo, las mujeres deberían escoger alimentos de alto contenido de hierro, como carne de res y de caza, cereales de grano integral o enriquecidos, y legumbres. Si usted come porciones pequeñas y siente hambre o si está tratando de perder peso, podría necesitar aumentar el número de porciones de los 4 grupos de alimentos y otros alimentos.

Menús para todos los días

Cuando se planean comidas balanceadas, se debe aplicar la regla de oro de los 4 grupos de alimentos. Si su menú no incluye alguno de esos grupos de alimentos, usted podría agregar como una extra el alimento que falta a la hora de la comida o más tarde como un bocadillo.

Panecillos Rellenos con Ensalada
86

Ensalada de Garbanzos
282

Flan de Melocotón
352

Sopa de Crema de Lechuga
33

Abadejo a la Griega
203

Ensalada de Maíz
278

Sorpresa de Aguacate
60

Carne Olé
136

Ensalada Refrigerada
272

Menús de tres platos

Sopa de Puerro
30

Pollo en Salsa de Melocotón
104

Ensalada Verde Adornada
272

Crema de Vegetales
39

Medallones de Cordero con Pistachos y Menta
169

Crepas de Verano
384

Fricassée de Pollo Endiablado
113

Ensalada de Arroz Marrón
281

Pastel Suave de Galleta de Trocitos de Chocolate
391

Menús de fin de semana

Menús de cuatro o cinco platos

Usted nunca debe ignorar la importancia de escoger alimentos de los 4 grupos de alimentos. Cada grupo juega un papel esencial en la alimentación saludable, y proporciona varias combinaciones de vitaminas y minerales. Omitirlos puede llevar a problemas de la salud, puede afectar su piel y cabello, causar fatiga, etc.

Sopa de Hinojo
31

Tarta de Paté de Hígado
68

Coq au Vin
112

Charlotte de Chocolate con Café
327

Fondue Parmesano
81

Guiso de Carne con Tomate
137

Ensalada César
273

Torta de Piña
325

MENÚS DE DÍAS DE FIESTA

BUFFET DE NOCHEBUENA

Tomates Tapados
20

Chouxs de Queso
20

Canapés de Camarones
26

Quiche de Brócoli
73

Almejas en Salsa de Cerveza
214

Jamón Adornado
193

Remolachas Picantes   *244*
Chícharos Gourmet de Lyon   *258*

Ensalada de Papas
278

Ensalada Florentina de Champiñones
274

Fruta con Chocolate Doble
369

Trufas de Chocolate
370

Leño de Navidad
299

ALMUERZO DE NAVIDAD

Sopa de Chícharos
40

Fricassée de Codorniz
en Salsa de Naranja
88

Torta Sabrosa de Carne
141

Puré de Papas con Jamón   *260*
Brochetas de Brócoli   *244*
Zanahorias con Mostaza   *246*

Ensalada de Berro
270

Charlotte de Fresa con Coco
327

CENA DE NAVIDAD

Menú 1

Sopa de Crema de Zanahoria
38

Salmón Noruego
66

Trou Normand
96

Pavo Asado con Relleno a la Antigua
118

Papas Sofritas   *260*
Ensalada Caliente de Ejotes con Mantequilla   *254*
Tomates Adornados   *262*

Ensalada Refrigerada
272

Bandeja de Queso
286

Bizcocho de Frutas
308

Menú 2

Sopa Espesa de Ostras
44

Tarta de Caviar
68

Albóndigas de Ternera en Salsa de Melocotón
87

Sorbete de Vino Muscadet
92

Gallina de Guinea Asada con Cerezas
224

Arroz con Huevo Frito   *266*
Champiñones de Ostra Fritos   *248*
Puré de Zanahoria   *246*

Anillo de Brócoli Gelatinado
276

Queso Azul con Vino Oporto
288

Charlotte Royal
329

BUFFET DE FIN DE AÑO

Chouxs de Queso
20

Palitos de Prosciutto
22

Canapés
26

Aspic
60

Pastel de Verduras
72

Rollitos de Salchicha
88

Ensalada de Salmón
283

Ensalada Crujiente
280

Conos de Chocolate con Frutas
361

Mordiscos de Amor
369

Bolitas de Higo con Chocolate
375

ALMUERZO DE AÑO NUEVO

Velouté de Cabecitas de Violín con Crotones
38

Mousse de Salmón Ahumado
65

Costillar de Cerdo con Lentejas
183

Papas al Horno
261

Anillos de Cebolla con Semillas de Ajonjolí
256

Nabo de Dos Tonos
254

Ensalada Mixta
274

Pastel de Queso Clásico
316

CENA DE AÑO NUEVO

Sopa de Pesto
36

Molde de Camarón
62

Crepas de Remolacha (Betabel)
78

Frutillas Congeladas
95

Pato a la Naranja
122

Endibias con Pastis   *253*
Fantasía de Verduras   *258*
Puré de Papas con Jamón   *260*

Ensalada Florentina de Champiñones
274

Saint-Honoré
314

BUFFET DE AÑO NUEVO

Tostadas de Queso Dorado
25

Champiñones Rellenos con Paté
24

Galletitas con Ostras
22

Lonja de Ternera
157

Pechuga de Pavo Rellena
120

Coles de Bruselas con Azafrán   *250*
Zanahorias con Mostaza   *246*

Ensalada de Papas
278

Ensalada Verde Adornada
272

Bandeja de Quesos
286

Frutillas Congeladas
95

Dulces Divinos
374

Repollitos de Crema
357

Menús para Ocasiones Especiales

Los menús para fiestas y buffets son más elaborados y a menudo de mayor contenido de grasa y calorías que los menús para todos los días que se presentan en este libro.

Por esta razón, los menús siguientes se deben reservar solamente para ocasiones especiales.

Almuerzo de Domingo de Pascua

Menú 1

Sopa de Hinojo
31

Islas de Piña
63

Pastel de Jamón con Azúcar
192

Cebollas Rojas Acarameladas   *256*
Pimientos Dulces Verdes con Limón   *259*
Papas Sofritas   *260*

Anillos de Brócoli Gelatinados
276

Bizcocho de Plátano De Lujo
302

Menú 2

Sopa de Crema de Zanahoria
38

Melocotones Rellenos
59

Trucha Rellena con Champiñones
199

Papas en Salsa Mornay   *261*
Bolas de Calabacita
en Salsa de Tomate   *252*

Ensalada Sorpresa
274

Pastel Volteado de Pera y Pastis
341

Cena de Domingo de Pascua

Menú 1

Sopa de Puerro
30

Tomates Rellenos
65

Plátanos Envueltos con Tocineta
73

Trou Normand
96

Jamón de Pascua
190

Brochetas de Brócoli   *244*
Fantasía de Verduras   *258*
Papas al Horno   *261*

Ensalada César
273

Torta de Chocolate con Pera
324

Menú 2 ▪ Buffet

Canapés
26

Tomates Tapados
20

Remolinos de Queso
25

Jamón de Pascua (variación)
190

*Corazones de Alcachofa
en Salsa de Tomate*   **240**
Espárragos Marinados   **241**

Ensalada de Arroz con Cinco
Verduras
280

Ensalada Refrigerada
272

Bandeja de Quesos
286

Trufas de Chocolate
370

Medias Lunas de Avellana
375

Caramelos de Fruta Seca
376

Bolitas de Ron con Coco
376

CENA DEL DÍA DE LA MADRE

Menú 1

Sopa de Crema de Lechuga
33

Vinagreta de Corazones
55

Rosbif con Salsa de Champiñones
y Puerro
126
Papas al Horno   **261**
Tomates Adornados   **262**

Ensalada del Jardín
270

Pastel Suave de Piña
392

Menú 2

Sopa Espesa de Ostras
44

Espárragos au Gratin
74

Escalopes de Salmón con
Mantequilla de Acedera
196

Pasta de Espinaca   **267**
Pimientos Dulces Sofritos   **259**

Ensalada de Frutas
277

Pastel de Queso con Avellanas
318

CENA DEL DÍA DEL PADRE

Menú 1

Sopa de Pimiento Dulce Verde
48

Nachos de Fiesta
80

Pierna de Cordero Rellena
162

Papas al Horno   **261**
Chícharos Verdes en Salsa Picante   **258**
Coles de Bruselas con Prosciutto   **250**

Ensalada César
273

Tarta de Frutas del Jardín
346

Menú 2

Rollos de Espárragos
53

Fondue Parmesano
81

Bistecs a la Pimienta
128

Papas Fritas al Horno   **261**
Puerros Alfredo   **257**
Zanahorias con Mostaza   **246**

Ensalada Verde Adornada
272

Sorbete de Fresa
406

BUFFETS Y DESAYUNOS TARDÍOS

DESAYUNOS TARDÍOS

Las bandejas de queso le dan un toque final agradable a los buffets de fiesta – en los que a menudo no se sirven productos lácteos. El yogurt es una alternativa más apropiada para los menús de días de semana.

Consejos sobre color y salud :

1   Si no se sirvió frutas durante la comida, agregar uvas jugosas u otra fruta de la estación va a mejorar cualquier bandeja de quesos.

2   Si no se incluyeron productos de granos en el menú, los bollitos de trigo integral y el queso ¡son una combinación perfecta!

Desayuno 1

Sopa Agridulce
42

Carpacio
143
Ceviche
216

Omelette de Pescado Ahumado
211
Pastel del Pastor de Ternera
154

Arroz de Fantasía	*236*
Repollo Rojo con Oporto	*249*
Puerros Flojos con Pasas	*257*

Ensalada de Otoño
274
Bandeja de Queso
286

Soufflé de Chocolate
394

Desayuno 2

Sopa Espesa de Cangrejo
46

Tostadas de Queso Dorado
25
Sorpresa de Caracoles
22

Pastel de Verduras
72

Champiñones Rellenos con Pollo
77
Lonja de Ternera
157

Papas en Salsa Mornay	*261*
Crepas de Tomate	*262*

Ensalada Italiana
283
Queso Marinado
288

Bizcocho de Zanahoria de la Nueva Era
307

BUFFETS

Un aspecto crítico en la planeación de un buffet es la conservación de la comida. Los platos con mayonesa o carne nunca se deben dejar a temperatura ambiente por más de 1 hora. También no se deben preparar con más de 24 horas de anticipación, y se deben mantener en refrigeración hasta que se vayan a servir.

MENÚS DE GALA Y DE GOURMET

MENÚS DE GALA

MENÚS DE SIETE PLATOS

Menú 1

Sopa de Pesto
36

Entremés de Vieiras
67

Mimosa de Espárragos
74

Granita de Melón Dulce
92

Medallones de Ternera con
Garbanzos
150

Ensalada Fácil
271

Crepas de Dulce
de Nueces
381

Menú 2

Sopa para Buena Salud
30

Moldes de Zanahoria y Albaricoque
56

Trou Normand
96

Lenguado Relleno con Camarones
200

Ensalada Florentina de
Champiñones
274

Brie Dulce
288

Mousse de Tutti-Frutti
400

MENÚS DE OCHO PLATOS

Menú 1

Sopa Espesa de Camarones
44

Vinagreta de Corazones
55

Rollitos de Queso
81

Frutillas Congeladas
95

Medallones de Cordero con
Pistachos y Menta
169

Ensalada Verde Adornada
272

Queso Marinado
288

Crema Caliente de Licor de Naranja
405

Menú 2

Sopa de Calabaza
48

Crepas de Coliflor
78

Sorbete de Vino Muscadet
92

Codornices Rellenas
122

Ensalada del Jardín
270

Copas de Frutas Congeladas
95

Bandeja de Queso
286

Savarin
365

Menús de Gourmet

Menús de nueve platos

Sopa de Bacalao Ahumado
45

Pepino en Salsa de Menta
54

Fricassée de Codorniz en Salsa de
Naranja
88

Trou Normand
96

Mollejas de Ternera Meunière
158

Ensalada de Berro
270

Frutillas Congeladas
95

Queso Azul con Vino Oporto
288

Sorbete de la Pasión
407

Menús de Diez Platos

Velouté de Cabecitas de Violín
con Crotones
38

Aguacates Rellenos con Cangrejo
Picante
64

Champiñones Rellenos con Pollo
77

Sorbete de Vino Muscadet
92

Rollitos de Cordero con Berro
164

Ensalada de Dos Endibias
271

Queso de Cabra
con Hierbas y Aceite
288

Copas de Frutas Congeladas
95

Trufas de Chocolate
370

Soufflé de Plátano con Litchi
396

En el Indice Principal, las recetas se presentan primero por capítulo, y luego en orden alfabético dentro de cada sección.

El Indice sigue el orden usual de una comida, empieza con los bocadillos y termina con los postres.

SOPAS Y ENTREMESES

Entremeses Calientes

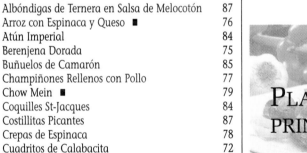

DULCE INTERMEDIO

PLATOS PRINCIPALES

Aves

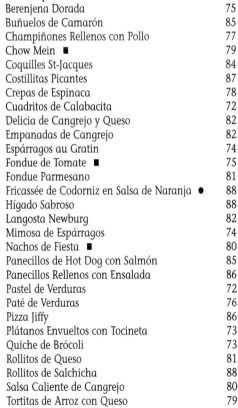

PLATOS COMPLEMENTARIOS

ENSALADAS

QUESOS

POSTRES Y REPOSTERÍA

INDICE SUPLEMENTARIO

El Indice Suplementario fue creado para facilitarle la localización de ciertas recetas. Lo que contiene es lo siguiente:

1 Recetas Fuera de Capítulo

Ciertas recetas pueden tener en su nombre, el nombre de alguna sección o capítulo y no se encuentran allí. Por ejemplo, la receta del Mousse de Carne, se encuentra en el capítulo de Entremeses Fríos, y no en el capítulo titulado Mousses.

El Indice Suplementario, bajo el encabezado Carne de Res, corrige esta situación y le permite que localice esa receta y otras del libro que se presentan fuera de categoría, usando las palabras claves que aparecen en sus nombres.

2 Recetas por Tema

El Indice Suplementario también agrupa de nuevo ciertas recetas que aparecen en diferentes partes del libro. Por ejemplo, todas las que tienen Varias Carnes, se encuentran bajo este encabezamiento en el Indice Suplementario, aunque se encuentran en diferentes capítulos en el Indice Principal.

3 Recetas presentadas por Ingrediente Principal

El Indice Suplementario identifica muchas recetas del libro de acuerdo a los ingredientes principales que contienen. Por lo tanto, la misma receta que contiene café y chocolate se encuentra en dos lugares en el Indice Suplementario: bajo Café, y también bajo Chocolate.

VARIAS CARNES

CARNE DE RES

CAFÉ

CARAMELO

CHOCOLATE

ANGELITOS (MALVAVISCOS)

VERDURAS

LEGUMBRES

MIEL

NUECES Y SEMILLAS